中华人民共和国法律释义丛书

全国人民代表大会常务委员会法制工作委员会　编

# 中华人民共和国
# 侵权责任法释义

主　编　王胜明

副主编　姚　红　贾东明

法律出版社

图书在版编目(CIP)数据

中华人民共和国侵权责任法释义 / 王胜明主编 ; 全国人大法工委编. -- 2 版. -- 北京 : 法律出版社, 2013.1(2018.11 重印)
(中华人民共和国法律释义丛书)
ISBN 978-7-5118-4526-9

Ⅰ. ①中… Ⅱ. ①王… ②全… Ⅲ. ①侵权行为-民法-法律解释-中国 Ⅳ. ①D923.05

中国版本图书馆 CIP 数据核字(2013)第 015837 号

**中华人民共和国侵权责任法释义**
**ZHONGHUA RENMIN GONGHEGUO QINQUAN ZERENFA SHIYI**

王胜明 主编
全国人大法工委 编

责任编辑 麦 锐
装帧设计 李 瞻

**编辑统筹** 法规出版分社
**出版** 法律出版社
**开本** 850 毫米×1168 毫米 1/32
**总发行** 中国法律图书有限公司
**印张** 19.625
**经销** 新华书店
**字数** 437 千
**印刷** 北京玺诚印务有限公司
**版本** 2013 年 1 月第 2 版
**责任印制** 吕亚莉
**印次** 2018 年 11 月第 2 次印刷

法律出版社/北京市丰台区莲花池西里 7 号(100073)
网址/www.lawpress.com.cn
投稿邮箱/info@lawpress.com.cn
销售热线/010-83938336
举报维权邮箱/jbwq@lawpress.com.cn
咨询电话/010-63939796

中国法律图书有限公司/北京市丰台区莲花池西里 7 号(100073)
全国各地中法图分、子公司销售电话:
统一销售客服/400-660-6393
第一法律书店/010-83938334/8335 西安分公司/029-85330678 重庆分公司/023-67453036
上海分公司/021-62071639/1636 深圳分公司/0755-83072995

**书号**:ISBN 978-7-5118-4526-9 **定价**:66.00 元
(如有缺页或倒装,中国法律图书有限公司负责退换)

# 总　序

人类文明的历史上,还没有哪一个时代像中国的改革开放40年一样,在历史长河中掀起如此巨大的浪花——它不仅深刻改变了一个国家的面貌与精神气质、使数亿人摆脱贫困,还极大地改变了世界格局。

1978,在那一年的年底,中共中央一次全体会议——十一届三中全会扭转了中国的前进方向,开辟了一个时代。回首过去,我们发现,一些观念从那时开始在中国出现,一些声音从那时开始逐渐响起,一些人物开始登上历史舞台。从这一年开始,随着"加强社会主义民主,健全社会主义法制"历史性任务的提出,"法制"两个字进入了人们的视野;政法机关开始恢复重建;法律院系开始蓬勃发展。一部部法律从庙堂走进了人们的生活,一次次裁决推动着国家前进的脚步。从"有法可依、有法必依、执法必严、违法必究"到"科学立法、严格执法、公正司法、全民守法";从"法制"到"法治";从法治观念的形成到"依法治国,建设社会主义法治国家"写进宪法,再到"法治国家、法治政府、法治社会一体建设",人们对法治的认识步步深入,中国的改革不断向前推进,结出丰硕的果实。在中国共产党的带领下,这个励精图治的古老国度,再一次创造了改革的奇迹。

40年发生了无数故事,40年产生了许多事物。为了纪念这难忘的40年,本社组织编辑出版了一批"纪念改革开放40周年"主题图书。这些图书,将40年来颁布的重要法律及其释义甄选汇集,将法学领域有代表性的学术论文萃取精编,把有关政法机关的重建、法律院系的重生与发展进行展现,将一批被时代改变命运的人物再次唤起。我们希望从法律与法律人的视角,重新审视过去的40年,认真体会这不平凡的40年。

如江河东下,逝者如斯。岁月总会过去,人事总有代谢,但一个不平凡的时代留下的深刻痕迹,永远不会磨灭。"不忘初心,牢记使命",习近平总书记在党的十九大报告中向全党发出的号召,使我们有理由期待,下一个40年,中国将更加惊艳!

法律出版社编辑委员会

2018年10月

# 出 版 前 言

《中华人民共和国法律释义丛书》是由全国人大常委会法制工作委员会组织编辑的一套系列丛书。

该套丛书由一系列法律释义组成。邀请有关专家、学者和部分参与立法的同志编著。该丛书坚持以准确地反映立法宗旨和法律条款内容为最基本要求,在每部法律释义中努力做到观点的权威性和内容解释的准确性。

我们相信,该套丛书的陆续出版,将会给广大读者进一步学好法律提供有益的帮助。

# 重印说明

本次重印,是为改革开放40周年制作的特别纪念版,为了保持内容原貌,未对正文和附录作实质修改。个别法条内容有修订或修正的,以脚注形式作了标注。特此说明。

2018年10月

# 目　录

## 导　言



## 第一部分　释　义

## 第二部分 附 录

# 导　言

## 我国的侵权责任法律制度

全国人大常委会法制工作委员会副主任　王胜明

一、侵权责任法律制度的基本问题

（一）侵权责任的含义和侵权责任法律制度的内容

侵权责任法律制度属于民事基本法律，是保障公民、法人的生命健康、人身自由、名誉权、隐私权、物权、知识产权等民事权益，维护经济秩序，构建和谐社会的基本规范。侵权责任法律制度包含侵权责任法以及其他相关法律规定，还包括行政法规等相关规定。什么是侵权责任？这里的侵权，指侵害民事权益；这里的责任，指民事责任。侵权责任，就是侵害民事权益后应当承担的民事责任。

侵权责任法律制度关系公民的日常生活和企业的生产经营，涉及面广，内容丰富。大陆法系许多国家的侵权责任法律制度，既有民法典规定，还有单行法规定，不少还有判例补充。美国侵权责任法律制度，除判例法、单行法外，仅《侵权法重述》就有近千个条文。我国涉及侵权责任法律制度的有民法通则等40多部法律。那么多的成文法和判例法,内容虽多,其实都在回答两个问题:一是侵权是否构成?二是责任如何承担?侵权是否构成主要由归责原则解决;责任如何承担主要由责任方式解决。因此,侵权责任法律制度的基本内容、基本规范就是归责原则和责任方式。整部侵权责任法和其他相关法律都从不同角度回答侵权是否构成和责任如何承担这两个问题,共同规则是概括的、一般的回答,特殊规则是具体的、个别的回答。

(二)侵权责任法律制度的作用

侵权责任法律制度的作用,可从多个角度阐述。基本作用有两个:一是保护被侵权人;二是减少侵权行为。

保护被侵权人是建立和完善侵权责任法律制度的主要目的。我国民法通则规定,公民享有生命健康权、姓名权、肖像权、名誉权、婚姻自主权等人身权,享有所有权、使用权等物权,享有合同等债权,享有著作权、商标专用权、专利权等知识产权。公民享有的许多民事权利法人也享有。法律规定的公民、法人的民事权益受到侵害怎么办,就要通过侵权责任法律制度保护被侵权人。我国法院受理侵权案件2007年为86.3万件,2008年为99.2万件。侵权责任法律制度是民事权利制度的保障,是审理侵权案件、解决侵权纠纷的依据。需要指出,保护被侵权人不是抽象概念,不同时期保护被侵权人的含义既有阶段性,又有延续性。随着经济、文化发展,对人的价值认识不断深化,对人的全面发展的要求不断提高,对被侵权人的保护范围不断扩大,保护水平不断提高,保护方式日趋多样。而且,保护被侵权人在许多情况下不是个人事情,如环境污染、产品责任、交通肇事、工伤事故等涉及人数较多的重大纠纷,也是社会问题。

减少侵权行为也是建立和完善侵权责任法律制度的基本目的。发生侵权行为后，侵权责任法律制度要求侵权人承担侵权责任，通过损害赔偿等方式，弥补被侵权人损失，消除影响，恢复原状，如使受污染的环境得以治理，受损害的健康得以康复。减少侵权行为，首先表现在侵权责任法律制度要求一切人遵纪守法，尊重公民、法人的人身权和财产权，谨慎行事，避免差错，不得侵害国家、集体和他人的合法权益。其次表现在要求企业加强管理，提高科学技术水平。进入工业社会，侵权行为大量发生在企业生产经营中，如产品责任、环境污染、生产安全事故等。侵权责任法律制度通过损害赔偿等方式，促使企业提高产品安全性能，保护人民群众生命财产安全；促进清洁生产，提高资源利用效率，减少环境污染；加强安全生产管理，减少安全生产事故。减少侵权行为还表现在促使企业和个人权衡得失，不冒险进入可能给公民、法人带来高度危险的行业。侵权责任法律制度要求行为人对自己的行为负责，促使侵权人吸取教训，其他人保持警惕，达到减少侵权行为的目的。因此，侵权责任法律制度规定的责任要有一定威慑力。

保护被侵权人和减少侵权行为是侵权责任法律制度两个基本作用。通过保护被侵权人和减少侵权行为，从民事制度上进一步保护人民群众安居乐业，促进社会和谐稳定。

（三）侵权责任法和相关法律的关系

规范侵权责任的法律有两个层次：

第一个层次是侵权责任法。侵权责任法作为民法的重要组成部分，从基本法的角度对侵权责任作出规定。侵权责任法的规定有三类：一是普遍适用的共同规则；二是典型的侵权种类的基本规则；三是其他单行法不可能涉及的一些特殊规则。

第二个层次是相关法律。许多单行法都从自身调整范围的角度对侵权责任作出一条或者几条规定。如《道路交通安全法》第七十六条规定了交通事故赔偿原则。

讲规范侵权责任的法律有两个层次,意在表明以下三层意思:(1)侵权责任法的制定很重要、很迫切,但一部侵权责任法解决不了所有民事侵权问题,世界上也没有哪一部侵权责任法能够囊括所有民事侵权内容。如德国,除民法典外,规范侵权责任的重要法律有赔偿义务法、道路交通法、航空交通法、原子能法、污染防控法、药品法、产品责任法、基因技术法、水务法、反不正当竞争法、强制保险法等法律。(2)有关侵权责任的法律在宪法统率下相辅相成,共同规范侵权责任。(3)侵权责任法和相关法律的关系,按照立法法规定,同一机关制定的法律,"特别规定与一般规定不一致的,适用特别规定",原则上优先适用相关法律。如果侵权责任法生效后,相关法律规定的内容已经在侵权责任法中完全体现,没有必要保留的,可在修改相关法律时删除。

## 二、侵权责任法律制度的发展变化和我国的现状

### (一)侵权责任法律制度的发展变化

侵权责任法律制度是一项古老的法律制度,大约公元前1250年的古巴比伦《汉谟拉比法典》,以及大约公元前450年古罗马《十二铜表法》中就有侵权责任规定。但侵权责任法律制度并不暮气沉沉,它适应社会实践发展的需要不断演变,就像一棵苍劲的古树不断抽出新枝。

侵权责任法律制度基本内容是归责原则。从归责原则看,历经几千年的侵权责任法律制度大体经过三个时期:第一,结果责任时期。结果责任不考虑行为人实施行为时是否

有过错,谁造成损害谁承担责任。在奴隶社会和封建社会,结果责任在归责原则中占据统治地位。当然,在结果责任的早期,已有过错责任原则的萌芽;在结果责任的晚期,越接近19世纪,过错责任的地位日益提高。结果责任时期在责任方式上呈现同态复仇特点。如《汉谟拉比法典》第196条规定:“倘若自由民毁损其他自由民之眼,则应毁其眼。”如《十二铜表法》第八表第二条规定:“毁伤他人肢体而不能和解,他人亦得同态复仇毁伤其肢体。”第二,过错责任原则时期。过错责任指的是造成损害并不必然承担赔偿责任,必须要看行为人是否有过错,有过错有责任,无过错无责任。把过错责任作为一般原则写入法典的代表作是1804年的《法国民法典》。《法国民法典》第1382条规定:“任何行为造成他人损害时,因其过错致使行为发生的人,应当对他人承担赔偿责任。”不问行为人有无过错就要行为人承担责任是不公平的,动辄得咎极大地限制了行为自由。过错责任、契约自由以及私权神圣是资本主义国家民法的三大支柱,共同为资产阶级的崛起提供法律武器。第三,过错责任和无过错责任并存时期。进入工业社会,技术日新月异,经济飞速发展,伴随而来的是事故大量发生,极大地危害生命和财产安全。在这样的时代背景下,如果还要被侵权人去证明企业在生产经营过程中的“过错”,结果是大量被侵权人得不到赔偿。经过反复抗争,在交通肇事、矿山事故等纠纷中率先突破过错责任,实行无过错责任。无过错责任指的是不考虑行为人在导致损害时的过错,除法律规定的免责事由外,行为人都要承担赔偿责任。1838年,《普鲁士帝国铁路法》第25条针对火车事故规定了无过错责任,但这一规定很长时间未真正实施。美国和欧洲在侵权纠纷中开始实行无过错责任发生在19世纪末20世纪初。无过错责任一直以判例和单行法的形式出现，到了 20 世纪末，考虑到个案和单行法的规定有疏漏之处，出现一般规定的动向。

近半个世纪以来，侵权责任法律制度的发展变化主要表现在：第一，保护范围不断扩大。伴随资本主义社会出现的民法典，早期以维护财产权利为核心，辅之少量的人身权利。德国 1896 年制定的民法典没有规定保护公民的名誉权，20 世纪 50 年代才开始明确保护名誉权。随着工业社会发展和进入信息时代，大量先进技术的发明和普及，在满足人的物质和文化需求同时，公民的人身、财产权利受到严重侵害，从而不断拓展对公民合法权益的保护范围。照相机、望远镜、录音机和录像机以及互联网的发展和普及，使过去难以想象的侵害名誉权、隐私权等行为屡屡发生，产品责任、环境污染、生产事故禁而不止，这一切都推动各国加强对公民生命和财产安全的保护。第二，责任方式不断增多。早期民法典以保护财产权利为核心，因此承担侵权责任的方式主要是损害赔偿。现在的民法典，重视保护公民、法人的人身权利，责任方式除损害赔偿外，还有停止侵害、赔礼道歉、消除影响、恢复名誉等，并逐渐扩大消除危险的适用范围。第三，举证责任逐渐减弱。与过错责任和无过错责任并存时期相适应，为了公平解决侵权纠纷，减少侵权行为，被侵权人的举证责任逐渐减弱。主要表现在：一是对过错的认定逐渐客观化，不从单个行为人的主观状态认定其过错，而以多数人的注意义务标准认定有无过错。二是在特定条件下法律规定不由被侵权人承担举证责任，而由行为人承担举证责任，学理上称为“举证责任倒置”。三是在实行无过错责任时，当事人双方不必证明行为人过错，只需争议法定免责事由是否存在，如不存在法定免责事由，行为人就要承担民事责任。第四,责任主体和赔偿主体逐渐分离。出现这种变化的原因是社会保险和商业保险的发展,以及专项赔偿基金的设立。如道路交通事故,实行强制保险前,责任人和赔偿人是同一人,实行强制保险后,在保险数额内责任人和赔偿人分离,赔偿人是保险公司,肇事者并不直接掏钱。从19世纪末20世纪初,特别是20世纪50年代以来,不少国家的社会保险、强制保险、专项赔偿基金制度和侵权责任法律制度,共同在解决侵权纠纷中发挥作用。

(二)我国侵权责任法律制度的现状

改革开放以来,我国十分重视侵权责任法律制度的建立和完善。1986年制定的民法通则,专设“民事责任”一章,对过错责任和无过错责任的归责原则、责任方式、典型的侵权类型作出规定,奠定了我国侵权责任法律制度的基础。除民法通则外,我国已有40多部单行法对相关侵权问题作出规定,主要是:(1)侵害物权责任。物权法、农村土地承包法作了规定;(2)侵害知识产权责任。商标法、专利法、著作权法作了规定;(3)侵害婚姻自主权和继承权等责任。婚姻法、继承法作了规定;(4)商事侵权责任。公司法、海商法、票据法、保险法、证券法、信托法作了规定;(5)交通事故责任。道路交通安全法、铁路法、民用航空法作了规定;(6)产品责任。产品质量法、药品管理法、消费者权益保护法作了规定;(7)环境污染责任。环境保护法、水污染防治法、大气污染防治法、固体废物污染环境防治法作了规定;(8)生产事故责任。安全生产法、建筑法、电力法、煤炭法作了规定;(9)食品安全和传染病传播责任。食品安全法、传染病防治法、献血法作了规定;(10)其他侵权责任。人民防空法、公路法等法律作了规定。

我国民法通则以及相关法律的规定，对明确侵权责任，保护公民、法人的合法权益，维护社会秩序，起到了积极作用。但是，我国侵权责任法律制度也存在一些问题，主要是：随着经济社会的发展，新的侵权类型不断出现，已有的侵权类型纠纷大量发生，而现行法律有些规定较为原则，缺乏可操作性，不少规定分散在单行法律中，缺乏对侵权责任的共性规定。为了更好地保护民事主体的合法权益，促进社会和谐稳定，制定一部较为完备的侵权责任法是必要的。

三、完善侵权责任法律制度的思考和建议

完善侵权责任法律制度的重要途径是制定侵权责任法，作为解决侵权纠纷的基本法律，同时制定和修改相关法律。以下汇报对侵权责任主要问题的思考和建议。

（一）机动车交通事故责任

完善侵权责任法律制度为什么首先讲机动车交通事故责任，原因在于机动车交通事故损害大，纠纷多。据世界卫生组织报告，全世界每年因道路交通死亡人数大约125万人，每天平均3000多人，全世界每年因道路交通事故造成损失大约5000亿美元。机动车交通事故案件占我国法院受理的侵权案件三分之一，有的地方法院占一半以上。

讲交通事故责任为什么着重讲机动车，而不是铁路、民航一起讲，主要是这几种交通工具特点不同，赔偿原则和免责事由也不同。机动车交通事故赔偿制度设计的指导思想是：第一，减少事故。道路交通事故发生原因错综复杂，好的赔偿制度应当明确责任，促使各方面都遵守交通法规，减少事故发生。第二，减少纠纷。事故发生后，责任明确，能及时、合理解决纠纷，就能减少纠纷。第三，有利于道路畅通。

现代意义上的汽车是1886年德国奔驰生产的，已有123

年历史。机动车交通事故赔偿制度，根据部分国家以及我国台湾、香港地区的情况看，大体经过三个阶段：第一阶段，按照一般过错责任处理交通事故纠纷，时间从汽车诞生大约到 20 世纪 30 年代。第二阶段，按照无过错责任或者过错推定处理交通事故纠纷。过错推定，有的解释为介于无过错责任和一般过错责任的中间责任。为什么从第一阶段发展到第二阶段，学理上有危险源说、控制说和利益说等多种理论，我认为最大理由是按照一般过错责任，交通事故发生后要让被侵权人去证明机动车一方发生车祸的“过错”，结果是大量被侵权人因难以证明而得不到赔偿，酿成社会问题。根据英国议会皮尔森委员会和美国交通部的报告，交通事故适用一般过错责任，40% 至 50% 的被侵权人得不到赔偿。1925 年，法国一个女孩过马路时被卡车撞死，一审、二审法院根据一般过错责任，女孩的父母要证明司机开车有疏忽或者卡车有安全隐患，结果都败诉。1930 年，法国最高法院改变适用一般过错责任，转为适用无过错责任，判决女孩父母胜诉。第三阶段，主要通过强制保险制度解决道路交通事故赔偿问题。适用无过错责任或者过错推定虽然加重机动车一方责任，但对被侵权人的保护还不够。一是解决纠纷耗时长，有时需要 4 至 5 年诉讼才能出结果，这对被侵权人及时救助非常不利。二是事故比较严重，被侵权人伤亡大，机动车一方赔不起。英国、德国从 20 世纪 30 年代，更多的国家从五六十年代开始建立强制保险制度解决道路交通事故赔偿问题。以上阐述的三个阶段，只能大体划分，有的国家只有第一阶段和第三阶段，跨过第二阶段；有的国家第二阶段和第三阶段连接，划分不明确。

需要汇报的是，道路交通事故纠纷的归责原则，虽然有的国家规定为过错推定，如日本、韩国；有的国家规定为无过错责任，如德国、法国，实际执行情况大同小异。这些国家基本通过强制保险制度解决赔偿问题，而且，无论适用无过错责任还是过错推定，由于被侵权人原因致使损害发生的，一般都可以减免机动车一方责任。我国道路交通安全法2003年制定，2007年对规定赔偿原则的第七十六条作了修改。无论修改前后，道路交通安全法规定的赔偿原则主要是过错推定，即发生交通事故后，被侵权人只需证明损害由机动车碰撞造成，机动车碰撞被侵权人有无“过错”应由机动车一方证明。这一赔偿原则，符合道路交通事故特点，与国际通行做法基本一致。道路交通安全法于2004年5月施行，实施情况良好。据公安部统计，我国交通事故数量从2005年的45万起大幅下降到2008年的26万起；交通事故死亡人数2004年为11万，2006年为8.9万，2008年为7.3万。

进一步完善机动车交通事故责任，需要根据发生事故的特殊情况作出具体规定，如机动车被租赁、借用时发生事故，机动车所有人是否承担责任；当事人之间已经买卖但尚未过户的机动车发生事故时怎么办；机动车被盗、被抢后发生事故如何承担责任，等等。同时，要完善我国机动车强制保险制度，逐步扩大赔偿范围，提高赔偿标准。

（二）产品责任

产品责任关系人民生命和财产安全，我国十分重视。1993年第七届全国人大常委会就通过产品质量法，规定了合同责任和产品责任。产品责任指企业因产品缺陷承担的无过错责任。这里的缺陷，一般不是指产品有瑕疵，而是指产品质量不好达到危害人民生命和财产安全的程度。如热水瓶不保温是合同责任，热水瓶自身爆炸是产品责任。产品缺陷的归责原则,不少国家经历了从合同责任到一般侵权责任再到产品责任的过程。

进一步完善产品责任制度,需要研究的问题主要是:

1. 产品范围

哪些产品适用产品责任,共识是企业加工制造的动产,有争议的是未加工的初级产品(如农产品)以及不动产(如建筑物)是否适用产品责任。对农产品是否适用产品责任,有两种意见:一种意见认为,农产品是我国城乡居民的主要食物来源,当前我国农产品质量安全形势严峻,为了让老百姓吃上放心的农产品,切实保护消费者合法权益,农产品应当纳入产品质量法的产品范围,适用产品责任。另一种意见认为,农业生产处于开放性环境,大气、土壤、水质等都影响农产品质量,不宜把未经加工的农产品纳入产品责任的适用范围。对农产品适用产品责任,虽然提高了对消费者的保护水平,但对广大农民是不公平的。个别农民在生产过程中违法加入有害添加剂,危及农产品质量安全,在侵权纠纷中可以采用过错推定的办法。对建筑物等不动产是否适用产品责任,有的认为,从企业加工制造的特点以及提高建筑工程质量等方面看,可以把不动产纳入产品责任范围,但需要研究如何区分建筑物的缺陷与一般质量问题,不能把门窗不严、有点漏雨等建筑工程质量视为缺陷。

2. 产品责任的适用条件

企业承担产品责任,条件是产品有缺陷,对公民生命和财产安全造成损害。如何认定损害?喝毒酒致人失明是损害,买了毒酒还没喝,确有损害公民健康的危险性也是损害。承担产品责任的方式,包括损害赔偿,也包括停止侵害、消除危险。对损害的计算,包括对公民生命健康的伤害,也包括缺陷产品以外的财产损失,还包括缺陷产品本身的损失。这样,有利于及时、便捷地保护消费者的合法权益。

3. 增加企业对产品跟踪服务义务

企业对产品投入流通后不能撒手不管,应当跟踪服务,发现产品使用过程中存在缺陷的,应当及时采取警示、召回等补救措施。

(三)医疗损害责任

近年来医疗纠纷逐年上升,社会普遍关注。全国法院受理医疗损害案件2007年为1.1万件,2008年为1.38万件。妥善解决医疗纠纷,既要保护患者的合法权益,也要保护医院和医务人员的合法权益,还要有利于医学科学进步以及医药卫生事业发展。

合理规定医疗损害责任,必须充分考虑诊疗活动特点。诊疗活动主要特点:(1)未知性。医学是一门探索性、经验性的学科,直至今天,我们对许多疾病的发生原因还不了解,已知发病原因的,也有一半难以治愈,对许多药品副作用的认识非常有限。如这次甲型H1N1流感,4月30日被卫生部纳入乙类传染病,5月5日中国工程院院士钟南山说,目前我们对甲型H1N1流感的了解实在太少。(2)特异性。人体的基因不同,体质不同,情绪不同,所处环境不同,因此患者疾病表现、治疗效果也不同。如大家熟知的青霉素,有人过敏,有人不过敏,即使青霉素皮试过关,也不排除有过敏反应的可能。(3)专业性。医务人员是救死扶伤的白衣天使,据了解,培养一名专科医师至少需要15年时间。卫生部《医疗机构诊疗科目名录》,一级科目有32类,二级科目有130类。

疾病的发生有患者原因,疾病的治疗需要患者配合,在诊疗纠纷中不能适用无过错责任,我们也没有看到哪个国家实行无过错责任。那么,能否概括地、一般地适用过错推定呢?有两种意见:一种意见认为,诊疗活动专业性强,患者和医院之间信息不对称,在诊疗过程中许多证据都由医院掌握,应当适用过错推定,让医院承担更重的举证责任。另一种意见认为,根据诊疗活动未知性、特异性等特点,在诊疗纠纷中不宜适用过错推定。不问青红皂白,一律实行过错推定,助长保守医疗,不利于医学科学进步。对诊疗活动引起的纠纷,应当适用一般过错责任,只在特殊情况下如医务人员有严重违规治疗行为或者隐匿、拒绝提供与纠纷有关的医学资料,才发生举证责任倒置。患者和医院之间信息不对称问题,应当通过信息交流和信息公开等办法解决。

医疗纠纷中相当一部分是因药品、医疗器械的缺陷造成患者损害引起的,如治疗心脏病的起搏器导线断裂。在责任较为明确的情况下,不少患者仍难以及时、合理地得到赔偿。依照产品质量法的有关规定,药品和医疗器械属于产品范围,因产品缺陷造成的损害适用无过错责任,除法定免责事由外,生产者应当承担赔偿责任;销售者承担赔偿责任后,属于生产者责任的,有权向生产者追偿。需要指出,药品和医疗器械适用产品质量法,其产品缺陷不包括药品副作用,不包括使用医疗器械引起的正常损伤。一般产品质量问题适用合同责任或者一般过错责任,只有危害到生命健康,具有不合理危险性的产品造成损害,才适用无过错责任。这里的“不合理”危险性,指不合常理,是大多数使用者都预料不到的危险性。即使适用无过错责任,依照产品质量法第四十一条规定,生产者能够证明限于当时科学技术水平该缺陷是难以避免的等情形,生产者也不承担赔偿责任。反之,生产者因疏于管理或者利欲熏心、掺杂使假、明知故犯引起的产品缺陷,危害生命和财产安全的，就要承担赔偿责任；构成犯罪的，还要承担刑事责任。

（四）环境污染责任

环境问题关系人的生存和发展，治理环境污染成为世界各国共同的义务。

从侵权纠纷角度研究环境污染责任，首先，根据不同的污染源，适用不同的归责原则。居民之间生活污染适用过错责任，主要由物权法规定的相邻关系解决。企业生产污染适用无过错责任，主要由环境保护法、大气污染防治法、水污染防治法等相关法律解决。对企业生产污染，在适用无过错责任的前提下，根据不同的污染源，还要进一步区分责任。如因核材料或者核设施泄漏引起的核污染责任，与工业废水排放引起的污染责任，其免责事由有所不同。

其次，进一步明确环境污染的范围。对大气、水体、土地的污染属于环境污染，对生物多样性的破坏也属于环境污染。这里的环境，既包括生活、生产环境，也包括生态环境。

再次，统一规定环境污染纠纷的证明责任。环境污染，有时多因一果，情况复杂，要让被侵权人证明企业内部在组织管理、生产流程中的过错是困难的。根据无过错责任的精神，被侵权人只要证明存在损害即可，排污企业承担排污行为和损害事实之间有无因果关系的证明责任，以及有无法定免责事由的证明责任。

最后，进一步研究谁有权追究排污者侵权责任问题。全国法院受理环境污染案件 2007 年为 1200 多件，2008 年为 1400 多件。案件受理不多，并不表明环境污染问题不突出。不少环境污染有个积累过程，时间长，跨度大，受害群体分布广，需要研究怎样更有利于追究排污者侵权责任的问题。让个人费时耗力地追究企业环境污染责任困难重重，要进一步研究有关机关和有关团体追究企业环境污染责任的问题，完善民事诉讼主体制度。

（五）死亡赔偿制度

死亡赔偿制度解决被侵权人因交通肇事、医疗事故等造成死亡的赔偿纠纷。我国民法通则、消费者权益保护法、产品质量法等法律都对死亡赔偿作出规定。

被侵权人死亡的，其医疗费、丧葬费的赔偿较为明确，便于计算，争议不大。争议较大的是死亡赔偿金的支付。实践中存在对农村居民和城市居民按不同标准支付死亡赔偿金，城市居民获得的死亡赔偿金比农村居民高一倍至二倍，一度引发“同命不同价”的争论。完善死亡赔偿制度，需要研究死亡赔偿金的赔偿对象、赔偿范围和赔偿标准。

1. 赔偿对象

赔偿对象解决死亡赔偿金赔给谁的问题。赔偿针对损害而言，这个问题也可转化为侵害人造成谁的损害。有的同志认为，造成谁的损害不是明摆着的吗？但是，这个问题至少争论了上百年，直至今天还在争论。学者之间有不同观点，理论界和实务界也有不同看法。主要有两种意见：一种意见认为，被侵权人死亡，侵害了死者权益，造成死者损害；另一种意见认为，被侵权人死亡后已经不具有民事主体资格，因此，侵害的只能是死者近亲属的权益，是对死者近亲属造成损害。

2. 赔偿范围

赔偿范围解决哪些损害应当得到赔偿的问题。从国外赔偿情况看，主要有两种模式：一种模式是死者预期收入加死者近亲属的精神损害赔偿；另一种模式是死者生前被扶养人生活费加死者近亲属的精神损害赔偿。

3. 赔偿标准

赔偿标准解决具体的赔偿数额的问题。主要有两种做法:一是固定标准。不根据个人收入差异,也不考虑教育背景,原则上按照平均收入乘以一定年限计算赔偿数额;二是个别标准。原则上根据死者近期收入乘以一定年限计算赔偿数额。死者无收入的,划分不同情况按照平均收入乘以一定年限计算赔偿数额。

综观国外死亡赔偿制度的做法,缺憾之一是赔偿范围和赔偿标准都以财产损失为基础。人的生活分为物质生活和精神生活,即使物质生活,也不单纯是取得报酬或者收入。侵害人的生命,造成被侵权人死亡,赔偿范围应包括物质损失和非物质损失。这样,有利于保护被侵权人的合法权益,符合民法损害赔偿原则,彰显尊重生命的时代精神。

赔偿对象和赔偿范围有一定关联性,对这两个问题立法时要有明确认识。至于赔偿标准,倾向于原则适用统一标准,适当考虑个人年龄、收入、文化程度等差异。但统一标准,不宜以城乡划界,也不宜以地区划界,而是人不分城乡、地不分东西的全国统一标准。个人差异,有时可以考虑,有时可不考虑,如交通肇事、矿山事故等发生人数较多伤亡时,可不考虑个人差异,采用"一揽子"赔偿方案。

(六)精神损害赔偿

精神损害赔偿,是指对精神损害以金钱方式予以赔偿。侵权行为造成的损害,有的是财产损失,有的是精神损害,有的是财产损失加精神损害。有的国家在民法典中规定精神损害赔偿已有百年历史。"二战"以后,随着各国加大对公民的生命健康、人身自由、名誉权、隐私权等人格权的保护力度,精神损害赔偿制度有了进一步发展。

我国现行法律没有明确规定精神损害赔偿，但也不能说绝对没有精神损害赔偿的法律规定，如造成被侵权人死亡、残疾的，法律规定支付被扶养人生活费的同时又规定支付死亡赔偿金、残疾赔偿金，这时死亡赔偿金、残疾赔偿金中是否包含精神损害赔偿内容，值得探讨。完善精神损害赔偿制度，需要研究的主要问题是赔偿条件、赔偿范围和赔偿标准。

1. 赔偿条件

对法律是否规定精神损害赔偿，我国各方面已有共识。那么，在什么条件下才能适用精神损害赔偿？精神损害和财产损失有所不同，精神损害实质是精神痛苦，财产损失看得见、摸得着，认定精神损害难度较大。一般从两个方面认定是否构成精神损害。一是从被侵权人角度。被侵权人身体被伤害，隐私暴露，名誉被贬，是否就构成精神损害？有些国家的法院一般要求被侵权人的精神痛苦必须在身体上有所表现。精神痛苦本来是内心感受，法院要求仅有内心感受是不够的，必须有外在表现，如心脏病复发，血压升高，长期失眠不能工作，等等。后来有的认定出现定型化，如造成被侵权人身体一定程度以上伤害的，就认定被侵权人有精神损害，造成被侵权人死亡的，就认定被侵权人近亲属有精神损害。二是从加害人角度。加害人一般侵权行为，不认为对被侵权人有精神损害，有的国家规定加害人只有“故意”从事侵权行为时，才考虑被侵权人的精神损害。美国《侵权法重述》规定，因加害人“故意或者极端的、不可忍受的”行为造成他人精神痛苦时，适用精神损害赔偿。

2. 赔偿范围

与赔偿条件相呼应，赔偿范围进一步限制适用精神损害赔偿。从精神损害赔偿制度的发展看，各国的赔偿范围没有统一标准，范围有宽有窄，但从每个国家看，随着经济社会发展逐步扩大。主要表现在:(1)从最初侵害生命、健康、限制人身自由扩大到人身权;(2)从个别规定允许精神损害赔偿扩大到一般规定;(3)从部分侵权责任中适用扩大到全部民事责任,包括无过错责任和合同责任都可以适用精神损害赔偿。

3. 赔偿标准

造成精神损害,应当赔多少钱才算合适,很难计算准确。正因如此,法律一般不规定赔偿标准,由法院根据个案认定。针对实践中判决畸轻畸重的问题,有的国家法律明文规定精神损害赔偿的最高限额,有的国家规定计算精神损害赔偿数额的考虑因素。

加强保护公民的生命健康权、人身自由权、名誉权、隐私权等人身权利,是尊重和保护人权的重要内容。精神损害赔偿是保护人身权利的重要手段,也是各国的通行做法。侵权责任法应当明确规定精神损害赔偿,同时考虑到精神损害赔偿有两难,认定难和定数额难,赔偿条件应当既作特殊规定,又作一般规定。对少数严重侵害被侵权人合法权益的行为,如致人严重伤残的,可以认定已造成精神损害。赔偿范围应当尽量明确,口子适当放宽,但通过排除条款收窄,如规定合同责任、侵害财产权以及造成身体轻微伤害的都不适用精神损害赔偿,侵害名誉权、肖像权、隐私权、信用权已获得财产赔偿的一般也不适用精神损害赔偿。赔偿标准目前可低一点,以后逐步提高,除考虑精神损害程度、侵权行为恶劣程度外,应当考虑经济发展水平,适当考虑个人差异。

# 第一部分 释 义

## 第一章 一般规定

本章共5条,主要对侵权责任法的立法目的、侵权人的责任以及本法的适用范围、侵权责任的请求权人、侵权责任与刑事责任和行政责任的关系、侵权责任法与其他法律的关系等内容作了规定。

**第一条 为保护民事主体的合法权益,明确侵权责任,预防并制裁侵权行为,促进社会和谐稳定,制定本法。**

**【释义】** 本条是关于侵权责任法立法目的的规定。

侵权责任法是保护民事主体合法权益,明确侵权责任,预防并制裁侵权行为,促进社会和谐稳定的民事基本法律。我国民法通则、消费者权益保护法、产品质量法、环境保护法、道路交通安全法等法律对侵权责任作了一些规定,这些规定对于保护公民、法人的合法权益,维护社会秩序,起到了积极作用。但是,我国侵权法律制度也存在一些问题,主要是:随着经济社会的发展,新的侵权类型不断出现,而现行法律有些规定较为原则,缺乏可操作性;不少规定分散在单行法律中,缺乏对侵权责任共性问题的规定。从实际情况看,侵权案件逐年增多。2008 年，我国法院受理一审侵权案件已达 99.2 万件。2003 年以来，全国人大代表共有 216 人次提出了 7 件制定侵权责任法的议案和 8 件建议。一些部门、地方和专家、学者也不断提出制定侵权责任法的意见和建议。为了更好地保护民事主体的合法权益，促进社会和谐稳定，有必要对现实生活中迫切需要规范的侵权责任作出规定，制定一部较为完备的侵权责任法。

侵权责任法作为《中华人民共和国民法（草案）》中的一编，已经 2002 年 12 月九届全国人大常委会第三十一次会议初次审议。民法草案共 9 编、1200 多条，由于涉及面广，内容复杂，一并研究修改历时较长，十届全国人大常委会采取了分编审议的方式。2008 年 12 月十一届全国人大常委会第六次会议对侵权责任法进行了第二次审议。2009 年 10 月十一届全国人大常委会第十一次会议对侵权责任法进行了第三次审议。2009 年 12 月 26 日，十一届全国人大常委会第十二次会议审议通过了侵权责任法。

根据本条规定，侵权责任法的立法目的主要包括以下四个方面：

（一）保护民事主体的合法权益

侵权责任法作为民法的重要组成部分，其主要目的就是对民事主体的合法权益进行充分保护。

保护被侵权人的合法权益是侵权责任法的基本作用之一，甚至可以说是最主要的作用。我国民法通则规定，公民享有生命健康权、姓名权、肖像权、名誉权、婚姻自主权等人身权，享有所有权、使用权等物权，享有合同等债权，享有著作权、商标专用权、专利权等知识产权。公民享有的许多民事权利法人也享有。法律规定的公民、法人的民事权益受到侵害怎么办，这就需要从维护被侵权人的利益考虑，尽可能地为被侵权人提供充分的保护。

侵权责任法是民事权利制度的保障，是审理侵权案件、解决侵权纠纷的依据。需要指出的是，保护被侵权人不是抽象概念，不同时期保护被侵权人的含义既有阶段性，又有延续性。随着经济、文化发展，对人的价值认识不断深化，对人的全面发展的要求不断提高，对被侵权人的保护范围不断扩大，保护水平不断提高，保护方式日趋多样。

侵权责任法体现“以人为本”的精神，其基本的制度和规则都是适应“以被侵权人保护为中心”建立起来的，但也充分考虑到其他方面的合法权益。侵权责任法既要保护被侵权人的合法权益，使其遭受的损害得到补偿，也要充分尊重行为人的行为自由。根据本法第六条、第七条的规定，行为人因过错侵害他人民事权益时，才承担侵权责任；行为人损害他人民事权益，不论行为人有无过错，法律规定应当承担侵权责任的，承担侵权责任。本法还在第二章明确了侵权责任构成、承担侵权责任的方式、损害赔偿额的标准，在第三章和关于特殊侵权行为的规定中明确了行为人不承担责任和减轻责任的各种情形等。这些规定都完整地体现了侵权责任法保护民事主体合法权益的精神。

（二）明确侵权责任

侵权责任，就是侵害民事权益后应当承担的民事责任。明确侵权责任，就是明确侵权责任如何构成和侵权责任如何承担的问题。侵权责任是否构成主要由归责原则解决。责任如何承担主要由责任方式解决。侵权责任法的基本内容、基本规范就是归责原则和责任方式。整部侵权责任法从不同角度回答侵权责任是否构成和责任如何承担这两个问题。

明确侵权责任作为侵权责任法的立法目的之一，是实现侵权责任法其他立法目的的基础。只有明确了侵权责任，才能有效地教育不法行为人，引导人们正确行为，在民事活动中约束自己的行为；才能鼓励行为人采取积极的预防措施，减少侵权行为，努力避免和减少损害的发生。明确了侵权责任，在侵权行为发生后，侵权人才能清楚地知道自己应当承担的责任范围并积极主动地去履行应尽的义务，被侵权人也能够依法请求侵权人承担侵权责任，捍卫自己的合法权益。在此基础上，才能维护社会的正常秩序，进一步保护人民群众安居乐业，促进社会和谐稳定。

（三）预防并制裁侵权行为

侵权责任法通过对可归责的当事人科以责任，惩罚其过错和不法行为，对社会公众产生教育和威慑作用，从而可以预防侵权行为的发生，抑制侵权行为的蔓延。首先，侵权责任法要求一切人遵纪守法，尊重公民、法人的人身权和财产权，谨慎行事，避免差错，不得侵害国家、集体和他人的合法权益。其次，侵权责任法要求企业加强管理，提高科学技术水平。进入工业社会，侵权行为大量发生在企业生产经营中，如产品责任、环境污染、生产安全事故等。侵权责任法通过损害赔偿等方式，促使企业提高产品安全性能，保护人民群众生命财产安全；促进清洁生产，提高资源利用效率，减少环境污染；加强安全生产管理，减少安全生产事故。最后，侵权责任法还促使企业和个人权衡得失，不冒险进入可能给公民、法人带来高度危险的行业。侵权责任法要求行为人对自己的行为负责，促使侵权人吸取教训，其他人保持警惕，达到预防并减少侵权行为的目的。因此，侵权责任法规定的责任要有一定威慑力。

侵权行为是侵害他人民事权益的行为，具有一定的社会危害性,因此应受到法律的制裁。制裁侵权行为是法律对漠视社会利益和他人利益、违背义务和公共行为准则的行为的谴责和惩戒,它意味着侵权责任法依据社会公认的价值准则和行为准则对某种侵权行为所作的否定性评价。在有些情况下,侵权人实施侵权行为造成被侵权人的损害的时候,自己并没有因此获得利益,侵权责任法通过要求侵权人承担损害赔偿责任而使其财产利益减少,就体现了侵权责任法对侵权行为的制裁。本法第四十七条规定的惩罚性赔偿制度更是侵权责任法制裁侵权行为的突出表现。

(四)促进社会和谐稳定

维护社会和谐稳定,是顺利推进改革发展的重要前提,是实现全面建设小康社会宏伟目标的重要保障。侵权责任法作为中国特色社会主义法律体系中的支架性法律,涉及广大人民群众日常工作、生活的方方面面,对整个社会的和谐稳定具有重大影响。侵权责任法的制定以邓小平理论和“三个代表”重要思想为指导,贯彻落实科学发展观,贯彻党的十六大和十七大精神,适应改革发展稳定的要求,妥善处理现实性与前瞻性、稳定性与变动性、原则性与可操作性的关系,坚持以人为本,着重解决与人民群众利益密切相关、矛盾突出、各方面意见又比较一致的问题。对现实生活中公民、法人受到的民事侵害,如产品缺陷、机动车交通事故、医疗损害、环境污染、网络侵权、动物致人损害等,要充分保护其合法权益,同时要考虑我国现阶段经济社会发展水平,公平合理地确定赔偿范围和赔偿标准。对存在争议,目前还没有把握的一些问题暂不作规定,根据实际情况进一步研究论证。从这些方面可以看出,在侵权责任法的立法过程中,促进社会和谐稳定的目的始终贯彻其中。

**第二条　侵害民事权益,应当依照本法承担侵权责任。**

**本法所称民事权益,包括生命权、健康权、姓名权、名誉权、荣誉权、肖像权、隐私权、婚姻自主权、监护权、所有权、用益物权、担保物权、著作权、专利权、商标专用权、发现权、股权、继承权等人身、财产权益。**

**【释义】**　本条是关于侵权人的责任以及本法适用范围的规定。

侵权责任法作为民法的重要组成部分,是从基本法的角度对侵权责任作出规定,但一部侵权责任法解决不了所有民事侵权问题,世界上也没有一部侵权责任法囊括所有民事侵权内容。因此,首先要解决侵权责任法的适用范围问题,即哪些权利和利益属于侵权责任法的保护范围,哪些侵权责任问题由侵权责任法调整。

一、国外关于侵权责任法适用范围的立法模式

关于侵权责任法的适用范围,争议很大,国外民法典的规定也有较大区别,大陆法系主要有两种立法模式:法国模式和德国模式,分别规定于《法国民法典》和《德国民法典》。《法国民法典》和《德国民法典》都是大陆法系的典范,对世界法律文化、法律思想有重大影响,但两者诞生于不同时期,有着不同的历史文化背景,各有特色。《法国民法典》第1382条规定:"人的任何行为给他人造成损害时,因其过错致该行为发生之人应当赔偿损害。"第1383条规定:"任何人不仅因其行为造成的损害负赔偿责任,而且还因懈怠或者疏忽大意造成的损害负赔偿责任。"《德国民法典》第823条规定:"因故意或者过失不法侵害他人生命、身体、健康、自由、所有权或者其他权利者,对他人因此而产生的损害负赔偿责任。违反以保护他人为目的的法律,负相同的义务。"第826条规定:"以

违反善良风俗的方式故意对他人施加损害的,行为人对他人负有损害赔偿义务。"法国模式和德国模式有三个不同点:

第一,《法国民法典》对侵权行为作了概括规定。《法国民法典》第1382条、第1383条虽有两条规定,但可以用一句话概括,即因过错造成损害的要承担责任。日本就是用一个条文作了规定,其民法典第709条规定:"因故意或过失侵害他人权利或受法律保护的利益的人,对于因此而产生的损害负赔偿责任。"《德国民法典》没有作概括规定,而是在第823条、第826条规定了三种侵权形态:一是规定侵害权利,如生命、身体、健康、所有权等,对侵害权利的要承担责任;二是违反保护性法律的,即违反以保护他人为目的的法律;三是故意违反善良风俗造成损害的。

第二,《法国民法典》就侵害的对象没有区分权利和利益,对侵权造成的损害都要承担责任。《德国民法典》区分侵害权利和侵害利益,设定了不同的侵权标准。

第三,《法国民法典》在立法时有关侵权行为适用的是过错责任,即在归责原则上采用"一元论",但法国法院实务中采用的归责原则是"两元论",即区分人的责任和物的责任,人的责任适用过错责任,物的责任适用无过错责任。《德国民法典》在立法和实务上绝大部分适用过错责任,只有动物管理责任适用无过错责任,其他无过错责任由特别法规定。法国法中的无过错责任由《法国民法典》中物的责任和特别法的规定共同组成。在法国,有关侵权行为的特别法比较少,大概只有六七部,而在德国,特别法有近二十部。原因就在于《法国民法典》中物的责任适用无过错责任,解决了一部分问题,不需要制定那么多特别法。

二、我国侵权责任法的适用范围

在充分借鉴国外相关立法例的基础上，从我国的实际出发，考虑到与现行法律的协调一致，本条明确了侵权责任法的适用范围，其第一款规定：“侵害民事权益，应当依照本法承担侵权责任。”第二款规定：“本法所称民事权益，包括生命权、健康权、姓名权、名誉权、荣誉权、肖像权、隐私权、婚姻自主权、监护权、所有权、用益物权、担保物权、著作权、专利权、商标专用权、发现权、股权、继承权等人身、财产权益。”从这一规定可以看出：

1. 侵权责任法的保护对象为“民事权益”

任何法律都要明确其保护对象的范围，与其他法律相比，侵权责任法的保护对象的范围更加宽泛，也就更容易产生争议。对于如何规定侵权责任法的保护对象，主要有两种观点：一种观点认为，应当尽可能详细地列举侵权责任法所保护的各种权利和利益；另一种观点认为，应当采取抽象概括的模式。这两种观点各有利弊，前一种做法清楚、明白，在法律适用上较为方便，但详细列举难以穷尽，难免挂一漏万；后一种做法具有开放性和包容性，能够适应未来侵权责任发展，但对于其具体范围容易产生分歧，不利于法律的统一适用。侵权责任法最终采取“概括 + 列举”的方式。本条第一款明确侵权责任法的保护对象为“民事权益”，这就把民事权益之外的其他权益排除在侵权责任法的保护范围之外。比如，行政法上的知情权受到侵害，应当通过行政复议、行政诉讼等途径解决，而不能诉诸侵权责任法。第二款明确了民事权益的内涵，列举了一些具体的民事权益。根据本款规定，民事权益主要包括以下内容：

(1)生命权。生命权是指以自然人的生命安全利益为内容的人格权，它以生命安全和生命维持为客体，以维护人的生命活动延续为基本内容。

(2)健康权。健康权是指自然人以其机体生理机能正常运作和功能完善发挥,以其维持人体生命活动的利益为内容的人格权。

(3)姓名权。姓名权是指公民决定、使用和依照规定改变自己姓名的权利。

(4)名誉权。名誉权是指公民和法人就其自身属性和价值所获得的社会评价,享有的保有和维护的人格权。

(5)荣誉权。荣誉权是指民事主体对其获得的荣誉及其利益所享有的保持、支配的身份权。

(6)肖像权。肖像权是指公民对在自己的肖像上体现的精神利益和物质利益所享有的人格权。

(7)隐私权。隐私权是指自然人享有的对其个人的、与公共利益、群体利益无关的个人信息、私人活动和私有领域进行支配的人格权。

(8)婚姻自主权。婚姻自主权是指自然人享有的结婚、离婚自由,不受他人干涉的权利。

(9)监护权。监护权是指监护人对被监护人在人身和财产方面的管教和保护的权利。

(10)所有权。所有权是指所有权人对自己的不动产或者动产,依法享有的占有、使用、收益和处分的权利。

(11)用益物权。用益物权是指用益物权人对他人所有的不动产或者动产,依法享有的占有、使用或者收益的权利。

(12)担保物权。担保物权是指担保物权人在债务人不履行到期债务或者发生当事人约定的实现担保物权的情形,依法享有的就担保财产优先受偿的权利。

(13)著作权。著作权是指著作权人对其作品享有的人身权和财产权的总和，包括发表权、署名权、修改权、保护作品完整权、复制权、发行权、出租权、展览权、表演权、放映权、广播权、信息网络传播权、摄制权、改编权、翻译权、汇编权和应当由著作权人享有的其他权利。

(14)专利权。专利权是指发明创造人或者权利受让人对其发明创造在一定期限内依法享有的专有权和独占权。

(15)商标专用权。商标专用权是指注册商标的所有人在核准的商品或者服务项目上使用其注册商标的权利，以及禁止其他人未经许可擅自在与核准商品或者服务项目相同或者类似的商品或者服务项目上使用与其注册商标相同或者类似商标的权利。

(16)发现权。发现权是指集体或者个人在探索阐明自然现象、特性或者规律的科学研究中，取得前人未知的、对科技发展有重大意义的成果而依法享有的权利。

(17)股权。股权是指投资者因投资于公司成为公司股东而享有的权利。股权根据行使目的和方式的不同可分为自益权和共益权两部分。自益权指股东基于自身利益诉求而享有的权利，可以单独行使，包括资产收益权、剩余财产分配请求权、股份转让权、新股优先认购权等；共益权指股东基于全体股东或者公司团体的利益诉求而享有的权利，包括股东会表决权、股东会召集权、提案权、质询权、公司章程及账册的查阅权、股东会决议撤销请求权等。

(18)继承权。继承权是指公民依照法律的规定或者被继承人生前立下的合法有效的遗嘱而承受被继承人遗产的权利。

(19)其他人身、财产权益。除了上述权利之外，还有其他民事权益也属于侵权责任法的保护对象，如死者名誉、胎儿人格利益等。考虑到民事权益多种多样，立法中难以穷尽，而且随着社会、经济的发展，还会不断地有新的民事权益纳入到侵权责任法的保护范围，因此，侵权责任法没有将所有的民事权益都明确列举，但不代表这些民事权益就不属于侵权责任法的保护对象。

2. 侵权责任法对民事权利和民事利益在保护程度和侵权构成要件上没有作出区分

侵权责任法要不要区分对民事权利的保护和对民事利益的保护，设定不同的侵权构成要件，存在争议。有的意见认为，民事权利和民事利益在民事中的地位不同，对民事利益的保护有严格的限制，通常只有在行为人具有主观恶意等情况下，才有必要对受害人受到侵害的利益提供侵权责任法上的救济。建议侵权责任法借鉴德国模式，根据侵权行为的对象是民事权利还是民事利益的不同，确定不同的保护标准和侵权构成要件。侵权责任法最终没有采纳这种意见，主要是考虑到权利和利益的界限较为模糊，很难清楚地加以划分。对于什么是权利，意见纷纭。从权利的内容上看，对于权利的具体内容，有支配说、利益说和结合说几种观点。结合说是目前的通说，认为“权利乃享受特定利益的法律之力”，其落脚点实际上还是利益，很难把权利和利益划分清楚。从权利的形式上看，法律明确规定某某权的当然属于权利，但法律没有明文规定某某权而又需要保护的，不一定就不是权利。而且，权利和利益本身是可以相互转换的，有些利益随着社会发展纠纷增多，法院通过判例将原来认定为利益的转而认定为权利，即将利益“权利化”。德国、日本、我国台湾地区的司法实务都存在这种情况。所以，侵权责任法没有进一步区分权利和利益，而是统一规定：“侵害民事权益，应当依照本法承担侵权责任。”

3. 侵权责任法不调整违约责任问题

合同债权也是一种民事权益,但它原则上不属于侵权责任法的保护范围。本条第一款明确规定,侵害民事权益,应当依照“本法”承担侵权责任。本法的规定不涉及违约责任问题,因此违约责任不受侵权责任法调整,而是由合同法调整。

对于第三人侵害债权是否受本法调整,没有明确作出规定,大多数意见认为第三人侵害债权应当属于侵权责任的范围。本条第二款列举了部分民事权益,最后用了“等人身、财产权益”,这可以涵盖第三人侵害债权的问题。当然,对于第三人侵害债权的构成要件、责任方式等问题还可以进一步研究。

4. 侵权责任法调整的侵权责任包括过错责任和无过错责任

侵权责任法是仅调整过错责任,还是包括过错责任和无过错责任,即在归责原则上是采用“一元论”还是“两元论”,这一点基本没有争议,应该采用“两元论”。中国在21世纪制定侵权责任法,如果仅仅规定过错责任原则,肯定是错误的。首先,不符合中国的实际情况。2008年全国法院一审受理侵权行为案件共计99.2万件,适用无过错责任和过错推定的,比如道路交通事故、产品责任、医疗事故、环境污染、工伤事故这几类大约占41%,仅道路交通事故案件就有37万多件,占全国侵权行为案件总数的38%,也就是说,超过1/3的案件都是道路交通事故案件。此外,产品责任4000多件,环境污染1000多件,工伤事故6000多件,医疗事故1万多件。我们不能制定出一部侵权责任法,这41%的案件都不适用。其次,从国外的发展状况来看,虽然对于实践中过错责任占的比重大,还是无过错责任占的比重大,过错责任更重要,还是无过错责任更重要这些问题,学术界有不同意见,但至少归责原则应该是"两元"的,过错责任和无过错责任并存,这是共识。所以,侵权责任法确定的归责原则是"两元"的,对于过错责任和无过错责任,都属于侵权责任法的调整范围。

5. 行政侵权责任是否属于侵权责任法的调整范围,没有明文规定

行政机关行使职权侵害民事权益是否属于侵权责任法的调整范围,也有争议。有的意见提出,民法通则第一百二十一条规定:"国家机关或者国家机关工作人员在执行职务中,侵犯公民、法人的合法权益造成损害的,应当承担民事责任。"建议将这一条的内容纳入到侵权责任法中。这个问题主要涉及国家赔偿与民事赔偿的关系。从其他国家的立法历史上看,以前,国家赔偿包含在民事赔偿里,目前有些国家还是这样做。但随着经济、社会的发展,有的国家单独制定了国家赔偿法,专门调整行政侵权和刑事赔偿。我国 1994 年通过的国家赔偿法也规定了行政侵权责任。理论上看,国家赔偿法应当是民法的特别法,但随着国家赔偿制度的进一步发展,在一些重大问题上与民事赔偿存在差异,如归责原则、赔偿程序、赔偿标准、救济途径等。这些重大问题与民事赔偿相比较,是共性大,还是差异性大,需要进一步研究。因此,侵权责任法既没有明确行政侵权责任包括在侵权责任法里,也没有明确将行政侵权责任从侵权责任法中排除出去。

**第三条　被侵权人有权请求侵权人承担侵权责任。**

**【释义】**　本条是关于被侵权人请求权的规定。

侵权责任法律制度的作用,可从多个角度阐述。基本作

用有两个:一是保护被侵权人;二是减少侵权行为。保护被侵权人是建立和完善侵权责任法律制度的主要目的。保护被侵权人的主要途径是赋予被侵权人在其权利受到侵害时享有请求权。我国民法通则规定,公民享有生命健康权、姓名权、肖像权、名誉权、婚姻自主权等人身权,享有所有权、使用权等物权,享有合同等债权,享有著作权、商标专用权、专利权等知识产权。公民享有的许多民事权利法人也享有。法律规定的公民、法人的民事权益受到侵害怎么办,要通过侵权责任法律制度保护被侵权人。被侵权人在其权利被侵权人侵害构成侵权时,有权请求侵权人承担侵权责任。这种权利是一种请求权,所谓请求权,是指请求他人为一定行为或不为一定行为的权利。请求权人自己不能直接取得作为该权利内容的利益,必须通过他人的特定行为间接取得。在侵权人的行为构成侵权,侵害了被侵权人的民事权益时,被侵权人有权请求侵权人承担侵权责任。被侵权人可以直接向侵权人行使请求权,也可以向法院提起诉讼,请求法院保护自己的合法权益。我国法院受理侵权案件 2007 年为 86.3 万件,2008 年为 99.2 万件。

一、关于请求权的主体

侵权法律关系中,在权利受到侵害时,被侵权人有权请求侵权人承担侵权责任,如果进行诉讼,则为原告。这里的"被侵权人"指的是侵权行为损害后果的直接承受者,是因侵权行为而使民事权利受到侵害的人。被侵权人可以是所有具有民事权利能力的民事主体,只要具有实体法上的民事权利能力,又因侵权行为而使其民事权利受到侵害的人,就具有被侵权人的资格,包括自然人、法人和其他组织。被侵权人的资格不在于其是否具有民事行为能力,但是有无民事行为能力关系到其是否可以自己行使请求侵权人承担侵权责任的权利。有完全民事行为能力的被侵权人,可以自己行使请求权,请求侵权人承担侵权责任;无民事行为能力或限制民事行为能力的被侵权人,自己不能行使请求权,应当由其法定代理人代其行使请求权。在被侵权人死亡时,其近亲属有权请求侵权人承担侵权责任。本法第十八条第一款规定,被侵权人死亡的,其近亲属有权请求侵权人承担侵权责任。被侵权人为单位,该单位分立、合并的,承继权利的单位有权请求侵权人承担侵权责任。

被侵权人可能是单个主体也可能是多个主体。在一个侵权行为有多个被侵权人的情况下,所有的被侵权人都享有请求侵权人承担侵权责任的权利,都可以提起侵权之诉,被侵权人的权利相互独立,一些被侵权人不请求不影响其他被侵权人的请求权,被侵权人也可以提起共同诉讼。

我国一些现有司法解释对请求权的主体也有规定。《最高人民法院关于确定民事侵权精神损害赔偿责任若干问题的解释》第七条规定:“自然人因侵权行为致死,或者自然人死亡后其人格或者遗体遭受侵害,死者的配偶、父母和子女向人民法院起诉请求赔偿精神损害的,列其配偶、父母和子女为原告;没有配偶、父母和子女的,可以由其他近亲属提起诉讼,列其他近亲属为原告。”《最高人民法院关于审理人身损害赔偿案件适用法律若干问题的解释》第一条第二款规定:“本条所称‘赔偿权利人’,是指因侵权行为或者其他致害原因直接遭受人身损害的受害人、依法由受害人承担扶养义务的被扶养人以及死亡受害人的近亲属。”

二、关于侵权人

在侵权法律关系中,侵权人是承担侵权责任的主体,在诉讼中为被告。《最高人民法院关于审理人身损害赔偿案件适用法律若干问题的解释》第一条第三款规定:“本条所称‘赔偿义务人’,是指因自己或者他人的侵权行为以及其他致害原因依法应当承担民事责任的自然人、法人或者其他组织。”侵权人一般是直接加害人,直接加害人是直接实施侵权行为,造成被侵权人损害的人。直接加害人分为单独加害人和共同加害人,共同加害人的侵权责任根据本法共同侵权的相关规定承担。在替代责任形式的特殊侵权责任中,造成损害的行为人不直接承担侵权责任,承担侵权责任的主体是替代责任的责任人。如本法第三十四条第一款规定,用人单位的工作人员因执行工作任务造成他人损害的,由用人单位承担侵权责任。

三、关于侵权责任

侵权人承担侵权责任有多种方式。根据本法第十五条的规定,侵权责任的方式主要有:停止侵害;排除妨碍;消除危险;返还财产;恢复原状;赔偿损失;赔礼道歉;消除影响、恢复名誉。以上承担侵权责任的方式,可以单独适用,也可以合并适用。

**第四条　侵权人因同一行为应当承担行政责任或者刑事责任的,不影响依法承担侵权责任。**

**因同一行为应当承担侵权责任和行政责任、刑事责任,侵权人的财产不足以支付的,先承担侵权责任。**

**【释义】**　本条是关于侵权责任优先原则的规定。

法律责任按照不同的标准可以作不同的分类,根据法律责任的类型,法律责任可以分为民事责任、行政责任和刑事责任。民事责任,是指公民或法人因违反民事法律、违约或者因法律规定的其他事由而依法承担的不利后果,包括侵权责任、违约责任等。行政责任,是指因违反行政法律或行政法规而应当承担的法定的不利后果。刑事责任,是指因违反刑事法律而应当承担的法定的不利后果。

一、侵权责任和行政责任、刑事责任的竞合

法律责任竞合,是指行为人的同一行为符合两个或两个以上不同性质的法律责任之构成要件,依法应当承担多种不同性质的法律责任的制度。民事责任、行政责任和刑事责任虽然是三种性质的不同法律责任,却可能因为同一法律行为而同时产生。一个行为既违反了民法又违反了行政法或者刑法,由此同时产生民事责任、行政责任或者刑事责任,即发生责任竞合。从法理上说,责任竞合的原因是法条竞合。例如,甲打伤了乙,乙因此花费医疗费一万元,甲的行为同时违反了民法通则第一百零六条和治安管理处罚法第八条、第四十三条的规定,因此甲须同时承担民事赔偿责任和治安行政处罚(其中有罚款的规定)两种责任。如产品质量法第四章损害赔偿专章规定了民事赔偿,第五章罚则专章规定了行政处罚,其形式包括行政罚款。由此,一个产品致害行为可能既适用第四章的规定需承担民事赔偿责任,又适用第五章的法条规定承担行政责任,情节严重时还可能违反刑法构成犯罪。这种民事与行政、刑事的法条竞合存在于我国现行法中,从而可能导致民事与行政、刑事的责任竞合的情形。

民事责任、行政责任和刑事责任作为三种不同性质的法律责任,各自有其不同的发生根据和特定的适用范围。一般情况下,三者各自独立存在,并行不悖。侵权责任是民事责任的一种,因此,本条第一款规定,侵权人因同一行为应当承担行政责任或者刑事责任的,不影响依法承担侵权责任。其他法律对责任竞合问题也有类似规定。民法通则第一百一十条规定:“对承担民事责任的公民、法人需要追究行政责任的,应当追究行政责任;构成犯罪的,对公民、法人的法定代表人应当依法追究刑事责任。”物权法第三十八条第二款规定:“侵害物权,除承担民事责任外,违反行政管理规定的,依法承担行政责任;构成犯罪的,依法追究刑事责任。”

二、在财产赔偿和处罚上侵权责任优先

如前所述,一般情况下,民事责任、行政责任和刑事责任独立存在,并行不悖,但是在特定的情况下,如一责任主体的财产不足以同时满足承担民事赔偿责任和承担罚款、罚金及没收财产等行政或刑事责任时,三种责任就发生了冲突,难以同时适用,必然会产生哪一种责任优先适用的问题。民事责任优先原则就是解决这类责任竞合时的法律原则,即一责任主体的财产不足以同时满足民事责任、行政责任或者刑事责任时,优先承担民事责任。侵权责任是民事责任的一种,当侵权责任与行政责任、刑事责任冲突时,优先承担侵权责任,因此,本条第二款规定,因同一行为应当承担侵权责任和行政责任、刑事责任,侵权人的财产不足以支付的,先承担侵权责任。如一企业生产伪劣产品,造成消费者人身、财产损害,并构成生产伪劣产品罪,其需同时承担对消费者的侵权责任以及生产伪劣产品罪的刑事责任,如果刑事责任其被判处罚金,其财产不足以同时支付对受害人的赔偿以及罚金时,对受害人的侵权责任优先于罚金承担。

民事责任优先原则的确立有以下几个原因:

一是民事责任优先是实现法的价值的需要。民法、行政法、刑法虽然是三个不同的法律部门,各自有调整范围,但保护公民、法人的合法权益却是共同的目标和任务,在同一责任主体的财产不足以同时承担民事责任和缴纳罚款、罚金及没收财产等行政、刑事责任时，如果先执行罚款、罚金或没收财产，债权人的合法权益就难以得到有效的保护。国家和个人承受财产损失的能力差别很大，在不足以同时承担两种以上责任时，不缴纳罚款、罚金及没收财产等行政、刑事责任，不会使国家发生经济上的困难，但如果不履行民事责任却可能使个人陷入极大的困难乃至绝境。民事责任优先原则，体现了三个法律部门在保护公民、法人合法权益方面的一致性。在这些责任无法兼顾时，民事责任优先可以取得良好的社会效益，也更能体现法律的人道和正义，人道和正义是法的社会功能的体现，也是法所追求的主要价值所在。

二是民事责任优先是维护市场经济秩序和交易安全的需要。民事主体在民事活动中依法取得的权利，应具有法律的保障性。如果一方当事人对另一方当事人依法享有债权，但却因其承担财产性的行政、刑事责任后丧失清偿债务的能力而无法实现，必然造成当事人在以后的民事活动中投入一定注意查对该当事人是否存在违法或犯罪行为，否则可能影响自己权利的实现，这样必然影响当事人之间进行交易的信心和速度，也不符合市场经济秩序和交易安全应具有法律保障性的要求。民事责任优先，可以有效地克服这种弊端。

三是罚款、罚金及没收财产等行政责任、刑事责任体现了国家对行为人的惩罚。民事责任主要是平等主体之间发生的一方依法向另一方承担的责任，目的在于弥补权利人因他人的民事违法行为而给其造成的经济损失，补偿性是民事责任的显著特征。这种补偿性的责任一旦遭到破坏，权利人的权利则难以实现。

四是民事责任和行政责任、刑事责任的目的和功能不同。

民事责任主要目的是给受害人以补偿损失、恢复权利；行政责任和刑事责任具有惩罚行为人、维护社会秩序的目的。在责任人的财产不足以承担两种以上的责任时，不承担民事责任，民事责任的目的就无法实现。行政责任、刑事责任的责任形式涉及人身和财产，除了财产性的罚款、罚金及没收财产外，还可以对责任主体进行人身制裁。与民事责任单一的财产性特征相比，行政、刑事责任具有人身性和财产性的双重特征。在三者发生竞合时，即使民事责任优先适用，结果可能造成财产性的罚款、罚金及没收财产等行政制裁或刑事制裁难以实施，并不影响责任人承担人身方面的行政责任、刑事责任。在一定程度上，行政责任、刑事责任还可以在对责任人人身制裁和财产制裁上进行选择，以达到制裁责任人的最终目的。

因此，在民事责任与行政责任、刑事责任发生冲突时，承担民事责任优先。当然，民事责任优先原则的适用也是有条件的。第一，责任主体所承担的民事责任须合法有效，其发生的依据或基于法律的规定或基于约定。第二，责任主体的财产不足以同时满足民事责任、行政责任和刑事责任，如果都能满足，则三种责任并行不悖，责任人同时承担三种责任，只有在财产不足以同时满足时，才出现民事责任优先的问题。

我国的刑法、公司法、证券法、证券投资基金法等法律对民事责任优先原则都有所规定，规定了财产不足以同时支付民事责任和行政责任、刑事责任时民事赔偿的优先适用。刑法第三十六条第二款规定："承担民事赔偿责任的犯罪分子，同时被判处罚金，其财产不足以全部支付的，或者被判处没收财产的，应当先承担对被害人的民事赔偿责任。"公司法第二百一十五条规定："公司违反本法规定，应当承担民事赔偿责任和缴纳罚款、罚金的，其财产不足以支付时，先承担民事赔偿责任。”证券法第二百三十二条规定:“违反本法规定,应当承担民事赔偿责任和缴纳罚款、罚金,其财产不足以同时支付时,先承担民事赔偿责任。”食品安全法第九十七条规定:“违反本法规定,应当承担民事赔偿责任和缴纳罚款、罚金,其财产不足以同时支付时,先承担民事赔偿责任。”合伙企业法第一百零六条规定:“违反本法规定,应当承担民事赔偿责任和缴纳罚款、罚金,其财产不足以同时支付的,先承担民事赔偿责任。”产品质量法第六十四条规定:“违反本法规定,应当承担民事赔偿责任和缴纳罚款、罚金,其财产不足以同时支付时,先承担民事赔偿责任。”证券投资基金法第九十九条规定:“违反本法规定,应当承担民事赔偿责任和缴纳罚款、罚金,其财产不足以同时支付时,先承担民事赔偿责任。”个人独资企业法第四十三条规定:“投资人违反本法规定,应当承担民事赔偿责任和缴纳罚款、罚金,其财产不足以支付的,或者被判处没收财产的,应当先承担民事赔偿责任。”

**第五条　其他法律对侵权责任另有特别规定的,依照其规定。**

**【释义】** 本条是关于侵权责任法和其他法律关系的规定。

改革开放以来,我国十分重视侵权责任法律制度的建立和完善。1986 年制定的民法通则,专设“民事责任”一章,对归责原则、责任方式、典型的侵权类型作出规定,奠定了我国侵权责任法律制度的基础。除民法通则外,我国已有四十多部单行法对相关侵权问题作出规定,主要是:(1)侵害物权责任。物权法、农村土地承包法作了规定;(2)侵害知识产权责任。商标法、专利法、著作权法作了规定;(3)侵害婚姻自主权和继承权等责任。婚姻法、继承法作了规定;(4)商事侵权责任。公司法、海商法、票据法、保险法、证券法、信托法作了规定;(5)交通事故责任。道路交通安全法、铁路法、民用航空法作了规定;(6)产品责任。产品质量法、药品管理法、消费者权益保护法作了规定;(7)环境污染责任。环境保护法、水污染防治法、大气污染防治法、固体废物污染环境防治法、海洋环境保护法、环境噪声污染防治法、放射性污染防治法作了规定;(8)生产事故责任。安全生产法、建筑法、电力法、煤炭法作了规定;(9)食品安全和传染病传播责任。食品安全法、传染病防治法、献血法作了规定;(10)其他侵权责任。人民防空法、公路法等法律作了规定。我国民法通则以及相关法律的规定,对明确侵权责任,保护公民、法人的合法权益,维护社会秩序,起到了积极作用。

侵权责任法对侵权责任的规定很重要,但一部侵权责任法解决不了所有民事侵权问题,世界上也没有一部侵权责任法囊括所有民事侵权内容。如德国,除民法典外,规范侵权责任的重要法律有赔偿义务法、道路交通法、航空交通法、原子能法、污染防控法、药品法、产品责任法、基因技术法、水务法、反不正当竞争法、强制保险法等法律。

我国规范侵权责任的法律有两个层次:第一个层次是侵权责任法。侵权责任法作为民法的重要组成部分,从基本法的角度对侵权责任作出规定。侵权责任法的规定有三类:一是普遍适用的共同规则;二是典型的侵权种类的基本规则;三是其他单行法不可能涉及的一些特殊规则。第二个层次是相关法律。许多单行法都从自身调整范围的角度对侵权责任作出一条或者几条规定。如道路交通安全法第七十六条规定了交通事故赔偿原则。有关侵权责任的法律在宪法统率下相辅相成,共同规范侵权责任。

本条规定,其他法律对侵权责任另有特别规定的,依照其规定。按照法律的效力范围,法律可分为一般法和特别法,特别法优先于一般法。一般法,是指在一国的范围内,对一般的人和事都有效力的法。特别法,是指特定地区、特定人、特定事、特定时间内有效的法。一般法与特别法的区别在于,就地域来说,一般法适用于一国的全部地域,而特别法适用于局部地域,如民族区域自治法;就人而论,一般法适用于所有的人,而特别法适用于特定的人,如兵役法;就时间而论,一般法适用于平时,特别法适用于特别时期,如戒严法;就事而论,一般法适用于一般的事,而特别法适用于特别的事。侵权责任法是关于侵权责任的一般法,其他法律如对侵权责任另有特别规定的,是特别法。侵权责任法和相关法律的关系,按照立法法,同一机关制定的法律,"特别规定与一般规定不一致的,适用特别规定",原则上优先适用相关法律。如果侵权责任法生效后,相关法律规定的内容已经在侵权责任法中完全体现,没有必要保留的,可在修改相关法律时删除。我国其他法律对此也有类似规定,如物权法第八条规定:"其他相关法律对物权另有特别规定的,依照其规定。"

# 第二章　责任构成和责任方式

本章共20条，规定了侵权责任的归责原则、共同侵权、共同危险行为、承担侵权责任的方式、人身损害赔偿、财产损害赔偿、精神损害赔偿、公平责任、赔偿金的支付方式等内容。

**第六条　行为人因过错侵害他人民事权益，应当承担侵权责任。**

**根据法律规定推定行为人有过错，行为人不能证明自己没有过错的，应当承担侵权责任。**

**【释义】**　本条是关于过错责任原则的规定。

过错责任，是指造成损害并不必然承担赔偿责任，必须要看行为人是否有过错，有过错有责任，无过错无责任。在奴隶社会和封建社会，结果责任在归责原则中占据统治地位。结果责任不考虑行为人实施行为时是否有过错，谁造成损害谁承担责任，在责任方式上呈现同态复仇的特点。这种在任何领域不问行为人有无过错都要其承担责任的做法是不公平的，动辄得咎极大地限制了行为自由，且这种以野蛮的同态复仇作为责任方式的归责原则是人类文明不发达的表现。随着人类社会的发展和人类文明的进步，过错责任原则逐渐取代了结果责任原则，到了19世纪末20世纪初，过错责任取得了统治性地位。把过错责任作为一般原则写入法典的代表作是1804年的《法国民法典》。《法国民法典》第1382条规定：

“任何行为造成他人损害时，因其过错致使行为发生的人，应当对他人承担赔偿责任。”其后的《德国民法典》、《日本民法典》、《瑞士民法典》等多数大陆法系国家和地区的民法典中，均规定了过错责任原则。过错责任、契约自由以及私权神圣是资本主义国家民法的三大支柱，共同为资产阶级的崛起提供了法律武器。过错责任原则的理论基础，是个人主义哲学，即个人有权在不违背法律的前提下自由行事，相应地，个人必须对自己的行为结果负责。以过错作为主要的归责基础可以较好地协调“个人自由”与“社会安全”的关系。行为人若尽到合理注意义务，就没有过错，即免除侵权责任。这样个人的活动自由可以得到保障，聪明才智得到充分发挥，社会经济活动得以顺利进行。若人人都尽到合理注意义务，社会安全也会得到维护。

我国于 1986 年在民法通则第一百零六条第二款规定，公民、法人由于过错侵害国家的、集体的财产，侵害他人财产、人身的，应当承担民事责任。该规定确认了过错责任原则在我国的法律地位。本条继承了民法通则的规定，重申过错责任原则是侵权责任法的基本归责原则。这是我国社会经济文化发展的需要，同时也是为更有效地保护公民、法人的合法权益，教育公民、法人遵守法律和公共道德，预防和减少损害的发生，化解社会纠纷，促进社会和谐稳定。根据本条规定，在过错责任原则制度下，只要同时满足以下条件，行为人就应承担侵权责任：

一是行为人实施了某一行为。若无行为人的行为，就不会产生侵权责任。在现代社会，“不侵害他人”是任何一个民事主体所应遵守的普遍性义务，没有合法依据或者法律授权，不得损害他人的民事权益，否则就可能承担一定的法律后果。

这里的行为包括作为和不作为。在多数情况下,行为人都是因为对他人的民事权益实施了积极的加害行为而承担侵权责任,如殴打某人,毁坏某人的财产,散布某人的谣言等。本法规定的侵权责任也大多是因为行为人的作为而产生的。

但是,在一些情况下,行为人不作为也有可能产生侵权责任,这是现代侵权责任法的一种发展趋势,即在特定情形下行为人还负有积极保护他人的义务,例如根据本法第三十七条的规定,宾馆、商场、银行、车站、娱乐场所等公共场所的管理人或者群众性活动的组织者,未尽到安全保障义务,造成他人损害的,应当承担侵权责任。不作为侵权是行为人应当履行某种法定作为义务而未履行该义务而产生的,若没有法定作为义务,行为人的不作为并不构成侵权。这种法定作为义务可能是某一法律明确规定的,可能是某人先前的危险行为产生的,还可能是基于当事人约定而产生的,等等。

二是行为人行为时有过错。在过错责任原则中,过错是确定行为人是否承担侵权责任的核心要件,也是人民法院审理侵权案件的主要考虑因素。行为人的行为造成损害并不必然承担侵权责任,必须要看其是否有过错,无过错即无责任。一位著名的法学家曾说:“正如使蜡烛燃烧的是氧气,而不是光一样,使行为人承担侵权责任的不是其行为,而是其过错。”过错就是行为人行为时的一种应受谴责的心理状态。正是由于这种应受谴责的心理状态,法律要对行为人所实施的行为作否定性评价,让其承担侵权责任。需要指出的是,过错仅适用于过错责任原则制度下的侵权责任,对于一些法律明确规定的特殊侵权责任,过错并非必要条件。对此,本法第七条规定,行为人损害他人民事权益,不论行为人有无过错,法律规定应当承担侵权责任的,依照其规定。第二十四条规定，受害人和行为人对损害的发生都没有过错的，可以根据实际情况，由双方分担损失。本法明确规定了一些不以过错为要件的具体侵权责任，如第五章的产品责任，第八章的环境污染责任，第九章的高度危险责任。但是需要强调的是，本法第七条、第二十四条规定的无过错责任和公平责任的适用范围是法律特别规定的情形。只要法律没有明确规定不以过错为要件的，过错仍是行为人承担侵权责任的要件。

过错分为故意和过失。故意，是指行为人预见到自己的行为会导致某一损害后果而希望或者放任该后果发生的一种主观心理状态。过失，是指行为人因疏忽或者轻信而使自己未履行应有注意义务的一种心理状态，其是侵权责任法中最常见的过错形态。故意与过失的主要区别是，故意表现为行为人对损害后果的追求、放任心态，而过失表现为行为人不希望、不追求、不放任损害后果的心态。故意是一种典型的应当受到制裁的心理状态，但它必须通过一定的行为表现出来。在实践当中，通过对行为人行为的调查可以认定行为人是否具有故意的心理状态，如某人点着火把往另一人的房屋上扔这一行为本身就足以表明行为人具有故意的心理状态，受害人没有必要就行为人是否故意再承担举证责任。

如何判断某个人的过失，经历了一个发展过程。早期判断行为人是否有过失，主要考察行为人的主观心理状态，这也叫主观判断标准。这需要分析特定行为人对自己的行为或后果的理解、判断、控制、认识等方面的状况及能力，从其意志活动过程来确定过失。但是这导致受害人证明行为人的过错很困难，不利于保护其利益。发展到现在，对过失的认定逐渐客观化，不是从单个行为人的主观状态认定其过失，而是主要依据以下客观标准判断其有无过失：第一，行为人是否违反了法律、行政法规明确规定的义务。例如,法律对某一特定领域规定了行为标准,行为人若违反了这些标准,就具有过失;第二,行为人是否违反了一个合理人的注意义务。“合理人的注意义务”即多数人在特定情况下应当达到的注意程度。根据该标准,判断被告是否有过失主要看一般人在被告所处的情况下,会怎么行为,若一般人会与被告做出同样的行为,被告就没有过失,反之,则有过失。“合理人的注意义务”原则上不照顾行为人的特殊弱点,不管其是性急、害羞、健忘,还是反应慢、粗心大意等,原则上适用同样的标准,并不因此而得到原谅;也不考虑行为人的经验、能力,如一个没有经验的司机造成车祸所适用的判断标准与一个有多年驾驶经验的老司机所适用的标准是一样的。当然该标准原则上也不要求行为人比常人履行更高的注意义务,它只要求被告履行常人的一般注意义务即可。客观判断标准有两种特殊情形:第一,专业人员的行为标准。“合理人的注意义务”是主要针对一般人的过失判断标准,但在现实生活中,还存在许多有特殊技能和知识的人,如医生、律师、会计师、建筑师等。这些专业人员的行为标准就应当比一般人的行为标准高一些,要求行为人的行为符合自己领域内公认的活动标准。判断某一专业人员是否有过失要看其是否履行了本领域内一个合格专业人员的注意义务。例如,医生的合理注意义务应是其他医生普遍遵守的义务,不是“一般人”普遍遵守的义务。对此,本法第五十七条规定,医务人员在诊疗活动中未尽到与当时的医疗水平相应的诊疗义务,造成患者损害的,医疗机构应当承担赔偿责任。第二,无民事行为能力人或者限制民事行为能力人的行为标准。这类人主要包括未成年人、精神病人。专业人员的行为标准通常高于一般人的行为标准,而无民事行为能力人或者限制民事行为能力人的行为标准通常低于一般人的行为标准。同样的行为造成同样的后果，对于具有完全民事行为能力的成年人可能就是过失，而对儿童来说就不是过失。在判断这类人是否履行合理注意义务时，应当考虑其年龄、智力和生理状况等因素。无民事行为能力人或者限制民事行为能力人造成他人损害的，由其监护人承担侵权责任。本法第三十二条对此作出相应规定，无民事行为能力人、限制民事行为能力人造成他人损害的，由监护人承担侵权责任。监护人尽到监护责任的，可以减轻其侵权责任。有财产的无民事行为能力人、限制民事行为能力人造成他人损害的，从本人财产中支付赔偿费用。不足部分，由监护人赔偿。

三是受害人的民事权益受到损害。损害是指行为人的行为对受害人的民事权益造成的不利后果。根据本法第二条第二款的规定，这里的民事权益包括生命权、健康权、姓名权、名誉权、荣誉权、肖像权、隐私权、婚姻自主权、监护权、所有权、用益物权、担保物权、著作权、专利权、商标专用权、发现权、股权、继承权等人身、财产权益。不利后果通常表现为：财产减少、生命丧失、身体残疾、名誉受损、精神痛苦等。需要强调的一点是，这里的"损害"是一个比较广的概念，不但包括现实的已经存在的"不利后果"（也叫现实损害）如前面所列举的身体残疾、财产减少等，还包括构成现实威胁的"不利后果"，如某人的房屋倾斜，如其不采取防范措施，导致房屋随时有可能倒塌损害他人的人身、财产安全。实践中，受害人大多数情况下受到的是现实损害，这种损害相对容易被认定和证明。在一些情况下，行为人的行为也可能对受害人的民事权益造成现实威胁，为防止其转化成现实损害，行为人也应当承担侵权责任，这有利于保护受害人，体现了本法预防侵权行为的立法目的，也是现代侵权责任法的发展趋势。本法第二十一条规定的内容就包含了这层意思。根据该规定，侵权行为危及他人人身、财产安全的，被侵权人可以请求侵权人承担停止侵害、排除妨碍、消除危险等侵权责任。

四是行为人的行为与受害人的损害之间有因果关系。因果关系是指行为人的行为作为原因，损害事实作为结果，在二者之间存在的前者导致后者发生的客观联系。因果关系是侵权责任的重要构成要件，在行为与损害事实之间确定存在因果关系的，就有可能构成侵权责任，没有因果关系就必然地不构成侵权责任。对一些比较简单的侵权行为，判断是否存在因果关系比较容易，例如某人开车闯红灯撞伤一行人，行人受伤与被告开车闯红灯之间是否存在因果关系一目了然，举证容易，不需要复杂的理论分析。但是，在现实生活中，侵权行为越来越多样化和复杂化，有的一因多果，有的多因一果，有的甚至多因多果；如何判断或者确定行为与损害之间是否存在因果关系就比较困难，也是审判实践中面临的棘手问题。为了应对因果关系的复杂化，学者、法官创造了多种理论，如“条件说”“原因说”“相当因果关系说”“疫学因果关系说”“法律因果关系说”“盖然性因果关系说”等。在立法中，有的也建议，考虑到因果关系的复杂性和重要性，为指导审判实践，应当明确规定因果关系的判断规则。草案一审稿曾规定：“受害人应当证明侵害行为与损害后果之间存在因果关系。”“法律规定应当由侵权人证明因果关系不存在，如果侵权人不能证明的，视为存在因果关系。”但是，在征求意见过程中，有的提出，因果关系问题较为复杂，草案一审稿的规定比较简单，不足以解决问题，有可能束缚法官根据具体案情对一些复杂因果关系的判断。草案二审稿最终删除了这一规定。原则上，如何判断因果关系需要由法官根据个案的实际情况，依一般社会经验决定。对案情较为简单，一因一果的侵权，可以直接根据事实判定，没有必要舍本逐末，再用其他理论判断；对于虽然有其他条件介入，但行为与损害后果之间自然连续、没有被外来事件打断的，也可以认定存在因果关系；对多因一果、一因多果或者多因多果等复杂情形，则需要法官综合考虑当时的情况、法律关系、公平正义、社会政策等多种因素决定。

在侵权责任中，一般由原告承担证明损害与行为之间存在因果关系的责任，但在特定情形，如环境污染责任中，不少环境污染损害有个积累过程，时间长，跨度大，受害群体分布广，且专业性较强，让普通受害者个人费时耗力地证明因果关系是否存在困难重重，为了保护这些受害者，需要减轻受害者的举证责任，由被告负责证明自己的行为与损害结果之间没有因果关系。适用这种特殊举证责任需要法律明确规定，法律没有明确规定的，原则上不能适用这样的证明规则。本法第六十六条规定，因环境污染发生纠纷，污染者应当就法律规定的不承担责任或者减轻责任的情形及其行为与损害之间不存在因果关系承担举证责任。

在过错责任原则中，通常由受害人证明行为人是否有过错，但在一些情况下也适用过错推定。所谓过错推定，是指根据法律规定推定行为人有过错，行为人不能证明自己没有过错的，应当承担侵权责任。在传统的过错责任原则下，受害人向加害人行使请求权时必须证明加害人具有过错，但过错是行为人的一种主观心理状态，受害人证明起来比较困难。加之，进入现代社会后，各种机器设备大量出现，专业分工亦极为细密，碍于专业知识所限，受害人证明加害人的过错就更为困难。为了既能维持过错责任原则的地位不被动摇，又能有效保护和救济受害人，一些国家和地区发展出了减轻受害人举证责任的规则，如英美法有“事实自证”，德国法有“表见证明”，而我国在司法实践中采用了“过错推定”。过错推定实质就是从侵害事实中推定行为人有过错，免除了受害人对过错的举证责任，加重了行为人的证明责任，更有利于保护受害一方的利益，也可更有效地制裁侵权行为。对此，本条第二款在民法通则的基础上，向前进了一步，明确规定了过错推定。过错推定虽说包含在过错责任原则中，但与一般过错责任有较大的不同。近百年来，过错推定总是与本法第七条规定的无过错责任原则共同发展的，虽说二者不完全相同，但从其他国家过错推定实施和发展的结果看，过错推定近似于无过错责任原则。因此，对行为人而言，这是一种较重的责任，不宜被滥用，需要由法律对适用范围作严格限定，否则就有可能限制人们的行动自由。从境外的立法经验看，基本上都由法律明确规定在什么情况下适用过错推定。本条第二款也强调，法律规定行为人有过错，行为人不能证明自己没有过错的，才应当承担侵权责任。法律没有规定过错推定的，仍应由受害一方承担过错的证明责任。目前，本法规定的机动车交通事故责任、物件损害责任主要适用过错推定，对无民事行为能力人在幼儿园、学校或者其他教育机构内受到损害的责任也适用过错推定。

**第七条　行为人损害他人民事权益，不论行为人有无过错，法律规定应当承担侵权责任的，依照其规定。**

**【释义】**　本条是关于无过错责任原则的规定。

无过错责任原则，是指不以行为人的过错为要件，只要其活动或者所管理的人或者物损害了他人的民事权益，除非有法定的免责事由，否则行为人就要承担侵权责任。在法律规定适用无过错责任原则的案件中，法官在判断被告应否承担侵权责任时，不考虑被告有无过错，不要求原告证明被告有过错，也不允许被告主张自己无过错而请求免责。只要审理查明，被告的行为与原告损害之间存在因果关系，即可判决被告承担侵权责任。由于这种责任的承担，并不考虑行为人的主观意识状态，而只考虑损害结果和免责事由，故又被称为客观责任。与本法第六条规定的过错责任原则相比，这种责任在承担条件和责任后果上更为严格，故也被称为严格责任。适用无过错责任原则的意义在于加重行为人责任，及时救济受害人，使其损害赔偿请求权更容易实现。

在无过错责任原则出现前，侵权责任法领域实行的是过错责任原则。行为人只有在有过错的情况下，才对自己侵害他人民事权益的行为承担侵权责任，无过错就无责任。但是，到了19世纪末20世纪初，随着工业化的加速，技术日新月异，经济飞速发展，伴随而来的是事故大量发生，极大地危害生命和财产安全。在这样的时代背景下，对这些事故继续实行过错责任原则，一是会使受害人证明行为人的过错更困难；二是行为人也会找出各种无过错的理由进行抗辩，以免除自己的责任。最终的结果是大量受害人得不到赔偿，激化了社会矛盾，影响到了社会的正常运行。为解决这一较为严重的社会问题，有的西方国家在坚持过错责任原则的同时，在交通肇事、矿山事故等纠纷中开始实行无过错责任原则。1838年，《普鲁士帝国铁路法》第25条针对火车事故首先规定了无过错责任原则。19世纪末20世纪初，美国、法国等西方国家相继以特别立法或判例的方式承认了这一原则。所以，无过错责任原则的产生是社会发展的必然结果。到了 20 世纪末,考虑到个案和单行法的规定有疏漏之处,有的国家出现以一般规则规定无过错责任原则的动向。

我国 1986 年颁布的民法通则确立了无过错责任原则。民法通则第一百零六条第三款规定,没有过错,但法律规定应当承担民事责任的,应当承担民事责任。同时,第一百二十三条规定,从事高空、高压、易燃、易爆、剧毒、放射性、高速运输工具等对周围环境有高度危险的作业造成他人损害的,应当承担民事责任,如果能证明损害是由受害人故意造成的,不承担民事责任。这是高度危险作业适用无过错责任原则的一般规则,避免了单行法规定的疏漏。民法通则明文规定无过错责任,是现代社会发展的需要,也适应了侵权责任法发展的潮流,具有重大实践意义和理论意义。从民法通则多年的实施效果看,无过错责任原则不但有利于受害人及时获得赔偿,缓解社会矛盾,而且对切实保护人民群众人身、财产安全,促使高度危险作业人、产品制造者、环境污染者等行为人对自己从事的活动或者管理的物品高度负责、谨慎从事,不断改进技术安全措施,提高工作质量,尽力保障他人和环境的安全发挥了积极作用。近年来,随着我国工业化、城市化进程的快速推进,工伤事故处于易发期、多发期,环境污染加剧,火车进入高速时代,民航业蓬勃发展,人们已生活在高度危险的社会环境中,可以说,现代社会就是一个“风险社会”,为增强行为人的责任意识,同时使受害人能够得到及时有效的赔偿,我国现阶段更应该突出和强调无过错责任原则,扩大无过错责任原则的适用范围。基于此,本法第七条继承了民法通则的规定,并在此基础上进一步明确了无过错责任原则的内涵。

本法对无过错责任原则的立法经历了一个变化过程。草案一审稿、二审稿基本按照民法通则第一百零六条第三款的行文对该原则作了表述，规定："行为人没有过错，法律规定应当承担侵权责任的，依照其规定。"在征求意见过程中，有的提出，无过错责任原则的精髓并不是行为人没有过错也要承担侵权责任，而是在确定行为人是否承担侵权责任时，不管其有无过错，受害一方也不用证明行为人是否有过错。草案一审稿、二审稿的表述没有准确体现无过错责任原则的内涵，有可能让人误解为，只有在行为人无过错时才承担无过错责任，有过错时不承担无过错责任，仍需受害一方承担过错的证明责任。本法第七条最终对无过错责任原则的表述是："行为人损害他人民事权益，不论行为人有无过错，法律规定应当承担侵权责任的，依照其规定。"该表述不仅准确体现了无过错责任原则的内涵，解决了对"无过错"的理解问题，也解决了无过错责任原则的责任构成要件问题。根据本条规定，无过错责任的构成要件有四个：一是行为；二是受害人的损害；三是行为与损害之间具有因果关系；四是不存在法定的不承担责任的情形。只要同时具备以上四个要件，且属于法律明确规定适用无过错责任原则的领域，行为人就应当承担侵权责任，而不问其有无过错，受害方也不用证明行为人有过错。

在许多适用无过错责任原则的领域，法律让行为人承担无过错责任，并非是因为其从事了法律禁止的活动，而恰恰相反，这些活动是社会经济发展所必需的，社会允许其存在。但是，由于这些活动充满不同寻常的危险，且这些风险多数是不可控制的，即使采取所有预防意外的措施，也不可能避免危险，如飞机遇到空中的飞鸟、突遇恶劣天气而坠机等。在这些危险活动中，行为人承担侵权责任，不是因为其知道意外的发生而没有加以防范，而是其为了自己的利益，使别人面临这种特殊风险，法律允许其活动的条件是他必须对这种风险产生的后果负责。

这里需要强调以下几点：

一是设立无过错责任原则的主要政策目的，绝不是要使“没有过错”的人承担侵权责任，而主要是为了免除受害人证明行为人过错的举证责任，使受害人易于获得损害赔偿，使行为人不能逃脱侵权责任。事实上，从我国审判实践的情况看，适用无过错责任原则的大多数案件中，行为人基本上都是有过错的。

二是无过错责任并不是绝对责任，在适用无过错责任原则的案件中，行为人可以向法官主张法定的不承担责任或者减轻责任的事由。例如，在产品责任案件中，产品制造者可以证明产品投入流通时，引起损害的缺陷尚不存在而免除自己的侵权责任；在高度危险物致损案件中，高度危险作业人可以证明受害人故意造成损害而免除自己的责任，等等。但是，法律根据行为的危险程度，对适用无过错责任原则的不同侵权类型规定了不同的不承担责任或者减轻责任的事由，例如根据本法规定，民用核设施发生核事故造成他人损害的，民用核设施经营人的不承担责任事由是战争等情形或者受害人故意。占有或者使用易燃、易爆、剧毒、放射性等高度危险物造成他人损害的，免责事由是受害人故意或者不可抗力；被侵权人对损害的发生有重大过失的，可以减轻占有人或者使用人的责任。从事高空、高压、地下挖掘活动，使用高速轨道运输工具造成他人损害的，免责事由是受害人故意或者不可抗力；被侵权人对损害的发生有过失的，可以减轻经营人的责任。

三是在适用无过错责任原则的侵权案件中，只是不考虑行为人过错，并非不考虑受害人过错。如果受害人对损害的发生也有过错的，在有的情况下可减轻，甚至免除行为人的侵权责任。

四是本条关于无过错责任原则的规定，是为了在一些特定领域排除过错责任原则的适用。第七条的规定本身只是为了表明无过错责任原则在我国是与过错责任原则并列的归责原则，其并不直接具有作为裁判根据的意义。要对某一案件适用无过错责任，必须是本法或者单行法明确规定该类案件不以过错为承担责任的条件。在立法中，有的建议取消单行法对无过错责任的具体规定，由本法规定几个适用无过错责任原则的条件和标准。但是，考虑到某一领域是否适用无过错责任原则受多种因素的影响，如危险程度、政策选择、事故发生的可能性、严重性等，且决定不同领域是否适用无过错责任原则的条件和标准也不完全相同，由法律统一规定哪些因素作为适用无过错责任原则的条件和标准很难，也没有把握，最终本法并没有规定这样的条件和标准。因此，适用无过错责任原则的案件，所适用的是本法或者其他法律关于无过错责任的具体规定。本法或者其他法律未明确规定适用无过错责任原则的案件，均属于过错责任原则的适用范围。法官不能在法律没有明确规定适用无过错责任原则的情况下，擅自适用该原则。强调这一点，主要是考虑到无过错责任是一种极为严格的责任，若由法官自由决定是否适用该原则，有可能妨碍人们的行为自由和社会进步。立法者在决定哪些领域应当适用无过错责任原则时比较慎重。本法明确规定了几种适用无过错责任原则的特殊侵权行为，如第五章的产品责任、第八章的环境污染责任以及第九章的高度危险责任。其他单行法也可以根据实践发展和社会需要规定适用无过错责任原则的领域。这里需要注意的是，第九章规定的高度危险责任比较特殊，根据本法第六十九条的规定，从事高度危险作业造成他人损害的，应当承担侵权责任。该规定没有限制高度危险责任的具体适用范围，是开放和动态的，只要从事高度危险作业的，就要承担无过错责任。高度危险作业的内涵和外延可以随着社会的发展而扩展。出现新的高度危险作业的，根据实践需要，可用司法解释或者立法解释的方式，也可用单行法的方式包含进来。该规定可以说为将来无过错责任原则的扩大适用留有余地。

五是适用无过错责任原则的，在赔偿数额上可能存在限制。许多适用无过错责任原则的活动是社会所需要的，法律允许这些活动的存在，但如果法律对这些领域发生的事故赔偿数额没有限制，就有可能过分加重行为人的负担，阻碍经济发展和企业壮大，且无过错责任原则往往与责任保险相连，责任保险可以确保无过错责任制度得以顺利实施，若赔偿额度过高，保险人的负担过于沉重，就可能放弃责任保险，不利于无过错责任制度的顺利实施。所以，在某些适用无过错责任原则的领域，对赔偿额度予以限制，是十分必要的。本法第七十七条规定，承担高度危险责任，法律规定赔偿限额的，依照其规定。我国的航空、海运等方面的特别法规，基于特定行业的风险性和保护该行业发展的需要，往往规定了最高赔偿数额，如现在航空事故的赔偿限额是 40 万元。

**第八条　二人以上共同实施侵权行为，造成他人损害的，应当承担连带责任。**

**【释义】**　本条是关于共同侵权制度的规定。

一、共同侵权的概念

共同侵权，是指数人共同不法侵害他人权益造成损害的行为。对共同侵权行为,有的学者称为“共同致人损害”;有的学者称为“共同过错”;还有的学者称为“共同不法行为”。

二、我国以及其他国家和地区的立法例

(一)大陆法系

在大陆法系现代民法中,《法国民法典》一直没有对共同侵权行为作出一般性规定,今日法国所适用的共同侵权制度,乃判例、学说共同努力的成果。在法国,共同侵权行为问题被纳入到复数侵权行为的理论框架内加以探讨,并且不区分共同侵权行为和共同危险行为,对此类侵权通常使用数人之过误竞合(加害人不明时适用共同之过误、集团之过误)、全部赔偿义务及损害之同一性等概念展开探讨。

首次明确规定共同侵权制度的立法例出现在1900年施行的《德国民法典》中,其第830条规定:“数人因共同实施侵权行为造成损害的,各人对损害均负责任。”《德国民法典》的这一规定,对其他国家和地区的立法产生了重要影响。又如《日本民法典》第719条第1款规定:“由于多人共同的不法行为而对他人造成了损害时,各人对于该损害负有连带赔偿责任。无法得知共同行为人中的某一人是否施加了该损害时亦同样。”《意大利民法典》第2055条第1款规定:“如果损害行为可归责于多个人,则所有的人要承担连带赔偿的责任。”《韩国民法典》第760条第1款规定:“数人因共同不法行为(侵权行为)给他人造成损害时,对其损害有连带赔偿责任。”《瑞士债务法》第50条第1款规定:“如果数人共同造成损害,则不管是教唆者、主要侵权行为人或者辅助侵权行为人,均应当对受害人承担连带责任和单独责任。”我国台湾地区“民法典”第185条第1款规定:“数人共同不法侵害他人之权利者,连带负损害赔偿责任。”

但近二十年来，有些国家的学者对共同侵权行为的适用范围不断变宽以及共同侵权行为人承担连带责任提出了批评。

1. 法国

近几十年来，法国一些学者一直批判共同侵权行为中的连带责任，认为连带责任与为自己行为负责之间可能存在矛盾，令共同侵权行为人负连带责任将会使那些有经济能力赔偿的人而不是过错程度较重的人承担更重的责任，破坏了加害人之间的利益平衡。

批评者主张每个行为人只应对自己行为导致的部分损害后果承担责任，假如损害是由于数个原因造成的，应当让数个行为人分别承担责任。理由在于：首先，尽管赔偿义务人的行为是损害的发生原因，但是，毕竟其行为只是损害发生原因的一部分。其次，尽管承担赔偿责任的行为人有权向其他行为人进行追偿，但这种追偿不仅存在风险，同时也增加了最终使整个纠纷得以解决的成本投入。最后，加害人赔偿不能的风险越来越小，尤其是因为越来越多的侵权行为人都已经投了保险，破产的风险被降低了，不至于因为分别承担责任而其中又有责任人破产，致使受害人不能得到清偿。因此，这样就没有必要一定要由一个行为人对全部的损害结果负责。

2. 日本

长期以来，日本学术界对共同侵权制度采纳“主观说”还是“客观说”一直存在争议。最终，日本法院于1967年的一个判例中采纳了“客观共同说”。

目前，为了避免本应承担很小份额的行为人承担过重的责任，日本学术界和法院对其民法典第719条进行了更细的分类：一类适用第719条第1款前段对因果关系的判定，也就是共同行为人之间有主观上的共同意思，或者是关联性非常强的客观上的共同行为，如一个工业区里的数家工厂都排放有毒气体，相互之间没有主观关联，但客观关联性非常强。另一类适用第719条第1款后段，有客观上的关联行为，但关联性比较弱，可以推定因果关系，如果一部分加害人能够证明自己的行为与损害之间不存在因果关系，或者能够证明基本上没有责任，就有可能被免责或者淡化责任比例。

上述主张在日本有关环境污染的单行法中得到了体现。《日本大气污染防止法》第25条之二规定："对于由两个以上的事业者向大气中排放有害健康的物质而引起的该损害赔偿责任，适用民法第719条第1款的规定（共同不法行为）的情形下，当认为事业者对于该损害的造成应负责任明显很小时，裁判所在决定该事业者的损害赔偿金额时可以对这一情况加以考虑。"《日本水质污浊防止法》也有同样的规定。

（二）英美法系

尽管英美法在法律体系上与大陆法系不同，但对于共同侵权制度有着相似性。在英美法系的侵权法中，并没有明确的共同侵权行为的概念，学者通常以"连带和分别责任"为标题展开对数人侵权致人损害的讨论。

在英美法中，因数人侵权致人损害产生连带责任的主要有以下三种情形：第一，施加于原告的不可分割的损害是由于两个或两个以上行为人的行为导致的，如由于双方驾驶员的过失发生撞车事故，而殃及行人导致其左半身偏瘫；第二，数个行为人的共同侵权行为导致了原告遭受损害；第三，依据法律规定而应负连带责任。共同侵权行为只是数人侵权制度中的一个方面，是指数个侵权行为人因实施单一的侵权行为而造成受害人同一损害，由全体人员就全额负连带责任的情形。

共同侵权行为人又可分为三种样态，即代理关系与替代责任、共同义务之违反以及共同行为。前两种情形是基于责任人之间的特殊关系而认为具有主观的共同，需承担连带责任；共同行为，是指数个行为人基于共同的目的或共通的目的而对他人实施的侵权行为，相当于德国侵权法中狭义的共同侵权行为。

由美国法学会起草的《侵权法重述·第二次》第 876 条(a)规定："行为人与他人共同从事侵权行为或与该他人为达成共同计划而从事侵权行为，则其应就该他人侵权行为致使第三人的伤害承担责任。"《侵权法重述·第三次·责任分担》第 15 条也规定："当多人因共同行为而承担责任时，所有各方应对分配给参与该共同行为的每一方的比较责任份额承担连带责任。"只要数人是为了共同的目的而在共同行为之中，即便只是其中的一部分人实施了导致损害发生的侵权行为，全体人员即为共同侵权行为人。比如，两人一起搜寻煤气哪儿泄漏，其中一人点燃了火柴导致爆炸，由于两人属于从事共同事务，一方的侵权行为发生在从事共同事务过程中，两人应为共同侵权行为人。在共同侵权行为中，无论受害人的损害是否可以分割，行为人也都必须承担连带责任。比如，三个匪徒一起袭击了公园里的行人，第一个人偷了这个人的手表，第二个人用刀刺伤了他，而第三个人将油漆倒在他身上。

(三)中国

我国于 1986 年颁布实施的民法通则第一百三十条规定："二人以上共同侵权造成他人损害的，应当承担连带责任。"该条规定首次在立法上使用了"共同侵权"这一制度性概念。最高人民法院于 2003 年颁布的《关于审理人身损害赔偿案件适用法律若干问题的解释》对这一规定进行了细化，其中第三条第一款规定："二人以上共同故意或者共同过失致人损害，或者虽无共同故意、共同过失，但其侵害行为直接结合发生同一损害后果的，构成共同侵权，应当依照民法通则第一百三十条规定承担连带责任。"

三、我国学者对共同侵权制度的论述

在对共同侵权制度的研究中，如何理解"共同"的含义至关重要，我国学者对共同侵权制度的研究也主要集中在这个方面。经过梳理，主要有以下几种学说：

（一）意思联络说

有的学者认为，意思联络是共同侵权行为的必要条件，要使主体各自的行为统一起来，成为一个共同行为，就必须要有他们的愿望和动机，即共同的意思联络，或曰共同通谋，或曰共同故意。有了意思联络，便在主体间产生了两个方面的统一：一方面是主体意志的统一；另一方面是主体行为的统一。

（二）共同过错说

有的学者认为，只要几个行为人之间在主观上有共同致害的意思联系，或者有共同过失，即具有共同过错，就应当作为共同侵权行为处理。共同过错就是数个行为人对其行为或结果具有共同的认识或对某种结果的发生应该共同尽到合理的注意而没有注意的情形，包括共同故意与共同过失两类。后者又可以分为两种情形：一是各行为人对其行为所造成的共同损害后果应该预见或认识，而因为疏忽大意或不注意致使损害后果发生；二是数人共同实施某种行为造成他人损害，不能确定行为人对损害结果的发生具有共同故意，但可根据案件的情况，认定行为人具有共同的过失。

（三）关联共同说

有的学者认为，共同侵权行为的构成不应以共同的意思联络为必要条件，只要数人在客观上有共同的侵权行为，就应当承担共同侵权行为的民事责任。有的学者认为，民法上之共同侵权行为与刑法上之共犯不同，尚各自之行为，客观上有关联共同，即为足矣。有的学者认为，数人之加害行为，虽无意思联络，但其行为有关联共同者（各行为造成一共同之损害，无法分别何行为造成何部分之损害），亦属共同加害行为。

（四）折中说

持折中说的学者既不完全采纳意思联络说，也不完全采纳关联共同说，而是认为应当区分不同的情况分别处理。有的学者认为，单纯的主观说或客观说都不足采，正确的理论应当是把握加害人与受害人之间的利益平衡，而不可偏执于一端。在共同侵权行为的构成要件上既要考虑各行为人的主观方面，也要考虑各行为人行为之间的客观联系。从主观方面而言，各加害人应均有过错，或为故意或为过失，但是不要求共同的故意或者意思上的联络；过错的内容应当是相同或者相似的。从客观方面而言，各加害人的行为应当具有关联性，构成一个统一的不可分割的整体，而且都是损害发生不可或缺的共同原因。

持该学说的学者对共同侵权行为进行了分类：法律、法规等明文规定的共同侵权行为，为共同侵权行为；基于数个加害人有意思联络的故意加害行为属于共同侵权行为；基于数个加害人内容相同或者相似的过失侵害同一受害人相同或者相近的民事权益之行为，属于共同侵权行为；基于相同内容的过失与故意之结合或者基于内容相同或相近的过失行为的结合，而侵害同一受害人相同或相近民事权益的行为，也属于共同侵权行为。

四、对本条的具体理解

根据本法规定，在数人侵权情形下，如果构成一般侵权，数个行为人分别根据各自行为造成损害后果的可能性承担按份责任。如果构成共同侵权，数个行为人对受害人承担连带责任，受害人可以要求任一行为人承担全部侵权责任，法律后果更重。连带责任的重要意义在于增加责任主体的数量，加强对受害人请求权的保护，确保受害人获得赔偿。如果每个行为人都具有相应的清偿能力，要求数个行为人对受害人承担连带责任或者按份责任，最终结果都是一样的。但是，如果部分行为人不具有清偿能力，这就凸显出了连带责任在保护受害人方面的重要作用，但这也可能使对外承担全部责任的部分行为人无法从其他行为人处获得相应的清偿。

如果共同侵权制度的适用范围过于宽泛，会使行为人动辄与他人承担连带责任，哪怕其本身只需要承担一小部分的份额，他也必须首先对外承担全部责任，然后再向其他行为人追偿，不仅增加了诉讼成本，而且可能使具有清偿能力的人承担其本不应承担的份额，蒙受不公平，反而使本应承担更多份额的行为人得以逃脱。如果共同侵权制度的适用范围过于狭窄，将不利于充分发挥该制度迅捷救济受害人的设计初衷，受害人需要证明数个行为人的侵权行为在损害后果中所占的份额，增加了诉讼难度。也正因为此，在构建共同侵权制度时，需要在行为人与受害人之间寻找到一个合适的平衡点。

根据本条规定，构成共同侵权行为需要满足以下几个要件：

一是主体的复数性。共同侵权行为的主体必须是两人或者两人以上，当行为人只有一人时，不可能成立共同侵权。行为人可以是自然人，也可以是法人。

二是共同实施侵权行为。这一要件中的“共同”主要包括三层含义:其一,共同故意。上文介绍了多种学说,无论学者采纳哪一种学说,都一致认为,数个行为人基于共同故意侵害他人合法权益的,应当成立共同侵权行为。其二,共同过失。“共同过失”主要是数个行为人共同从事某种行为,基于共同的疏忽大意,造成他人损害。其三,故意行为与过失行为相结合。

三是侵权行为与损害后果之间具有因果关系。在共同侵权行为中,有时各个侵权行为对造成损害后果的比例有所不同,但必须存在法律上的因果关系,如果某个行为人的行为与损害后果之间没有因果关系,不应与其他行为人构成共同侵权。

四是受害人具有损害。这是受害人请求加害人承担侵权责任的一个基本要件。无损害,则无救济,如果没有损害,根本不可能成立侵权责任。

根据本条规定,一旦满足上述构成要件,成立共同侵权行为,那么,数个行为人就必须对外承担连带责任,被侵权人有权请求部分或者全部行为人承担全部责任。

本条关于共同侵权行为的规定,是在综合考察其他国家和地区的立法例以及司法实务演变,并具体结合我国实际情况的基础上制定的。“共同实施侵权行为”,这一表述与民法通则第一百三十条的表述是基本一致的,可以根据社会发展的需要作出相应的限缩或者扩张解释,便于司法实践灵活掌握。

需要说明的是,在我国,共同侵权与连带责任的适用范围并不完全重合。数人承担连带责任的原因,除了共同侵权行为外,还有其他一些适用连带责任的情形。例如,本法第五十一条规定拼装或者报废机动车的转让人和受让人承担连带责任;第七十四条规定高度危险物的所有人与管理人承担连带责任等。

**第九条 教唆、帮助他人实施侵权行为的,应当与行为人承担连带责任。**

**教唆、帮助无民事行为能力人、限制民事行为能力人实施侵权行为的,应当承担侵权责任;该无民事行为能力人、限制民事行为能力人的监护人未尽到监护责任的,应当承担相应的责任。**

**【释义】** 本条是关于教唆侵权和帮助侵权的规定。

一、我国以及其他国家和地区的立法例

但凡规定共同侵权行为的民法典,大多都对教唆和帮助侵权作出了明确规定。例如《德国民法典》第 830 条第 2 款规定:"教唆人和帮助人视为共同行为人。"《日本民法典》第 719 条第 2 款规定:"教唆行为人者及帮助行为人者看作共同行为人,适用前款规定。"《瑞士债务法》第 50 条规定:"如果数人共同造成损害,则不管是教唆者、主要侵权行为人或者辅助侵权行为人,均应当对受害人承担连带责任和单独责任。法院有权自由裁决责任人是否以及在多大程度上分担责任。教唆者的责任限于其获得的利益和由于其帮助造成的损失的范围。"《韩国民法典》第 760 条第 3 款规定:"教唆人或帮助人视为共同行为人。"我国台湾地区"民法典"第 185 条第 2 款规定:"造意人及帮助人,视为共同行为人。"

我国民法通则仅仅规定了共同侵权制度,没有对教唆、帮助侵权作出具体规定。最高人民法院通过的《关于贯彻执行〈中华人民共和国民法通则〉若干问题的意见(试行)》弥补了这一空白，第一百四十八条规定：“教唆、帮助他人实施侵权行为的人，为共同侵权人，应当承担连带民事责任。教唆、帮助无民事行为能力人实施侵权行为的人，为侵权人，应当承担民事责任。教唆、帮助限制民事行为能力人实施侵权行为的人，为共同侵权人，应当承担主要民事责任。”

二、教唆、帮助行为与共同侵权行为之间的关系

关于教唆、帮助行为与共同侵权行为之间的关系，学者之间有不同的认识。

有的学者认为，共同侵权行为的主体是共同加害人，共同加害人按其行为的特点，可以分为实行行为人、教唆行为人和帮助行为人，因而，教唆行为和帮助行为都是共同侵权行为人实行的行为，都是典型的共同侵权行为。有的学者认为，如果某人教唆或者帮助他人从事侵权行为，由于各行为人具有共同故意，其行为已与其他共同侵权行为人的行为构成一个共同的、不可分割的整体，因此都是共同侵权行为人。

有的学者认为，教唆或者帮助他人实施侵权行为的人并未直接从事加害行为，原则上是不应承担侵权责任的；但是，如果不令这些教唆人或者帮助人承担侵权责任必将大大违背社会正义观念，而且也不利于遏制此等教唆行为或帮助行为之发生。因此，在侵权责任法中将这两类人与直接从事侵权行为的人同样对待，视其为共同侵权行为人。

也有的学者认为，在数人侵权的情况下，有时法律因特别目的特别规定数人承担连带责任的，属于法定的共同侵权。法律有明文规定的时候，只要符合该法律规定的特别要件，不论其是否符合共同侵权的构成要件，均当然按照共同侵权责任处理。教唆和帮助行为即属于法定的共同侵权行为中的一种类型。

三、教唆、帮助完全民事行为能力人实施侵权行为

本条第一款中的“他人”指的是完全民事行为能力人。根据本款规定，教唆、帮助完全民事行为能力人实施侵权行为需要满足以下构成要件：

一是教唆人、帮助人实施了教唆、帮助行为。教唆行为，是指对他人进行开导、说服，或通过刺激、利诱、怂恿等方法使该他人从事侵权行为。教唆行为只能以积极的作为方式作出，消极的不作为不能成立教唆行为，教唆行为可以通过口头、书面或其他形式加以表达，可以公开进行也可以秘密进行，可以当面教唆也可以通过别人传信的方式间接教唆。帮助行为，是指给予他人以帮助，如提供工具或者指导方法，以便使该他人易于实施侵权行为。帮助行为通常是以积极的作为方式作出，但具有作为义务的人故意不作为时也可能构成帮助行为。帮助的内容可以是物质上的，也可以是精神上的，可以在行为人实施侵权行为前，也可以在实施过程中。一般认为，教唆行为与帮助行为的区别在于：教唆行为的特点是教唆人本人不亲自实施侵权行为，而是唆使他人产生侵权意图并实施侵权行为或危险行为；而帮助行为可能并不对加害行为起决定性作用，只是对加害行为起促进作用。

二是教唆人、帮助人具有教唆、帮助的主观意图。一般来说，教唆行为与帮助行为都是教唆人、帮助人故意作出的，教唆人、帮助人能够意识到其作出的教唆、帮助行为所可能造成的损害后果。在帮助侵权中，如果被帮助人不知道存在帮助行为，也并不影响帮助行为的成立。

三是被教唆人、被帮助人实施了相应的侵权行为。这一要件要求教唆行为、帮助行为与被教唆人、被帮助人实施的侵权行为之间具有内在的联系。如果被教唆人、被帮助人实施

的侵权行为与教唆行为、帮助行为没有任何联系,而是行为人另外实施的,那么,就该行为所造成的损害不应要求教唆人、帮助人承担侵权责任。这一点与刑法中的教唆犯罪存在明显区别,在刑法中,即便被教唆人没有按照教唆人的意图实施犯罪行为,教唆人的教唆行为仍然可能构成教唆未遂的犯罪。

根据本款规定,教唆人、帮助人实施教唆、帮助行为的法律后果是,教唆人、帮助人与行为人承担连带责任。受害人可以请求教唆人、帮助人或者行为人中的一人或者数人赔偿全部损失。

四、教唆、帮助无民事行为能力人或者限制民事行为能力人实施侵权行为

本条第二款是针对被教唆、被帮助对象是无民事行为能力人或者限制民事行为能力人所作出的特别规定。相比第一款的规定,本款规定的法律后果有所不同。

一是,教唆人、帮助人明知被教唆人、被帮助人为无民事行为能力人或者限制民事行为能力人时,仍然实施教唆、帮助行为的,应当承担侵权责任。即便教唆人、帮助人主观上不知道被教唆人、被帮助人是无民事行为能力人或者限制民事行为能力人的,为了体现法律对教唆、帮助行为的否定性评价,也应当适用本款规定,由教唆人、帮助人承担侵权责任。

二是,如果被教唆、被帮助的无民事行为能力人或者限制民事行为能力人的监护人未尽到监护责任的,应当承担相应的责任。监护,是为保护无民事行为能力人和限制民事行为能力人的人身和财产权利而由特定公民或组织对其予以监督、管理和保护的制度。根据民法通则的有关规定,监护人的职责主要有以下几项:(1)保护被监护人的人身、财产及其他合法权益;(2)管理被监护人的财产;(3)代理被监护

人参加各类民事活动;(4)教育和照顾被监护人;(5)在被监护人的权利受到侵害或发生争议时,代理其进行诉讼。如果监护人未尽到教育和照顾被监护人的职责,疏于履行监护责任,应当对被监护人给他人造成的损害承担侵权责任。

在起草过程中,有的人提出无论监护人是否尽到监护责任,都应当由监护人与教唆人或者帮助人承担连带责任。在存在教唆人、帮助人的情形下,监护人也要承担连带责任,过于严厉。本法没有规定监护人需要承担连带责任。

**第十条 二人以上实施危及他人人身、财产安全的行为,其中一人或者数人的行为造成他人损害,能够确定具体侵权人的,由侵权人承担责任;不能确定具体侵权人的,行为人承担连带责任。**

**【释义】** 本条是关于共同危险行为的规定。

学说上指的共同危险行为,是指数人的危险行为对他人的合法权益造成了某种危险,但对于实际造成的损害又无法查明是危险行为中的何人所为,法律为保护被侵权人的利益,数个行为人视为侵权行为人。

一、我国以及其他国家和地区立法例

共同危险行为制度广泛存在于其他国家和地区的民法典中,但对于共同危险行为制度的起源,学者们还有不同认识。有的学者认为,共同危险行为起源于罗马法的“流出投下物诉权”制度,根据罗马法规定,在有物体从共同住宅窗户投下、坠落或有物流出,造成行人或他人受损害,而又无法查明投下物或流出物为何人所为时,应由共同住宅中全体居民(无论是自有、租赁、借住)负连带责任。有的学者对此表示质疑,并认为大陆法系的共同危险行为理论实际上是在法国和德国审理的一系列“狩猎案”中逐渐确立和成熟的。但通说认为共同危险行为制度起源于德国民法,后为各国立法所确认。

《德国民法典》第 830 条第 1 款规定:“数人因共同实施侵权行为造成损害的,各人对损害均负责任。不能查明数关系人中谁的行为造成损害的,亦同。”在德国,存在两个非常典型的共同危险行为的案例:一个是“猎人案件”,多个猎人同时向一个方向开枪,路过的行人被射中,但无法查明,究竟是哪个猎人射出的子弹击中了该行人。另一个是“摔炮案件”,在一个啤酒花园中,坐在一个桌上的六个人向另外一个桌上的客人都扔出了摔炮,其中一个摔炮炸伤了受害人的眼睛,但受害人无法指认,究竟是哪个摔炮导致其眼睛遭受了损害。

《日本民法典》第 719 条第 1 款规定:“由于多人共同的不法行为而对他人造成了损害时,各人对于该损害负有连带赔偿责任。无法得知共同行为人中的某一人是否施加了该损害时亦同样。”《韩国民法典》第 760 条规定:“数人因共同不法行为(侵权行为)给他人造成损害时,对其损害有连带赔偿责任。不构成共同侵权行为的数人行为造成了损害,却不知谁的行为造成的情况下,同前款。”《荷兰民法典》第 6:99 条规定:“在损害可能产生于两个或者两个以上的人各自应当承担责任的事件时,如果能够认定损害至少产生于此等事件之一,这些人中的每一个人都对赔偿承担责任,除非他能证明损害不是由于他所负有责任的事件造成的。”《魁北克民法典》第 1480 条规定:“数人共同参与了导致损害的过错行为或分别犯有可以导致损害的过错的,在这两种情形,如不能确定损害实际上由他们中的何人或诸过错中的何过错引起，则他们就赔偿此等损害负连带责任。”我国台湾地区“民法典”第185条第1款规定：“数人共同不法侵害他人之权利者，连带负损害赔偿责任；不能知其中孰为加害人者，亦同。”

在英美侵权行为法中，不存在独立的共同危险行为，而是将其纳入共同侵权行为，作为共同侵权行为的一种表现形式。英美法通过判例的形式确立了解决加害人不明侵权行为的基本规则：如果数个行为人的共同行为是处于协同行动的状态中，其中某一人或部分人的行为导致受害人的损害发生，虽然不能确知谁具体实施了加害行为，但受害人只要能举证侵权行为存在，数个共同行为人即可认定为共同侵权行为人，须就受害人的全部损害承担连带责任；如果数个行为人的共同行为并非处于协同行动的状态中，不能认定共同行为人全体造成受害人的同一损害，而是在于行为人中仅一人的行为与损害结果之间具有因果关系，如果受害人不能证明该侵权行为系其所起诉的被告实施，则不能获得胜诉判决。

我国民法通则没有对共同危险行为制度作出明确规定，但《最高人民法院关于审理人身损害赔偿案件适用法律若干问题的解释》第四条规定：“二人以上共同实施危及他人人身安全的行为并造成损害后果，不能确定实际侵害行为人的，应当依照民法通则第一百三十条规定承担连带责任。共同危险行为人能够证明损害后果不是由其行为造成的，不承担赔偿责任。”

二、共同危险行为的构成要件

根据本条规定，构成共同危险行为应当满足下列几个要件：

一是二人以上实施危及他人人身、财产安全的行为。行为主体是复数,这是最基本的条件,这才有可能不能确定谁是具体加害人。

在起草过程中,有的人提出需要加上“共同”二字,即“二人以上共同实施……”经研究,在共同危险行为制度中,“共同”的含义主要是要求数个行为人的行为必须是在同一时间、同一场所的行为,即“时空上的共同性”,如果各被告的行为在时间上、场所上发生了分离,就不属于共同危险行为。本法第八条有关共同侵权规定中的“共同”与此处的“共同”的含义不一样,在同一部法律中,不宜出现表达相同但含义不同的法律术语。所以,没有采纳这一建议。

有的人提出数个行为人需要具有共同过错,认为共同危险行为人负担连带责任的根据在于他们具有共同过错,这种共同过错表现为共同过失。还有的人认为,把行为人连接在一起的是共同过错,这种共同过错既非共同故意也非单独故意,而只能表现为共同过失,即共同地疏于对他人权利保护的注意义务。经研究,共同危险行为制度的初衷是防止因无法指认具体加害人而使受害人的请求权落空,重要的是每个行为人都实施了危及他人人身、财产安全的行为。而且,共同危险行为不仅在一般过错责任中适用,在过错推定责任、无过错责任中也有适用余地。

二是其中一人或者数人的行为造成他人损害。虽然实施危及他人人身、财产行为的是数人,但真正导致受害人损害后果发生的只是其中一个人或者几个人的行为。

三是不能确定具体加害人。一般而言,受害人只能请求加害人就其侵权行为所造成的损失予以赔偿,加害人也仅对其侵权行为所造成的损失进行赔偿。但在共同危险行为制度中,数个行为人实施的危及行为在时间上、空间上存在偶合性,事实上只有部分行为人的行为造成了损害后果,但是,由于受害人无法掌握各个行为人的行为动机、行为方式等证据,无法准确判断哪个行为才是真正的加害行为,为了保护受害人的合法权益,降低受害人的举证难度,避免其因不能指认真正加害人而无法行使请求权,同时由于每个行为人都实施了危及行为,在道德上具有可责难性,所以规定由所有实施危及行为的人承担连带责任是合理的。如果受害人能够指认或者法院能够查明具体加害人,就不能适用本条规定,只能要求具体加害人承担侵权责任。

根据本条规定,适用共同危险行为制度的法律后果是,数个行为对受害人承担连带责任。

三、共同危险行为制度的免责事由

对于部分行为人能否通过证明其不可能是加害人或者其行为与损害后果之间不存在因果关系来免除责任,学术界历来都有两种主张:一种是肯定说,他们认为,只要数人中有人能够证明自己根本没有加害他人的可能的,也就证明了自己没有实施危险行为,此时即便其他人中仍然不能确知谁为加害人,也应当将该人排除在共同危险人之外,使其免除责任。另一种是否定说,他们认为,即便数人中的某人能够证明自己没有加害行为,也不能当然地令其他人负赔偿责任,倘若其他人也如法炮制地证明自己没有加害行为,则势必会发生全体危险行为人逃脱责任的现象,受害人所受损害根本无法获得补救,因此,行为人能够证明自己并非加害人并不能免责。

关于本法应当采纳哪种主张,在起草过程中也曾有过不同意见。赞成肯定说的人认为,为了保护受害人的利益,共同危险行为制度将部分不应承担责任的行为人作为责任人，应当给予这部分人免除责任的机会，如果必须指明谁是加害人，失之过严。赞成否定说的人认为，相对受害人而言，行为人容易证明谁是加害人，如果允许行为人通过证明自己不可能是加害人来免责，可能导致法官过大的自由裁量权、行为人轻易从责任中逃逸，使受害人无法得到救济。

这两种观点都有其合理性。本条规定，不能确定具体加害人的，由行为人承担连带责任；换言之，只有在确定具体加害人的情形下，其他行为人才可以免除责任。

**第十一条　二人以上分别实施侵权行为造成同一损害，每个人的侵权行为都足以造成全部损害的，行为人承担连带责任。**

**【释义】**　本条是关于虽然分别实施侵权行为但都能造成全部损害时承担连带责任的规定。

根据本法第十二条的规定，二人以上分别实施侵权行为，行为人对所造成的损害承担按份责任。但如果每个行为人的侵权行为都足以造成全部损害，行为人则应当根据本条规定承担连带责任。适用本条规定需要符合以下构成要件：

一是二人以上分别实施侵权行为。行为主体的复数性仍然是最基本的条件，每个人的行为都必须是侵权行为，符合本法第六条或者第七条的规定。相比本条第八条有关共同侵权的规定，本条要求数个侵权行为之间相互独立。本条中的“分别”是指实施侵权行为的数个行为人之间不具有主观上的关联性，各个侵权行为都是相互独立的。每个行为人在实施侵权行为之前以及实施侵权行为过程中，没有与其他行为人有意思联络，也没有认识到还有其他人也在实施类似的侵权行为。如果行为人主观具有关联性,存在共同故意或者共同过失,应当适用第八条的规定,而不能适用本条。

二是造成同一损害后果。“同一损害”指数个侵权行为所造成的损害的性质是相同的,都是身体伤害或者财产损失,并且损害内容具有关联性。如甲的侵权行为造成了丙左腿受伤,乙的侵权行为也造成了丙左腿受伤。如果乙的侵权行为造成了丙右腿受伤,那么,甲、乙两人的侵权行为造成的就不是同一损害,而是不同损害。相较第八条而言,本条强调损害的同一性,而在共同侵权制度中,即便每个侵权行为所造成的损害后果不同,如甲的侵权行为造成了丙身体上的伤害,乙的侵权行为造成了丙的财产损失,只要数个行为人主观上具有关联性,同样构成共同侵权,由数个行为人对受害人的全部损失承担连带责任。此外,如果各个行为人对受害人所造成的损害是不同的,即便因偶然原因而同时发生在一个人身上,行为人也应当就各自所致的损害承担赔偿责任。

三是每个人的侵权行为都足以造成全部损害。判断每个侵权行为是否足以造成全部损害是适用本条的关键。本条中的“足以”并不是指每个侵权行为都实际上造成了全部损害,而是指即便没有其他侵权行为的共同作用,独立的单个侵权行为也有可能造成全部损害。如甲、乙两人分别从不同方向向同一房屋放火,将该房屋烧毁,根据两个方向的火势判断,如果不存在另一把火,每把火都有可能将整栋房屋烧毁,但事实上两把火共同作用烧毁了该房屋,所以只能说每把火都“足以”烧毁整栋房屋。

根据本条规定,一旦满足本条规定的构成要件,数个行为人必须对造成的损害承担连带责任。

**第十二条　二人以上分别实施侵权行为造成同一损害，能够确定责任大小的，各自承担相应的责任；难以确定责任大小的，平均承担赔偿责任。**

**【释义】** 本条是关于分别实施侵权行为承担按份责任的规定。

我国民法通则没有对分别侵权作出规定，《最高人民法院关于审理人身损害赔偿案件适用法律若干问题的解释》第三条第一款规定："二人以上没有共同故意或者共同过失，但其分别实施的数个行为间接结合发生同一损害后果的，应当根据过失大小或者原因力比例各自承担相应的赔偿责任。"其他国家和地区的大多数民法中没有类似本条的规定，只有《魁北克民法典》第1478条规定："数人引起的损害，依他们各自过错的严重程度的比例分担责任。受害人自己的过错部分地导致了损害的，也要分担责任。"

充分代表美国学术界观点的《美国侵权法重述·第三次·责任分担》第17条规定："如有两人或多人的独立侵权行为构成某一不可分损害的法律原因，将由该案司法管辖区的法律确定这些侵权人应否承担连带责任、单独责任或连带责任与单独责任的某种混合责任形态。"该示范法在第17条以下规定了五种解决路径，分别是连带和分别责任、分别责任、结合再分配的连带和分别责任、基于比较责任份额界限的混合责任、基于赔偿种类的混合责任。由此可见，美国学术界对数个独立侵权行为造成同一损害的情形，行为人承担何种责任未有定论。

一、构成要件

适用本条规定应当符合下列构成要件：

一是二人以上分别实施侵权行为。这一要件与本法第十一条中“二人以上分别实施侵权行为”的含义相同,要求数个侵权行为相互之间是独立的,不存在应当适用第八条共同侵权制度的情形。

二是造成同一损害后果。这一要件与本法第十一条中“造成同一损害”的含义也是一样的,如果数个侵权行为造成的损害后果不同,可以明显区分,应当适用本法第六条或者第七条的规定。

本条与本法第十一条同属分别侵权制度,但在构成要件上有所不同,第十一条的构成要件更加严格,要求“每个人的侵权行为都足以造成全部损害”。

二、适用本条的法律后果

根据本条规定,数个行为人应当承担按份责任。这与第十一条在法律后果上有本质区别,第十一条在构成要件上更加严格,要求各个行为人承担连带责任也是符合法理的。

在分别侵权制度中,确定各个行为人应当承担的份额,可以分别两种情形讨论:

一是能够确定责任大小的。虽然数个侵权行为结合造成了同一损害,但是在大部分案件中,可以根据各个侵权行为对造成损害后果的可能性(盖然性)来确定责任份额。判断这种可能性,可以综合各个行为人的过错程度、各个侵权行为与损害后果因果关系的紧密程度、公平原则以及政策考量等因素。有的学者将这种可能性称为“原因力”,是指在构成损害结果的共同原因中,每一个原因对于损害结果发生或扩大所发挥的作用力。法律不可能脱离具体案件,事先抽象出各种确定责任份额的标准,只能由法官在具体案件中综合考虑各种因素来确定。

二是难以确定责任大小的。责任分配的尺度很难有一个可以数量化的标准，在某些情形下，由于案情复杂，很难分清每个侵权行为对损害后果的作用力究竟有多大。我们可以借鉴其他国家和地区在确定各个连带责任人内部份额时的做法，如《俄罗斯民法典》第1081条第2款规定，当过错程度不能确定时，份额应均等；《意大利民法典》第2055条第3款规定，在有疑问的情况下，推定所有人的责任相同。本条也作出了类似规定，难以确定责任大小的，各个行为人平均承担赔偿责任。

三、本条与第八条的关系

本条的适用范围与本法第八条有关共同侵权制度的适用范围呈现互补关系。第八条规定要求数个行为人共同实施侵权行为，而本条要求数个行为人分别实施侵权行为。《德国民法典》当初规定共同侵权制度时，要求只有主观上具有共同故意才能构成共同侵权，除此之外，其他类型的数人侵权都属于分别侵权。但随着共同侵权制度的适用范围不断变宽，一些国家和地区对共同侵权逐渐采用客观说，将部分原属于分别侵权范畴的无意思联络数人侵权纳入共同侵权范畴，“共同”与“分别”的区别越来越模糊。

在处理数人实施侵权行为的具体案件时，首先需要看是否满足第八条共同侵权制度规定的构成要件；不符合的，看其是否满足本法第十一条的构成要件；也不符合的，再看其能否适用本条规定。

在起草过程中，有的人提出共同侵权制度属于特殊侵权，分别侵权制度属于一般侵权，一般侵权可以根据本法第六条或者第七条的规定解决，可以不作专条规定。经研究，我们认为，在侵权责任法中同时规定共同侵权与分别侵权，有助于完善数人侵权制度。

**第十三条 法律规定承担连带责任的，被侵权人有权请求部分或者全部连带责任人承担责任。**

**【释义】** 本条是关于连带责任的规定。

连带责任是一项重要的责任承担方式。连带责任可能基于合同产生，也可能是因侵权行为导致。在司法实践中，连带责任已成为侵权案件中侵权人承担责任的重要方式，但是对于如何适用连带责任还认识不一，因此，需要本法对侵权领域中的连带责任作出进一步的明确规定。

连带责任制度起源于罗马法。罗马法将因合同产生的连带债规定为共同连带债，将因侵权产生的连带债规定为单纯连带债。近代大陆法系各国都只规定一种连带之债，不再因其产生原因不同而作进一步的分类。法国、德国、日本和我国台湾地区等大陆法系国家和地区在民法中一般都规定共同侵权、共同危险行为应当承担连带责任，同时有的国家和地区的民法和单行法中也规定了承担连带责任的其他情形。比如，《德国民法典》规定，父母之间对子女给他人造成的损害与子女承担连带责任、数个监护人对被监护人给他人造成的损害承担连带责任。我国台湾地区"民用航空法"规定，依租赁、附条件买卖或借贷而使用航空器者给他人造成损害的，所有人与承租人、附条件买卖买受人或借用人负连带赔偿责任。我国台湾地区"核子损害赔偿法"中规定，核子损害，系由数经营者依本法应负赔偿责任之事故所生，各该经营者应负连带赔偿责任。在美国法中，连带责任主要适用于下列三种情形：(1)施加于原告的不可侵害的损害是由于两个或两个以上行为人的行为导致的。(2)数个行为人的共同侵权行为导致了原告遭受损害，无论损害是否可分割。(3)依据法律规定而应负连带责任。如雇主责任。

连带责任的特征主要表现在:(1)连带责任对于侵权人而言是一种比较严重的责任方式。连带责任对外是一个整体的责任。连带责任中的每个人都需要对被侵权人承担全部责任。被请求承担全部责任的连带责任人,不得以自己的过错程度等为理由只承担自己的责任。(2)连带责任对于被侵权人保护得更为充分。连带责任给了被侵权人更多的选择权,被侵权人可以请求一个或者数个连带责任人承担全部或者部分的赔偿责任。(3)连带责任是法定责任,连带责任人不能约定改变责任的性质,对于内部责任份额的约定对外不发生效力。我国民法通则第一百三十条规定:"二人以上共同侵权造成他人损害的,应当承担连带责任。"

近几十年来,随着经济的不断发展和保险制度的日益完善,一些国家对连带责任制度的适用范围进行了反思。有的学者认为,连带责任与为自己行为负责之间可能存在矛盾,会造成连带责任中有经济赔偿能力但过错程度不重的人承担较重的责任,破坏了侵权人之间的利益平衡。当某一侵权人没有偿还能力时,已经承担了赔偿责任的侵权人就无法行使追偿权,承担了超出其过错程度的责任。而且,连带责任制度会鼓励原告在诉讼中起诉"深口袋"(deep pocket),即以有偿付能力的侵权人作为被告,即使这些人只有微小过错,仅仅因为他们比其他侵权人有偿付能力,就需要对全部损失承担责任。但是,不能否认,连带责任有利于被侵权人得到充分的救济,减轻了被侵权人的举证责任,使被侵权人不必因为部分共同侵权人的赔付能力,而妨碍得到全额的赔偿。而且,对于连带责任人而言,这种责任方式也并非不公平,共同侵权中的每一个行为人应当对于结果的发生具有预见性,因此,有理由让他们对结果的发生承担责任。连带责任人内部的追偿制度也能导致最终责任的公平承担。在我国保险制度还不健全的情况下,连带责任所具有的担保价值,有利于充分保护被侵权人的合法权益。因此,本法在现行法律和司法解释的基础上,对承担连带责任适用的情形重新进行了规制。依照本法规定,以下情形侵权人承担连带责任:(1)共同侵权人的连带责任。本法第八条规定,二人以上共同实施侵权行为,造成他人损害的,应当承担连带责任。(2)教唆人、帮助人与行为人的连带责任。本法第九条规定,教唆、帮助他人实施侵权行为的,应当与行为人承担连带责任。(3)共同危险行为人的连带责任。本法第十条规定,二人以上实施危及他人人身、财产安全的行为,其中一人或者数人的行为造成他人损害,能够确定具体加害人的,由侵权人承担责任;不能确定具体加害人的,行为人承担连带责任。(4)分别实施的行为足以造成全部损害行为人的连带责任。本法第十一条规定,二人以上分别实施侵权行为造成同一损害,每个人的侵权行为都足以造成全部损害的,行为人承担连带责任。(5)网络服务提供者与网络用户的连带责任。本法第三十六条规定,网络用户利用网络服务实施侵权行为的,被侵权人有权通知网络服务提供者采取删除、屏蔽、断开链接等必要措施。网络服务提供者接到通知后未及时采取必要措施的,对损害的扩大部分与该网络用户承担连带责任。网络服务提供者知道网络用户利用其网络服务侵害他人民事权益,未采取必要措施的,与该网络用户承担连带责任。(6)高度危险物所有人与管理人、非法占有人的连带责任。本法第七十四条规定,遗失、抛弃高度危险物造成他人损害的,由所有人承担侵权责任。所有人将高度危险物交由他人管理的,由管理人承担侵权责任;所有人有过错的,与管理人承担连带责任。本法第七十五条规定,非法占有高度危险物造成他人损害的，由非法占有人承担侵权责任。所有人、管理人不能证明对防止他人非法占有尽到高度注意义务的，与非法占有人承担连带责任。(7) 建设单位与施工单位的连带责任。本法第八十六条规定，建筑物、构筑物或者其他设施倒塌造成他人损害的，由建设单位与施工单位承担连带责任。从以上规定看，本法对于用人单位侵权责任和个人之间形成劳务的侵权责任上，没有规定连带责任，而是采取替代责任，改变了现行司法解释中雇主和雇员承担连带责任的规定。

《最高人民法院关于审理人身损害赔偿案件适用法律若干问题的解释》规定："赔偿权利人起诉部分共同侵权人的，人民法院应当追加其他共同侵权人作为共同被告。赔偿权利人在诉讼中放弃对部分共同侵权人的诉讼请求的，其他共同侵权人对被放弃诉讼请求的被告应当承担的赔偿份额不承担连带责任。责任范围难以确定的，推定各共同侵权人承担同等责任。人民法院应当将放弃诉讼请求的法律后果告知赔偿权利人，并将放弃诉讼请求的情况在法律文书中叙明。"对于司法解释的这一规定，有不同的认识。有的专家提出，该规定其实改变了连带责任的性质，造成被侵权人不起诉其他连带责任人的，人民法院就要求追加；被侵权人不同意追加的，就等于放弃了对未追加的连带责任人的诉讼请求，被诉的连带责任人对于放弃的份额不再承担侵权责任。根据民法通则第八十七条的规定，"负有连带义务的每个债务人，都负有清偿全部债务的义务，履行了义务的人，有权要求其他负有连带义务的人偿付他应当承担的份额"。从该规定可以看到，连带责任对外是一个整体的责任，无论被侵权人向一个或者数个连带责任人请求承担责任，都不影响被请求的连带责任人对外承担全部责任。对内而言,一个或者数个连带责任人承担了连带责任之后,其内部责任,根据侵权人各自的过错、原因等确定。是否追加被告不影响被请求的连带责任人对全部责任的承担。本条规定,被侵权人有权请求部分或者全部连带责任人承担责任。向一个或者数个连带责任人请求的,被请求的侵权人就应当承担全部赔偿责任。

**第十四条　连带责任人根据各自责任大小确定相应的赔偿数额;难以确定责任大小的,平均承担赔偿责任。**

**支付超出自己赔偿数额的连带责任人,有权向其他连带责任人追偿。**

**【释义】**　本条是关于连带责任人内部责任分担的规定。

连带责任人对外承担了赔偿责任后,需要在内部确定各自的责任。连带责任人的赔偿数额应当根据各自责任大小确定。责任的大小一般依据以下原则来确定:一是根据各自的过错。大多数侵权行为以过错为构成要件,将过错程度作为确定连带责任人之间责任的,能够体现公平的原则,也是我国司法实践的通常做法。确定赔偿数额时,应当对每个责任主体在实施侵权行为时的过错进行比较,有故意或者有重大过失等较大过错的,承担的赔偿数额较大;过错较小的,比如只有轻微过失的,可以承担较少的赔偿数额。二是对原因力进行比较。原因力是指在构成损害结果的多个原因中,每一个原因对于损害结果发生或者扩大所起的作用。原因力也是确定连带责任人赔偿数额的一个方面,特别是在无过错责任的情况下,需要对各责任主体在实施侵权行为时所起作用进行比较,所起的作用较大的,应当承担较大的赔偿数额;所起的作用较小的,可以分担较小的赔偿数额。三是平均分担赔偿数额。如果根据过错和原因力难以确定连带责任人责任大小的,可以视为各连带责任人的过错程度和原因力大小是相当的,在这种情况下应当由连带责任人平均承担赔偿责任。比如,四位连带责任人承担连带责任,那么每人分担赔偿数额的四分之一。需要指出的是,不能简单地、不加条件地让连带责任人平均分担赔偿数额,该规定适用的前提是:通过过错、原因力等比较后仍难以确定赔偿数额的。

在一个或者数个连带责任人清偿了全部赔偿数额后,支付了赔偿费用的连带责任人有权向其他连带责任人追偿。连带责任中的追偿权,大陆法系国家和英美法系国家大多作出了规定。我国民法通则第八十七条规定:“负有连带义务的每个债务人,都负有清偿全部债务的义务,履行了义务的人,有权要求其他负有连带义务的人偿付他应当承担的份额。”追偿权在连带责任的内部关系中处于重要的地位,能保障连带责任人内部合理分担风险。通过行使追偿权,承担赔偿责任的连带责任人也完成了角色的转化,从对外以侵权人的身份承担赔偿责任,转化为对内以债权人的身份请求公平分担损失。行使追偿权的前提是连带责任人支付了超出自己的赔偿数额,没有超出自己的赔偿数额,不能行使追偿权。

侵权责任法草案三审稿规定:“承担连带责任后,连带责任人根据各自责任大小确定相应的赔偿数额;难以确定的,平均承担赔偿责任。”对此,有的专家提出,“承担连带责任后”的规定对于承担赔偿责任的侵权人来说,有时会不公平,使其责任过重,造成只有在承担了全部责任之后才能请求确定各自承担的赔偿数额,提起责任分担之诉,增加诉讼成本。据了解,在司法实践中,人民法院在判决侵权人承担连带责任时,一般只判决各侵权人承担连带责任,原则上不在判决书中对各侵权人的赔偿数额进行分割。但是,如果连带责任人是确定的,在被侵权人起诉后,连带责任人也请求人民法院明确各自责任的份额,那么人民法院在判决连带责任人对被侵权人承担连带责任外,可以根据各连带责任人过错程度等一并判决其承担责任的份额。但是,明确各连带责任人的责任份额并不意味着连带责任人的责任转化为按份责任。如果转化为按份责任,等于从实质上改变了侵权人承担责任的方式,对于被侵权人的保护是不利的。因此,责任份额仅在连带责任人内部发生效力,责任份额只是各连带责任人最终承担责任的依据,是今后连带责任人行使追偿权的基础,并不影响连带责任人对外承担连带责任。这样侵权之诉和连带责任人之间的责任分担之诉就可以合并解决,既解决了连带责任人的责任分担,也不妨碍对被侵权人利益的保护,同时还达到简化程序、减少诉讼成本、提高效率的目的。因此,本条删除了侵权责任法草案三审稿中"承担连带责任后"的规定,以便人民法院能够根据实际情况,灵活处理有关纠纷。

**第十五条　承担侵权责任的方式主要有:**

**(一)停止侵害;**

**(二)排除妨碍;**

**(三)消除危险;**

**(四)返还财产;**

**(五)恢复原状;**

**(六)赔偿损失;**

**(七)赔礼道歉;**

**(八)消除影响、恢复名誉。**

**以上承担侵权责任的方式,可以单独适用,也可以合并**

适用。

**【释义】** 本条是关于侵权责任方式的规定。

行为人的行为构成侵权责任的，就应当承担具体的法律后果。这些具体的法律后果就是本条所称的侵权责任方式。侵权责任方式是落实侵权责任的具体形式，也是侵权责任的具体体现，没有侵权责任方式，侵权责任法就似一把断刃的剑，没有任何威慑力；没有侵权责任方式，本法第一条所强调的立法目的就似空中楼阁，成为一句空话，无法实现。

从境外的立法看，英美法系的侵权责任方式主要是损害赔偿，受害人无论受到何种类型的损害，都可以采用损害赔偿的方式予以救济。大陆法系的侵权责任方式主要是恢复原状和损害赔偿。这两大法系都强调了损害赔偿这种责任方式的主导地位，一些国家的侵权责任法甚至被称为侵权损害赔偿法。但是，随着社会的发展，人们的需求越来越多元化，这就需要侵权责任方式适应人们多元化的需求。损害赔偿主要是在保护物权等财产权益方面发挥作用，对于人格权、知识产权等民事权益，单纯采用损害赔偿，其作用就受到了较大的限制，这就需要采取多种方式对人格权、知识产权等民事权益进行保护，包括恢复名誉、停止侵害、赔礼道歉等。例如，名誉权受到侵犯的，最直接的损害后果首先是名誉受到毁损，社会评价降低，对受害人最直接的补救方式是恢复名誉。只有采取恢复名誉的方式才能消除这种损害发生的根源，才能对受害人给予最直接、最有效的补救。恢复名誉的方式不是损害赔偿能够代替的。赔礼道歉在一些情况下也是十分有效的补救方式，在有些案件中，受害人并不需要得到多少赔偿，他只需要加害人赔礼道歉，这可能在某种程度上只是满足人格尊严的需要，也可能只是一种心理安慰，但不管怎么样，它是在侵害名誉权、隐私权等人格权时的一种很好的补救方式。此外，现代社会侵权形态的多样化，也需要侵权责任方式的多样化。例如，随着网络技术的发展，出现了网络侵权这种新的侵权形态。网络侵权具有快速性、广泛性等特点，为了防止损害后果进一步扩大，就必须采取停止侵害等侵害责任方式。因此，侵权责任法的一个重要发展趋势就是侵权责任方式的多元化。这既适应了侵权责任法保护范围扩大的要求，也为受害人提供了全方位的救济。我国民法通则对民事责任方式的规定适应了这种发展趋势，第一百三十四条第一款规定，承担民事责任的方式主要有：(1)停止侵害；(2)排除妨碍；(3)消除危险；(4)返还财产；(5)恢复原状；(6)修理、重作、更换；(7)赔偿损失；(8)支付违约金；(9)消除影响、恢复名誉；(10)赔礼道歉。司法解释对这些民事责任方式的适用也作了具体规定。从民法通则多年的实施效果来看，多样化的责任方式对保护民事主体的民事权益发挥了积极作用。本法第十五条对侵权责任方式的规定基本采纳了民法通则的立法模式，这是对我国二十多年的民事立法和司法经验的总结和继承。同时，考虑到民法通则将违约责任与侵权责任方式集中规定在第一百三十四条中，该规定中的责任方式有的属于违约责任方式，不适用于侵权案件，如支付违约金，合同法已明确规定了这种方式；有的可以为其他责任方式所包含，如修理、重作、更换实际就是本法所规定的恢复原状。因此，本法删除了民法通则规定的这两种民事责任方式，只列举了其他八种责任方式。

根据本条规定，承担侵权责任的方式主要有：

（一）停止侵害。行为人实施的侵权仍在继续的，受害人可依法请求法院责令行为人承担停止侵害的责任方式。停止侵害，主要是要求行为人不实施某种侵害。这种责任方式能够及时制止侵害，防止侵害后果的扩大。例如，某人正在散布诽谤他人的谣言，受害人有权请求加以制止。采用这种责任方式以侵权正在进行或者仍在延续为条件，对于未发生或者已终止的侵权则不适用。人民法院根据受害人的请求，依据案件的具体情况，可以在审理案件之前发布停止侵害令，或者在审理过程中发布停止侵害令，也可以在判决中责令行为人停止侵害。

（二）排除妨碍。排除妨碍，是指行为人实施的行为使他人无法行使或者不能正常行使人身、财产权益的，受害人可以要求行为人排除妨碍权益实施的障碍。行为人不排除妨碍的，受害人可以请求人民法院责令其排除妨碍。例如，某人在他人家门前堆放垃圾，妨碍了他人通行，同时污染了他人的居住环境，受害人有权请求行为人将垃圾清除。受害人请求排除的妨碍必须是不法的，如果行为人的妨碍行为是正当行使权利的行为，则行为人可以拒绝受害人的请求。受害人也可以自己排除妨碍，但排除妨碍的费用应由行为人承担。

（三）消除危险。消除危险，是指行为人的行为对他人人身、财产权益造成现实威胁的，他人有权要求行为人采取有效措施消除这种现实威胁。例如，某人的房屋由于受到大雨冲刷随时有倒塌可能，危及邻居的人身、财产安全，但房屋的所有人不采取措施，邻居可以请求该房屋的所有人采取措施消除这种危险。适用这种责任方式可以有效防止现实损害的发生，充分保护他人的人身、财产安全。适用这种责任方式必须是危险确实存在，对他人人身、财产安全造成现实威胁，但还未发生实际损害。对此，本法第二十一条规定，侵权行为危及他人人身、财产安全的，被侵权人可以请求侵权人承担停止侵害、排除妨碍、消除危险等侵权责任。

（四）返还财产。返还财产责任因行为人无权占有他人财产而产生。没有法律或者合同根据占有他人财产，就构成无权占有，侵害了他人财产权益，行为人应当返还该财产。如某人抢了他人的电脑据为己有，构成了无权占有，电脑所有人有权要求无权占有人返还电脑。对此，我国民法通则第一百一十七条规定，侵占国家的、集体的财产或者他人财产的，应当返还财产。物权法第三十四条规定，无权占有不动产或者动产的，权利人可以请求返还原物。有权请求返还财产的主体一般是该财产的所有人，但财产被他人合法占有期间，该财产被第三人非法占有的，该合法占有人也可以请求返还财产。适用返还财产责任方式的前提是该财产还存在，如果该财产已经灭失，适用该责任方式就不可能，受害人只能要求赔偿损失；该财产虽然存在，但已经损坏的，权利人可以根据自己的意愿，请求返还财产、恢复原状或者赔偿损失等责任方式。

（五）恢复原状。狭义的恢复原状，是指法院判令行为人通过修理等手段使受到损坏的财产恢复到损坏前状况的一种责任方式。广义的恢复原状则还包括赔礼道歉、消除影响、恢复名誉等。由于本法已将这些都作为单独的责任方式，所以本法所指的恢复原状是狭义的。采用恢复原状要符合以下条件：一是受到损坏的财产仍然存在且恢复原状有可能。受到损坏的财产不存在的，或者恢复原状不可能的，受害人只能请求赔偿损失；二是恢复原状有必要，即受害人认为恢复原状是必要的且具有经济上的合理性。恢复原状若没有经济上的合理性，就不能适用该责任方式。若修理后不能完全达到受损前状况的，行为人还应当对该财产的价值贬损部分予以赔偿。

（六）赔偿损失。赔偿损失，是指行为人向受害人支付一定数额的金钱以弥补其损失的责任方式，其是最基本的责任方式，也是运用最为广泛的责任方式。有损害才有赔偿，无损害无赔偿。赔偿的目的，最基本的是补偿损害，使受到损害的权利得到救济，使受害人能恢复到未受到损害前的状态。本法规定的赔偿损失，包括人身损害赔偿、财产损失赔偿和精神损害赔偿。本章的许多规定都是关于如何确定赔偿范围和赔偿额的内容。如本法第十六条规定，侵害他人造成人身损害的，应当赔偿医疗费、护理费、交通费等为治疗和康复支出的合理费用，以及因误工减少的收入。造成残疾的，还应当赔偿残疾生活辅助具费和残疾赔偿金。造成死亡的，还应当赔偿丧葬费和死亡赔偿金。第十九条规定，侵害他人财产的，财产损失按照损失发生时的市场价格或者其他方式计算。第二十条规定，侵害他人人身权益造成财产损失的，按照被侵权人因此受到的损失赔偿；被侵权人的损失难以确定，侵权人因此获得利益的，按照其获得的利益赔偿；侵权人因此获得的利益难以确定，被侵权人和侵权人就赔偿数额协商不一致，向人民法院提起诉讼的，由人民法院根据实际情况确定赔偿数额。

（七）赔礼道歉。赔礼道歉，是指行为人通过口头、书面或者其他方式向受害人进行道歉，以取得谅解的一种责任方式。赔礼道歉主要适用于侵害名誉权、隐私权、姓名权、肖像权等人格权益的情形。赔礼道歉可以公开，也可以私下进行；可以口头方式进行，也可以书面等方式进行，具体采用什么形式由法官依据案件的具体情况作出。口头道歉是由行为人直接向受害人表示，基本不公开进行；书面道歉以文字形式进行，可以登载在报刊上，或者张贴于有关场所。行为人不赔礼道歉的，人民法院可以判决按照确定的方式进行，产生的所有费用由行为人承担。

（八）消除影响、恢复名誉。消除影响、恢复名誉是指人民法院根据受害人的请求，责令行为人在一定范围内采取适当方式消除对受害人名誉的不利影响以使其名誉得到恢复的一种责任方式。具体适用消除影响、恢复名誉，要根据侵害行为所造成的影响和受害人名誉受损的后果来决定。处理的原则是，行为人应当根据造成不良影响的大小，采取程度不同的措施给受害人消除不良影响，如在报刊上或者网络上发表文章损害他人名誉权的，就应当在曾刊载该文章的报刊或者网站上发表书面声明，对错误内容进行更正。消除影响、恢复名誉主要适用于侵害名誉权的情形，一般不适用于侵犯隐私权的情形，因为消除影响、恢复名誉一般是公开进行的，若适用于隐私权的保护，有可能进一步披露受害人的隐私，造成进一步的影响。

本法规定的侵权责任方式各有特点，在救济受害人的总体目标下，需要采用什么方式，就采用什么方式，可以单独采用一种方式，也可以采用多种方式。例如，对单纯的财产损失，可以单独采用赔偿损失的方式救济损害；对侵害名誉权、隐私权等人格权的，可以单独采用消除影响、恢复名誉，也可以并用消除影响、恢复名誉和精神损害赔偿。具体适用侵权责任方式应当掌握的原则是，在任何情况下，只要有救济损害的需要，如果一种方式不足以救济受害人，就应当同时适用其他方式。据此，本条第二款规定，以上承担侵权责任的方式，可以单独适用，也可以合并适用。是单独适用，还是合并适用，可以由受害人提出，也可以由法官根据不同案情依职权决定，但不管是受害人提出，还是法官依职权决定，法官在最终裁决时都要注意，采用一种或者两种方式足以保护受害人利益的,就不必再采取其他方式,以避免行为人承担不适当的责任。同时,还需注意的是,从受害人的角度来看,侵权责任方式是受害人自己享有的请求权,受害人可以处分这种请求权。受害人坚持自己的请求权,若该请求权适当,且没有给行为人施加不适当责任的,法官原则上应支持其请求权;受害人自愿放弃某种可以行使的侵权责任方式的,法官不应当干预,如受害人自愿放弃对行为人的赔偿损失请求权的,法官就不应当违背受害人的意愿强行判决行为人赔偿损失。

民法通则第一百三十四条第三款规定,人民法院审理民事案件,除适用上述规定外,还可以予以训诫、责令具结悔过、收缴进行非法活动的财物和非法所得,并可以依照法律规定处以罚款、拘留。这是对民事制裁方式的规定。本法并没有继承这一规定,主要是考虑到侵权责任方式是对受害人民事权益的救济,是一个民事主体对另一个民事主体所应承担的法律后果,民法通则规定的民事制裁方式是国家对不法行为人采取的强制处罚措施,目的在于制裁行为人,不在于救济受害人,依民事制裁方式所取得的财产,也不是交付给受害人而是上缴国库。因此,民事制裁方式不属于侵权责任方式,不宜在此规定。但是,这并不意味着人民法院不可以对不法的行为人采取民事制裁方式,对符合适用条件的,人民法院仍可以采用民事制裁方式制裁不法行为人。

**第十六条　侵害他人造成人身损害的,应当赔偿医疗费、护理费、交通费等为治疗和康复支出的合理费用,以及因误工减少的收入。造成残疾的,还应当赔偿残疾生活辅助具费和残疾赔偿金。造成死亡的,还应当赔偿丧葬费和死亡赔偿金。**

**【释义】**　本条是关于人身损害赔偿范围的规定。

人身损害赔偿,是指行为人侵犯他人的生命健康权益造成致伤、致残、致死等后果,承担金钱赔偿责任的一种民事法律救济制度。建立完善且符合我国国情的人身损害赔偿制度对全面保护自然人的生命健康权益具有重要意义。民法通则第一百一十九条规定了人身损害赔偿制度的基本内容,根据该规定,侵害公民身体造成伤害的,应当赔偿医疗费、因误工减少的收入、残废者生活补助费等费用;造成死亡的,并应当支付丧葬费、死者生前扶养的人必要的生活费等费用。消费者权益保护法、产品质量法等法律以及相关司法解释在民法通则的基础上对人身损害赔偿制度作了补充。本条在民法通则等法律规定的基础上,总结近二十多年来的司法实践经验,对人身损害赔偿的范围作了较为完善的规定。

本条分三个层次规定了人身损害赔偿的范围:

(一)侵害他人造成人身损害的一般赔偿范围

这主要是指侵犯他人生命健康权益造成人身损害一般都要赔偿的项目。无论是致伤、致残还是致死,凡是有一般赔偿范围内所列项目的费用支出,行为人均应赔偿。根据本条规定,侵害他人造成人身损害的,应当赔偿医疗费、护理费、交通费等为治疗和康复支出的合理费用,以及因误工减少的收入。这是本法规定的人身损害的一般赔偿范围。行为人的行为造成他人人身伤害但并未出现残疾或者死亡后果的,原则上行为人仅需赔偿本条规定的一般赔偿范围内的赔偿项目。这里需强调的是,本条所列举的一般赔偿范围内的赔偿项目仅是几种比较典型的费用支出,实践中并不仅限于这些赔偿项目,只要是因为治疗和康复所支出的所有合理费用,都可以纳入一般赔偿的范围,如营养费、住院费等费用。但前提是合理的费用才能予以赔偿,否则既会增加行为人不应有的经济负担,也会助长受害人的不正当请求行为,有失公正。因此,在司法实践中,法官必须在查清事实的基础上,结合医疗诊断、鉴定和调查结论,准确确定人身损害的一般赔偿范围。对人身损害的赔偿要坚持赔偿与损害相一致的原则,既要使受害人获得充分赔偿,又不能使其获得不当利益。基于这一原则,对医疗费、护理费、交通费等为治疗和康复支出的合理费用,以及因误工减少的收入的赔偿,因一般都有具体衡量的标准,应当全部赔偿,即损失多少就赔偿多少。

这里的"医疗费"包括挂号费、检查费、药费、治疗费、康复费等费用。在审判实践中,一般根据医疗机构出具的药费、治疗费等收费凭证,结合病历和诊断证明等相关证据确定医疗费的具体数额。赔偿义务人对治疗的合理性和必要性有异议的,应当承担相应的举证责任。医疗费的具体数额一般按一审法庭辩论终结前实际发生的确定。根据医疗证明或者鉴定结论确定在将来必然发生的医疗费,可以与已经发生的医疗费一并予以计算和赔偿,所以本条所指的医疗费既包括已经发生的医疗费,也包括将来确定要产生的医疗费。

这里的"护理费"是指受害人因受到损害导致生活不能自理,需要有人进行护理而产生的费用支出。赔偿护理费的前提是,受害人受到损害,生活不能自理或者不能完全自理,需要有人进行护理。这种情况,应当有医疗单位或法医的证明。证明需要陪护的,予以赔偿;没有必要的,则不予赔偿。在审判实践中,护理费一般根据护理人员的收入状况和护理人数、护理期限确定。护理人员有收入的,原则上参照其因误工而减少的收入计算;没有收入或雇用专门护工的,原则参照当地护工从事同等级别护理的劳务报酬标准计算。护理期限原则上应计算至受害人恢复自理能力时止。受害人因残疾不能恢复自理能力的,可以根据其年龄、健康状况等因素确定合理的护理期限。

“交通费”,是指受害人及其必要的陪护人员因就医或者转院所实际发生的用于交通的费用。赔偿交通费应当根据实际支出确定,以正式交通费的票证收据为准,票证收据记载的时间、地点、人数要与实际救治的时间、地点、人数相一致。对不合理的支出,不应当赔偿,但确定的标准不宜过于严格。例如,对没有就近治疗,但是选择的医院是合理、必要的,其交通费也应当赔偿。

本条规定的“因误工减少的收入”是指受害人由于受到伤害,无法从事正常工作或者劳动而失去或者减少的工作、劳动收入。受害人受到伤害但并未残疾或者死亡的,因误工减少的收入就是受害人从受到损害到恢复正常能参加工作、劳动时止这段时间内的损失。因误工减少的收入的基本计算方法是:单位时间的实际收入乘以误工时间。

(二)造成残疾的赔偿范围

对于残疾的赔偿范围,我国的立法有一个发展变化的过程。根据民法通则第一百一十九条的规定,受害人残疾的,应当赔偿医疗费、因误工减少的收入、残废者生活补助费等费用,对于是否赔偿被扶养人生活费和残疾赔偿金没有明确规定。产品质量法第四十四条、消费者权益保护法第四十一条则明确规定,受害人残疾的,除应当赔偿医疗费、治疗期间的护理费、因误工减少的收入等费用外,还应当支付残疾者生活自助具费、生活补助费、残疾赔偿金以及由其扶养的人所必需的生活费等费用。但是没有明确生活补助费、残疾赔偿金以及由其扶养的人所必需的生活费三者之间的关系。对此,理论界有不同认识,法官在司法实践中也有不同做法。例如,

《最高人民法院关于审理人身损害赔偿案件适用法律若干问题的解释》第十七条规定，受害人因伤致残的，除赔偿医疗费、误工费、护理费、交通费、住宿费、住院伙食补助费、必要的营养费外，还应当赔偿其因增加生活上需要所支出的必要费用以及因丧失劳动能力导致的收入损失，包括残疾赔偿金、残疾辅助器具费、被扶养人生活费，以及因康复护理、继续治疗实际发生的必要的康复费、护理费、后续治疗费等，赔偿义务人也应当赔偿。根据本法规定，造成受害人残疾的，除应当赔偿医疗费、护理费、交通费等为治疗和康复支出的合理费用，以及因误工减少的收入外，还应当赔偿残疾生活辅助具费和残疾赔偿金。

“残疾生活辅助具费”，是指受害人因残疾而造成身体功能全部或者部分丧失后需要配制补偿功能的残疾辅助器具的费用。残疾生活辅助器具主要包括假肢及其零部件、假眼、助听器、盲人阅读器、助视器、矫形器等。实践中，赔偿这个项目的问题是残疾生活辅助具的费用过高，例如赔偿假肢费用，有的采用外国高级假肢，并且按照工程师的一个证言就确定高额的安装费用，造成赔偿数额过高，赔偿不合理。在司法实践中，计算残疾生活辅助具费现在一般按普通适用器具的合理费用标准计算。伤情有特殊情况的，可以参照辅助具配制机构的意见确定相应的合理费用标准。辅助具的更换周期参照配制机构的意见确定。

“残疾赔偿金”是受害人残疾后所特有的一个赔偿项目。对残疾赔偿金，虽说我国的消费者权益保护法、国家赔偿法、产品质量法等法律和一些司法解释已作了明确规定，但理论界和实务界对其性质和赔偿标准有较大争论。有的认为，残疾赔偿金是精神损害抚慰金，因此，其不应有明确的赔偿标准，应由法官根据具体案情，考虑若干因素决定赔偿数额。有的将残疾赔偿金界定为对受害人未来的预期收入损失，并明确规定了赔偿标准。有的认为，残疾赔偿金既是对受害人未来预期收入损失的赔偿，也是对其因残疾丧失的一些精神生活的赔偿。从境外的立法情况来看，一些国家和地区将残疾赔偿金视为对受害人未来财产损失的赔偿，只是在确定赔偿标准时有不同做法，有的采用了“收入所得丧失说”，即在计算残疾赔偿金时，是以受害人受到伤害之前的收入与受到伤害之后的收入之间的差额作为赔偿额。根据“收入所得丧失说”，受害人虽然因残疾丧失或者减少劳动能力，但其残疾前与残疾后的收入并没有差距的，受害人不得请求残疾赔偿金。有的采用“生活来源丧失说”，即受害人残疾必然会导致其生活来源丧失或者减少，行为人应当赔偿受害人的生活费，使其生活来源能够重新恢复。一些国家和地区则采用了“劳动能力丧失说”，即受害人因残疾导致部分或者全部劳动能力丧失本身就是一种损害，无论受害人残疾后其实际收入是否减少，行为人都应对劳动能力的丧失进行赔偿。我国现在的司法实践主要采用的是“劳动能力丧失说”。以上三种做法各有利弊，“收入所得丧失说”可操作性较强，但在实践中若完全依据该做法，一些无收入的受害者，如家庭主妇、儿童、失业者等，由于在受到残疾前并没有收入，就有可能得不到赔偿，对这些受害者是相当不公平的。根据“生活来源丧失说”，残疾赔偿金赔偿的是受害人残疾前后生活费的差额。根据这种做法确定的残疾赔偿金比较低，不利于保护受害人的利益。“劳动能力丧失说”比较符合损害发生时的实际情况，但没有考虑到受害人未来劳动能力的提高和精神生活受到损害的情况，且完全忽视了受害人的具体情况，如受教育程度、年龄、受害人的实际收入等因素。

（三）造成死亡的赔偿范围

人身损害死亡赔偿制度是指自然人因生命权受侵害而死亡，侵权人承担金钱赔偿责任的一种民事法律救济制度。对死亡赔偿的范围，民法通则第一百一十九条规定，除应当赔偿医疗费、因误工减少的收入等费用外，还应当支付丧葬费、死者生前扶养的人必要的生活费等费用。消费者权益保护法第四十二条、产品质量法第四十四条和国家赔偿法第二十七条规定，因侵权行为造成他人死亡的，除赔偿医疗费、护理费等费用外，应当支付丧葬费、人身损害死亡赔偿金以及由死者生前扶养的人所必需的生活费等费用。上述三部法律，均采取在丧葬费和被扶养人生活费以外，同时给付死亡赔偿金的模式。《最高人民法院关于审理人身损害赔偿案件适用法律若干问题的解释》规定，受害人死亡的，赔偿义务人除应当根据抢救治疗情况赔偿医疗费、护理费、营养费等相关费用外，还应当赔偿丧葬费、被扶养人生活费、死亡补偿费以及受害人亲属办理丧葬事宜支出的交通费、住宿费和误工损失等其他合理费用。司法解释对死亡赔偿项目的列举，比法律明确列举的赔偿项目要更多一些。在本法征求意见过程中，有的提出，我国法律之间以及法律与司法解释之间对死亡赔偿范围的规定存在不协调的地方，司法实践中的做法也不完全一致，侵权责任法应予以改进和完善。本条在立法和司法实践经验基础上，借鉴国外做法，规定侵害他人造成死亡的，除应当赔偿医疗费、护理费、交通费等合理费用，还应当赔偿丧葬费和死亡赔偿金。

在立法中，对如何规定死亡赔偿制度存在较大争论。被侵权人死亡的，其医疗费、丧葬费的赔偿较为明确，便于计算，争议不大。争议较大的是死亡赔偿金的支付。司法实践中，对农村居民和城市居民按不同标准支付死亡赔偿金，城市居民获得的死亡赔偿金比农村居民往往高一倍至两倍，一度引发“同命不同价”的争论。对死亡赔偿金的争论主要集中在如何确定死亡赔偿对象、赔偿范围和赔偿标准。赔偿对象解决死亡赔偿金赔给谁。有的认为，侵权人致被侵权人死亡，造成了死者损害，侵害了死者权益，死亡赔偿金是对死者的赔偿，死者近亲属只是继承了死亡赔偿金；也有的认为，被侵权人死亡后已经不具有民事主体资格，因此，侵害的只能是死者近亲属权益，死亡赔偿金是对死者近亲属的赔偿。赔偿范围和赔偿对象有一定关联性，死亡赔偿金的范围解决哪些损害应当得到赔偿。理论界和实务界对此主要有两种观点：一是以被扶养人丧失生活来源作为依据的“扶养丧失说”。依据“扶养丧失说”，受害人死亡后，其被扶养人因此失去了生活来源，侵害人对此应予以赔偿。死亡赔偿金的范围是被扶养人的生活费。对受害人死亡导致的预期收入减少，不予赔偿。二是以受害人死亡导致的预期收入减少为依据的“继承丧失说”，即侵权人向死者近亲属赔偿死者余命年限内（主要以一个国家的平均寿命减去死者死亡时的年龄）将获得的除去生活费等正常开支的剩余收入。从境外的赔偿情况和司法实践来看，有的国家主要采用了“扶养丧失说”，如德国；有的主要采用了“继承丧失说”，如日本。这两种模式各有利弊，但共同的缺憾之一是都以财产损失为基础，而没有考虑到精神生活的损失。人的生活分为物质生活和精神生活，即使是物质生活，也不单纯是取得报酬或者收入。侵害人的生命，造成被侵权人死亡，赔偿范围应包括物质损失和非物质损失。这样，有利于保护被侵权人的合法权益，符合民法损害赔偿原则，彰显尊重生命的时代精神。

赔偿标准解决具体的赔偿数额问题。从境外的情况来看，主要有两种做法：一是定额赔偿法。“定额赔偿法”实际是一种单一赔偿标准，不考虑具体受害人的个人收入状况、职业、受教育程度等方面的差异，原则上按照平均收入乘以一定年限计算赔偿数额，从而以抽象化、定型化的方式确定死者未来收入损失。二是个体赔偿法。原则上根据死者近期收入乘以一定年限计算赔偿数额。死者无收入的，划分不同情况按照平均收入乘以一定年限计算赔偿数额。大多数国家和地区采用这种方法。以这种方法确定死亡赔偿金数额时，法官一般要综合考虑每个死者的职业、年龄、受教育程度、被扶养人的状况等因素。在同一案件中，死者的这些因素一般都不完全相同，因此，法官根据这些因素确定的赔偿额也不可能完全相同。例如，在同一侵权行为中，一死者为出租车司机，另一死者为著名足球运动员，二者年龄相当，如果依“定额赔偿法”，死者的近亲属获得的死者赔偿相同；如果依“个体赔偿法”，死者的近亲属获得的死者赔偿就不一样。由于“个体赔偿法”强调与个人的收入状况、受教育程度等因素相联系，而实践中个人状况千差万别，给损失的确定带来困难。在立法中，也有的提出，赔偿标准原则上应统一，同时适当考虑个人年龄、收入、精神损害程度、文化程度等差异。但统一标准不宜以城乡划界，也不宜以地区划界，而是人不分城乡、地不分东西的全国统一标准。个人差异，有时可以考虑，有时可不考虑，如交通肇事、矿山事故等发生人数较多伤亡时，可不考虑个人差异，采用一揽子赔偿方案，按相同数额确定死亡赔偿金。为解决法官在审判实践中难以操作、人身损害赔偿案件的裁判尺度难以统一等问题，本法曾试图对死亡赔偿金的赔偿标准作明确规定。但是,最终考虑到实践中的人身损害死亡赔偿案件千差万别,我国各地的经济情况差异较大,个体之间的实际情况也不完全相同,情况非常复杂,法律规定的任何赔偿标准都有可能无法照顾到这些差异,都有可能引起较大争议。从国外的经验看,多数国家都没有在法律中对人身损害死亡赔偿金的赔偿标准作明确规定,主要由法官在司法实践中根据具体案情自由裁量。因此,目前由法律对死亡赔偿金的标准作统一、具体的规定较为困难,侵权责任法暂不规定为好,宜由法官在司法实践中,根据案件的具体情况,综合考虑各种因素后,确定死亡赔偿金的数额。但是,为了便于解决纠纷,使受害人及时有效地获得赔偿,对因同一侵权行为造成多人死亡的情况,本法第十七条明确规定,可以以相同数额确定死亡赔偿金。

**第十七条 因同一侵权行为造成多人死亡的,可以以相同数额确定死亡赔偿金。**

**【释义】** 本条是关于以相同数额确定死亡赔偿金的规定。

在立法中,有的常委委员、部门和专家提出,在许多情况下,根据死者年龄、收入状况等情形,确定的死亡赔偿数额有所不同,但在因同一事故造成多人死亡时,为便于解决纠纷,实践中,不少采用相同数额予以赔偿。例如有的地方,对药物损害事故中的多个死者统一赔偿每人 20 万元,这样的做法起到了良好的社会效果,侵权责任法应当吸收实践中的这些有益做法,增加相关规定。据此,本法规定,因同一侵权行为造成多人死亡的,可以以相同数额确定死亡赔偿金。

在境外,也有的国家采用了类似做法,如日本自 20 世纪

70年代以来，在环境污染、药物损害、交通事故等导致多人死亡的侵权案件中，常常采用“概括的一揽子赔偿方式”解决死亡赔偿问题。“概括的一揽子赔偿”将受害人受到的所有社会、经济、精神损害作为一个损害，不区分财产损害与非财产损害，也不将财产损害细化为若干项目，而赋予受害人统一的赔偿请求权。

从国外经验以及我国实践情况看，在因同一侵权行为造成多人死亡的案件中，以相同数额确定死亡赔偿金主要有以下好处：一是在因同一侵权行为造成多人死亡引发的众多诉讼中，对众多的损害项目和考虑因素逐一举证比较繁琐，而且有时证明较为困难。以相同数额确定死亡赔偿金可以避免原告的举证困难，并防止因此而导致的诉讼迟延，让其可以及时有效地获得赔偿。二是考虑每个死者的具体情况分别计算死亡赔偿金，不但未必能计算到损害的全部内容，而且让法院面临较为沉重的负担，不利于节省司法资源。以相同数额确定死亡赔偿金不但可将受害人及其亲属受到的肉体、社会生活、精神生活等损害覆盖其中，有效避免挂一漏万，更好地保护受害人利益，还可以减轻法院负担，节约司法资源。三是以相同数额确定死亡赔偿金可以维护众多原告之间的团结。在处理导致多人死亡的侵权案件时，以同一数额确定死亡赔偿金，既迅速救济了原告，也防止了原告之间相互攀比，避免同一事故中的众多原告之间赔偿数额差距过大引发社会争论。实际上，从我国近些年的司法实践看，在一些因同一事故导致多人死亡的侵权案件中，由于法院最终判决的死亡赔偿金在众多原告之间差异较大，引起了当事人不满，社会效果也不是很好。

这里需要注意几点：一是以相同数额确定死亡赔偿金并

非确定死亡赔偿金的一般方式，若分别计算死亡赔偿金较为容易，可以不采用这种方式。二是根据本法的规定，以相同数额确定死亡赔偿金原则上仅适用于因同一侵权行为造成多人死亡的案件。三是本条特别强调，对因同一侵权行为造成多人死亡的，只是“可以”以相同数额确定死亡赔偿金，而不是任何因同一侵权行为造成多人死亡的案件都“必须”或者“应当”以相同数额确定死亡赔偿金。至于什么情况下可以，什么情况下不可以，法院可以根据具体案情，综合考虑各种因素后决定。实践中，原告的态度也是一个重要的考虑因素，多数原告主动请求以相同数额确定死亡赔偿金的，当然可以；原告没有主动请求，但多数原告对法院所提以相同数额确定的死亡赔偿金方案没有异议的，也可以适用这种方式。四是以相同数额确定死亡赔偿金的，原则上不考虑受害人的年龄、收入状况等个人因素。

这里还需强调一点，本条只是规定，因同一侵权行为造成多人死亡的，可以对“死亡赔偿金”以相同数额确定，对死者在死亡前产生的医疗费、护理费等合理费用支出，以及丧葬费支出，宜根据实际支出情况单独计算，损失多少，赔偿多少。

**第十八条　被侵权人死亡的，其近亲属有权请求侵权人承担侵权责任。被侵权人为单位，该单位分立、合并的，承继权利的单位有权请求侵权人承担侵权责任。**

**被侵权人死亡的，支付被侵权人医疗费、丧葬费等合理费用的人有权请求侵权人赔偿费用，但侵权人已支付该费用的除外。**

**【释义】**　本条是关于被侵权人死亡后，谁可以成为请求权主体的规定。

被侵权人仅仅受到伤害、残疾，或者被侵权人作为单位仍存在的情况下，请求权人原则上是被侵权人本人，对此本法第三条明确规定，被侵权人有权请求侵权人承担侵权责任。但是，被侵权人（受害人）死亡的，其权利能力消灭，法律主体资格不复存在，死者不可能以权利主体资格请求侵权人承担侵权责任。同样的，被侵权人为单位，其分立、合并的，被侵权人的法律主体资格也消失，也不可能以权利主体资格请求侵权人承担侵权责任。因此，在这两种情况下，请求权人都只能是被侵权人以外的主体。

被侵权人死亡的，哪些主体可以请求侵权人承担侵权责任呢？民法通则对此并没有明确的规定。国家赔偿法规定，受害的公民死亡，其继承人和其他有扶养关系的亲属有权要求赔偿。受害的法人或者其他组织终止，承受其权利的法人或者其他组织有权要求赔偿。一些司法解释也作了规定，例如《最高人民法院关于审理人身损害赔偿案件适用法律若干问题的解释》规定，赔偿权利人是指因侵权行为或者其他致害原因直接遭受人身损害的受害人、依法由受害人承担扶养义务的被扶养人以及死亡受害人的近亲属。从国外的立法来看，大陆法系国家和我国台湾、澳门地区将被侵权人死亡情况下的请求权人分为以下两种情况：一是经济损失的请求权人。被侵权人死亡的情况下，请求权人为死者近亲属、受扶养人和丧葬费支付人。对被扶养人的范围，规定不完全相同。一些国家和我国台湾地区将被扶养人的范围限定为被侵权人对其负有法定扶养义务的人。如依《德国民法典》第 844 条的规定，被扶养人包括两类：(1)受害人被侵害前负有法定扶养义务的人；(2)在侵害时尚未出生的胎儿。俄罗斯等国家的被扶养人范围较广，既包括法定被扶养人，也包括实际被扶养人。二是精神损害的请求权主体。大多数国家和我国台湾地区规定,受害人死亡导致其近亲属精神损害的,该近亲属可以为请求权人。这里的近亲属一般指父母、子女及配偶。如我国台湾地区“民法典”规定,不法侵害他人致死者,被害人之父母、子女及配偶,虽非财产上之损害,亦得请求赔偿相当之金额。对受害人死亡的损害赔偿请求权人的范围,美国大多数州有两种法律作出规定:第一,“幸存法”。该法规定,受害人死后,因侵权行为所受损害,如身体和精神上的伤痛、经济上的损失等仍然可以得到赔偿,这些赔偿由他的近亲属以死者名义提起诉讼而获得。第二,“非正常死亡法”。该法主要赋予死者近亲属提起因亲人死亡导致自己所受损害的诉讼权利和索赔权利。死者近亲属一般包括死者的配偶、子女;如果没有配偶或子女,则为死者的父母。在有些州,法律不允许养子和私生子提起“非正常死亡”诉讼。死者近亲属要求赔偿的损失,除了自己的经济损失(如扶养费)外,还包括失去伴侣、失去夫妻生活的快乐和精神痛苦等损失。

本法在总结我国立法经验和司法实践经验基础上,参考国外立法,区分情况作了以下规定:

一是被侵权人死亡的,其近亲属有权请求侵权人承担侵权责任。考虑到近亲属的范围应由我国婚姻法、继承法等婚姻家庭法律规定,同时死亡侵权案件的情况不完全相同,需要根据具体案情确定哪些近亲属可以请求侵权人承担侵权责任,本法并没有规定“近亲属”的范围。为了充分保护最应当被救济的近亲属,原则上,请求权人应是与受害人共同生活的家庭成员或者与受害人有紧密联系的近亲属,或者依靠受害人生活的其他近亲属,如受害人生前扶养的子女、父母等。

二是被侵权人为单位,该单位分立、合并的,承继权利的单位有权请求侵权人承担侵权责任。分立是指原单位一分为二,合并是指两个单位合二为一。单位分立、合并的,都涉及分立、合并前的单位所享有的侵权请求权在分立、合并后由谁行使的问题。单位在分立、合并过程中一般都会通过合同对权利的承继者作出安排,没有作出安排的,则依据合同法、公司法等相关法律规定决定谁有权承继这种权利。一旦确定了承继权利者,其就有权请求侵权人承担侵权责任。

三是根据本法第十八条第二款的规定,被侵权人死亡,支付被侵权人医疗费、丧葬费等合理费用的人有权请求侵权人赔偿费用,但侵权人已支付该费用的除外。在司法实践中,支付被侵权人死亡前的医疗费等合理费用的,不一定是被侵权人本身,而是其亲属、朋友或者其他人;对于丧葬费,由于受害人已经死亡,只能是其亲属、朋友或者其他人支付。若支付这些费用的是被侵权人的近亲属,这些近亲属当然可以依据本条第一款的规定请求侵权人赔偿这些费用,若支付这些费用的并非其近亲属,而是其朋友、其他人或者某一单位的,实际支付费用的主体也可以作为独立的请求权人请求侵权人赔偿这些费用,但若侵权人已将这些费用赔偿给被侵权人近亲属的,实际支付这些费用的主体就不能再向侵权人请求赔偿,而只能要求获得赔偿的近亲属返还这些费用。赋予实际支付医疗费、丧葬费等费用的主体独立请求权,有利于弘扬帮扶帮衬的社会美德,保护善良的社会风俗,也可以防止侵权人获得不当利益。

**第十九条　侵害他人财产的,财产损失按照损失发生时的市场价格或者其他方式计算。**

**【释义】**　本条是关于财产损失计算的规定。

依据本法第二条的规定，侵害他人民事权益应当承担侵权责任。侵权包括对人身权益和财产权益等的侵害，本条是指对侵害他人财产权益所造成损害的计算。财产权益是民事权益中的重要组成部分，包括物权、知识产权、股权以及虚拟经济中的财产权利等具有财产性质的权益。

（一）侵害他人物权的财产损失计算

侵害他人物权，是侵害他人财产的最主要，也是最基本的表现形态，包括对他人所有的不动产、动产等财产进行毁损，致使该财产的外在形式、内在质量遭受破坏，甚至完全丧失，直接影响其价值和使用价值。如汽车被撞坏、古董花瓶被摔碎、家用电器被烧毁、建筑物被毁坏等。因侵权行为导致财产损失的，要按照财产损失发生时的市场价格计算。也就是以财产损失发生的那个时间，这个财产在市场上的价格为计算标准，完全毁损、灭失的，要按照该物在市场上所对应的标准全价计算，如果该物已经使用多年的，其全价应当是市场相应的折旧价格。例如，一辆已经开了5年的汽车被毁坏，其全价应当是二手车市场与该种车型及使用年限相对应的价格；财产部分毁损的，应当按照由于毁损使该物价值减损的相应的市场价格标准计算。如果该财产没有在市场上流通，没有市场的对应价格，可以其他方式计算，包括评估等方式。如家传的古董，没有市场价格，就可以按照有关部门的评估价格计算。

一般说来，市场价格会有上升或下降的可能，一个侵权案件审判终结需要一段时日，如果对于价格标准不作确定，则可能在司法实践中引起混乱，侵权行为发生时、诉讼开始时、诉讼终结时等都可能成为法官考虑的时间点，由于市场价格的波动，不同的时间点可能赔偿的数额就会不同。为了避免司法实践中可能出现的规则运用上的不统一,本条明确了对财产损失的计算标准,规定以财产损失发生的时间点计算赔偿价格,这个确定的时间点通常也就是侵权行为发生的时间。

上述财产损害一般指侵害他人所造成的直接损害,而侵害他人财产除了财产本身的损失外,还可能产生间接损失、纯经济损失。有的学者将财产损害划分为所受损害(为积极的损害,即财产的直接损害)和所失利益(为消极的损害,即本来应当获得的利益没有获得)。间接损失即可得利益的减少,指由于侵权人侵害他人财产的行为,导致被侵权人在一定范围内与财产相关的未来利益的损失。间接损失不是现有财产的减少,而是被侵权人基于财产而可能产生的利益的减少,是被侵权人可能得到的财产利益因侵权行为而丧失的损失。例如,因汽车被撞导致出租车不能运营,每天需缴纳的车份因无法运营而成为损失。

间接损失具有的特点:一是损失是未来的可得利益,在侵权行为实施时它只具有财产取得的可能性,而非现实利益;二是这种丧失的未来利益是极有可能实现的,而非遥不可及的;三是这种未来可得利益产生于被损害财产,有确定的范围,而非与被损害财产无关的虚妄利益。

由于财产损害造成间接损失的情况比较复杂,是否赔偿、如何赔偿,无论是在理论界还是在司法实务中都存在争议。有的学者认为,间接损失的赔偿有法律依据,民法通则第一百一十七条第三款的规定"受害人因此受到其他重大损失的,侵权人并应当赔偿损失"就是对间接损失予以赔偿的规则。也有的学者认为,不能因为保护受害人的利益而加重侵权人的赔偿负担,侵权责任法不仅是权利保护法,同时也是合理划定人们行为自由界限的法律,如果对侵权人要求过重,则会影响其行为自由,有违利益平衡的原则,阻碍社会的发展,对间接损失应当采取可预见性标准予以限制。

立法中有的学者还提出了对于纯经济损失应当给予赔偿的建议,认为纯粹经济损失毕竟是实际损失的一种,根据全面赔偿的原则,为了充分弥补被侵权人的损失,应当列入赔偿范围。例如,由于电缆被盗窃剪断,导致某企业停产。纯粹经济损失与间接损失有时会产生重叠或交叉,间接损失是纯经济损失的最主要表现。纯经济损失指被侵权人因他人的侵权行为遭受的经济上的损害,但该种损害不是由于受害人所遭受的有形财产损害而产生的经济损失。《瑞典赔偿法》第 2 条规定:“本法的纯粹经济损失应被理解为不与任何人身体伤害或者财产损害相联系而产生的经济损失。”纯经济损失包含了各种类型的损害,可能是利润的损失,也可能是物的使用价值的减少。纯经济损失是否应当赔偿,在各国的立法和学说中莫衷一是,一般认为原则上不应予以赔偿,但在例外情况下,可以给予赔偿。认为不应赔偿的理由:一是,纯经济损失与造成损害的原因之间的因果关系过于遥远,如果对纯经济损失予以赔偿,将导致诉讼的泛滥;二是,如果对纯经济损失予以赔偿,也会妨碍人们的行为自由,因为行为人对于损害结果的发生不具有可预见性;三是,如果对于过失造成的纯经济损失的赔偿将导致行为人的责任过重。有的国家的立法对纯经济损失规定赔偿,认为:如果对纯经济损失完全不予赔偿,对受害人来说也不尽合理,因为损害毕竟是侵权人的行为造成的,但为了防止无限扩大赔偿范围而加以限定,其限制主要为加害人的故意,以及未来利益的可预见性,赔偿范围不得超过加害人在实施侵权行为时应当预见的损失范围。德国对纯经济损失的赔偿,在法律上并没有明确规定,但判例学说大多援引《德国民法典》第826条关于故意悖于善良风俗加害他人者应负损害赔偿责任的规定，作为对纯经济损失予以经济赔偿的法律依据。《欧洲侵权法基本原则》第2:102条(4)规定：对纯经济损失和合同利益的保护范围相对受限。在此情况下，应适当考虑行为人与受害方的接近程度，或考虑行为人明知其行为将造成损失的事实（尽管其利益的价值被认为低于受害方的利益）。同条(6)规定：决定利益保护范围时，应考虑行为人的利益，尤其该行为人行动与行使权利的自由，以及公共利益。

（二）侵害他人知识产权的财产损失计算

知识产权是一种无形的财产权，是从事智力创造性活动取得成果后依法享有的权利。著作权、商标权、专利权等知识产权是一种以价值为基础和依托的无形财产权，知识产权既包括人身权利也包括财产权利，其人身权利指权利与取得智力成果的人的人身不可分离，是人身关系在法律上的反映，如署名权等，亦为精神权利；其财产权利指智力成果被法律承认以后，权利人可以利用这些智力成果取得报酬等权利，因此也为经济权利。因此，知识产权是具有财产和人身权利结合的一种复合性权益，财产权属性是知识产权的重要内容。对侵害知识产权所造成的财产损害，侵权人应当承担相应的赔偿责任。

侵害知识产权的财产权利与侵害一般财产的赔偿原则并无二致，但由于我国有关知识产权的法律都有相应的承担民事责任方面的规定，依据本法第五条，其他法律对侵权责任另有特别规定的，依照其规定，知识产权侵权行为应当首先适用这些单行法的规定。

著作权法第四十八条规定："侵犯著作权或者与著作权有

关的权利的，侵权人应当按照权利人的实际损失给予赔偿；实际损失难以计算的，可以按照侵权人的违法所得给予赔偿。赔偿数额还应当包括权利人为制止侵权行为所支付的合理开支。”“权利人的实际损失或者侵权人的违法所得不能确定的，由人民法院根据侵权行为的情节，判决给予五十万元以下的赔偿。”

专利法第六十五条规定：“侵犯专利权的赔偿数额按照权利人因被侵权所受到的实际损失确定；实际损失难以确定的，可以按照侵权人因侵权所获得的利益确定。权利人的损失或者侵权人获得的利益难以确定的，参照该专利许可使用费的倍数合理确定。赔偿数额还应当包括权利人为制止侵权行为所支付的合理开支。”“权利人的损失、侵权人获得的利益和专利许可使用费难以确定的，人民法院可以根据专利权的类型、侵权行为的性质和情节等因素，确定给予一万元以上一百万元以下的赔偿。”

商标法第五十六条规定：“侵犯商标专用权的赔偿数额，为侵权人在侵权期间因侵权所获得的利益，或者被侵权人在被侵权期间因被侵权所受到的损失，包括被侵权人为制止侵权行为所支付的合理开支。”“前款所称侵权人因侵权所得利益，或者被侵权人因被侵权所受损失难以确定的，由人民法院根据侵权行为的情节判决给予五十万元以下的赔偿。”“销售不知道是侵犯注册商标专用权的商品，能证明该商品是自己合法取得的并说明提供者的，不承担赔偿责任。”

（三）侵害他人股权等财产权的损失计算

本法第二条中规定的民事权益包括股权。股权又称为股东权，广义的股权指股东得以向公司主张的各种权利。狭义的股权指股东因出资而取得的、依法定或者公司章程的规定参与事务并在公司中享有财产权益的、具有可转让性的权利。侵害股权造成财产损失的，应当依照公司法等相关法律规定承担民事赔偿责任。

**第二十条　侵害他人人身权益造成财产损失的，按照被侵权人因此受到的损失赔偿；被侵权人的损失难以确定，侵权人因此获得利益的，按照其获得的利益赔偿；侵权人因此获得的利益难以确定，被侵权人和侵权人就赔偿数额协商不一致，向人民法院提起诉讼的，由人民法院根据实际情况确定赔偿数额。**

**【释义】**　本条是关于侵害他人人身权益造成财产损失赔偿的规定。

公民的人身权利是公民最基本的权利，包括的内容比较广泛，主要指人的生命权、健康权、身体权、姓名权、荣誉权、肖像权、名誉权、隐私权、监护权和人身自由等与人身直接有关的权利。侵害他人人身权益应当依法承担侵权责任。本条对于侵害他人人身权益如何计算财产损失作了较为具体的规定。

（一）按照所受损失赔偿

侵害他人人身权益造成的财产损失的赔偿范围，根据侵害行为及侵害人身权益内容的不同，侵害他人的人身权益造成财产损失的情形也不尽相同。主要包括：

1. 侵害他人生命权、健康权、身体权等人身权益造成的财产损失。侵害他人生命、健康、身体等权益造成的财产损失的赔偿范围，一般包括积极的财产损失和可得利益的损失。根据本法第十六条的规定，侵害他人造成人身损害的，应当赔偿医疗费、护理费、交通费等为治疗和康复支出的合理费用，以及因误工减少的收入。造成残疾的,还应当赔偿残疾生活辅助具费和残疾赔偿金。造成死亡的,还应当赔偿丧葬费和死亡赔偿金。

其中因治疗而支出的医疗费、护理费、交通费、住宿费,必要的营养费以及因康复护理、继续治疗等实际发生的费用;受害人死亡所支付的丧葬费以及办理丧葬事宜所支出的交通、住宿等其他合理费用;受害人残疾所需要的残疾辅助器具费等为积极的财产损失,即因侵权行为导致被侵权人实际支出的费用。

被侵权人因误工而减少的收入以及受害人死亡办理丧事其亲属误工所减少的收入;被侵权人因全部或者部分丧失劳动能力而减少的预期收入;被侵权人死亡的,其因死亡而不能获得的未来一定期限内的预期收入等为可得利益的损失,即因侵权行为的发生导致被侵权人本应获得而无法获得的财产。

2. 侵害他人名誉权、荣誉权、姓名权、肖像权和隐私权等人身权益造成的财产损失。对此,学说界一直存在不同认识,有的人认为,侵害他人非物质性人身权益没有财产损害,只能通过精神损害赔偿。《最高人民法院关于确定民事侵权精神损害赔偿责任若干问题的解释》和《最高人民法院关于审理人身损害赔偿案件适用法律若干问题的解释》将精神损害赔偿作为侵害非物质性人身权的主要救济方式。也有的人认为,侵害他人非物质性人身权有时也会产生财产损害,应当按照其实际损害赔偿。例如,某些名人的姓名权、肖像权具有一定的商业价值,如果用于广告等商业目的,取得使用的同意一般需要付给相应的对价,未经同意擅自使用其姓名或者肖像,直接影响了其应当获得的财产利益,这种财产损失是可计算的,因此属于侵害他人人身权益造成财产损害的情形。有的明星,已经与企业签订了肖像权独家使用的合同,一旦其肖像被另外的企业使用,明星对于签约企业形成违约,其违约损失就是财产损失。有的因个人隐私被披露导致生病看病的费用,也是直接的财产损失。

在德国,侵害人格权在财产损害与非财产损害之间的界限发生了变化,财产损害方式获得了扩张。在一些案件中,法官将受害人的精神不悦以及人格展开的商品化可能都解释为一种财产损害。例如,所有能够以财产计算并且在市场中通过金钱可以获得的利益都是财产损害。在遭受精神损害的情况下,如果当事人为了摆脱此种精神压抑而作出了一定的花费,则此种花费也是财产损害。德国由此存在两种理论:一种理论称为“沮丧理论”,即所有因为侵权行为所造成的或者使用的机会丧失都可以作为财产损害;另一种理论是“商品化理论”,即在现代社会中,大量的生活关系都可以在当今的财产社会中通过金钱购买到,所以在造成他人精神损害,而此种精神损害又可以通过金钱加以抚慰时,则应当承认精神损害赔偿,这种应当得到赔偿的损害进而延伸为财产损害。

侵害非物质性人身权益的财产损失,可以根据不同的侵权行为和相关证据具体判断处理,有实际财产损失的,按照实际损失赔偿,没有实际损失的,可以根据本法的相关规定给予救济。

(二)按照所获利益赔偿

一些侵害人身权益的行为财产损失难以确定,尤其是在被侵权人的名誉受损、隐私被披露等侵害非物质性人身权益的情况下,很难确定财产损失。在此情形下,侵权人如何赔偿,怎样确定赔偿数额是困扰司法实践中的一个难题。例如,某运动员身披国旗的照片被企业印到产品的包装盒上了，运动员诉企业侵权。在此案中，侵害他人肖像权的行为确实存在，如何对被侵权人进行赔偿，赔偿数额如何确定成了被关注的热点。《最高人民法院关于确定民事侵权精神损害赔偿责任若干问题的解释》第十条中规定的关于精神损害的赔偿数额确定的因素中，将“侵权人的获利情况”作为其中之一，由此，在侵害他人人身权益的情况下，可将侵权人的获利情况作为司法实践中确定赔偿数额的重要因素考虑。司法解释对于这种获利赔偿仅限于精神损害赔偿数额考虑因素的范畴之内。例如，某省电视台为了提高收视率，将一个曾经下乡知青有私生子的隐私通过谈话节目故意暴露，给该知青的家庭和个人名誉造成不利影响，该知青以电视台侵害其隐私权提起诉讼，法院以电视台的广告收入作为考虑因素，判决电视台赔偿五十万元。

在总结我国的司法实践经验的基础上，当侵害他人人身权益，财产损失难以确定的情况下，本条明确规定，侵权人因此获得利益的，按照其获得的利益赔偿。有的学者认为，侵害他人名誉、姓名、隐私等人身权益，侵权人所获得的利益，就是被侵权人的财产损失，只是计算财产损失的角度不同而已。

（三）获利难以计算的赔偿

本条“侵权人因此获得的利益难以确定，被侵权人和侵权人就赔偿数额协商不一致，向人民法院提起诉讼的，由人民法院根据实际情况确定具体赔偿数额”是常委会三审之后增加的内容，主要针对损人不利己等获利难以计算的情况。

侵权责任法草案三审稿提交十一届全国人大常委会第十一次会议审议时，有的常委委员提出，实践中存在“损人不利己”的情况，有的侵权人将别人的隐私放在网络上造成很坏的影响,他自己并没有获利,如果在侵害他人人身权时,仅是获利的给予赔偿,没有获利的不予赔偿,则不能很好地保障被侵害人的权益,侵权人也得不到惩罚,建议明确规定,没有获得利益的侵权人也应当负责任,责任大小可以通过相应的司法程序解决。根据常委委员的审议意见,本条对既侵权又没获利的赔偿作了规定。当出现侵权人获得的利益难以确定时,被侵权人与侵权人可以就赔偿数额进行协商,协商不一致的,被侵权人可以向人民法院提起诉讼,由法院根据实际情况赔偿数额。这项规定表达了三层含义:一是侵权人损人没有获利或者获利难以计算的情况下,当事人可以就赔偿数额进行协商;二是赋予被侵权人获得赔偿的请求权,侵权人不能因为没有获利或者获利难以计算就不负赔偿责任;三是如何确定赔偿数额由法院根据侵权人的过错程度、具体侵权行为和方式、造成的后果和影响等确定。

**第二十一条　侵权行为危及他人人身、财产安全的,被侵权人可以请求侵权人承担停止侵害、排除妨碍、消除危险等侵权责任。**

**【释义】**　本条是关于危及他人人身、财产安全责任承担方式的规定。

本法第十五条规定,承担侵权责任的方式主要有:停止侵害、排除妨碍、消除危险、返还财产、恢复原状、赔偿损失、赔礼道歉以及消除影响、恢复名誉。这些承担责任的方式可以单独适用,也可以合并适用。本条规定的是危及他人人身财产安全情况下的责任方式。这里的“危及”应当是:第一,侵权行为正在实施和持续而非已经结束;第二,侵权行为已经危及被侵权人的人身、财产安全而非不可能危及;第三,侵权人所为的侵权行为而非自然原因。对正在危及他人的人身、财产安全的侵权行为发生的情况下，赋予被侵权人请求停止侵害、排除妨碍、消除危险等责任方式，目的在于防止损害后果的扩大，维护被侵权人的合法权益。

（一）停止侵害

当侵权人正在实施侵权行为人时，被侵权人可依法请求其停止侵害。停止侵害适用于各种正在进行的侵权行为，对于已经终止和尚未实施的侵权行为不适用停止侵害的民事责任方式。例如，被侵权人发现网络上出现侮辱自己的文章或者盗用自己的研究成果的情况下，就可以要求侵权人停止侵害。最高人民法院对于当事人请求停止侵害的法律适用有相应的司法解释，例如，《最高人民法院关于贯彻执行〈中华人民共和国民法通则〉若干问题的意见（试行）》第一百六十二条规定，在诉讼中遇有需要停止侵害、排除妨碍、消除危险的情况时，人民法院可以根据当事人的申请或者依职权先行作出裁定。又如，《最高人民法院关于诉前停止侵犯专利权行为适用法律问题的若干规定》第一条规定，根据专利法第六十一条的规定，专利权人或者利害关系人可以向人民法院提出诉前责令被申请人停止侵犯专利权行为的申请。

（二）排除妨碍

排除妨碍，是指侵权行为人实施某种行为妨害他人正常行使权利或者妨害他人合法利益的，被侵权人请求人民法院排除侵权人的侵权行为。例如，因邻居装修施工占用通行道路，不按约定堆放装修材料阻碍交通的，被阻碍通行的人可以要求其尽快清理，排除妨碍。又如，将污染物排放到河流造成环境污染及他人财产损失的，被侵权人有权请求其排除妨碍，清除污染物。对此，环境保护法第四十一条就明确规定，造成环境污染危害的,有责任排除危害,并对直接受到损坏的单位或者个人赔偿损失。《最高人民法院关于贯彻执行〈中华人民共和国民法通则〉若干问题的意见(试行)》第九十七条规定,相邻一方因施工临时占用他方使用的土地,占用的一方如未按照双方约定的范围、用途和期限使用的,应当责令其及时清理现场,排除妨碍;恢复原状,赔偿损失。第九十八条规定,一方擅自堵截或者独占自然流水,影响他方正常生产、生活的,他方有权请求排除妨碍;造成损失的应负赔偿责任。

(三)消除危险

消除危险,是指在负有责任的人支配下的物对他人人身和财产安全构成威胁,或者存在侵害他人人身或者财产现实可能性的情况下,受到威胁的人有权请求法院责令对构成危险的责任人采取有效措施消除侵害他人人身或者财产的威胁和现实可能性的承担民事责任的方式。请求消除危险,又称请求防止侵害,是指侵害虽未发生,但其人身、财产面临遭受侵害的可能,对于这种可能发生的侵害,可能被侵权的人有权请求相对人为一定行为或者不为一定行为,防止侵害,消除既存的危险,以避免侵害的发生。例如,住宅小区的树木出现树枝将要断裂,或者树干枯死,随时可能掉下来砸到行人或者停在树下的车辆上,在这种情况下,可以请求树木管理责任人消除隐患,避免损害的发生。又如,住宅小区内的下水井盖丢失,极易造成对人身的伤害,负责井盖管理的人,有责任补上井盖,防止侵害的发生。《最高人民法院关于贯彻执行〈中华人民共和国民法通则〉若干问题的意见(试行)》第一百五十四条规定,从事高度危险作业、没有按照有关规定采取必要安全防护措施、严重威胁他人人身、财产安全的,人民法院应当根据他人的要求,责令作业人消除危险。

**第二十二条 侵害他人人身权益，造成他人严重精神损害的，被侵权人可以请求精神损害赔偿。**

**【释义】** 本条是关于精神损害赔偿的规定。

本条虽然只有一句，但承载了相当丰富和厚重的内涵。

精神损害赔偿是受害人因人格利益或身份利益受到损害或者遭受精神痛苦而获得的金钱赔偿。规定精神损害赔偿有利于保护受害人的利益。

（一）一些国家及我国台湾地区的有关情况

许多大陆法系国家、欧盟和我国台湾地区规定，生命、健康或者名誉、隐私等人格权受到侵害的，可以请求精神损害赔偿。如《俄罗斯民法典》第1100条规定，在以下情况，无论致害人有无过错，均应补偿精神损害：高度危险来源造成公民生命或者健康损害；非法追究刑事责任、非法采用羁押和具结不离境的强制手段、以拘留或劳动履行的方式非法处以行政处罚而给公民造成损害；诋毁名誉、侵害人格尊严和商誉造成损害；法律规定的其他情况。欧盟制定的《欧洲侵权责任法基本原则》第10－301条规定，受到人身伤害，或人格尊严、人身自由以及其他人身权利受到侵犯的，受害人应得到精神损害赔偿。当事人近亲中有人受到致死或虽不致命但极其严重伤害的，此当事人也有权得到精神损害赔偿。我国台湾地区“民法典”第195条第1款规定，不法侵害他人之身体、健康、名誉、自由、信用、隐私、贞操，或不法侵害他人人格权而情节重大者，被害人虽非财产上之损害，亦得请求赔偿相当之金额。其名誉被侵害者，并得请求为恢复名誉之适当处分。

《德国民法典》中确立精神抚慰金即精神损害赔偿金迄今已有一百多年的历史。2008年8月以前，精神损害赔偿的法律依据主要是民法典第847条规定，在侵害身体或者健康，以及在剥夺人身自由的情况下,受害人所受损害即使不是财产上的损失,也可以因受损害而要求合理的金钱赔偿。对妇女犯有违反道德的犯罪或者不法行为,或者以欺诈、威胁或者滥用从属关系,诱使妇女同意婚外同居的,该妇女享有精神损害赔偿请求权。原则上,只有当发生非合同的过错责任时,才会产生精神抚慰金。精神抚慰金具有双重功能,即补偿功能和让受害人获利心理平衡功能。2002 年 8 月以后,德国议会颁布了《关于修改损害赔偿法规定的第二法案》,对精神损害赔偿的范围作了重大调整,将第 847 条的内容并到第 253 条中,规定:对于非财产损害,只有法律上有明确规定的,才能请求金钱赔偿。由于侵害身体、健康、自由或性自主权而须损害赔偿的,受害者也可基于非财产损害请求合理的金钱赔偿。调整精神损害赔偿适用范围的意义在于:统一了精神抚慰金适用的标准,将不再以合同与非合同、过错与非过错的区分为基础;后又将精神抚慰金适用范围,由限于侵权行为法领域扩展到合同法和危险责任领域;加强了对受害者利益的保护。德国目前关于精神损害赔偿的发展趋势主要体现在两个方面:一是从 20 世纪 90 年代起,提高痛苦费的金额,对于重大伤情确定痛苦费的,明显慷慨于以前,居欧洲领先地位;二是不再有家庭成员的痛苦费,死者家属作为间接的受害者在法律规定的例外情况下,有自己的索赔权。柏林高等法院在判例中指出,死者家属"出现严重的精神上的惊吓"绝不是提出非物质伤害补偿的理由,一次事故或者一个关于事故的消息,可以成为要求补偿的理由,条件是它们造成了精神病理学意义上的后果,或者更为严重——导致患了精神病。认定痛苦费所必需的肉体和心灵的伤害,要由法院依据民事诉讼法的规定,聘请事故外科专家、矫形外科大夫以及神经科和精神病科的专家等作出鉴定来认定。精神抚慰金的数额要综合考虑受害者的肉体和心灵的伤害程度、遭受痛苦的强度和持续时间以及受害者自身的年龄、职业、所在地区的经济水平等。

根据《日本民法典》第710条和法院的判例,在以下三种情况下可以请求精神损害赔偿:一是侵害他人身体、自由、名誉导致精神损害的。司法实践中,对侵害其他人身权益导致精神损害的,如隐私权、肖像权、信用权、家庭关系等,法官也允许受害人请求精神损害赔偿。二是侵害财产权导致精神损害的。如侵害他人祖上传下来的财产,或者他人喜爱的宠物导致精神损害的,法院曾判决精神损害赔偿。三是侵害他人生命权导致死者的父母、配偶及子女受到精神损害的。但近几年,日本最高法院也判决,即使受害人未死亡,其近亲属受到与受害人死亡时相同的精神痛苦时,该近亲属也可以请求精神损害赔偿。从总体上讲,日本精神损害赔偿的适用范围越来越宽,请求权人越来越多。日本没有法律明确规定如何确定精神损害赔偿额,对法官裁量时应斟酌的事项也没有限制,主要由法官根据个案综合考虑各种因素的自由裁量。

美国的精神损害赔偿制度经历了一个发展变化过程。在早期的侵权责任法中,精神损害赔偿请求权依附于身体伤害,只有因身体伤害导致的精神损害才可以请求精神损害赔偿。现在,精神损害赔偿已经发展为一项独立的侵权责任形式。司法实践中,可以请求精神损害赔偿的情况一般包括:一是因身体伤害导致精神损害的;二是因性骚扰、不合理解雇雇员以及性别歧视导致精神损害的;三是“旁观者”因亲眼目睹侵权人殴打第三人而受到精神损害,且第三人是“旁观者”近亲属的。例如,原告亲眼目睹他的亲人遭受被告的殴打、羞辱和强暴,以致心脏病突发或出现精神方面疾病的,法官一般会判原告受到了精神损害；四是侵犯名誉、隐私导致其受到精神损害，对于这种精神损害，原告只需证明自己、隐私受到侵犯，但这种赔偿一般是象征性的，数额较低。法官决定是否给予精神损害一般考虑侵权人的主观恶意（故意或者通过极端骇人的、不可忍受的行为）和受害人是否受到精神损害，一时不高兴不能算作精神损害。以前美国各州对精神损害赔偿数额没有任何限制，完全由法官或者陪审团根据法官的指示进行自由裁量，为了防止精神损害赔偿数额过大，美国现在已有12个州对精神损害赔偿设置了上限，例如有的州规定，这类赔偿最高不得超过35万美元。

（二）我国的有关规定及司法实践

2001年2月20日《最高人民法院关于确定民事侵权精神损害赔偿责任若干问题的解释》规定精神损害赔偿的范围是：侵害生命权、健康权、身体权，姓名权、肖像权、名誉权、荣誉权，人格尊严权、人身自由权；违反社会公共利益、社会公德侵害他人隐私或者其他人格利益；非法使被监护人脱离监护，导致亲子关系或者近亲属间的亲属关系遭受严重损害；自然人死亡后其近亲属因以侮辱、诽谤、贬损、丑化或者违反社会公共利益、社会公德的其他方式，侵害死者姓名、肖像、名誉、荣誉，非法披露、利用死者隐私，或者以违反社会公共利益、社会公德的其他方式侵害死者隐私，非法利用、损害遗体、遗骨，或者以违反社会公共利益、社会公德的其他方式侵害遗体、遗骨；具有人格象征意义的特定纪念品因侵权行为而永久灭失或者毁坏。

侵权责任法制定之前，我国现行法律没有明确规定精神损害赔偿，但也不能说绝对没有精神损害赔偿的法律规定，如造成被侵权人死亡、残疾的，法律规定支付被扶养人生活费的同时又规定支付死亡赔偿金、残疾赔偿金，这时死亡赔偿金、残疾赔偿金中是否包含精神损害赔偿内容，值得探讨。在理论上，对规定精神损害赔偿没有多大争议，司法实践也普遍认可，大多数国家作了规定。在制定侵权责任法的过程中，对于是否扩大精神损害赔偿的适用范围，若扩大，扩大到什么范围；是否规定精神损害赔偿额，若规定，如何规定等问题存在不同意见。有的提出，为防止法官滥用自由裁量权，应规定具体的精神损害赔偿限额。有的认为，精神损害赔偿制度在我国还处于起步和摸索阶段，规定具体的精神损害赔偿限额不切合实际，也不科学。现阶段宜规定精神损害赔偿的基本原则，由法院依据该原则根据具体案情确定赔偿数额。

（三）请求精神损害赔偿的范围、要件及主体

在广泛听取各方面的意见并经反复研究，为加强对受害人利益的保护，同时也为了防止精神损害赔偿被滥用，本条规定侵害他人人身权益，造成他人严重精神损害的，被侵权人可以请求精神损害赔偿。

1. 侵害他人人身权益可以请求精神损害赔偿。根据本条的规定，精神损害赔偿的范围是侵害他人人身权益，侵害财产权益不在精神损害赔偿的范围之内。人身权益包括生命权、健康权、姓名权、名誉权、肖像权、隐私权、监护权等，侵权人侵害了他人的人身权益的，被侵权人可以请求精神损害赔偿。

2. 造成他人严重精神损害。并非只要侵害他人人身权益被侵权人就可以获得精神损害赔偿，本条规定，“造成他人严重精神损害”才能够获得精神损害赔偿，“严重精神损害”是构成精神损害赔偿的法定条件。偶尔的痛苦和不高兴不能认为是严重精神损害。

3. 被侵权人可以请求精神损害赔偿。一般来说,请求精神损害赔偿的主体应当是直接遭受人身权侵害的本人。受到他人侵害致残,或者名誉等人身权益受到他人侵害造成严重的精神损害的,可以请求精神损害赔偿。此时,人身权被侵害的“他人”与造成严重精神损害的“他人”是一致的,就是本人。被侵权人由于其人身权益受到侵害造成死亡的能否请求精神损害赔偿?从国外的立法及司法实践情况看还是在理论上都存在争议,有的国家规定可以请求精神损害赔偿,如日本、美国;有的国家没有规定精神损害赔偿,如德国。根据我国的司法解释,实践中对于因侵权导致死亡者的亲属是给予精神损害赔偿的,例如北京发生的“公共汽车售票员掐死清华大学教授女儿”一案,法官考虑到清华大学教授老来得子,在现场亲眼目睹女儿被掐死,售票员的手段特别恶劣等因素,确定了30万元的精神损害赔偿。

根据本法第十八条的规定,“被侵权人死亡的,其近亲属有权请求侵权人承担侵权责任”。其中,赋予近亲属的请求权并没有明确排除精神损害赔偿。

确定精神损害赔偿的数额可以考虑侵权人的主观状态、被侵权人的伤残情况和遭受精神痛苦的情形等。目前,一些省级法院掌握的标准是最高不超过5万元,有的市一般掌握的标准是最高不超过10万元。随着社会经济的发展变化,精神损害赔偿的数额也会随之发生变化。

**第二十三条　因防止、制止他人民事权益被侵害而使自己受到损害的,由侵权人承担责任。侵权人逃逸或者无力承担责任,被侵权人请求补偿的,受益人应当给予适当补偿。**

**【释义】**　本条是关于因防止、制止他人民事权益被侵害而使自己受到损害的责任承担的规定。

本条主要针对见义勇为者受到侵害的请求权,与本法第三十一条中“紧急避险”人不承担责任或者给予适当补偿的规定的不同之处在于:第一,本条是关于因保护他人民事权益免遭损害而见义勇为者的请求权,而第三十一条规定的是紧急避险人为避免自己或者他人人身、财产损失而损害了他人的财物时不承担责任的情形;第二,本条规定的被损害主体是见义勇为者,而第三十一条规定的被损害主体是紧急避险人之外的人;第三,本条不包括自然灾害引起的他人民事权益被侵害的情形,而第三十一条中的紧急避险既包括人的行为引起的险情,也包括自然原因引起的险情。

本条规定与民法通则第一百零九条“因防止、制止国家的、集体的财产或者他人的财产、人身免遭侵害而使自己受到损害的,由侵害人承担赔偿责任,受益人也可以给予适当的补偿”所规定的精神一脉相承。最高人民法院也有相应的司法解释,《关于审理人身损害赔偿案件适用法律若干问题的解释》第十三条规定:“为维护国家、集体或者他人的合法权益而使自己受到人身损害,因没有侵权人,不能确定侵权人或者侵权人没有赔偿能力,赔偿权利人请求受益人在受益范围内予以适当补偿的,人民法院应予支持。”

在日常生活中,为防止、制止他人民事权益被侵害而使自己受到损害的情况为数不少。例如,为了帮助被抢劫的人的财物免遭损失,阻止抢劫犯逃跑,被抢劫犯扎伤。又如,旅游车掉到河里,见义勇为者为了救人受伤等。最高人民法院编辑的《人民法院案例选》中有典型案件:朱某的儿子在 1991 年 1 月开始受雇于吴某与廖某合伙经营的和兴饭店,朱子在 1991 年 9 月 16 日辞工但仍住在该饭店。10 月 3 日凌晨,一伙歹徒抢劫和兴饭店,正在饭店睡觉的朱子听到声音后拿着打气筒下楼,在与歹徒搏斗中被刺中胸部,抢救无效死亡。廖某支付了医疗费和丧葬费约2000元,吴某付给朱家990元。事后,朱某向法院提起诉讼,认为儿子是为了保护和兴饭店的利益而死亡的,他的家庭因此失去了主要劳动力,造成了生活上的极大困难,要求吴某与廖某赔偿2万元。吴某与廖某辩称,事发时,朱某的儿子已经辞工不在饭店工作了,且饭店已经负担了医疗费、丧葬费以及家属的食宿费等,没有义务再补偿金钱给朱某,应当由杀害朱子的凶手承担赔偿责任。一审法院经审理认为:朱某的儿子自动辞工后暂住在和兴饭店,与饭店不再存在劳务关系。且案发后吴某及廖某已经妥善处理了后事,并给了朱某适当的经济补助,已尽到适当补偿的责任,朱某的死亡应由歹徒承担赔偿责任。因案件尚未侦破,不能处理民事赔偿。朱某不服提起上诉。二审法院经审理认为:在和兴饭店遭歹徒抢劫时,朱某的儿子为制止歹徒对饭店财产的侵害挺身而出,遇刺身亡,这种见义勇为、敢于同违法犯罪行为作斗争的精神是值得提倡的。作为受益人,吴某和廖某事后虽然对朱某的善后处理在经济上给予了一定的补偿,但现在朱某家庭因儿子的死亡而造成了生活困难,吴某和廖某仍应给予一定的生活困难补助。据此,法院判决:撤销一审民事判决,要求吴某及廖某共同支付4990元(含之前已支付的2990元)给朱某。

为了弘扬社会主义的良好风尚,鼓励和支持舍己为人的高尚行为,防止见义勇为者流血又流泪的情形,本条规定了见义勇为者的请求权和承担责任的主体。

(一)因防止、制止他人民事权益被侵害而使自己受到损害

为了防止、制止国家、集体的财产或者他人的人身、财产

遭受不法侵害，使自己受到损害，这里需要强调两点：一是，受到损害的人不是为了自己的民事权益，而是为了他人的民事权益不受侵害而为的防止、制止行为；二是，受到的损害包括人身受到伤害与财产受到损害。

（二）由侵权人承担责任

由于是为了防止、制止他人的民事侵权行为，而侵权行为是侵权人造成的，不是自然原因引起的，因此给见义勇为者造成损失的侵权人要承担侵权责任。

（三）受益人应当给予适当补偿

见义勇为行为人是为了他人的民事权益不受侵害才遭受损害的，在一般情况下，侵权人承担侵权赔偿责任。但有的情况下会有侵权人逃逸，根本找不到侵权人，也可能会存在虽然找得到侵权人，但侵权人根本赔偿不了，为了公平起见，本条规定在侵权人逃逸或者侵权人根本无力赔偿的情况下，由受益人给予适当的补偿。这里需要注意三点：一是逃逸了的侵权人确实找不到，或者侵权人确实无力赔偿，这是被侵权人请求补偿的限定条件，如果侵权人没有逃逸或者有赔偿能力的，被侵权人不能找受益人要求补偿；二是有明确的受益人，被侵权人明确提出了要求受益人补偿的请求；三是受益人应当给予适当的补偿，补偿不是赔偿，赔偿一般是填平原则，即受损多少赔偿多少，而补偿仅是其中的一部分，本条用的是“给予适当的补偿”，就是要根据被侵权人的受损情况，受益人的受益情况等决定补偿的数额。

按照侵权责任构成的一般原理，受益人不是侵权责任人，对被侵权人而言本身不存在任何过错，与被侵权人的损害没有因果关系，因此不应当负有赔偿的责任，完全应当由侵权人承担责任。但是，如果不是为了受益人的利益，被侵权人也不会遭受损害，当侵权人逃逸或者侵权人根本无力赔偿时，被侵权人由于见义勇为行为而遭受损害得不到任何赔偿和补救也不公平，不利于社会助人为乐良好风气的形成，不符合公平正义的精神，因此，为了较好地解决矛盾、平衡利益、分担损失，让受益人适当给予被侵权人补偿是可以的。目前，一些省、市建立了见义勇为基金，专门鼓励那些为了国家、集体、他人利益舍身相助、见义勇为的人。

**第二十四条　受害人和行为人对损害的发生都没有过错的，可以根据实际情况，由双方分担损失。**

**【释义】**　本条是关于公平分担损失的规定。

侵权责任的承担以行为人有过错为基本构成要件，行为人对损害发生没有过错的，除法律规定承担无过错责任外，一般不承担责任。但在现实生活中，有些损害的发生行为人虽无过错，但毕竟由其引起，如果严格按照无过错即无责任的原则处理，受害人就要自担损失，这不仅有失公平，也不利于和谐人际关系的建立，因此本条规定："受害人和行为人对损害的发生都没有过错的，可以根据实际情况由双方分担损失。"

公平分担损失的情况包括：(1)无民事行为能力人造成他人损害。按照民法通则规定，不满10周岁的未成年人和不能辨认自己行为的精神病人是无民事行为能力人。无民事行为能力，意味着行为人不能进行有目的、有意识的民事活动，因此不能认为他们的行为有过错，当监护人尽到了监护责任，无民事行为能力人仍给他人造成损害时，可以根据实际情况由监护人分担损失。(2)完全民事行为能力人对自己的行为暂时没有意识或者失去控制没有过错，但造成他人损害。比如：出租车司机不知道自己患有疾病，在车辆行驶过程中突发心脏病发生交通事故造成他人损害，对于受害人超出机动车强制保险责任限额范围的损失，可以根据实际情况由出租车司机分担损失。(3)具体加害人不明，由可能加害的人分担损失。比如建筑物内抛出一烟灰缸砸破楼下路人的头，找不到行为人，为了减轻受害人的损失，可以根据实际情况由可能加害的建筑物使用人给受害人补偿。(4)因意外情况造成损害。例如一暴雨夜，某甲拦截并获准搭乘一辆运棺材的卡车，上车后，某甲为躲雨钻进棺材。不一会儿，某乙和某丙也搭上该车，上车后，他们只看到车上有一棺材，并不知某甲在棺材内。在车上，乙对丙说："我想抽烟，你有火吗？"丙答："没有。"甲在棺材内听到此，推开棺材盖伸手递出打火机。乙看到棺材里突然伸出一只手，以为诈尸，吓得跌下车去受了伤。甲对于乙的受伤并无过错，但乙受伤确因甲的行为引起，最终法院按照民法通则关于公平责任的规定，判甲承担乙的部分损失。(5)为对方利益或者共同利益进行活动过程中受到损害。比如某甲主动帮某乙盖房，不小心从梯子上跌下受伤，可以根据实际情况由某乙分担某甲受到的损失。

公平分担损失的规定是侵权责任法根据实际情况作出的特别规定，与侵权责任的归责原则——过错责任原则和无过错责任原则不同：

1. 与过错责任的区别：(1)过错责任原则以行为人的过错作为承担责任的前提，而公平分担行为人并没有过错。(2)承担过错责任以填补受害人全部损失为原则，公平分担只是根据实际情况适当给受害人以补偿。

2. 与无过错责任的区别：(1)无过错责任不问行为人是否有过错，其适用以法律的特殊规定为根据。也就是说，承担无过错责任，行为人可能有过错，也可能无过错。而公平分担,行为人没有过错,也不属于法律规定的适用无过错责任的情形。(2)无过错责任适用于法律明确规定的几种情形。而公平分担只是原则规定适用条件,没有具体界定所适用的案件类型。(3)承担无过错责任,有的是填补受害人的全部损失,有的法律规定了最高责任限额。公平分担只是分担损失的一部分,没有最高额限制。

公平分担适用于行为人和受害人对损害的发生均无过错的情况。如果损害由受害人过错造成,应当由其自己负责;如果由行为人或者第三人过错造成,应当由行为人或者第三人负责;如果行为人和受害人对损害的发生都有过错,应当根据他们的过错程度和原因力分配责任。也就是说,只要有过错责任人,都不适用本条规定。

公平分担不是说加害人与受害人各打五十大板,平均分担损失。确定损失分担,应当考虑行为的手段、情节、损失大小、影响程度、双方当事人的经济状况等实际情况,达到公平合理、及时化解矛盾、妥善解决纠纷、促进社会和谐的目的。

现代公平分担的规定最初产生于未成年人和精神病人的赔偿案件。在这些案件中,古代有些法律要求未成年人对其所致损害完全负责。然而,19 世纪以来,由于过错责任的发展,许多国家认为未成年人不具备意思能力,不能被确定有过错,因此对其造成的损害不负责任。由于完全免责和完全负责的做法都不尽合理,因此一些国家接受了公平负担的思想,在立法上规定了公平分担。比如《德国民法典》第 829 条规定,未成年人致人损害,受害人在不能向有监督义务的第三人取得赔偿时,仍应当赔偿损害,根据情况特别是根据当事人之间的法律关系,依公平原则要求作出某种赔偿时,在赔偿妨害加害人保持与自己地位相当的生计和履行其法定抚养义务所需资金限度内，加害人仍应负损害赔偿义务。《埃塞俄比亚民法典》第2099条规定，如果导致责任的过错行为是处于不知其行为的过错性质状态的人实施的，在有衡平需要时，法院可减少授予的赔偿额。在这一问题上，必须考虑当事人各自的财务状况和过错行为人的赔偿损害责任的后果。我国台湾地区“民法典”第218条规定，损害非因故意或者重大过失所致者，如其赔偿致赔偿义务人之生计有重大影响时，法院得减轻其赔偿金额。我国民法通则和最高人民法院的司法解释对公平负担也作了规定。民法通则第一百三十二条规定：“当事人对造成损害都没有过错的，可以根据实际情况，由当事人分担民事责任。”《最高人民法院关于贯彻执行〈中华人民共和国民法通则〉若干问题的意见（试行）》第一百五十七条规定：“当事人对造成损害均无过错，但一方是在为对方的利益或者共同的利益进行活动的过程中受到损害的，可以责令对方或者受益人给予一定的经济补偿。”

公平责任是不是与过错责任、无过错责任并列的侵权责任的归责原则？要不要在侵权法中规定公平责任？在侵权责任法的立法中有不同意见。有的认为，公平责任原则是我国民法公平原则的必然引申，是由民法所担负的保护公民和法人的合法权利的任务决定的，是市场发展的内在要求，也是淳化道德风尚、建设社会主义精神文明的需要。该责任原则既不同于过错责任，也有别于严格责任，具有相当的特殊性、功能和自身独有的适用范围。有的认为，公平责任不是侵权责任法的归责原则。因为过错责任原则和无过错责任原则，均体现了公平原则的精神。公平原则属于指导性原则，不能成为法院裁判的依据。有的认为，公平责任的适用不具有法律上的确定性，将其作为归责原则，将会背离过错责任这一基本原则，造成另一种形式的不公平。考虑到实践中有适用公平负担的特殊需求，民法通则和最高人民法院的司法解释也都对公平责任作了规定，因此，侵权责任法保留了关于公平分担的规定，但将民法通则规定的“分担民事责任”修改为“分担损失”。该修改主要基于理论和实践两方面考虑：从理论层面来看，无过错即无责任是承担侵权责任的基本原则，既然双方当事人对损害的发生都没有过错，那么行为人就不应承担责任，而只能是分担损失。从实践层面来看，让无过错的当事人承担责任，他们比较难以接受。比如前述高空抛物造成他人损害的案件，一些建筑物的使用人认为，自己并不是行为人，出于道义可以拿出钱来对受害人提供帮助，但说自己有“责任”，感情上接受不了。可以说，侵权责任法作此规定更科学，也更符合社情、民意。

**第二十五条　损害发生后，当事人可以协商赔偿费用的支付方式。协商不一致的，赔偿费用应当一次性支付；一次性支付确有困难的，可以分期支付，但应当提供相应的担保。**

**【释义】**　本条是关于赔偿费用支付方式的规定。

侵权责任法的一项重要功能就是填补受害人的损失，也就是说，侵权行为人应当对受害人的财产损失和精神损失承担全部赔偿责任。但是由于损失即包括实际损失，比如侵害他人造成人身损害，因此产生的医疗费、护理费、交通费、营养费等为治疗和康复支出的合理费用，也包括预期利益的损失，比如因误工减少的收入；既涉及赔偿的额度，比如有的赔偿费用只有百十元，有的却有几十万元、上百上千万元，也涉及侵权人的支付能力，比如有的人穷困潦倒，根本拿不出钱，有的人财富充裕。因此，赔偿费用的支付方式成为能否有效地保护受害人利益的重要问题。

世界各国、各地在赔偿费用支付方式的处理上有以下几种模式:一是绝对的一次性支付。采此模式的主要是英国、美国、丹麦、西班牙。比如英国法院基于“一了百了”的原则,通常都要求赔偿义务人将赔偿费用一次性支付给受害人,但如果受害人能够证明其在未来的某个时间内将出现某种严重疾病或者生理、心理状况的恶化,受害人可以要求法院判决临时性给付。二是以一次支付为原则,以定期金给付为例外。采此模式的主要是我国台湾、澳门地区。比如台湾地区“民法典”第 193 条规定:不法侵害他人之身体或健康者,对于被害人因此丧失或减少劳动能力或增加生活上之需要时,应负损害赔偿责任。前项损害赔偿,法院得因当事人申请,定为支付定期金,但需加害人提出担保。《澳门特别行政区民法典》第 561 条规定:经考虑损害的连续性,法院可以依照受害人的申请,就全部或者部分损害定出终身或暂时定期金的赔偿。如果受害人没有提出此种申请,则应当判决一次性给付赔偿费用。三是以定期金支付为原则,以一次性给付为例外。采此模式的主要是德国、俄罗斯。比如《德国民法典》第 843 条规定:因侵害他人身体或者健康致受害人丧失或者减少劳动能力,或者增加生活上的需要,应以支付金钱定期金对受害人赔偿损失。如果存在有重大原因,受害人可以不要求定期金而要求一次给付赔偿总额。《俄罗斯民法典》第 1092 条规定:因受害人劳动能力降低或者因受害人死亡引起的损害赔偿,按月支付。有正当理由时,法院考虑致害人支付的可能性,可依有损害赔偿权的公民的请求,判决向其一次性给付,但对三年以上的赔偿不适用一次给付。四是赔偿费用的支付方式由法官自由裁量。采此模式的主要是荷兰、埃塞俄比亚。比如

《荷兰民法典》第105条规定：法官可以命令债务人一次性支付或分期支付赔偿费用，并附随或不附随担保义务。此命令可以附带法官确定的条件。《埃塞俄比亚民法典》第2154条规定：如果采取定期金的支付方式与损害的性质或案情相适应从而被证明是合适的，则法院可命令以定期金方式赔偿损害。在此等情形，债务人得就偿付定期金提供担保。《欧洲侵权法基本原则》第10－102条也规定：尤其考虑到受害方的利益，损害赔偿可一次性赔偿或分期赔偿。

我国民法通则和司法解释对赔偿费用的支付方式也作了规定。民法通则第一百零八条规定："债务应当清偿。暂时无力偿还的，经债权人同意或者人民法院裁决，可以由债务人分期偿还。有能力偿还拒不偿还的，由人民法院判决强制执行。"《最高人民法院关于审理人身损害赔偿案件适用法律若干问题的解释》第三十三条规定："赔偿义务人请求以定期金方式给付残疾赔偿金、被扶养人生活费、残疾辅助器具费的，应当提供相应的担保。人民法院可以根据赔偿义务人的给付能力和提供担保的情况，确定以定期金方式给付相关费用。但一审法庭辩论终结前已经发生的费用、死亡赔偿金以及精神损害抚慰金，应当一次性给付。"第三十四条规定："人民法院应当在法律文书中明确定期金的给付时间、方式以及每期给付标准。执行期间有关统计数据发生变化的，给付金额应当适时进行相应调整。""定期金按照赔偿权利人的实际生存年限给付，不受本解释有关赔偿期限的限制。"

侵权责任法借鉴有关国家和地区的立法经验，结合中国法律已有规定和司法实践的做法，对赔偿费用的支付方式作了三个层面的规定。

一、由当事人协商确定赔偿费用的支付方式

当事人对赔偿费用支付方式的协商可以包括：是一次性支付还是分期支付；如果是分期支付，分几期，每次付多少，要不要考虑物价变化因素；要不要支付利息，利息如何计算等。当事人可以根据赔偿数额的多少，受害人对赔偿费用的需求程度，侵权人的支付能力等实际情况对赔偿费用的支付进行协商。

由当事人协商确定赔偿费用的支付方式，一是有利于赔偿费用的按时支付。比如有的赔偿数额不是很高，侵权人一次支付没有问题，可以协商一次支付，而有的赔偿数额超出侵权行为人的支付能力，强求其一次支付，可能会陷入执行难的困境或者导致侵权行为人破产，最终损害受害人的利益。协商确定支付方式，当事人可以根据双方实际情况做出合情合理的支付安排，避免支付障碍。二是有利于合理确定赔偿费用的数额。损害赔偿的目的是弥补受害人的损失，但有时损失多少并不确定，比如，一次性赔偿受害人预期收入的，通常以赔偿费用支付时受害人的收入标准计算赔偿数额，这样就失去了对受害人将来的身体状况、发展机遇、收入调整等变化因素的考量，赔偿数额不一定合理；又比如，一次性赔偿难以预测未来物价变动，将来受害人很难因物价上涨为由要求侵权人增加支付，侵权人也不能因物价下降要求退还已支付的赔偿费用。协商确定支付方式，当事人可以通过支付方式的选择，规避赔偿费用未来的风险敞口，保全自己的利益。三是有利于预防纠纷。协商确定支付方式，当事人可以充分表达自己的意愿、需求、面临的困难等，在尊重对方利益的基础上，达成双方都能接受的方案，从而避免因支付而产生新的争议。

当事人协商确定支付方式后，侵权行为人应当严格按照约定的方式支付赔偿费用，不能将协商作为拖延给付赔偿费用的手段。如果以合法形式掩盖非法目的，违反约定到期不履行支付赔偿费用的义务，受害人有权请求人民法院宣告该约定无效，强制侵权人履行付款义务。

二、协商不一致的一次性支付

侵权行为发生后，受害人的损失应当得到全面和及时的弥补，因此，如果当事人就赔偿费用的支付方式协商后，受害人不同意分期支付，侵权人就应当一次性支付全部赔偿费用。一次性支付，可以彻底了结纠纷，避免受害人对侵权人未来能否按照约定支付的担心。

三、一次性支付确有困难的，可以分期支付，但应当提供相应的担保

虽然本条规定当事人就赔偿费用支付协商不成的应当一次性支付，但在实践中确实存在行为人一次支付确有困难的情况，比如，有的侵权人生活困难，别说是一次性支付，分期支付都难以实现；有的侵权人虽可竭尽全力一次支付，但支付后不能保证自己的基本生活需要，或者造成企业停业甚至破产，带来新的社会问题。侵权责任法虽然要填补受害人损失，但也要兼顾侵权人的合法权益。民事诉讼法就规定，强制执行被执行人的财产，应当保留被执行人及其所扶养家属的生活必需品。因此，本条规定一次性支付确有困难的，可以分期支付。分期支付应当具备以下两个条件：一是一次性支付确有困难。确有困难应当由侵权人举证证明，由人民法院作出判断。二是应当提供担保。该担保可以是保证人提供的保证，也可以是侵权人以自己的财产抵押、质押。

# 第三章 不承担责任和减轻责任的情形

本章共6条,分别规定了不承担责任和减轻责任的六种情形,即与有过失(过失相抵)、受害人故意、第三人过错、不可抗力、正当防卫和紧急避险。本章在立法过程中有以下几个反复讨论的重要问题,简要如下:

一、关于本章的章名

关于本章的章名在立法过程中曾有不同意见,也曾经历过由“抗辩事由”作为本章章名向现在本章章名的转换。在说明之前,有必要将国外的一些规定以及我国一些专家建议稿的规定介绍如下:

欧洲侵权法小组起草的《欧洲侵权法基本原则(草案)》第4篇为“抗辩事由”;《欧洲民法典草案》第6编第5章为“抗辩事由”;奥地利学者起草的《奥地利损害赔偿法》建议稿第1299条为“抗辩事由与经济状态”;《瑞士债法典草案》第46A条为“抗辩事由”;《法国民法典债法改革草案》第1349条至第1351条为“免责事由”。

中国社会科学院梁慧星研究员主持起草的中国民法典学者建议稿侵权行为法编、中国人民大学教授杨立新主持起草的侵权责任法(草案)建议稿、中国人民大学教授王利明主持起草的中国民法典学者建议稿中的侵权行为编,均用“抗辩事由”作为章名或者节名。

侵权责任法没有将“免责事由”作为章名，还将2002年12月九届全国人大常委会第31次会议审议的《中华人民共和国民法（草案）》中的“侵权责任法”一编使用的“抗辩事由”修改为“不承担责任和减轻责任的情形”。这样修改的主要理由是：

免责事由与抗辩事由存在一定的差异。免责事由是法定的，顾名思义是法定的免除责任的事由。抗辩事由，是指被告针对原告的诉讼请求而提出的使自己免责或减轻责任的事由。免责事由是一个小概念，抗辩事由是一个大概念。当事人所主张的抗辩事由，不仅包括法定的免责事由，也包括法律虽无明确规定，但可以使自己免责或减轻责任的事由。例如：(1)被告可以自己没有实施侵权行为，从而无须承担侵权责任，对原告进行抗辩；(2)被告可以自己的行为与原告的损害无因果关系为由，提出原告的诉讼请求不成立的抗辩；(3)被告提出证据证明原告的损害没有原告所主张的那么大，提出减轻自己责任的抗辩；(4)被告以原告的诉讼请求超过诉讼时效为由，提出自己不应承担民事责任的抗辩；等等。

使用“免责事由”作为本章的章名，从字面来看，不能包括减轻责任的情形，而且“免责”的前提是有责任，但有些情形，如不可抗力，双方都没有责任。使用“抗辩事由”作为章名，又难以一一列举全部的抗辩情形，况且叫“抗辩事由”也不够通俗，不易为民众所理解。所以本章的章名最终被确定为“不承担责任和减轻责任的情形”。

二、关于是否规定抗辩事由的一般规定

中国社会科学院研究员梁慧星主持起草的中国民法典学者建议稿第1555条规定：“如加害人能够证明有依法律规定

不应承担责任或者可减轻责任之特定事由，则应免除加害人的民事责任或者减轻其民事责任。”中国人民大学教授杨立新主持起草的侵权责任法（草案）建议稿第24条规定：“行为人能够证明对于自己的行为所造成的损害有依照法律规定不承担侵权责任的特定事由的，应当免除其侵权责任。行为人能够证明对于自己的行为所造成的损害有依照法律规定可以减轻其侵权责任的特定事由的，应当减轻其侵权责任。”

两位专家的建议稿在“抗辩事由”一章首先规定了抗辩事由的一般规定，即“如果行为人能够证明有依法律规定不应承担责任或者可以减轻责任的特定事由，应当免除行为人的侵权责任或者减轻其侵权责任。”在立法过程中也有一些同志建议对抗辩事由的一般规定作出规定，但经过研究，侵权责任法没有作出规定，理由是：(1)不承担责任和减轻责任的情形要由特定的要件构成，泛泛规定不具有可操作性；(2)特别法规定的不承担责任和减轻责任的情形已由本法第五条解决，没有必要在本章重述；(3)国外没有相应的立法例。

三、本章应当规定多少种不承担责任和减轻责任的情形

本章应当规定多少种不承担责任和减轻责任的情形，在立法过程中有多种意见。是否将以下几种情形作为“不承担责任和减轻责任的情形”，曾经进行过深入的讨论，主要有：

（一）意外事件

在介绍是否将“意外事件”明确规定为不承担责任和减轻责任的情形之前，有必要将国外的一些规定以及我国一些专家建议稿的规定介绍如下：

《阿尔及利亚民法典》第127条规定：“除非法律另有规定，行为人如能证明损害系由受害人或者第三人的过错以及意外事件或不可抗力等不可归咎于自己的原因造成，不承担

损害赔偿责任。”

《法国民法典》第1148条规定:“如债务人系由于不可抗力或事变而不履行其给付或作为债务,或违反约定从事禁止的行为时,不发生损害赔偿责任。”

《德国民法典》第827条规定:“在丧失知觉的情况下或者在不能自由决定意思的精神错乱的状态下加损害于他人的人,不对该损害负责任。其以酒精饮料或者类似手段使自己陷入此种暂时状况的,对其此状况下非法引起的损害,以如同其有过失一样的方式负责任;其没有过错而陷入此状况的,该责任即不发生。”第829条规定,根据第827条对其引起的损害不负责的人,在根据情况,特别是利害关系人的状况,赔偿损害为公平所要求的限度内,和不剥夺其为维持适当的生计以及为履行法定义务所需要的金钱的限度内,仍然必须赔偿损害。

中国人民大学教授王利明主持起草的中国民法典学者建议稿第1855条规定:“侵权人有过错才承担民事责任的,因意外事件造成的损害,行为人不承担民事责任。”

中国人民大学教授杨立新主持起草的侵权责任法(草案)建议稿第33条规定:“法律规定行为人有过错才承担民事责任的,因意外事件造成的损害,行为人不承担侵权责任。对受害人的损害,可以根据实际情况,由引起意外事件的人承担相应的责任。”

在讨论和征求意见的过程中,有些同志认为意外事件与不可抗力是有区别的。意外事件对行为人来说是由于不可预见的外来原因,造成了他人的损害。不可抗力除具有不可预见的特征之外,还具有不能避免和不能克服的特征,这是二者的主要区别。意外事件与不可抗力的共同点是:都是来自行为人自身以外的原因造成了他人损害，即行为人主张意外事件实际是要排除自己的过错，从没有过错就不应承担责任的角度考虑，意外事件应作为不承担责任和减轻责任的情形之一。

经过研究认为：意外事件仅从“不可预见”的角度给其定性太过牵强，我国刑法确实规定意外事件不构成犯罪，但不承担刑事责任与不承担民事责任是本质不同的问题。如果规定意外事件作为不承担责任和减轻责任的情形，行为人往往都会找出各种理由证明其行为是由于不可预见的原因造成了他人损害，即意外事件如果作为不承担责任和减轻责任的情形，可能会被行为人滥用，从而使受害人的损害无法获得填平。并且在以过错责任为归责原则的情形之下，如果行为人真的证明自己的行为没有过错，按照过错责任的归责原则，法院也不会判其承担责任。此外，对是否规定意外事件，在征求意见过程中也有不同意见，意外事件在实践中究竟指哪些事情，这方面的案例不多，因此，本法对“意外事件”未作出规定。

（二）“自愿承担损害”和“自甘风险”

1. 概念

是否在本章中将“自愿承担损害”和“自甘风险”规定为不承担责任或减轻责任的情形之一，立法过程中一直存在不同看法。自愿承担损害和自甘风险是既有共同点又有区别的两个概念。分别介绍如下：

“自愿承担损害”又称为“受害人同意”，是指受害人自愿同意他人对其人身或财产施加某种损害。其构成要件是：(1)受害人明确做出了同意对其实施加害行为的意思表示，并且知道或者应当知道对其实施加害行为的法律后果；(2)同意加害的内容不违反法律和善良风俗，且加害行为不超出受害人同意的范围。自愿对其人身实施加害。例如，病人同意医生对其手术，手术将造成失血，而手术对于挽救病人生命与失血的损害相比是利大于弊，于是选择手术的情形；在汶川地震中，为了施救，先锯断某人的腿，然后将其救出等。此种损害是不违反法律或公共道德的，如果受害人以此种损害请求赔偿，则被告享有抗辩权。但如果甲同意乙打其一记耳光，乙真的打了，则乙的行为具有违法性。关于自愿他人对其财产进行损害，如同意他人对自己的财产抛弃或毁损的情形，由于财产权的权利人有权处分自己的财产，同意他人对自己财产的损害，如同自己损害自己的财产一样，一般情况下此种情形不构成对法律或公共道德的违反。

“自甘风险”又称为“自愿承受危险”，是指受害人自愿承担可能的损害而将自己置于危险环境或场合，其构成要件是：(1)受害人做出了自愿承受危险的意思表示，通常是将自己置于可能性的危险状况之下；(2)这种潜在的危险不是法律、法规所禁止的，也不是社会善良风俗所反对的，且此种危险通常被社会所认可存在或者难以避免的。例如，参加拳击比赛而自愿承受可能受到的人身伤害的危险。

2. 相关规定

在介绍是否将“自愿承担损害”和“自甘风险”作为不承担责任和减轻责任的情形之前，有必要将国内外的一些规定及我国一些专家建议稿的规定介绍如下：

《葡萄牙民法典》第340条规定：“(1)侵害他人权利的行为在得到他人事先同意时，就是合法的。(2)但倘若同意的内容违反法律或善良风俗，受害人的同意不排除行为的不法性。(3)倘若侵害行为是基于受害人的利益所为且符合其推定意愿时，视为同意。”

《欧洲民法典草案》第6编第5章第101条规定："(1)如果受害人有效同意法律上的相关损害并且意识到或合理预见到同意的后果，另一方享有抗辩事由；(2)遭受人身伤害的一方知道会引起某类损害的风险并自甘冒险，视为接受损害，另一方享有抗辩事由。"

《欧洲侵权法基本原则(草案)》第4篇第7章第101条(1)d规定："取得受害方同意，或受害方同意承担受损害的风险。"

《美国侵权法重述(第二次)》第496A条规定："原告就被告的过失或不计后果行为而导致伤害的危险自愿承担的，不得就该伤害请求赔偿。"

第496B条规定："就被告的过失或不计后果行为而伤害的危险，原告以行为或其他方式，明示同意接受的，除非该同意的约定违反公共政策而无效，不得就该伤害请求赔偿。"

第496C条规定："1. 除本条第二项外，原告完全了解因被告的行为或被告的土地或动产的情况，而导致其自身或其物受到伤害的危险，但原告自愿地选择进入或停留，或准许其进入或停留在该危险地区，依据其情形显示原告有接受该危险的意愿的，原告就该危险范围所导致的损害，没有请求赔偿权利。2. 前项所规定不得适用于以明示约定接受危险将因违反公共政策而无效的情形。"

《埃塞俄比亚民法典》第2068条规定："在进行体育活动的过程中，对参加同一活动的人或在场观众造成伤害的人，如果不存在任何欺骗行为或者对运动规则的重大违反，不承担任何责任。"

教育部《学生伤害事故处理办法》第十二条第五项规定，在对抗性或者具有风险性的体育竞赛活动中发生意外伤害，学校已履行了相应职责,行为并无不当的,无法律责任。

中国人民大学教授王利明主持起草的中国民法典学者建议稿第1851条规定:“受害人明确同意对其实施加害行为,并且自愿承担损害后果的,行为人不承担民事责任。加害行为超过受害人同意范围的,行为人应当承担相应的民事责任。受害人自愿承担损害的内容违反法律或者公共道德的,不得免除行为人的民事责任。”

中国社会科学院研究员梁慧星主持起草的中国民法典学者建议稿第1558条规定:“受害人同意加害人对其实施加害行为或者自愿承担危险及相应后果的,加害人不承担民事责任。加害行为超过受害人同意范围的,加害人应当承担相应的民事责任。受害人同意的内容违反法律和善良风俗的,不发生免除或者减轻加害人民事责任的效力。”

中国人民大学教授杨立新主持起草的侵权责任法(草案)建议稿第29条规定:“受害人明确同意行为人对其实施加害行为,自愿承担损害后果的,或者自甘风险,行为人不承担侵权责任。加害行为超过受害人同意范围的,行为人应当承担相应的侵权责任。受害人自愿承担损害的内容违反法律或者公共道德的,不得免除行为人的侵权责任。参加或者观赏具有危险性的体育活动,视为自愿承担损害后果,适用本条第一款的规定,但行为人违反体育运动管理规则,故意或者重大过失造成损害的除外。”

3. 有关意见及考虑

关于是否规定“自愿承担损害”、“自甘风险”作为不承担责任或减轻责任的情形,在立法过程中主要有两种不同意见:

赞成规定的理由是:(1)权利人有权处分自己的权利,该处分行为只要不违反法律和公共道德,就应认可该种意思表示的效力;(2)受害人同意或者自愿承担风险,往往是为了博弈一个较大的利益,或者在两个不利后果中选择一个较小的不利后果。受害人同意造成自己损害的,应可以作为被告方的抗辩事由。

不同意规定的理由是:(1)受害人同意和自担风险是处分自己权益的行为,被告的行为不构成侵权,不是侵权也不存在免责;(2)受害人同意和自担风险情况比较复杂,比如核设施等危险区域提示不得入内,但受害人进去了,管理人就没有责任吗?因此,由司法实践根据个案的情况确定被告方的责任比较妥当;(3)在受害人同意或者自担风险的情况下,被告方要不要承担责任还是看其有没有过错,有过错的承担责任,没过错的不承担,并不是说只要是受害人同意或者自甘风险,加害人有过错也不承担责任。既然已将过错作为承担责任原则,因此没有必要规定。

考虑到国外对"自愿承担损害"和"自甘风险"作为抗辩事由规定的成文法不多,只有《葡萄牙民法典》有规定,《欧洲民法典》和《欧洲侵权法基本原则》目前还都是草案,美国侵权法重述也属于示范法,因此在我国的侵权责任法中暂不规定"自愿承担损害"和"自甘风险"作为不承担责任和减轻责任的情形,留待在司法实践中发现问题后再予以考虑。

(三)国家机关工作人员依法执行职务

在介绍是否将"国家机关工作人员依法执行职务"作为抗辩事由之前,有必要将国外的一些规定及我国一些专家建议稿的规定介绍如下:

《阿尔及利亚民法典》第129条规定:"政府官员及国家公务员执行其必须服从的上级命令的行为致人损害,不承担民事责任。"

《荷兰民法典》第 178 条规定，如果有下列情形之一，不依第 175 条、第 176 条或第 177 条承担责任：……c. 损害完全是为了执行公共官署的命令或强制性规定而造成的……

中国人民大学教授王利明主持起草的中国民法典学者建议稿第 1848 条规定："行为人依法行使职权造成他人损害的，不承担民事责任，但法律另有规定的除外。"

中国社会科学院研究员梁慧星主持起草的中国民法典学者建议稿第 1560 条规定："国家机关工作人员依法执行职务，执行其必须服从的上级命令的行为造成损害的，不承担民事责任。"

中国人民大学教授杨立新主持起草的侵权责任法（草案）建议稿第 25 条规定："国家工作人员依照法律行使职权造成他人损害的，不承担侵权责任，但法律另有规定的除外。"

我国三个学者的建议稿都规定了"依法执行职务"作为抗辩事由。国外也有"政府官员及国家公务员执行其必须服从的上级命令的行为致人损害，不承担民事责任"的立法例（《阿尔及利亚民法典》第 129 条）。在立法过程中有一些同志建议，国家机关工作人员依法行使职务，即在行使职务时不存在违法性或者过错，致他人损害的情况下，例如消防局例行检查某餐馆的消防安全，给该餐馆造成停业损失或者营业额减少的损失，消防局对此损失应当免责。我国法律上对此问题处于空白状态，建议将"依法执行职务"作为不承担责任和减轻责任的情形。侵权责任法最终没有采纳这一意见，理由是：（1）国家工作人员依法履行职责不存在过错，自然免责；（2）国家机关工作人员执行职务的行为主要应由行政管理方面的法律来规定。

(四)自助行为

在介绍是否将"自助行为"作为抗辩事由之前,有必要将国外的一些规定及我国一些专家建议稿的规定介绍如下:

我国刑事诉讼法第六十三条规定,对正在实施的犯罪或者犯罪后即时被发觉的,任何公民都可以立即扭送公安机关、人民检察院或者人民法院。

《德国民法典》第229条规定,为了自助而扣押、损毁或者损坏他人之物的人,或者为了自助而扣留有逃亡嫌疑的债务人,或者制止债务人对有义务容忍的行为进行抵抗的人,如果未能及时获得官方援助,而且如果未即时处理则请求权无法行使或者其行使显有困难时,其行为不为违法。

第230条第1款规定,自助不得超越避免危险的必要程度。第2款规定,在扣押的情况下,如果不是强制执行,应立即申请保全财产的假扣押。第3款规定,在扣留债务人的情况下,如果债务人尚未释放,应立即向扣留所在地的法院申请保全人身的假扣留;应立即将义务人带往法院。第4款规定,扣押申请迟延或者被驳回时,应立即返还被扣押的物,释放被扣留的人。

第231条规定,因误认为存在阻却违法行为的必要条件而采取第229条所列举行为的人,即使错误非出于过失,仍应对另一方负损害赔偿义务。

《埃塞俄比亚民法典》第2042条第1款规定,如果干涉他人自由的人有充分理由相信被干涉的人犯罪,则不应被认为实施了过错行为。

我国台湾地区"民法典"第151条规定,为保证自己权利,对于他人之自由或财产施以拘束、押收或毁损者,不负损害赔偿之责。但以不及受法院或其他有关机构援助,并非于其时为之，则请求权不得实行或其实行颇有困难者为限。第152条第1款规定，依前条之规定，拘束他人自由或押收他人财产者，应即时向法院声请处理。第2款规定，前项声请被驳回或其声请延迟者，行为人应负损害赔偿之责。

中国社会科学院研究员梁慧星主持起草的中国民法典学者建议稿第1559条规定："为维护自己的合法权益而对他人实施自助行为的，行为人不承担民事责任。自助行为超过必要限度的，行为人应当承担相应的民事责任。"

中国人民大学教授杨立新主持起草的侵权责任法（草案）建议稿第28条规定："为维护自己的合法权益不受侵害，在情况紧急，来不及请求政府有关部门介入的情况下，可以对行为人的财产进行扣留或者对他人的人身自由进行限制，但权利人必须事后及时请求有关机关处理；对于因此造成对方的损害不承担侵权责任，但法律另有规定的除外。"

侵权责任法（草案）作为《中华人民共和国民法（草案）》中的一编，于2002年12月九届全国人大常委会第三十一次会议初次审议时，规定了"自助行为"。该草案第二十三条规定："在自己的合法权益受到不法侵害，来不及请求有关部门介入的情况下，如果不采取措施以后难以维护自己的合法权益的，权利人可以采取合理的自助措施，对侵权人的人身进行必要的限制或者对侵权人的财产进行扣留，但应当及时通知有关部门。错误实施自助行为或者采取自助措施不当造成损害的，应当承担侵权责任。"侵权责任法（草案）于2008年12月十一届人大常委会第六次会议第二次审议时，删除"自助行为"这一条。

侵权责任法（草案）第二次审议后，有些同志建议将"自助行为"规定为不承担责任和减轻责任的情形。理由是："自助行为”是现代大陆法系在民事立法方面普遍的规定,是与“正当防卫”“紧急避险”并列的免责情形之一,在我国现阶段的民事生活中,“自助行为”对于保护民事主体的权益具有积极的作用。例如,遇到在饭店吃“白饭”的人,以及在超市购物不付款的人,应允许饭店或超市的经营者采取临时限制侵权人的人身自由并尽快报警的自助行为。如果没有此规定,侵权人可能会以饭店或超市的经营者限制其人身自由为由,要求承担侵权责任。

侵权责任法(草案)于2009年10月十一届人大常委会第十一次会议第三次审议时,没有增加规定“自助行为”作为不承担责任和减轻责任的情形。最终通过的侵权责任法也没有规定“自助行为”。

**第二十六条 被侵权人对损害的发生也有过错的,可以减轻侵权人的责任。**

**【释义】** 本条是关于“与有过失”或者“过失相抵”的规定。

被侵权人对于损害的发生也有过错的,让侵权人承担全部赔偿责任,有失公允。因此,侵权人可以被侵权人的过错为由进行抗辩,要求减轻自己的侵权责任,主要是减少损害赔偿的数额。

一、与有过失(过失相抵)是否应当规定为不承担责任和减轻责任的情形

在立法过程中,与有过失(过失相抵)是否应当规定为不承担责任和减轻责任的情形之一,曾经存在过不同意见,简要如下:

从大陆法系有代表性的国家或地区的立法来看,多数将

与有过失(过失相抵)制度规定在债法总则,因为“与有过失(过失相抵)”既适用于侵权责任,也适用于违约责任。例如,《德国民法典》第254条规定:“损害的发生被害人与有过失者,损害赔偿的义务与赔偿的范围,视当时的情况特别是损害的原因主要在何方而决定之。即使被害人的过失仅限于对债务人既不知也不可知的,有造成异常严重损害的危险怠于防止或者减少损害时,也同样适用前款规定。于此准用第278条的规定。”该条即是规定在《德国民法典》第2编“债的关系法”中的第一章“债的关系的内容”之中。我国台湾地区也是如此。大陆法系也有少数国家将“与有过失(过失相抵)”分别规定在侵权责任和违约责任的赔偿规定中。例如,《日本民法典》第722条第2款规定:“受害人有过失时,法院可以斟酌其情事,确定损害赔偿额。”该条即是规定在《日本民法典》第5章“不法行为”之中。

从大陆法系国家的立法来看,与有过失(过失相抵)制度基本用于解决损害赔偿数额的计算问题。中国社会科学院梁慧星研究员主持起草的中国民法典学者建议稿侵权行为法编、中国人民大学教授杨立新主持起草的侵权责任法(草案)建议稿、中国人民大学教授王利明主持起草的中国民法典学者建议稿中的侵权行为编,均将“与有过失(过失相抵)”规定在损害赔偿一章中。

在立法过程中,有些同志建议将“过失相抵”规定在损害赔偿部分,即本法的第二章。理由是:“与有过失(过失相抵)”不应作为不承担责任和减轻责任的情形,即使侵权人没有对被侵权人的过错进行抗辩,法院在审理案件过程中发现被侵权人对于损害的发生也有过错的,法院也可以减少侵权人的损害赔偿数额。例如,我国台湾地区“民法典”第217条规定:

"损害之发生或扩大,被害人与有过失者,法院得减轻损害赔偿金额,或免除之。重大之损害原因,为债务人所不及知,而被害人不预促其注意或怠于避免或减少损害者,为与有过失。前二项规定,于被害人之代理人或使用人与有过失者,准用之。"

也有些同志建议将"与有过失(过失相抵)"规定为不承担责任和减轻责任的情形之一。理由是:(1)被侵权人对于损害的发生也有过错,当然可以作为侵权人的抗辩事由。侵权人可以据此要求减少自己的损害赔偿数额。(2)侵权人即是债务人,其对债权人所享有的抗辩权需要法律予以明示。侵权人进行抗辩并提供证据后,法院应当考虑侵权人的主张,在有证据证明被侵权人也存在过错的情况下,应当减少侵权人的损害赔偿额。(3)从理论上讲,抗辩事由不仅包括免除责任的情形,也包括减轻责任的情形。而被侵权人对于损害发生的过错,属于减轻侵权人责任的情形。(4)将被侵权人的过错作为侵权人的抗辩事由,并不妨碍在侵权人没有据此抗辩的情况下,法院在确定损害赔偿额时可以主动考虑被侵权人过错的情形,即法院可以斟酌被侵权人的过错程度,确定减少损害赔偿的数额。

二、与有过失(过失相抵)的适用范围

在立法过程中,与有过失(过失相抵)的适用范围问题一直存在争论。特别是与有过失(过失相抵)是否适用于无过错责任,我国理论界的争论由来已久。简述如下:

(一)与有过失(过失相抵)应当适用于无过错责任

中国社会科学院梁慧星研究员主持起草的中国民法典学者建议稿侵权行为法编第1630条的"理由"中陈述:"无过错责任只是不考虑加害人有无过错,并不是不考虑受害人的过错;按照受害人过错的大小,减轻直至免除加害人的赔偿责任,与无过错责任的法理并不矛盾。在无过错责任的侵权案件中适用过失相抵原则,实质是用受害人的过失抵消加害人的责任。”

《最高人民法院关于审理人身损害赔偿案件适用法律若干问题的解释》基本采纳了上述观点。其第二条规定:“受害人对同一损害的发生或扩大有故意、过失的,依照民法通则第一百三十一条的规定,可以减轻或者免除赔偿义务人的赔偿责任。但侵权人因故意或者重大过失致人损害,受害人只有一般过失的,不减轻赔偿义务人的赔偿责任。适用民法通则第一百零六条第三款规定确定赔偿义务人的赔偿责任时,受害人有重大过失的,可以减轻赔偿义务人的赔偿责任。”按照该条规定,民法通则第一百零六条第三款规定的是无过错责任,即在无过错责任的案件中,如果受害人有重大过失,可以减轻侵权人的赔偿责任,但受害人属于轻微过失的,不减轻侵权人的赔偿责任。

从国外的立法来看,《俄罗斯民法典》采纳类似的观点。该法典第 1083 条第 3 款规定:“受害人有重大过失而致害人无过错,且其责任不以过错为必要时,应减少致害人赔偿的数额或者免除其赔偿损害,但法律另有规定的除外。对公民生命或健康造成的损害,不得免除赔偿损害。”

(二)与有过失(过失相抵)仅适用于过错责任

在立法过程中,有些同志认为与有过失(过失相抵)仅适用于过错责任。理由是:我国民法通则第一百三十一条规定:“受害人对于损害的发生也有过错的,可以减轻侵权人的民事责任。”从该条中的“也”字可以看出,侵权人因为过错侵害他人民事权益造成损害的,受害人对于损害的发生也有过错的,才减轻侵权人的民事责任。即侵权人有过错,才能谈得上受害人也有过错。该条实质上强调了侵权人的过错责任。

从国外的立法来看,《蒙古国民法典》采纳了类似的观点。该法典第394条规定:“受害人对造成损害或扩大损害程度也有疏忽或者漫不经心的,则可考虑当事人的过错减少加害人的责任额。”

从本法和其他法律、行政法规规定的承担无过错责任的情形来看,与有过失(过失相抵)的适用情况主要有以下三种:

1. 法律规定的免责事由不包括对与有过失进行抗辩

按照本法第七十条规定,民用核设施的经营人在发生核事故的情况下造成他人损害的,只有能够证明损害是因战争等情形或者受害人故意造成的前提下,才能免除责任。如果损害是由受害人的过失,哪怕是重大过失造成的,也不能减轻民用核设施经营人的责任。

2. 法律规定只能以受害人的重大过失进行抗辩

承担无过错责任的主体只有能够证明受害人对于损害的发生有重大过失的前提下,才能对受害人进行抗辩,即要求减轻自己的责任。例如:(1)按照本法第七十二条规定,占有或者使用易燃、易爆、剧毒、放射性等高度危险物的占有人、使用人造成他人损害的,只有能够证明被侵权人对损害的发生有重大过失的,才可以减轻占有人或者使用人的责任。(2)按照本法第七十八条规定,饲养的动物造成他人损害的,动物饲养人或者管理人只有能够证明损害是因被侵权人的重大过失造成的,才可以减轻责任。(3)按照水污染防治法第八十五条第三款规定,水污染损害是由受害人重大过失造成的,可以减轻排污方的赔偿责任。

3. 法律规定可以受害人的与有过失进行抗辩

(1)按照民用航空法第一百五十七条和第一百六十一条

的规定,飞行中的民用航空器或者从飞行中的民用航空器落下的人或者物,造成地面上的人身伤亡或者财产损害的,民用航空器的经营人能够证明损害是部分由于受害人的过错造成的,相应减轻其赔偿责任。

(2)按照本法第七十三条规定,从事高空、高压、地下挖掘活动或者使用高速轨道运输工具造成他人损害的,经营者应当承担侵权责任,但能够证明损害是受害人故意或者不可抗力造成的,不承担责任。被侵权人对损害的发生有过失的,可以减轻经营者的责任。

三、与有过失与受害人故意造成损害的关系

在立法过程中,有些同志建议将本条中的“过错”改为“过失”。理由是:(1)从德国、日本和我国台湾地区的立法来看,都强调的是受害人对于损害的发生存在过失;(2)“过错”包括“故意”和“过失”,如果是受害人故意造成自己损害,则不是减轻行为人责任的问题,而应当适用本法第二十七条的规定,即免除行为人的责任。

本法没有采纳上述意见。理由是:如果损害完全是由于受害人故意造成的,即损害发生的唯一原因是受害人的故意,应适用本法第二十七条的规定,完全免除行为人的责任。但如果受害人对于损害的发生存在故意,而侵权人对于损害的发生也有故意或者重大过失的,则属于减轻侵权人责任的问题。例如,非机动车驾驶人、行人故意碰撞机动车,机动车驾驶人酒后且严重超速度行驶的,对机动车驾驶人也不能免除责任,而只能是减轻责任。

一个值得讨论的问题是:如果损害是由受害人故意造成,但行为人有轻微过失的,是否构成与有过失的问题。例如,社会上已经发生的不少机动车“碰瓷”的案例,“碰瓷”行为基本是在机动车违规并线或走非机动车道等轻微违法行为的情况下实施的。在立法过程中,多数同志认为机动车驾驶人对"碰瓷"的人不应给予赔偿,即应当免除机动车驾驶人的责任。中国人民大学教授杨立新主持起草的侵权责任法(草案)建议稿第30条的"立法理由"陈述:"在过错责任原则适用的范围,如果受害人具有故意,而加害人只有轻微过失,加害人也可以免责。在无过错责任原则适用范围,若受害人故意,加害人即可免责。"

**第二十七条 损害是因受害人故意造成的,行为人不承担责任。**

**【释义】** 本条是关于受害人故意造成损害,行为人免责的规定。

受害人故意造成损害,是指受害人明知自己的行为会发生损害自己的后果,而希望或者放任此种结果的发生。如果受害人故意造成自己损害而让无辜的行为人承担了责任,则是法律的悲哀。因此,本条予以明示。世界各国的法律莫不如此,例如,《俄罗斯民法典》第1083条第1款规定:"因受害人的故意产生的损害,不应赔偿。"

受害人故意分为直接故意和间接故意。直接故意,是指受害人从主观上追求损害自己的结果发生,如受害人摸高压线自杀;间接故意是指受害人已经预见到自己的行为可能发生损害自己的结果,但也不停止该行为,而是放任损害结果的发生,如受害人盗割高压线,导致自己伤亡。

本条规定对行为人免责,是指损害完全是因为受害人的故意造成的,即受害人故意的行为是其损害发生的唯一原因。例如:民法通则第一百二十三条规定,从事高空、高压、易燃、易爆、放射性、高速运输工具等对周围环境有高度危险的作业造成他人损害的，应当承担民事责任；如果能够证明损害是由受害人故意造成的，不承担民事责任。

如果有证据证明损害是由于受害人的故意造成，但也有证据证明行为人对损害的发生也有故意或者重大过失的，应适用本章第二十六条关于有过失的规定。例如，甲在高速公路上自杀，乙驾驶的机动车已经超速，发现甲后也没有采取任何避让或者制动措施，反而加速冲向甲，造成甲的死亡。如果有其他证据证明乙的行为是故意的，则乙构成杀人罪，并且应当承担相应的赔偿责任；如果有证据证明乙的行为属于重大过失，如醉酒驾车，乙也应当承担相应的赔偿责任。

本条规定适用于过错责任自不待言，从现有法律规定来看，本条也适用于无过错责任。这具体包括：

1. 高度危险作业，受害人故意造成损害的：

（1）本法第七十条规定，民用核设施发生核事故造成他人损害的，民用核设施的经营者应当承担侵权责任，但能够证明损害是因战争等情形或者受害人故意造成的，不承担责任。

（2）本法第七十一条规定，民用航空器造成他人损害的，民用航空器的经营者应当承担侵权责任，但能够证明损害是因受害人故意造成的，不承担责任。

（3）本法第七十二条规定，占有或者使用易燃、易爆、剧毒、放射性等高度危险物造成他人损害的，占有人或者使用人应当承担侵权责任，但能够证明损害是因受害人故意或者不可抗力造成的，不承担责任。被侵权人对损害的发生有重大过失的，可以减轻占有人或者使用人的责任。

（4）本法第七十三条规定，从事高空、高压、地下挖掘活动或者使用高速轨道运输工具造成他人损害的，经营者应当承担侵权责任,但能够证明损害是因受害人故意或者不可抗力造成的,不承担责任。被侵权人对损害的发生有过失的,可以减轻经营者的责任。

2. 本法第七十八条规定,饲养的动物造成他人损害的,动物饲养人或者管理人应当承担侵权责任,但能够证明损害是因被侵权人故意或者重大过失造成的,可以不承担或者减轻责任。

3. 道路交通安全法第七十六条第二款规定,交通事故的损失是由非机动车驾驶人、行人故意碰撞机动车造成的,机动车一方不承担赔偿责任。

4. 水污染防治法第八十五条第三款规定,水污染损害是由受害人故意造成的,排污方不承担赔偿责任。

此外,我国产品质量法第四十一条规定了生产者的三项免责情形:一是未将产品投入流通的;二是产品投入流通时,引起损害的缺陷尚不存在的;三是将产品投入流通时的科学技术水平尚不能发现缺陷的存在的。产品质量法虽然没有规定"受害人故意造成损害"的免责情形,但从一般逻辑推论,如果生产者能够证明自己的产品没有缺陷,并且能够证明损害是因受害人故意造成的,当然应当免除生产者的责任。例如,照相机生产商在其产品使用说明书中警示:照相机电池不能用火烧烤,如果使用者故意违反产品使用说明书中的警示,拿照相机电池在火上烤,电池爆炸造成其损害,生产者无须承担责任。

**第二十八条　损害是因第三人造成的,第三人应当承担侵权责任。**

**【释义】** 本条是关于"第三人过错"的规定。

“第三人过错”是指原告(受害人)起诉被告以后,被告提出的该损害完全或者部分由于第三人的过错造成,从而提出免除或者减轻自己责任的抗辩事由。第三人的过错包括故意和过失。并且第三人与被告不存在任何隶属关系,比如用人单位的工作人员在工作过程中造成他人损害的,用人单位不能以其工作人员作为第三人,提出“第三人过错”的抗辩。用人单位应当对工作人员造成的损害,承担替代责任。

一、第三人过错是造成损害的唯一原因

(一)在过错责任和过错推定责任范围内

在过错责任和过错推定责任适用范围内,被告能够证明损害完全是由于第三人的过错行为造成的,第三人的行为是原告所遭受损害的全部原因,即第三人行为与损害之间存在直接的因果关系,则应免除被告的责任,由第三人对原告承担侵权责任。

在过错责任适用范围内,例如,甲在骑车下班途中,碰巧乙和丙在路边斗殴,乙突然把丙推向非机动车道,甲躲闪不及,将丙撞伤。在本案中,甲对丙突然被推向他的车前是不可预见的,因此甲没有任何过错,丙的损害应由乙承担赔偿责任。再如,我国海洋环境保护法第九十二条规定,由于负责灯塔或者其他助航设备的主管部门,在执行职责时的疏忽,或者其他过失行为,过往船舶经过及时采取合理措施,仍然不能避免对海洋环境造成污染损害的,造成污染损害的船舶免予承担责任。

在过错推定责任适用范围内,例如,某农舍的墙上挂了一串玉米,某一天该玉米脱落砸伤了在该墙下乘凉的人。按照本法第八十五条规定,农舍的主人能够证明自己没有过错,并且能够证明损害是由于与自己有积怨的邻居拔松了挂玉米的钉子,从而使玉米脱落砸伤了他人。在此情况下,应由邻居承担损害赔偿责任。

(二)在无过错责任范围内

无过错责任也称为"危险责任",根据危险程度的不同,对于一些超常危险的活动,即使受害人的损害完全是由第三人的过错行为造成的,法律规定必须首先由危险活动的行为人或者高度危险物的持有人承担责任;对于一般危险活动的行为人,如果其能够证明受害人所遭受的损害完全是由第三人的过错行为造成的,则免除其责任,而由第三人承担损害赔偿责任。分述如下:

1. 第三人造成的损害首先由被告承担责任

在某些无过错责任情形之下,即使完全由第三人过错造成的损害,也应首先由被告承担责任,即:被告不能以第三人造成损害为由,对原告(受害人)进行抗辩。例如,根据国务院《关于核事故损害赔偿责任问题的批复》第二条和第九条的规定,营运者应当对核事故造成的人身伤亡、财产损失或者环境受到的损害承担赔偿责任。营运者以外的其他人不承担赔偿责任。核事故损害是由于自然人的故意作为或者不作为造成的,营运者向受害人赔偿后,对该自然人行使追偿权。

2. 由被侵权人选择责任承担人

在某些无过错责任情形之下,第三人的过错造成损害,根据法律规定,被侵权人可以选择行为人(包括危险物的所有人)或者第三人之一承担责任。例如:(1)根据本法第六十八条规定,因第三人的过错导致污染造成损害的,被侵权人可以向污染者请求赔偿,也可以向第三人请求赔偿。如果被侵权人向污染者请求赔偿的,污染者不能以损害是因第三人造成为由,向被侵权人进行抗辩,而应首先赔偿损失,然后向第三人追偿。(2)根据本法第八十三条规定,因第三人的过错致使动物造成他人损害的,被侵权人可以向动物饲养人请求赔偿,也可以向第三人请求赔偿。如果被侵权人向动物饲养人请求赔偿的,动物饲养人不能以损害是因第三人造成为由,向被侵权人进行抗辩,而应首先赔偿损失,然后向第三人追偿。

3. 第三人造成的损害由第三人承担责任

在某些无过错责任情形之下,完全由第三人造成的损害,由第三人承担责任,即被告可以“第三人过错”造成损害为由,对原告(受害人)进行抗辩。例如,我国电力法第六十条第二款规定:“因用户或者第三人的过错给电力企业或者其他用户造成损害的,该用户或者第三人应当依法承担赔偿责任。”

二、第三人过错是造成损害的部分原因

本条规定的“第三人过错”与本法第八、十、十一、十二条规定的共同侵权有着紧密的联系,同时也极易造成混淆。在何时、何种条件下,被告可以援用“第三人过错”而要求减轻自己责任的问题上,在立法过程中也有不少争论。经过梳理,有必要对以下几个问题进行澄清:

(一)与“有意思联络的共同侵权”的关系

原告将被告起诉到法院后,被告提出本案还有与其有意思联络的其他共同侵权人的,不适用本条规定。因为,按照本法第八条规定,二人以上基于故意或者过失,共同实施侵权行为造成他人损害的,应当承担连带责任,即被侵权人有权要求侵权人中的一人承担全部责任。例如,甲和乙合谋将丙打伤,丙将乙起诉到法院,乙不能以甲参与了侵权为由,要求适用本条的规定。

(二)与“共同危险行为”的关系

根据本法第十条规定,二人以上实施危及他人人身、财产安全的行为,不能确定具体加害人,行为人承担连带责任。例如,甲在农田耕作时遭受枪伤,甲将其受伤时发现的非法狩猎人乙告上法庭。乙在庭上陈述,其在开枪的同时,还有另一名非法狩猎人丙也开了枪。但甲的枪伤只有一处,乙提出枪伤可能是自己所为,但也可能是丙的行为所致,提出与丙分担甲的损失。法院经过审理,对乙的主张不予采纳,而判决乙对甲承担全部损害赔偿责任。理由是:乙的行为和丙的行为构成共同危险行为,在不能确定具体加害人的情况下,行为人承担连带责任。甲只起诉了乙,乙应对甲承担全部责任。乙在承担连带责任后,可以起诉丙,以进一步分清二者的责任。即是说,在本案中,乙不能以丙(第三人)的行为为由,对受害人甲进行抗辩,要求免除或者减轻自己的责任。

(三)与"行为直接结合的共同侵权"的关系

根据本法第十一条规定,二人以上虽无共同故意、过失,其分别实施的侵权行为直接结合造成同一损害,且每个人的侵权行为都足以造成全部损害的,行为人承担连带责任。例如,甲、乙二人分别在丙的房舍的东西两面放火烧荒,甲、乙二人没有意思联络,但两股火同时向丙的房舍蔓延,致使丙的房舍焚毁。丙将甲起诉到法院,甲提出乙的放火行为也是房屋被焚的原因之一,要求减轻自己的责任。法院经过审理,认为甲的抗辩理由不能成立。理由是:甲、乙的行为直接结合,是构成丙的损害的共同原因,甲乙应对丙承担连带责任。

(四)与"行为间接结合的共同侵权"的关系

根据本法第十二条规定,二人以上虽无共同故意、过失,其分别实施的侵权行为间接结合造成同一损害,能够确定责任大小的,共同侵权人对受害人承担按份责任。关于"第三人过错"与共同侵权的关系,只有在"被告的过错"与"第三人的过错”分别构成同一损害的原因的情况下，被告才可以造成的损害还有“第三人的过错”为由，向原告行使抗辩权，要求减轻自己的责任。

**第二十九条　因不可抗力造成他人损害的，不承担责任。法律另有规定的，依照其规定。**

**【释义】**　本条是关于“不可抗力”的规定。

按照我国民法通则第一百五十三条规定，“不可抗力”，是指不能预见、不能避免且不能克服的客观情况。具体来说，不可抗力是独立于人的行为之外，不受当事人意志所支配的现象，是人力所不可抗拒的力量。行为人完全因为不可抗力造成他人损害的，表明行为人的行为与损害结果之间不存在因果关系，同时表明行为人没有过错，如果让行为人对自己无法控制的损害结果承担责任，对行为人来说是不公平的。因此，很多国家都将“不可抗力”作为“免责事由”予以规定。

一、关于不可抗力的含义和范围

（一）不可抗力的含义

各国立法对不可抗力的规定不尽相同，理论界、实务界对不可抗力的理解也莫衷一是。概括起来有“客观说”、“主观说”和“折中说”。“客观说”强调不能避免并不能抗拒的外来力量。“主观说”强调当事人虽尽最大努力仍不能预见的客观情况。“折中说”强调当事人尽最大谨慎也不能预见、不能防止发生的事件为不可抗力。

关于对“不可预见”的理解，应是根据现有的技术水平，一般对某事件的发生没有预知的能力。人们对某种事件发生的预知能力取决于当代的科学技术水平。某些事件的发生，在过去不可预见，但随着科学技术水平的发展，现在就可预见。例如，现在对天气预报的准确率达到百分之九十以上，人们对狂风暴雨的规避能力已大大提高。另外，人们对某事件发生的预知能力因人而异，有些人能预见到，也有些人预见不到。所以应当以一般人的预知能力作为标准。

关于如何认识“不可避免并不能克服”，应是指当事人已经尽到最大努力和采取一切可以采取的措施，仍不能避免某种事件的发生并克服事件所造成的损害结果。“不可避免并不能克服”表明某种事件的发生和事件所造成的损害后果具有必然性。

（二）关于不可抗力的因素

关于不可抗力的因素，民法通则和本法都没有明确。在立法过程中，有些同志建议明确界定不可抗力的因素。主要有以下几个方面：

1. 战争、暴乱、罢工等是否作为不可抗力

我国理论界的通说认为，不可抗力主要是指不能预见、不能避免且不能克服的自然现象，如地震、洪水、台风、海啸等。也有一些学者认为，不可抗力还包括某些社会现象，如战争、暴乱、罢工等。从国内外的立法来看，如果战争、暴乱、罢工等需要被列为免责事由的，则与不可抗力等并列规定。因此，战争、暴乱、罢工等具有不可抗力的性质，但不属于不可抗力的范围。例如，我国海洋环境保护法第九十二条规定，完全属于下列情形之一，经过及时采取合理措施，仍然不能避免对海洋环境造成污染损害的，造成污染损害的有关责任者免予承担责任：（1）战争；（2）不可抗拒的自然灾害。再例如，《荷兰民法典》第178条规定，如果有下列情形之一，不依第175条、第176条或第177条承担责任：a. 损害是由于军事冲突、内战、暴动、国内骚乱、暴乱或兵变引起的；b. 损害是由具有不可预

见、不可避免和不可抗拒性质的自然事件造成的。

2. 政府命令是否作为不可抗力

我国有一些学者认为,不能预见、不能抗拒的政府命令或者政府行为也属于不可抗力的范围。例如,某水库根据政府的命令,紧急泄洪的行为造成他人损害,该水库能否以政府的命令为由进行抗辩?对这个问题,也是仁者见仁,智者见智。

二、不可抗力的适用范围

按照本条规定,除法律有特别排除的规定外,不可抗力适用于过错责任、过错推定责任和无过错责任。不可抗力作为过错责任、过错推定责任的免责事由自不必说,法律的排除适用主要针对的是部分无过错责任。主要有:

(一)根据本法第七十条和国务院《关于核事故损害赔偿责任问题的批复》第六条规定,民用核设施的经营人在发生核事故的情况下造成他人损害的,只有能够证明损害是因战争、武装冲突、敌对行动或者暴乱所引起,或者是因受害人故意造成的,才免除其责任。因不可抗力的自然灾害造成他人损害的,不能免除核设施经营人的责任。

(二)根据本法第七十一条和民用航空法第一百六十条规定,民用航空器造成他人损害的,民用航空器的经营人只有能够证明损害是武装冲突、骚乱造成的,或者是因受害人故意造成的,才免除其责任。因不可抗力的自然灾害造成的,不能免除民用航空器经营人的责任。例如,民用飞机在空中遭雷击坠毁,造成地面人员伤亡。航空公司不能以不可抗力为由,对受害人进行抗辩。

(三)根据我国邮政法第四十八条规定,因下列原因之一造成的给据邮件损失,邮政企业不承担赔偿责任:不可抗力,但因不可抗力造成的保价的给据邮件的损失除外;给据邮件指：挂号信件、邮包、保价邮件等由邮政企业以其分支机构在收寄时出具收据，投递时要求收件人签收的邮件。按此规定，汇款和保价邮件即使由于不可抗力造成的损害，邮政企业也需对收件人承担赔偿责任。

**第三十条　因正当防卫造成损害的，不承担责任。正当防卫超过必要的限度，造成不应有的损害的，正当防卫人应当承担适当的责任。**

**【释义】**　本条是关于“正当防卫”的规定。

一、正当防卫的定义

正当防卫是指本人、他人的人身权利、财产权利遭受不法侵害时，行为人所采取的一种防卫措施。正当防卫作为行为人不承担责任和减轻责任的情形，其根据是行为的正当性、合法性，表明行为人主观上没有过错。正当防卫是法律赋予公民自卫的权利，是属于受法律鼓励的行为，目的是保护公民本人、他人不受侵犯。在世界各国的法律中，正当防卫均作为不承担责任和减轻责任的情形之一。例如，《德国民法典》第227条规定：“正当防卫的行为不违法。正当防卫是指为避免自己或者他人受现时的不法侵害而进行的必要防卫。”

二、正当防卫的要件

正当防卫应当同时具备以下六个要件：

（一）必须是为了使本人、他人的人身、财产权利免受不法侵害而实施的。

本条基本沿袭了我国民法通则的规定，对正当防卫的内容没有明确规定，即没有明确规定是为了谁的利益而采取防卫行为。民法通则第一百二十八条规定：“因正当防卫造成损害的，不承担民事责任。正当防卫超过必要的限度，造成不应有的损害的，应当承担适当的民事责任。”采取这种立法模式的还有《俄罗斯民法典》和《越南社会主义共和国民法典》。例如，《俄罗斯民法典》第1066条规定：“正当防卫所致损害，如防卫行为未逾必要限度，不应予赔偿。”《越南社会主义共和国民法典》第617条规定：“正当防卫造成他人损害的，加害人不向受害人赔偿损害。防卫过当造成他人损害的，加害人必须向受害人赔偿损害。”

有些国家或地区的民法典明确规定了正当防卫的内容，即将正当防卫界定为使本人或者他人的人身权利、财产权利免受正在进行的不法侵犯。《德国民法典》是典型的代表。除此之外，《意大利民法典》、《日本民法典》、《埃塞俄比亚民法典》、我国台湾地区“民法典”等都作了类似地规定。例如，《意大利民法典》第2044条规定：“为自己或他人进行正当防卫所致损害的人，不承担责任。”再例如，我国台湾地区“民法典”第149条规定：“对于现时不法之侵害，为防卫自己或他人之权利所为之行为，不负损害赔偿之责，但已逾越必要程度者，仍应负相当赔偿之责。”

《欧洲侵权法基本原则（草案）》仅将正当防卫的内容界定为“保护自身的利益”，该草案第7－101条规定：“下列情形构成一般侵权责任的抗辩事由：(1)为保护自身利益防止非法侵犯；(2)紧急避险；(3)救济机关不能及时提供救济；(4)取得受害方的同意，或受害方同意承担受损害的风险；(5)合法授权，比如许可证。”

我国刑法明确规定了正当防卫的内容。该法第二十条第一款规定：“为了使国家、公共利益、本人或者他人的人身、财产和其他权利免受正在进行的不法侵害，而采取的制止不法侵害的行为，对不法侵害人造成损害的，属于正当防卫,不负刑事责任。”

经过研究认为,本条和我国民法通则虽然没有对正当防卫的内容作出规定,但借鉴德国、日本等国家或地区法律的规定,正当防卫应是为了保护本人或者他人的人身、财产权利而实施的。

(二)必须有不法侵害行为发生。所谓“不法侵害”,指对某种权利或利益的侵害为法律所明文禁止,既包括犯罪行为,也包括其他违法的侵害行为。

(三)必须是正在进行的不法侵害。正当防卫的目的在于制止不法侵害,避免危害结果发生,因此,不法侵害必须是正在进行的,而不是尚未开始,或者已实施完毕,或者实施者确已自动停止。否则,就是防卫不适时,应当承担民事责任。

(四)必须是本人、他人的人身权利、财产权利遭受不法侵害,来不及请求有关国家机关救助的情况下,才能实施防卫行为。

(五)必须是针对不法侵害者本人实行。即正当防卫行为不能对没有实施不法侵害行为的第三者(包括不法侵害者的家属)造成损害。

(六)不能明显超过必要限度造成损害。正当防卫是有益于社会的合法行为,但应受一定限度的制约,即正当防卫应以足以制止不法侵害为限。

只有满足以上六个要件,才能构成正当防卫,行为人(防卫人)才能免予民事责任。

三、正当防卫所造成的损害

(一)遭受损害的主体

正当防卫一般仅指造成侵权人的损害。例如,《瑞士债法典》第 52 条第 1 项规定:“实施正当防卫对侵害者造成损害的，不承担赔偿责任。”我国刑法第二十条也明确规定，正当防卫是对“不法侵害人”造成的损害。

本条第一句“因正当防卫造成损害的”，这里的“造成损害”仅是指对侵权人造成的损害。在立法过程中有些同志提出，受害人对侵权人进行正当防卫时，不慎造成了第三人的损害，也不应当承担责任。例如，甲拿棍棒击打乙，乙在夺取棍棒的过程中，由于用力过猛，不慎将围观者丙击伤。经过研究，认为这种情形可以适用本法第三十一条规定的“紧急避险”解决。按第三十一条的规定，因紧急避险造成损害的，由引起险情发生的人承担责任。在本案中，甲拿棍棒击打乙，乙在正当防卫的过程中造成了丙的伤害，甲是引起险情发生的人，应由甲对丙的损害承担责任。

（二）遭受损害的客体

本条第一句“因正当防卫造成损害的”，这里的“造成损害”既包括对侵权人人身权利的损害，也包括对侵权人财产权利的损害。例如，甲在抢劫乙的过程中，乙抓伤了甲的脸，同时也撕坏了甲的衣服，乙对甲的人身损失和财产损失，都免予承担责任。

四、防卫过当的责任

本条规定，正当防卫超过必要的限度，造成不应有的损害的，应当承担适当的责任。

如何确定和理解正当防卫的必要限度，学术界有各种各样的学说。多数意见认为，从权衡各方利益的角度考虑，既有利于维护防卫人的权益，也要考虑到对不法行为人的合法权益的保护，防卫行为应以足以制止不法侵害为必要限度。从防卫的时间上讲，对于侵权人已经被制服或者侵权人已自动停止侵权行为的，防卫人不得再行攻击行为；从防卫手段来讲，能够用较缓和的手段进行有效的防卫之情况下，不允许用激烈手段进行防卫。对于没有明显危及人身、财产等重大利益的不法侵害行为，不允许采取造成重伤等手段对侵权人进行防卫。

正当防卫超过必要的限度，造成侵权人不应有的损害的，防卫人应当承担适当的责任。所谓“适当的责任”，是指不对侵权人的全部损失赔偿，而是根据防卫人过错的程度，由防卫人在损失范围内承担一部分责任。

**第三十一条 因紧急避险造成损害的，由引起险情发生的人承担责任。如果危险是由自然原因引起的，紧急避险人不承担责任或者给予适当补偿。紧急避险采取措施不当或者超过必要的限度，造成不应有的损害的，紧急避险人应当承担适当的责任。**

**【释义】** 本条是关于“紧急避险”的规定。

一、紧急避险的定义

紧急避险，是指为了使本人或者他人的人身、财产和其他权利免受正在发生的危险，不得已采取的紧急避险行为，造成损害的，不承担责任或者减轻责任的情形。危险有时来自于人的行为，有时来自于自然原因。不管危险来源于哪儿，紧急避险人避让风险、排除危险的行为都有其正当性、合法性，因此在所有国家都是作为不承担责任和减轻责任的情形之一。例如，《德国民法典》第228条规定：“为使自己或者他人避免急迫危险而损坏或者损毁他人之物的人，如果其损坏或者损毁行为系防止危险所必要，而且造成的损害又未超越危险程度时，其行为不为违法。如果行为人对危险的发生负有过失，则应负损害赔偿义务。”

二、紧急避险的要件

(一)必须是为了使本人、他人的人身、财产权利免受危险的损害。

本条基本沿袭了我国民法通则的规定,对紧急避险的内容没有明确规定,即没有明确是为了谁的利益而采取紧急避险行为。民法通则第一百二十九条规定:"因紧急避险造成损害的,由引起险情发生的人承担民事责任。如果危险是由自然原因引起的,紧急避险人不承担民事责任或者承担适当的民事责任。因紧急避险采取措施不当或者超过必要的限度,造成不应有的损害的,紧急避险人应当承担适当的民事责任。"采取这种立法体例的还有越南,《越南社会主义共和国民法典》第618条规定:"因紧急避险造成他人损害的,加害人不向受害人赔偿损害。超过紧急避险要求的限度造成他人损害的,加害人必须向受害人赔偿损害。引起危险情况发生从而导致损害的人,必须向受害人赔偿损害。"越南也没有明确紧急避险是为了谁的利益而实施。

很多国家或地区的民法典明确规定了紧急避险的内容,即将紧急避险界定为使本人或者他人的人身权利、财产权利免受正在发生的危险。除了《德国民法典》有明确规定外,《俄罗斯民法典》第1067条规定:"紧急避险所致损害,是指为了排除对本人或者他人构成威胁的危险而造成的损害,如果该危险在当时情况下不可能以其他方法排除,紧急避险所致损害应由致害人赔偿。法院可以考虑致害情况,责成因损害人的行为而受有利益的第三人负赔偿责任,或者全部或部分免除第三人或者致害人的赔偿责任。"我国台湾地区"民法典"第150条规定:"因避免自己或他人生命、身体、自由或财产上有紧迫之危险所为之行为,不负损害赔偿之责。但以避免危险所必要，并未逾越危险所致之损害程度者为限。前项情形，其危险之发生，如行为人有责任者，应负损害赔偿之责。”

我国刑法明确规定了紧急避险的内容。该法第二十一条规定：“为了使国家、公共利益、本人或者他人的人身、财产和其他权利免受正在发生的危险，不得已采取的紧急避险行为，造成损害的，不负刑事责任。紧急避险超过必要限度造成不应有的损害的，应当负刑事责任，但是应当减轻或者免除处罚。”

经过研究认为，本条和我国民法通则虽然没有对紧急避险的内容作出规定，但借鉴德国、意大利等国家法律和我国台湾地区的有关规定，紧急避险应是使本人或者他人的人身、财产和其他权利免受正在发生的危险，不得已采取的避险行为。

（二）必须是对正在发生的危险，采取的紧急避险行为。倘若危险已经消除或者尚未发生，或者虽然已经发生但不会对合法权益造成损害，则不得采取避险措施。某人基于对危险状况的误解、臆想而采取避险措施，造成他人利益损害的，应向他人承担民事责任。

（三）必须是在不得已的情况下采取避险措施。所谓不得已，是指当事人面对突然而遇的危险，不得不采取紧急避险措施，以保全更大的利益，且这个利益是法律所保护的。

（四）避险行为不能超过必要限度。所谓不能超过必要的限度，是指在面临紧急危险时，避险人应采取适当的措施，以尽可能小的损害保全更大的法益，即紧急避险行为所引起的损害应轻于危险所可能带来的损害。

只有满足以上四个要件，才能构成紧急避险。行为人（避险人）免予民事责任。

三、紧急避险所造成的损害

(一)遭受损害的主体

紧急避险行为可能造成第三人的损害。例如,甲、乙、丙系邻居,丙的房子因雷击失火,甲为了引消防车进入,而推倒了乙的院墙,使消防车进入后及时扑灭了丙家的大火。按照"紧急避险"的抗辩事由,甲对乙不承担赔偿责任,应由受益人丙对乙给予适当补偿。

本条规定的紧急避险行为也包括对避险人本人造成的损害。例如,甲、乙系邻居,乙的房子因雷击失火,甲为了引消防车进入,而推倒了自己的院墙,使消防车进入后及时扑灭了乙家的大火。按照"紧急避险"的抗辩事由,甲有权要求受益人乙给予补偿。

(二)遭受损害的客体

1. 有些国家规定紧急避险损害的是他人的财产权利。例如,《德国民法典》第 228 条规定:"为使自己或者他人避免急迫危险而损坏或者损毁他人之物的人,如果其损坏或者损毁行为系防止危险所必要,而且造成的损害又未超越危险程度时,其行为不为违法。如果行为人对危险的发生负有过失,则应负损害赔偿义务。"

2. 有些国家规定紧急避险也包括损害他人的人身权利。例如,《越南社会主义共和国民法典》第 618 条第 1 款规定:"因紧急避险造成他人损害的,加害人不向受害人赔偿损害。"这里的"他人损害",既包括他人财产权利的损害,也包括他人人身权利的损害。

本条第一句"因紧急避险造成损害的",这里的"造成损害"即包括对避险者本人、第三人财产权利的损害,也包括人身权利的损害。例如,甲为了接住从楼上坠楼的男孩乙,在接住乙的瞬间将同行的丙撞伤在地。甲无须对丙的损害承担责任,而应由乙的父母对丙给予补偿。

四、紧急避险人的法律后果

(一)按照本条规定,紧急避险人造成本人或者他人损害的,由引起险情发生的人承担责任。例如,甲因在河堤上取土而致使河堤决口。乙驾驶从丙处借来的农用车正巧从此经过,迫不得已将车推进决口,决口被成功堵塞。丙的农用车的损失,应由甲承担赔偿责任。

(二)如果危险是由自然原因引起的,紧急避险人是为了他人的利益而采取了避险行为,造成第三人利益损害的,紧急避险人免予对第三人承担责任。例如,甲、乙、丙系邻居,丙的房子因雷击失火,甲为了引消防车进入,而推倒了乙的院墙,使消防车进入后及时扑灭了丙家的大火。按照"紧急避险"的抗辩事由,甲对乙不承担赔偿责任,应由受益人丙对乙给予适当补偿。

(三)如果危险是由自然原因引起的,紧急避险人是为了本人的利益而采取了避险行为,造成第三人利益损害的,紧急避险人本人作为受益人,应当对第三人的损害给予补偿。例如,甲、乙系邻居,甲的房子因雷击失火,甲为了引消防车进入,而推倒了乙的院墙,使消防车进入后及时扑灭了自家的大火。甲作为受益人,对乙应当给予补偿。

(四)因紧急避险采取措施不当或者超过必要的限度,造成不应有的损害的,紧急避险人应当承担适当的责任。"紧急避险采取措施不当",是指在当时的情况下能够采取可能减少或避免损害的措施而未采取,或者采取的措施并非排除险情所必需。例如,甲的汽车自燃,因燃油泄漏,火势加大。乙在帮助灭火时,采取往燃烧的汽车上浇水的措施,由于水与燃油气体结合，导致火势进一步蔓延，将丙的房屋烧毁。由于乙采取的避险措施不当，对丙的损失，乙应承担适当的责任。

紧急避险“超过必要的限度”，是指采取紧急避险措施没有减少损害，或者紧急避险所造成的损害大于所保全的利益。例如，甲家遭雷击起火，左邻的乙家人帮助用水灭火。在大火已被扑灭的情况下，乙家人未观察火情，而是担心火势复燃，继续往废墟上浇水，导致大量污水流入甲的右邻丙家。由于乙采取的紧急避险行为超过必要的限度，对丙的损害，乙应承担适当的责任。

# 第四章 关于责任主体的特殊规定

本章共9条，主要规定了监护人的侵权责任，完全无民事行为能力人暂时丧失意识后造成他人损害的侵权责任，用人单位的侵权责任，个人之间因劳务产生的侵权责任，网络侵权责任，宾馆、商场、银行等的安全保障义务，学校、幼儿园等教育机构的责任等。在本章规定的这些责任中，有的责任承担的方式比较特殊，如监护人的责任、用人单位的责任等在理论上被称为替代责任，在这些责任中出现了行为人和责任人的分离；有的承担责任的主体具有特定性，如承担安全保障义务的责任主体是宾馆、商场、银行、车站、娱乐场所等公共场所的管理人或者群众性活动的组织者；有的不仅规定了行为人的责任，还规定在第三人侵权的情况下，有管理职责主体的责任。比如，学校、幼儿园等教育机构的责任中不仅规定了教育机构在不同情况下承担过错责任或者过错推定责任，还明确了无民事行为能力人或者限制民事行为能力人在教育机构学习、生活期间，受到第三人伤害，侵权人的责任和教育机构的补充责任。

**第三十二条　无民事行为能力人、限制民事行为能力人造成他人损害的，由监护人承担侵权责任。监护人尽到监护责任的，可以减轻其侵权责任。**

**有财产的无民事行为能力人、限制民事行为能力人造成**

**他人损害的，从本人财产中支付赔偿费用。不足部分，由监护人赔偿。**

**【释义】** 本条是关于监护人责任的规定。

民事行为能力是民事主体从事民事活动所具备的资格。只要达到一定的年龄，能够理智地处理自己事务的人，就具有民事行为能力。公民的民事行为能力依据其年龄和精神健康状况分为完全民事行为能力、限制民事行为能力和无民事行为能力。

公民的民事行为能力首先可以从年龄上划分。根据民法通则的规定，18 周岁以上的公民是成年人，具有完全民事行为能力，可以独立进行民事活动，是完全民事行为能力人。16 周岁以上不满 18 周岁的公民，以自己的劳动收入为主要生活来源的，视为完全民事行为能力人。10 周岁以上的未成年人是限制民事行为能力人，可以进行与他的年龄、智力相适应的民事活动；其他民事活动由他的法定代理人代理，或者征得他的法定代理人的同意。不满 10 周岁的未成年人是无民事行为能力人，由他的法定代理人代理民事活动。其次，公民的民事行为能力也可以从精神状态上划分。根据民法通则规定，不能辨认自己行为的精神病人是无民事行为能力人，由他的法定代理人代理民事活动。不能完全辨认自己行为的精神病人是限制行为能力人，可以进行与他的精神健康状况相适应的民事活动；其他民事活动由他的法定代理人代理，或者征得他的法定代理人的同意。

无民事行为能力人和限制民事行为能力人的监护人是他的法定代理人。未成年人的监护人按照以下顺序确定：第一顺序的监护人是未成年人的父母。第二顺序的监护人，包括未成年人的祖父母、外祖父母；兄、姐；关系密切的其他亲属或者愿意承担监护责任的朋友。第三顺序的监护人,包括未成年人父亲或者母亲的所在单位,未成年人住所地的居民委员会、村民委员会以及民政部门。无民事行为能力或者限制民事行为能力的精神病人的监护人按照以下顺序确定:第一顺序的监护人,为配偶、父母、成年子女及其他近亲属,关系密切的其他亲属或者朋友。第二顺序的监护人,包括精神病人的所在单位或者住所地的居民委员会、村民委员会或者民政部门。

设立监护制度的目的是保护被监护人的人身、财产及其他合法权益不受损害,同时监护人也要承担起管教好未成年人和无行为能力人、限制行为能力的精神病人的责任,对于被监护人给他人造成损害的,监护人应当承担责任。

一些国家和地区对于监护人责任的规定主要有以下三种模式:第一种是规定监护人对被监护人的行为承担无过错责任。比如,法国民法规定,任何人对应由其负责的他人的行为所造成的损害,负赔偿的责任。具有监护权的父母对与其一起生活的未成年子女造成的损害承担赔偿责任。第二种是规定监护人承担过错推定责任。比如,德国民法规定,依法律规定对未成年人或者精神与身体状况而需要监护的人负有监督义务者,对此人给第三人造成的不法损害,有赔偿的义务。监督人如果已经尽到相当的监督责任,或者纵然加以应有的监督也难免发生损害的,不负赔偿责任。第三种是根据被监护人的年龄区分监护人的责任。比如,荷兰民法规定,对于未满14 周岁的儿童造成他人损害的,父母或者其他监护人承担无过错责任;已满 14 岁周岁但未满 16 周岁的被监护人造成他人损害的,父母或者其他监护人承担过错推定责任。国外对于监护人责任的不同规定,与其在法律中是否承认被监护人责任能力有关。德国等国家承认被监护人的责任能力,并根据监护人的责任能力来确定监护人的责任。被监护人对于自己的行为有辨别能力的,应当自己承担责任;监护人有过错承担责任,没有过错的不承担责任;被监护人对于自己的行为无辨别能力的,监护人根据其过错承担责任。法国等国家不承认被监护人有责任能力,法律只规定监护人对被监护人造成他人损害的,承担无过错责任。

我国民法通则第一百三十三条第一款规定:“无民事行为能力人、限制民事行为能力人造成他人损害的,由监护人承担民事责任。监护人尽了监护责任的,可以适当减轻他的民事责任。”《最高人民法院关于贯彻执行〈中华人民共和国民法通则〉若干问题的意见(试行)》,也对监护人的责任作了相关的规定。本法有关监护人责任的规定,基本沿袭了现行法律的规定。

无民事行为能力人和限制民事行为能力人造成他人损害的,由监护人承担民事责任,是由监护人的职责所决定的。由于大多数监护人与被监护人有血缘等密切关系,监护人有责任通过教育、管理等方式来减少或者避免被监护人侵权行为的发生。从本条规定来看,监护人的责任不能简单地将其归为无过错责任或者过错推定责任。原因在于:一方面,监护人如果能够证明其尽到监护责任的,只能减轻其侵权责任,而不能免除,这不同于一般的过错推定责任;另一方面,无民事行为能力人和限制行为能力人的行为构成了侵权,监护人才承担相应责任,监护人不是对被监护人所有的行为都承担侵权责任。如果被监护人的行为对于完全民事行为能力人来说也无须承担责任的话,那么在这种情况下,监护人也不需要承担责任。而且,监护人也不是对被监护人造成的所有损失都承担侵权责任，如果监护人能够证明其尽到了监护责任的，可以减轻其侵权责任，从这一点看，也有别于无过错责任。

无民事行为能力或者限制民事行为能力人造成他人损害的，应当由监护人承担侵权责任。但是，在具体承担赔偿责任时，如果被监护人有财产的，比如未成年人接受了亲友赠与的财产或者拥有其他价值较大的财产等，那么应当首先从被监护人的财产中支付赔偿费用，不足的部分再由监护人承担赔偿责任。虽然从我国的情况来看，无民事行为能力人或者限制民事行为能力人有自己独立财产的情况不多，但是随着经济和社会的多元化发展，无民事行为能力人或者限制民事行为能力人通过创作、接受赠与或者继承等方式取得独立财产的情况将会越来越多，因此，以自己的财产对自己造成他人的损害承担赔偿责任，也是公平的。在父母等亲属之外的人员或者单位承担监护人的情况下，被监护人有独立财产的情况可能较为普遍，在这种情况下，先从被监护人的财产中支付赔偿费用更有必要，比如，某未成年人父母双亡后，留有一笔遗产，由其所在的居委会担任监护人，那么，该未成年人侵权行为造成他人的损失，其赔偿费用应当从遗产中扣除。当然，从被监护人的财产中支付赔偿费用的，应当保留被监护人基本的生活费用，保障其正常的生活和学习不受影响。被监护人的财产不足以支付赔偿费用的，其余部分由监护人承担。

民法通则第一百三十三条第二款规定："有财产的无民事行为能力人、限制行为能力人造成他人损害的，从本人财产中支付赔偿费用。不足部分，由监护人适当赔偿，但单位担任监护人的除外。"本条对于民法通则的规定做了两处修改：首先，加重了监护人的责任。为了保护被侵权人的合法权益，使其受到的损害能够得到全部的赔偿，本条规定对于无民事行为能力人或者限制行为能力人赔偿后，其财产不足的部分，需要由监护人给予全部赔偿，而不仅仅给予适当的赔偿。其次，为了促使单位监护人尽职履行监护职责，防止其怠于行使监护职责，放任被监护人侵权行为的发生，保证被侵权人受到的损害得到赔偿，本条修改了民法通则的规定，明确单位监护人应当承担与非单位监护人同样的责任。当然，从目前情况来看，单位承担监护人的情况不多。

在侵权责任法起草过程中，有的意见建议根据行为人的年龄，增加行为人责任能力的规定。本法对此没有作出规定。因为如果规定责任能力，就涉及没有责任能力的行为人造成他人损害的，监护人是否需要承担责任？如果监护人不承担责任，被侵权人的损失得不到弥补，会有悖于我国的国情和现实的做法。无民事行为能力人和限制行为能力人一般有独立财产的不多，而且他们多与监护人共同生活，造成他人损害的，仍然还是用其父母等监护人的财产进行赔偿。而且，本法已明确规定被监护人有独立财产的，应当从其财产中支付。多年的司法实践也证明，虽然我国法律没有行为人责任能力的规定，但是能够妥善解决无民事行为能力人和限制行为能力人引发的侵权纠纷。因此，本条没有规定行为人的责任能力。

**第三十三条　完全民事行为能力人对自己的行为暂时没有意识或者失去控制造成他人损害有过错的，应当承担侵权责任；没有过错的，根据行为人的经济状况对受害人适当补偿。**

**完全民事行为能力人因醉酒、滥用麻醉药品或者精神药品对自己的行为暂时没有意识或者失去控制造成他人损害**

**的，应当承担侵权责任。**

**【释义】** 本条是关于完全民事行为能力人暂时丧失意识后侵权责任的规定。

过错是行为人承担侵权责任的要件。过错的前提是行为人有意识能力。如果行为人丧失了意识，就无过错可言。完全民事行为能力人造成他人损害的，应当承担侵权责任。但是，完全民事行为能力人造成他人损害时，如果已经丧失了意识，也就是说在没有“过错”的情况下，造成他人损害的，是否应当承担侵权责任？

完全民事行为能力人暂时丧失意识或者失去控制造成他人损害的责任，一些国家和地区对此作出了规定。德国民法规定，在无意识状态或者处于精神错乱而不能自己决定意思的状况下，对他人施加损害的人，不对该损害负责任。如果由于其饮酒或者类似手段而使自己陷于此种暂时状况的，对其在此状况下造成的损害，以如同其有过失一样的方式负责任；其没有过错而陷于此状况的，该责任即不发生。日本民法规定，因精神上的障碍，在处于对自己的行为欠缺辨识能力的状况下给他人造成了损害的人，不负赔偿责任。但因故意或者过失而导致一时性的状态时，不在此限。埃塞俄比亚民法规定，如果导致有责任的过错行为是处于不知其行为的过错性质状态的人实施的，在有衡平需要时，法院可减少给予的赔偿。在这一问题上，必须考虑当事人各自的财务状况和过错行为人的赔偿损害责任的后果。我国台湾地区“民法典”规定，在无意识或者精神错乱中所为之行为致第三人受损害时，法院因被害人之声请，得斟酌行为人及其法定代理人与被害人之经济状况，令行为人或其法定代理人为全部或一部之损害赔偿。从以上国家和地区的规定来看，对于过错导致完全民事行为能力人暂时丧失意识造成他人损害的,原则上行为人需要承担侵权责任。此外,在赔偿的问题上会考虑各方当事人的经济状况,根据衡平的原则来处理。我国现行法律和司法解释没有对完全民事行为能力人暂时没有意识或者失去控制造成他人损害的责任作出规定。实践中完全民事行为能力人暂时没有意识或者失去控制造成他人损害的情况时有发生,特别是因醉酒导致的交通事故更是年年频发,所以,本条对该问题作出了规定,以弥补现行法律的不足。

考虑到导致完全民事行为能力人丧失意识的情况比较复杂,本条根据不同的情形,规定了完全民事行为能力人的责任。

(一)完全民事行为能力人对于自己丧失意识存在过错。如果是因为自己的过错,丧失了意识后造成了他人的损害,那么行为人应当根据其过错承担赔偿责任。比如,某人患有心脏病,需每天按时服药,医生禁止其骑自行车外出,但是,该人未按医嘱服药,并骑车外出,结果途中心脏病发作,丧失意识后摔倒并撞伤一行人。那么,在这种情况下,由于该人对于失去意识存在过错,所以,应当根据其过错的程度来承担侵权责任。在侵权责任法草案征求意见时,一些地方和单位提出,“暂时没有意识或者失去控制”就意味着行为人失去了辨认的控制能力,主观上就不存在“过错”,建议修改本条的规定。其实,本条第一款中的过错,是指“过错”导致其丧失意识,因为失去意识之后确实没有过错可言。完全民事行为能力人是由于其过错导致意识丧失,那么对于丧失意识后的行为造成他人损害的,则要承担相应的侵权责任。

(二)完全民事行为能力人对于自己的行为暂时没有意识或者失去控制没有过错。如果行为人暂时没有意识或者失去控制不是由于自己的过错造成,而是由于其他原因导致发生,在这种情况下,行为人可以不承担侵权责任,不过需要根据公平分担的规定,适当分担被侵权人的损失。根据本法第二十四条的规定:“受害人和行为人对损害的发生都没有过错的,可以根据实际情况,由双方分担损失。”依据该规定,行为人的责任可以根据行为人的经济状况来确定:行为人的经济状况较好的,可以多补偿一些受害人的损失;行为人经济状况不好的,可以对受害人少补偿一些。需要说明的是,这里对受害人是“补偿”而不是“赔偿”。因为赔偿原则上采取“填平”的原则,受害人损失多少赔多少,而补偿通常行为人没有过错,是根据行为人的经济能力,适当弥补受害人的损失。侵权责任法草案征求意见时,有的人提出,本条第一款“没有过错的,根据行为人的经济状况对受害人适当补偿”的规定与本法第二十四条公平分担的规定重复,建议删除本条相关的内容。其实,本法第二十四条是对公平分担原则总的规定,本条第一款的规定可以说是公平分担原则在具体制度中的体现。

(三)完全民事行为能力人因醉酒、滥用麻醉药品或者精神药品导致自己暂时没有意识或者失去控制造成他人损害的。根据我国刑法的规定,醉酒的人应当承担刑事责任。治安管理处罚法规定,醉酒的人违反治安管理的,应当给予处罚。醉酒的人在醉酒状态中,对本人有危险或者对他人的人身、财产或者公共安全有威胁的,应当对其采取保护性措施约束至酒醒。麻醉药品是具有一定依赖性潜力的药品,连续使用、滥用或者不合理使用,易产生生理依赖性和精神依赖性,能成瘾癖。精神药品是直接作用于中枢神经系统,使之极度兴奋或抑制的药品。我国对于精神药品一直实行严格管理并严禁滥用,但为了治疗有关的病人,医院和药房也要保证精神药品正常销售。国务院颁布的《麻醉药品和精神药品管理条例》规定,麻醉药品和精神药品列入麻醉药品目录、精神药品目录。目录由国务院药品监督管理部门会同国务院公安部门、国务院卫生主管部门制定、调整并公布。

目前,一些侵权行为都是发生在行为人醉酒、滥用麻醉药品或者精神药品后。特别是在交通事故中,虽然道路交通安全法规定,饮酒、服用国家管制的精神药品或者麻醉药品,不得驾驶机动车,但是,全国每年发生的交通事故中不少都是因为驾驶员醉酒后开车所致。据报道,2009 年 8 月 15 日起,全国开展严厉整治酒后驾驶交通违法专项行动以来,截止到 2009 年 12 月 10 日,共查处酒后驾驶违法行为 213 万起,其中醉酒驾驶 3.2 万起,占查处总数的 1.5%。因酒后驾驶引发的交通事故 1039 起,死亡 406 人。2004 年 5 月,某著名演员在北京醉酒驾车与一辆重型箱式货车左后部碰撞,造成该演员当场死亡,两车损坏。事故发生后,经交警进行调查,该演员酒精检测结果属于醉酒驾车并超速行驶,对该起事故承担主要责任。我国现行法律没有明确规定因醉酒和滥用麻醉药品或者精神药品造成他人损害的民事责任,但在司法实践中一般都会判决行为人在这种情况下承担民事责任。作为完全民事行为能力人,应当预见到醉酒或者滥用麻醉药品或者精神药品后会难以控制自己的行为,可能会危害公共安全和他人的生命健康,但行为人放任结果的发生,仍然驾车或者采取其他方式造成他人人身权和财产权的损害。虽然侵权行为发生时,行为人已经丧失意识,似乎没有“过错”可言,但是,其行为本身具有违法性,应当对此发生的侵权行为承担责任。本条第一款规定“完全民事行为能力人对自己的行为暂时没有意识或者失去控制造成他人损害有过错的，应当承担侵权责任”，而第二款规定“醉酒、滥用麻醉药品或者精神药品导致自己暂时没有意识或者失去控制造成他人损害”，其实也属于第一款“有过错”的一种情形。为了强调醉酒、滥用麻醉药品或者精神药品的行为和一般的过错相比，具有违法性，且危害性较大，第二款对醉酒、滥用麻醉药品或者精神药品导致自己暂时没有意识或者失去控制造成他人损害的责任专门作出了规定。

**第三十四条　用人单位的工作人员因执行工作任务造成他人损害的，由用人单位承担侵权责任。**

**劳务派遣期间，被派遣的工作人员因执行工作任务造成他人损害的，由接受劳务派遣的用工单位承担侵权责任；劳务派遣单位有过错的，承担相应的补充责任。**

**【释义】**　本条是关于用人单位责任、劳务派遣单位和劳务用工单位责任的规定。

一、用人单位的责任

用人单位的工作人员因工作造成他人损害的，由用人单位对外承担侵权责任，这种责任也在理论上被称为替代责任，即由他人对行为人的行为承担责任。由于工作人员是为用人单位工作，用人单位可以从工作人员的工作中获取一定的利益，因此，工作人员因工作所产生的风险，需要用人单位承担。用人单位与工作人员相比，一般经济能力较强，让用人单位承担责任，有利于更好地保护被侵权人的合法权益，也有利于用人单位在选任工作人员时能尽到相当的谨慎和注意义务，加强对工作人员的监督和管理。

（一）有关国家、地区的规定

由于国外多为私有制的国家，个人和所在单位之间的关系可以统称为雇佣关系，因此，用人单位的责任在国外多称为雇主责任。法国、德国、意大利、日本等国家和我国台湾地区的民法，以及英美法系国家都对雇主责任作出了规定，不过归责原则有所不同，主要有以下立法例：

1. 雇主承担无过错责任。法国民法规定，主人与雇主，对其家庭佣人与受雇人在履行他们受雇的职责中造成的损害，雇主应该负侵权责任。英美法系国家雇主也多承担无过错责任，雇主不能通过举证自己没有选任或者指示过失而免责。

2. 雇主承担过错推定责任。德国民法规定，雇用他人执行事务的人，对受雇人在执行事务时违法施加于第三人的损害，负赔偿义务。雇用人对于在任命受雇人时，并在其应提供设备和工具器械或者应当监督事务的执行时，对装备和监督已尽必要注意义务，或者即使已尽必要注意仍难免发生损害的，不发生赔偿义务。日本民法规定，因某事业雇用他人者，对受雇人因执行其职务而加于第三人的损害，负赔偿责任。但是，雇用人对受雇人的选任及其事业的监督已尽相当注意时，或即使尽相当注意损害仍会产生时，不在此限。不妨碍雇用人或监督人对受雇人行使求偿权。

3. 以过错推定责任为主，并结合衡平的原则。我国台湾地区“民法典”规定，受雇人因执行职务，不法侵害他人之权利者，由雇用人与行为人连带负损害赔偿责任。但选任受雇人及监督其职务之执行，已尽相当之注意或纵加以相当之注意而仍不免发生损害者，雇用人不负赔偿责任。如被害人依前项但书之规定，不能受损害赔偿时，法院因其声请，得斟酌雇用人与被害人之经济状况，令雇用人为全部或一部之损害赔偿。雇用人赔偿损害时，对于为侵权行为之受雇人，有求偿权。从以上规定中可以看到，雇主责任的归责原则，不同国家和地区的规定有所不同，不过德国和日本虽然法律规定雇主承担过错推定责任，但据了解在司法实践中，雇主很难通过证明自己尽到了相关的注意义务而免责，其雇主责任已趋同于无过错责任。而我国台湾地区在过错推定责任的基础上增加了衡平原则，也使雇主很难不对雇员的行为承担责任。总之，雇主承担无过错责任可以说已成为许多国家和地区的通行做法。

（二）我国现行法律和司法解释的规定

用人单位的责任，我国民法通则和司法解释都作出过规定。民法通则第四十三条规定："企业法人对它的法定代表人和其他工作人员的经营活动，承担民事责任。"第一百二十一条规定："国家机关或者国家机关工作人员在执行职务中，侵犯公民、法人的合法权益造成损害的，应当承担民事责任。"《最高人民法院关于人身损害赔偿案件适用法律若干问题的解释》中分别对法人责任、雇主责任作出了规定：法人或者其他组织的法定代表人、负责人以及工作人员，在执行职务中致人损害的，由法人或者其他组织承担民事责任。雇员在从事雇佣活动中致人损害的，雇主应当承担赔偿责任；雇员因故意或者重大过失致人损害的，应当与雇主承担连带责任。雇主承担连带责任后，可以向雇员追偿。从我国现行法律和司法解释的规定来看，我国对于用人单位采取的也是无过错责任，只要工作人员实施侵权行为造成他人的损害，用人单位就要承担赔偿责任。用人单位不能通过证明自己在选任或者监督方面尽到了相应的义务来免除自己的责任。本条沿袭了现行法律的规定，明确用人单位对工作人员因工作造成他人损害的，承担无过错责任。但是，需要指出的是，用人单位承担责任的前提必须是工作人员的行为构成了侵权。对于以过错为归责原则的责任，工作人员的行为如果没有过错，那么即使造成了他人的损害，用人单位也无须承担侵权责任；在高度危险责任等以无过错为归责原则的责任，工作人员的行为如果符合法律规定的免责条件，用人单位也不承担责任。也就是说，只有工作人员的行为符合法律规定的侵权行为构成要件，用人单位才对该侵权行为对外承担无过错责任。

（三）本条的主要规定

本条中的“用人单位”，包括企业、事业单位、国家机关、社会团体等，也包括个体经济组织等。“工作人员”既包括用人单位的正式员工，也应当包括临时在单位工作的员工。关于用人单位责任主体的称谓，在侵权责任法起草时有不同的意见。有的建议采用“使用人”和“被使用人”；有的建议采用“用人者”和“劳动者”；有的建议采用“雇主”和“雇员”；有的建议采取司法解释的做法，将责任主体分为“法人”和“雇主”两类，法人执行职务造成他人损害的，适用法人的责任；个体工商户、农村承包经营户、个人合伙以及个人用工的情况，适用雇主责任。我国是公有制的国家，私有经济也在不断发展壮大，各种混合经济形式也不断出现，所以，侵权责任的主体不宜根据所有制来划分，所使用的概念应当既能涵盖用人单位的情况，不存在交叉，同时也应当为公众普遍使用。虽然雇主责任是国外的通行叫法，但是，本条的调整范围中包括国家机关工作人员因工作发生的侵权行为，而国家机关与工作人员不是雇佣关系，所以，不宜使用“雇主”和“雇员”的概念。本条主要调整个人劳务关系以外的用人单位的责任，对于个人之间形成劳务关系的问题，本法第三十五条已专门作出了规定，所以，本法将责任主体称为“用人单位”和“工作人员”还是比较恰当的，适合我国的国情。

用人单位承担侵权责任的前提是工作人员的行为与“执行工作任务”有关。工作人员应当按照用人单位的授权或者指示进行工作。与工作无关的行为，即使发生在工作时间内，用人单位也不承担侵权责任，该责任由工作人员自己承担。比如，一职工在上班时间因私事将一朋友打伤，受害人就应当直接找该职工要求赔偿。关于如何表述工作人员行为与工作之间的关系，侵权责任法草案曾规定，工作人员“在工作过程中”造成他人损害的，由用人单位承担赔偿责任。有的意见提出，“工作过程中”的范围较宽，可能会理解到只要在工作时间内发生的侵权行为，用人单位都需要承担侵权责任；有的意见建议将“工作过程中”修改为“履行职务”或者“执行职务”。民法通则第一百二十一条规定：“国家机关或者国家机关工作人员在执行职务中，侵犯公民、法人的合法权益造成损害的，应当承担民事责任。”该规定主要是针对国家机关及其工作人员，用“执行职务”比较准确。对于非国家机关的工作人员，用“执行职务”或者“履行职务”都欠妥当。为了更准确地界定工作人员的行为与职务之间的关系，本条明确用人单位承担侵权责任的前提是工作人员“因执行工作任务”造成他人损害。

需要指出的是，国家机关以及工作人员因工作造成他人损害的，一类属于履行公职权的行为；另一类不属于履行公职权的行为，是国家机关为了维持国家机关正常运转所进行的民事行为。对于第一类属于履行公职权的行为，依据国家赔偿法的规定，有的需要国家机关承担国家赔偿责任。对于第二类国家机关在民事活动中侵害他人合法权益的,国家机关需要承担民事侵权责任。比如,国家机关的司机外出办理公务,发生了交通事故,应当由国家机关承担侵权责任。本法调整国家机关及工作人员在民事活动中发生的侵权行为,对于属于国家赔偿法调整范围的,适用国家赔偿法的规定。

本条没有规定用人单位承担侵权责任后,是否可以向工作人员追偿。在侵权责任法起草过程中,一些部门和专家建议对追偿权的问题作出规定。关于追偿权的问题,一些国家和地区法律中作出过规定,比如,日本民法规定,雇用他人者,对受雇人因执行其职务而加于第三人的损害,负赔偿责任。不妨碍雇用人对受雇人行使求偿权。我国台湾地区"民法典"规定,对于为侵权行为的受雇人,雇用人有求偿权。但是,目前对追偿权规定的国家和地区不多,从规定追偿权的规定来看,也较为原则。据了解,从目前发展趋势看,不少国家越来越限制雇主行使追偿权的或者不允许雇主进行追偿,认为雇主可以通过企业保险等方式来解决赔偿费用的问题。我国现行法律对追偿权的问题作出过规定,例如,物权法第二十一条规定:"因登记错误,给他人造成损害的,登记机构应当承担赔偿责任。登记机构赔偿后,可以向造成登记错误的人追偿。"律师法第五十四条规定:"律师违法执业或者因过错给当事人造成损失的,由其所在的律师事务所承担赔偿责任。律师事务所赔偿后,可以向有故意或者重大过失行为的律师追偿。"公证法第四十三条规定:"公证机构及其公证员因过错给当事人、公证事项的利害关系人造成损失的,由公证机构承担相应的赔偿责任;公证机构赔偿后,可以向有故意或者重大过失的公证员追偿。"

在侵权责任法中规定追偿权可以说是一把"双刃剑",其有利的一面体现在:首先,可以促使工作人员在工作中谨慎行事,认真对待自己的工作,减少侵权行为的发生;其次,可以明确界定追偿的范围,防止用人单位滥用追偿权,在某种程度上可能更有利于对工作人员的保护;此外,可以通过对主观恶意较大的工作人员进行追偿以起到制裁的作用,并在一定程度上弥补用人单位的损失。但是,规定追偿权也有其不利的因素,主要表现在:(1)侵权责任法主要解决对外责任的问题,用人单位和工作人员的内部责任可以通过协议等方式来约定。对于违反相关法律规定或者显失公平的约定,工作人员可以依法要求撤销或者确认该约定为无效。(2)如何确定用人单位追偿权的条件比较困难。如果规定在工作人员有故意的情形下可以追偿,那么是否意味着工作人员出现了重大过失就不能追偿,容易引发歧义;如果将追偿条件限制为工作人员"故意或者重大过失",那么在一些情况下,可能范围又过宽,同时又排除了一般过失,使范围变窄。因为不同行业、工种的工作环境不同,有的行业具有一定的危险性或者与公众接触较多,容易引发事故;有的行业则安全性较强,或者具有封闭性,不易造成对他人的损害。总之现实中的情况错综复杂,很难以一个统一的标准来确定追偿权的条件。(3)目前我国职工工资水平还不太高,和用人单位相比,工作人员在劳动关系中属于弱者,在经济上处于劣势地位。如果对追偿权作出明确规定,有的用人单位可能利用该条规定,将本应承担的责任转嫁给工作人员。考虑到追偿权的问题比较复杂,追偿条件规定过严,对广大劳动者不利;追偿条件规定过宽,也不利于工作人员谨慎工作,减少事故的发生。不同行业、不同工种和不同劳动安全条件,其追偿条件应有所不同。因此,本法对于追偿权的问题没有作出规定。但是,本法未作规定,不影响用人单位依照法律规定，或者根据双方的约定来行使追偿权，如果用人单位和工作人员对于能否追偿或者追偿多少有争议的，可以向人民法院提起诉讼，由人民法院根据具体情况公平解决。

二、劳务派遣中产生的侵权责任

本条第二款规定了工作人员在劳务派遣期间造成他人损害的，劳务派遣单位和接受劳务派遣的用工单位的责任。劳务派遣，是指劳动派遣机构与员工签订劳务派遣合同后，将工作人员派遣到用工单位工作。劳务派遣的主要特点就是员工的雇用和使用分离。劳动派遣机构不是职业介绍机构，是与劳动者签订劳动合同的一方当事人。派遣的员工到用工单位工作，但不与用工单位签订劳动合同，产生劳动关系。

近些年随着我们经济和社会的发展，劳动力使用的形式越来越多样化，劳务派遣在我国得到迅速的发展。劳务派遣改变了员工为单位所有的单一模式，为用工单位提供了一种灵活、便捷的优化配置人力资源的用人机制，满足了用工形式多样化的需求。劳务派遣从制度上切断了员工与用工单位的依附关系，减少了用工单位的人力资源管理成本，为用工单位搭建了“集天下优才为我用”的平台，有利于用工单位提高劳动生产率。这种新的用人方式在一定程度上也有利于解决就业问题。

我国劳动合同法对劳务派遣专门作出规定。根据该法的规定，劳务派遣单位，即用人单位，与被派遣的劳务者应当订立二年以上的劳动合同。劳务派遣单位与接受以劳务派遣形式用工的单位，即用工单位订立劳务派遣协议，对涉及劳务派遣的事项进行约定。用工单位的主要职责是：(1)执行国家劳动标准，提供相应的劳动条件和劳动保护；(2)告知被派遣劳动者的工作要求和劳务报酬;(3)对在岗被派遣劳动者进行工作岗位所必需的培训;(4)连续用工的,实行正常的工资调整机制。

劳务派遣的用人形式不同于一般的用人单位,劳务派遣单位虽然与被派遣的员工签订了劳动合同,但不对被派遣员工进行使用和具体的管理。在劳务派遣期间,被派遣的工作人员是为接受劳务派遣的用工单位工作,接受用工单位的指示和管理,同时由用工单位为被派遣的工作人员提供相应的劳动条件和劳动保护,所以,被派遣的工作人员因工作造成他人损害的,其责任应当由用工单位承担。劳务派遣单位在派遣工作人员方面存在过错,应当承担相应的责任。例如,某商场要求派来的员工具有电工操作证和高级电工资质,以负责检测和维修商场的照明设备,但劳务派遣单位派来的员工不仅没有合格的资质,也没有任何的实践经验,结果该员工在工作时发生了火灾,造成店内租户的商品受损,那么,在这种情况下,虽然用工单位作为直接使用员工的单位,需要赔偿租户的损失,但是劳务派遣单位在选派员工方面有一定的过错,也应当承担相应的责任。根据本条规定劳务派遣单位承担的是相应的补充责任,即首先由用工单位承担赔偿责任,用工单位不能全部赔偿的,才由劳务派遣单位赔偿。用工单位是第一顺位的责任人,劳务派遣单位是第二顺位的责任人。在用工单位承担了全部赔偿责任的情况下,劳务派遣单位对被侵权人就不再承担赔偿责任。只有在用工单位财力不足,无法全部赔偿的情况下,剩余的部分才由劳务派遣单位来承担。不过劳务派遣单位不是对用工单位未赔偿的部分都承担赔偿责任,劳务派遣单位承担的是相应的补充责任,即仅在自己过错的范围内承担责任。

用工单位对外承担了赔偿责任后,能否向有过错的劳务派遣单位追偿?对于这个问题,本条没有作出规定。不过,在用工单位对外承担全部赔偿责任的情况下,对于有过错的劳务派遣单位来说,应当允许用工单位向劳务派遣单位进行追偿,让劳务派遣单位承担起与其过错相应的责任。当然,如果劳务派遣单位已经对被侵权人承担了与其过错相应的补充责任,那么,在这种情况下用工单位就不能再对劳务派遣单位行使追偿权。

**第三十五条　个人之间形成劳务关系,提供劳务一方因劳务造成他人损害的,由接受劳务一方承担侵权责任。提供劳务一方因劳务自己受到损害的,根据双方各自的过错承担相应的责任。**

**【释义】** 本条是关于因提供劳务造成他人损害和自己损害的责任的规定。

目前个人之间形成劳务关系的情况越来越多,家庭雇用保姆、小时工、家庭教师等情况已非常普遍,对于在劳务期间发生的纠纷如何解决,需要法律给予明确的规定。侵权责任法草案在三审之前,草案主要规定了用人单位的责任,没有明确规定个人之间因劳务产生的纠纷。在侵权责任法草案征求意见过程中,不少部门、单位、专家和公众都建议,对个人之间因劳务而产生的侵权责任作出规定,从而为解决此类纠纷确立法律依据。侵权责任法草案三审稿在广泛征求各方面意见的基础上,对个人之间因劳务产生的侵权责任作出了规定,该规定在全国人大常委会对侵权责任法草案三次审议期间引起了社会广泛的关注,许多媒体将侵权责任法草案对现实生活中因雇保姆等造成的侵权责任进行了规范作为焦点问题进行了报道。

劳务关系(Service Relations),是指提供劳务一方为接受劳务一方提供劳务服务,由接受劳务一方按照约定支付报酬而建立的一种民事权利义务关系。劳务关系的建立可以采取书面形式,也可以采取口头或者其他形式。劳务关系不同于劳动关系,主要表现在:(1)劳务关系由民法通则和合同法进行规范和调整。企业和个体经济组织与形成劳动关系的劳动者之间的劳动关系,由劳动法规范和调整。(2)劳务关系的主体可以是两个自然人或者自然人与单位之间,但本条仅调整个人之间形成的劳务关系。劳动关系中的一方应是符合法定条件的用人单位,另一方必须是符合劳动年龄条件,且具有与履行劳动合同义务相适应的能力的自然人。(3)劳务关系中,提供劳务一方不是接受劳务一方的职工,双方不存在隶属关系。劳动关系中的用人单位与员工之间存在隶属关系。(4)劳务关系中,接受劳务一方可以不承担提供劳务一方的社会保险。比如,国家没有规定要求居民必须为其雇用的保姆缴纳社会保险。劳动关系中的用人单位必须按照相关规定为职工购买社会保险。(5)劳务关系中,接受劳务的一方有权中断劳务关系,但没有用人单位对职工处分等权利。用人单位对职员违反用人单位劳动纪律和规章制度等行为,有权依法进行处理。(6)劳务关系中,报酬完全由双方当事人协商确定。劳动关系中,用人单位对职工有工资、奖金等方面的分配权利。用人单位向员工支付的工资应遵循按劳分配、同工同酬的原则,并遵守当地有关最低工资标准的规定。当然,如何界定个人之间形成的劳务关系,还需要根据具体情况来判断。如果是公司安排的上门服务,例如,某人购买了空调或者家具后,厂家派工人上门安装,那么在安装期间工人不慎将工具掉到楼下砸到一行人，那么系工人因工作造成他人伤害的情形，应当由工人所在的工厂依照本法第三十四条的规定赔偿被侵权人的损失。

本条中“接受劳务一方”仅指自然人，个体工商户、合伙的雇员因工作发生的纠纷，按照本法第三十四条用人单位的规定处理。

接受劳务一方对提供劳务一方造成他人损害，承担赔偿责任的，前提是提供劳务一方的行为是因劳务产生；如果提供劳务一方的行为纯属个人的行为，与劳务无关，那么接受劳务一方无须承担责任。例如，某人家里雇的保姆周末休息外出游玩，骑车不慎将一路人撞伤，其行为与劳务无关，保姆应当自己承担赔偿责任。

需要指出的是，本条规定不包括因承揽关系产生的纠纷。根据合同法的规定，承揽合同是承揽人按照定作人的要求完成工作，交付工作成果，定作人给付报酬的合同。承揽包括加工、定作、修理、测试、检验等工作。承揽合同与劳务合同的区别在于：承揽合同的劳动者所交付的标的是劳动成果，而劳务合同的劳动者交付的标的是劳动，定作人与承揽人之间不存在劳务关系。

本条对于接受劳务一方承担责任后，能否向提供劳务一方追偿的问题没有作出规定。但是，本条没有规定，并不意味着接受劳务的一方没有追偿权。和用人单位相比，接受劳务一方经济实力有限，所以接受劳务一方对外承担责任后，原则上是可以向有过错的提供劳务一方追偿的，比如，王某请小时工来家里擦玻璃，告知小时工干活前要将花盆从窗台挪开，但小时工未听王某的指示，未挪开花盆，结果干活时不小心将花盆摔到楼下，将停放在楼下的一汽车挡风玻璃砸裂，那么，王某应当赔偿车主的损失，不过承担赔偿责任后可以向小时工追偿。总体而言，接受劳务一方行使追偿权的条件可以比用人单位行使追偿权的条件略宽。

本条除了明确提供劳务过程中，造成他人损害的责任外，还规定了提供劳务一方因劳务自己受到损害的，双方责任的承担。根据本条规定，提供劳务一方因劳务自己受到损害的，根据双方各自的过错承担相应的责任。这一规定和工作人员在用人单位受到损害的规定有所不同。2003 年国务院颁布的《工伤保险条例》规定，中华人民共和国境内的各类企业、有雇工的个体工商户应当依照本条例规定参加工伤保险，为本单位全部职工或者雇工缴纳工伤保险费。从现有的规定来看，工作人员在工作过程中受到工伤损害的，用人单位原则上承担无过错责任。只要工作人员是因工作遭受事故伤害或者患职业病的，职工就可以依照相关规定获得医疗救治和经济补偿。由于本条中“个人之间形成劳务关系的”，不属于依法应当参加工伤保险统筹的情形，提供劳务的一方受到损害后，不能适用《工伤保险条例》，所以，提供劳务一方因劳务受到损害的，不宜采取无过错责任的原则，要求接受劳务的一方无条件地承担赔偿责任。实践中因劳务受到损害的情况比较复杂，应当区分情况，根据双方的过错来处理比较合理。例如，张某家雇的保姆不听张某的劝阻，执意要站在椅子上打扫卫生，结果不小心将腿扭伤，那么，雇用保姆的张某可以从人道主义的角度，带保姆看病，适当承担一定的责任，但是张某承担无过错责任，则责任过重，有失公允。所以，本法规定双方根据各自的过错承担责任，比较公平，也符合现实的做法。

**第三十六条　网络用户、网络服务提供者利用网络侵害他人民事权益的，应当承担侵权责任。**

**网络用户利用网络服务实施侵权行为的，被侵权人有权通知网络服务提供者采取删除、屏蔽、断开链接等必要措施。网络服务提供者接到通知后未及时采取必要措施的，对损害的扩大部分与该网络用户承担连带责任。**

**网络服务提供者知道网络用户利用其网络服务侵害他人民事权益，未采取必要措施的，与该网络用户承担连带责任。**

**【释义】**　本条是关于网络侵权责任的规定。

一、网络侵权概述

随着计算机应用及通信技术的发展，网络已快速辐射到社会各个领域，互联网的广泛应用改变了人们的生活与生产方式，上网浏览新闻、网络游戏、网络购物、网络聊天、网络下载等几乎成为人们日常生活中不可或缺的组成部分。而与此同时，通过网络侵犯他人民事权益的现象也日益增多，如利用网络诽谤他人、公开他人个人信息、上传盗版音乐及影视作品等。但由于网络的匿名性、分散性等特点，权利人很难找到实施侵权行为的人，维权成本太高，很多权利人便要求网络服务提供者承担侵权责任，但由于网络上存在的信息是海量的，网络服务提供者无法一一审查，要求其对所有侵权信息承担责任也是不公平的。所以，在网络环境下，如何在保护权利人的合法权益与促进网络产业正常发展之间取得平衡，是我们长期以来一直在思考的问题。正是基于此，本法对网络侵权作了专条规定。

（一）网络侵权的概念

网络侵权，是指发生在互联网上的各种侵害他人民事权益的行为，它不是指侵害某种特定权利（利益）的具体侵权行为，也不属于在构成要件方面具有某种特殊性的特殊侵权行为,而是指一切发生于互联网空间的侵权行为。

(二)网络侵权的特征

没有网络,也就不存在网络侵权,网络侵权的现象正是伴随着网络技术的发展而不断出现的。相比传统侵权行为,网络侵权的特殊性也是由网络技术的特殊性决定的,而且还将不断发展变化。

1. 主体的特殊性

随着网络技术的不断发展,网络用户不再只是网络信息的被动接收者,而是正逐渐转变为主动参与者。由于网络空间的开放性,每天有大量信息上传到网络上,其中不可避免地混杂着一些侵犯他人合法权益的信息,如侵犯人格权、财产利益、著作权的信息等,这些信息有些是网站管理者自行上传的,有些是由用户主动上传的。我国目前没有实行网络实名制,侵权行为人很容易隐藏其真实身份。

2. 客体的特殊性

与传统侵权行为相比,网络侵权行为的客体有以下三种类型:一是传统领域存在的,行为人仅仅是通过网络手段实施侵权行为,如银行账户中的资金、名誉权、著作权等。二是在网络领域得到拓展的传统权利客体,如网络作品著作权。三是网络领域新产生的,如网络虚拟财产等,在网络中,各种基于网络服务所提供的用户账号以及其所对应的服务往往具有一定的商业价值,成为一种新型财产。

3. 损害后果的特殊性

以现代通信技术为基础的网络能够实现瞬间的全球即时通信,这种便捷性与传播的广泛性使得网络侵权信息在全世界迅速蔓延,难以判断传播的范围,难以确定接触侵权信息的人数,其损害结果可能无法阻断,也无法恢复。这就对网络侵权救济制度提出了新的要求，需要根据网络关系的特殊性创制新的法律救济模式。

4. 管辖的特殊性

网络空间的开放性和全球性不仅与法律规范的地域性特点相冲突，也对传统的管辖理论及法律适用提出了新的考验。全球网络终端通过互联网共同组成了一个瞬间连接的交互式网络，网络传播不受地域限制的特征和网站之间的无限链接以及加害行为实施地和损害结果地的认定发生困难，使传统管辖权的理论基础在此难以发挥确定法律规范、平衡当事人权利义务关系的作用。

二、我国以及其他国家和地区有关网络侵权的规定

针对网络侵权的特殊性，包括我国在内的一些国家和地区都对网络侵权作出了特殊规定。

（一）美国

1. 概述

1998年美国国会通过的《千禧年数据版权法案》（以下简称DMCA）第二部分“网络版权侵权责任限制”增订了《美国著作权法》第512条，明文规定了四种类型网络服务提供者承担著作权侵权责任的限制事由，只要符合规定的免责条件，不承担金钱赔偿责任，法院对其发出禁令也有限制。

DMCA只规定了免责条件，判断网络服务提供者是否应当承担著作权侵权责任，还是要根据著作权法。根据《美国著作权法》及相关判例，侵犯著作权可以分为直接侵权与间接侵权。直接侵权，是指行为人直接从事侵害著作权人之排他权的行为，此为严格责任。间接侵权，是指行为人未实际从事直接侵犯著作权的行为，但基于两种情形要为他人的直接侵权行为承担责任：一是帮助侵权，指在知道或有合理理由知

道他人行为将构成著作权侵权的情况下，实质性地帮助他人从事侵权行为；二是替代侵权，某人具有监督他人行为的能力和权利，并且因直接侵权行为获得了直接经济利益。

美国有法院曾经判决网络服务提供者承担直接侵权责任，但随着这方面案件的增多，美国法院已基本达成共识，网络服务提供者没有主动实施侵权行为，不承担直接侵权责任，但可能由于满足帮助侵权或者替代侵权的要件而承担间接侵权责任。

2. 适用 DMCA 的门槛

网络服务提供者要想适用 DMCA 规定的责任限制，首先需要符合该法第(i)款的规定：(1)采取适当措施并通知用户，对反复侵权人采取停止服务的措施；(2)采用而且不干涉标准技术性措施。

3. 提供临时性数字网络传输服务的网络服务提供者的免责条件

网络服务提供者因为通过其网络对材料进行传输、提供路由或连接，或在传输、提供路由或连接的过程中对材料进行过渡性的和临时性的存储而侵犯著作权时，在符合下列规定的条件时免责：(1)对材料的传输是由第三人发起的或按照其指示进行的。(2)传输、提供路由或者连接、存储是自动进行的，网络服务提供者对材料不进行选择。(3)除对他人指令的自动回应以外，网络服务提供者对材料的接受者不进行选择。(4)对于过渡性或临时性存储形成的复制件，预期接受者以外的任何人不能获得，而且存放的时间不超过传输、提供路由或接入所需要的合理时间。(5)材料在传输过程中内容没有发生改变。

4. 提供系统缓存服务的网络服务提供者的免责条件

网络服务提供者因为通过其网络对材料进行过渡性的和临时性的存储而侵犯著作权时，在符合下列规定的条件时免责：(1)材料是由他人置于网上的。(2)材料是依第三人之指示通过网络传输给第三人的。(3)存储是自动进行的，目的是在材料传输给第三人之后，网络用户能够再次获取该材料。(4)该材料内容没有发生改动。(5)没有干扰与材料有关的返回信息的技术能力。(6)如果材料提供者对访问其材料设置了先决条件，如付费或输入密码或其他信息，网络服务提供者仅可向满足先决条件的用户，并按照这些条件提供对其存储材料的主要内容的访问。(7)如果材料提供者未经著作权人许可将材料置于网上，服务提供者在接到侵权通知后，在满足下列两个条件时，应当迅速删除或屏蔽：一是材料已经从原始网站上删除或屏蔽，或法院已经命令从原始网站上删除或者屏蔽；二是权利人在通知中声明，确认材料已经从原始网站上删除或屏蔽，或确认法院已经命令从原始网站上删除或屏蔽。

5. 提供信息存储服务的网络服务提供者的免责条件

网络服务提供者因为根据用户的指令将存放在其网络中的材料加以存储而侵犯著作权时，在符合下列规定的条件时免责：(1)实际上不知道该材料或者使用该材料的行为是侵权的；在实际上不知道的情况下，没有意识到能明显推出侵权行为的事实或情况；在知道或意识到(侵权行为)之后，迅速删除或屏蔽。(2)在网络服务提供者具有控制侵权行为的权利和能力的情况下，没有从侵权行为中直接获得经济利益。(3)在接到侵权通知后，对被指称侵权的材料或者作为侵权行为主题的材料，迅速删除或屏蔽。

6. 提供信息定位工具服务的网络服务提供者的免责条件

网络服务提供者因为通过使用信息定位工具，包括目录、索引、指南、指示或超文本链接，将用户指引或链接至一个包含了侵权材料或侵权行为的网站而侵犯著作权时，在符合下列规定的条件下免责：(1)实际上不知道该材料或使用该材料的行为是侵权的；在实际上不知道的情况下，没有意识到能明显推出侵权行为的事实或情况；在知道或意识到(侵权行为)之后，迅速删除或屏蔽。(2)在网络服务提供者具有控制侵权行为的权利和能力的情况下，没有从侵权行为中直接获得经济利益。(3)在接到侵权通知后，对被指称侵权的材料或者作为侵权行为主题的材料，迅速删除或屏蔽。

(二)欧盟

1. 概述

为促进欧洲区域内部市场的功能及各会员国的和谐，欧盟于 2000 年 6 月 8 日通过《电子商务指令》(以下简称指令)(2000/31/EC)，并于同年 7 月 15 日公布施行。相较于DMCA仅适用于著作权，“指令”适用于诽谤、散布色情信息、网络毒品交易等领域。

与 DMCA 相同，指令没有建立共通的网络服务提供者责任，而是分三种类型规定免责条件。

2. 提供单纯通道服务的网络服务提供者的免责条件

为用户提供信息传输服务或者网络连线服务的网络服务提供者，符合下列条件时无须为传输信息负责：(1)未发起该传输；(2)未选择传输接收人；(3)未选择或修改传输信息。

3. 提供系统快速存取服务的网络服务提供者的免责条件

为了使传输信息更有效率，而对信息进行自动的、媒介的、暂时的存储行为的网络服务提供者，在符合下列条件时不为这种存储行为负责：(1)未修改信息；(2)遵守接收信息的条件；(3)遵守工业广泛承认并使用的信息更新规则；(4)没有干涉合法使用被工业广泛承认并采用的技术去获取信息使用的资料；(5)实际知悉信息的最初来源已被删除或屏蔽，或者法院、行政机关命令删除或屏蔽时，应立即删除或屏蔽该信息。

4. 提供主机服务的网络服务提供者的免责条件

为用户提供信息存储服务的网络服务提供者，在符合下列条件时不为所存储的信息负责：(1)未实际知悉违法信息或活动，并且在有关损害赔偿的请求上，未察觉该违法信息或活动具有显而易见的事实或情况；(2)在实际知悉或意识到之后，立即删除或屏蔽该信息。

(三)日本

1. 概述

日本于2001年11月30日公布了《特定电气通信提供者损害赔偿责任之限制及发信者信息揭示法》，并于次年5月生效施行。该法没有区分违法信息侵害的是他人何种权利，包括诽谤、侵害隐私权、著作权等。

所谓特定电气通信服务提供者，是指以不特定人接受信息为目的之电气通信，不包括使公众直接收受信息为目的的电气通信。如以有线、无线或其他电磁方式，传送或接收符号、声音或影像。依日本总务省之解释，无论是将信息予以记录、储存的“储存型”，还是仅负责传送信息而未加以储存的“非储存型”，均包括在内。该法没有如美国DMCA和欧盟指令区分不同类型分别规定。

2. 责任限制

根据该法第 3 条第 1 项规定，经由特定电气通信传输的信息侵害他人权利时，服务提供者对于不特定人侵权信息的发送，技术上可以采取防止措施，并且无下列情形时，不负损害赔偿责任：(1)知悉传输的信息侵害他人权利；(2)有相当理由足以认为其可知传输的信息侵害他人权利。

(四)我国台湾地区

为应对日益增长的网络侵犯著作权的现象，我国台湾地区于 2009 年 5 月 13 日对“著作权法”进行了修改，此次修改在参考各国做法的基础上，于网络环境中赋予网络服务提供者“责任避风港”，一方面使著作权人或制版权人得以依法要求网络服务提供者移除网络流通之侵权数据；而另一方面网络服务提供者亦可依法针对使用者涉有侵害著作权及制版权之行为，主张不负损害赔偿责任。

1. 网络服务提供者的概念

根据“著作权法”第 3 条规定，网络服务提供者指提供下列类型服务的主体：(1)联线服务提供者：透过所控制或营运之系统或网络，以有线或无线方式，提供信息传输、发送、接收，或于前过程中之中介及短暂储存之服务者。(2)快速存取服务提供者：应使用者之要求传输信息后，透过所控制或营运之系统或网络，将该信息为中介及暂时储存，以供其后要求传输该信息之使用者加速进入该信息之服务者。(3)信息储存服务提供者：透过所控制或营运之系统或网络，应使用者之要求提供信息储存之服务者。(4)搜寻服务提供者：提供使用者有关网络信息之索引、参考或连结之搜寻或连结之服务者。

2. 网络服务提供者适用“责任避风港”的门槛

根据该法规定，网络服务提供者援引“责任避风港”免除赔偿责任需要首先符合下列条件：(1)以契约、电子传输、自动侦测系统或其他方式，告知使用者其著作权或制版权保护措施，并确实履行该保护措施。(2)以契约、电子传输、自动侦测系统或其他方式，告知使用者若有三次涉有侵权情事，应终止全部或部分服务。(3)公告接收通知文件之联系窗口信息。(4)执行第三项之通用辨识或保护技术措施。

联线服务提供者于接获著作权人或制版权人就其使用者所为涉有侵权行为之通知后，将该通知以电子邮件转送该使用者，视为符合规定。

著作权人或制版权人已提供为保护著作权或制版权之通用辨识或保护技术措施，经主管机关核可者，网络服务提供者应配合执行之。

3. 提供联线服务的网络服务提供者的免责条件

联线服务提供者对其使用者侵害他人著作权或制版权之行为，在满足下列情形时不负赔偿责任：(1)所传输信息，系由使用者所发动或请求。(2)信息传输、发送、连结或储存，系经由自动化技术予以执行，且联线服务提供者未就传输之信息为任何筛选或修改。

4. 提供快速存取服务的网络服务提供者的免责条件

快速存取服务提供者对其使用者侵害他人著作权或制版权之行为，在满足下列情形时不负赔偿责任：(1)未改变存取之信息。(2)于信息提供者就该自动存取之原始信息为修改、删除或阻断时，透过自动化技术为相同之处理。(3)经著作权人或制版权人通知其使用者涉有侵权行为后，立即移除或使他人无法进入该涉有侵权之内容或相关信息。

5. 提供信息储存服务的网络服务提供者的免责条件

信息储存服务提供者对其使用者侵害他人著作权或制版权之行为，在满足下列情形时不负赔偿责任：(1)对使用者涉有侵权行为不知情。(2)未直接自使用者之侵权行为获有财产上利益。(3)经著作权人或制版权人通知其使用者涉有侵权行为后，立即移除或使他人无法进入该涉有侵权之内容或相关信息。

6. 提供搜寻服务的网络服务提供者的免责条件

搜寻服务提供者对其使用者侵害他人著作权或制版权之行为，在满足下列情形时不负赔偿责任：(1)对所搜寻或连结之信息涉有侵权不知情。(2)未直接自使用者之侵权行为获有财产上利益。(3)经著作权人或制版权人通知其使用者涉有侵权行为后，立即移除或使他人无法进入该涉有侵权之内容或相关信息。

(五)我国

1. 概述

近十年来，随着宽带技术日益普及以及网民数量的不断增长，我国网络产业发展迅猛，网络经济在国民经济中的比重逐年增长，但随之而来的是，我国通过网络侵犯著作权的现象也愈显突出，为解决这一问题，最高人民法院于 2000 年制定了《关于审理涉及计算机网络著作权纠纷案件适用法律若干问题的解释》，该解释分别于 2003 年、2006 年作过两次修改。国务院也于 2006 年制定了《信息网络传播权保护条例》，根据网络服务提供者的不同类型分别规定了免责事由。

2. 国务院《信息网络传播权保护条例》

(1)提供网络接入服务的网络服务提供者的免责条件

网络服务提供者根据服务对象的指令提供网络自动接入

服务，或者对服务对象提供的作品、表演、录音录像制品提供自动传输服务，符合下列条件时不承担赔偿责任：①未选择并且未改变传输内容；②向指定的服务对象提供传输内容，并防止指定的服务对象以外的其他人获得。

（2）提供缓存服务的网络服务提供者的免责条件

网络服务提供者为提高网络传输效率，自动存储从其他网络服务提供者获得的作品、表演、录音录像制品，根据技术安排自动向服务对象提供，符合下列条件时不承担赔偿责任：①未改变自动存储的内容；②不影响原网络服务提供者掌握服务对象获取传输内容的情况；③在原网络服务提供者修改、删除或者屏蔽该传输内容时，根据技术安排自动予以修改、删除或者屏蔽。

（3）提供信息存储空间服务的网络服务提供者的免责条件

网络服务提供者为服务对象提供信息存储空间，供服务对象通过信息网络向公众提供作品、表演、录音录像制品，符合下列条件时不承担赔偿责任：①明确标示该信息存储空间是为服务对象所提供，并公开网络服务提供者的名称、联系人、网络地址；②未改变服务对象所提供的内容；③不知道也没有合理的理由应当知道服务对象提供的内容侵权；④未从服务对象提供的内容中直接获得经济利益；⑤在接到权利人的通知书后，删除权利人认为侵权的内容。

（4）提供搜索和链接服务的网络服务提供者的免责条件

网络服务提供者为服务对象提供搜索或者链接服务，在接到权利人的通知书后，断开与侵权的作品、表演、录音录像制品的链接的，不承担赔偿责任；但是，明知或者应知所链接的作品、表演、录音录像制品侵权的，应当承担共同侵权责任。

3.《最高人民法院关于审理涉及计算机网络著作权纠纷案件适用法律若干问题的解释》

(1)网络服务提供者参与、教唆、帮助他人实施侵权行为的责任

网络服务提供者通过网络参与他人侵犯著作权行为,或者通过网络教唆、帮助他人实施侵犯著作权行为的,人民法院应当根据民法通则第一百三十条的规定,追究其与其他行为人或者直接实施侵权行为人的共同侵权责任。

(2)网络服务提供者对网络用户侵权行为承担责任的条件

提供内容服务的网络服务提供者,明知网络用户通过网络实施侵犯他人著作权的行为,或者经著作权人提出确有证据的警告,但仍不采取移除侵权内容等措施以消除侵权后果的,人民法院应当根据民法通则第一百三十条的规定,追究其与该网络用户的共同侵权责任。

三、网络用户、网络服务提供者利用网络侵害他人民事权益

根据本条第一款规定,网络用户、网络服务提供者利用网络侵害他人民事权益的,应当承担侵权责任。

在侵权责任法起草过程中,有的意见提出,对于网络用户、网络服务提供者利用网络侵害他人民事权益的行为,尽管可以通过本法一般侵权以及著作权法等规定予以解决,但针对网络侵权行为日益增多这一突出问题,而且网络侵权也有其特殊性,作出专条规定很有必要。正是出于这样的考虑,在草案二次审议稿的基础上增加了这一款的规定。

(一)网络用户利用网络侵害他人民事权益

网络用户利用网络侵害他人民事权益,大体可以分为以

下几种类型：

一是侵害人格权。主要表现为：(1)盗用或者假冒他人姓名，侵害姓名权；(2)未经许可使用他人肖像，侵害肖像权；(3)发表攻击、诽谤他人的文章，侵害名誉权；(4)非法侵入他人电脑、非法截取他人传输的信息、擅自披露他人个人信息、大量发送垃圾邮件，侵害隐私权。

二是侵害财产利益。基于网络活动的便捷性和商务性，通过网络侵害财产利益的情形较为常见，如窃取他人网络银行账户中的资金，而最典型的是侵害网络虚拟财产，如窃取他人网络游戏装备、虚拟货币等。

三是侵害知识产权。主要表现为侵犯他人著作权与商标权：(1)侵犯著作权。如擅自将他人作品进行数字化传输，规避技术措施，侵犯数据库等。(2)侵犯商标权。如在网站上使用他人商标，故意使消费者误以为该网站为商标权人的网站，恶意抢注与他人商标相同或相类似的域名等。

(二)网络服务提供者利用网络侵害他人民事权益

1. 网络服务提供者的概念

在本法起草过程中，针对网络服务提供者的具体含义，有不同的认识。有的认为仅指技术服务提供者，包括接入服务、缓存服务、信息存储空间服务以及搜索或者链接服务四种类型；有的认为不包括接入服务和缓存服务这两种类型；有的认为除了上述四种类型，还应当包括内容服务提供者。经研究，目前我国法律、行政法规和司法解释中有关网络主体有多种表述，除“网络服务提供者”外，还有“提供内容服务的网络服务提供者”、“内容服务提供者”、“互联网接入服务提供者”、“互联网信息服务提供者”、“网站经营者”等。我们认为，“网络服务提供者”一词内涵较广，不仅应当包括技术服务提供者,还应当包括内容服务提供者。

2. 技术服务提供者利用网络侵害他人民事权益

所谓技术服务提供者,主要指提供接入、缓存、信息存储空间、搜索以及链接等服务类型的网络主体。其不直接向网络用户提供信息,一般而言,除符合本条第二款和第三款的规定,技术服务提供者无须对网络用户提供的信息侵犯他人民事权益承担责任。但技术服务提供者如果主动实施侵权行为,如破坏他人技术保护措施、利用技术手段攻击他人网络、窃取他人个人信息等,也要承担侵权责任。

3. 内容服务提供者利用网络侵害他人民事权益

所谓内容服务提供者,是指主动向网络用户提供内容的网络主体。其法律地位与出版者相同,应当对所上传内容的真实性与合法性负责,如果提供了侵权信息,如捏造虚假事实诽谤他人、发布侵犯著作权的影视作品等,应当承担侵权责任。

(三)需要注意的问题

本条第一款只对网络用户、网络服务提供者侵犯他人民事权益应当承担侵权责任作出了原则性规定。对于网络用户、网络服务提供者的行为是否构成侵权行为,是否应当承担侵权责任,还需要根据本法第六条以及著作权法的有关规定来判断。

目前很多网络主体提供的服务具有多样性,既提供技术服务,又主动提供相关内容,如搜狐、新浪等综合性门户网站既是技术服务提供者,又是内容服务提供者。在确认其承担侵权责任的请求权基础时,应当根据具体情形作出必要的区分,不同类型网络服务提供者成立侵权责任的要件、承担责任的方式以及免责事由都是有区别的。

四、网络服务提供者对网络用户侵权行为承担侵权责任的情形

本条第一款规范的是网络用户、网络服务提供者的直接侵权行为，第二款和第三款规范的是网络用户利用网络实施侵权行为时，网络服务提供者在何种情况下需要与网络用户承担连带责任。

（一）适用范围

本条规定的适用范围是民事权益，不仅包括著作权，还包括名誉权、肖像权、隐私权等人身权益以及财产权益。没有如美国和我国台湾地区那样，将适用范围仅限于著作权，但与欧盟和日本的做法类似。之所以这样规定，主要是考虑到网络具有即时性的特征，侵权信息被上传至网络后，可能在几分钟之内就传播到了全世界的各个角落，一旦在网络上发生侵犯他人名誉权、隐私权等人格权的行为，如果不赋予被侵权人及时救济的权利，会使损害后果无限扩大，连侵权人也无法控制，可能导致被侵权人无法获得充分救济。

（二）根据第二款规定承担责任的要件

1. 概述

本条第二款规定了一个非常有特色的程序，即“通知与取下”程序。这一程序首先规定在美国 DMCA 中，被侵权人在获知侵权事实后，可以向提供信息存储空间和信息定位服务的网络服务提供者发出符合 DMCA 规定的侵权通知，网络服务提供者在接到侵权通知后，应当迅速移除或屏蔽对侵权信息的访问。欧盟没有在电子商务指令中规定这一程序，而是由各个网络服务提供者自行规定。日本在《特定电气通信提供者损害赔偿责任之限制及发信者信息揭示法》中也规定了这一程序，但与美国 DMCA 的规定以及欧盟各网络服务提供

者的普遍做法不同，被害者可以向服务提供者发出包括侵权信息、受侵害的权利以及权利受侵害的理由等信息的侵权通知，要求采取防止散布的措施，服务提供者在接获侵权通知后，应首先询问发信者（网络用户）是否同意采取防止散布措施，发信者在接到通知后7天内未表示反对的，服务提供者方可采取相应措施。

我国最高人民法院于2000年在《关于审理涉及计算机网络著作权纠纷案件适用法律若干问题的解释》中即对“通知与取下”程序作出了规定：“提供内容服务的网络服务提供者，或者经著作权人提出确有证据的警告，但仍不采取移除侵权内容等措施以消除侵权后果的，人民法院应当根据民法通则第一百三十条的规定，追究其与该网络用户的共同侵权责任。”该司法解释虽经过两次修改，但这一规定一直沿用至今。

国务院《信息网络传播权保护条例》对这一程序作出了更为详细的规定。该条例第十四条规定：“对提供信息存储空间或者提供搜索、链接服务的网络服务提供者，权利人认为其服务所涉及的作品、表演、录音录像制品，侵犯自己的信息网络传播权或者被删除、改变了自己的权利管理电子信息的，可以向该网络服务提供者提交书面通知，要求网络服务提供者删除该作品、表演、录音录像制品，或者断开与该作品、表演、录音录像制品的链接。通知书应当包含下列内容：（一）权利人的姓名（名称）、联系方式和地址；（二）要求删除或者断开链接的侵权作品、表演、录音录像制品的名称和网络地址；（三）构成侵权的初步证明材料。权利人应当对通知书的真实性负责。”第十五条规定：“网络服务提供者接到权利人的通知书后，应当立即删除涉嫌侵权的作品、表演、录音录像制品，或者断开与涉嫌侵权的作品、表演、录音录像制品的链接，并同时将通知书转送提供作品、表演、录音录像制品的服务对象；服务对象网络地址不明、无法转送的，应当将通知书的内容同时在信息网络上公告。”

本条第二款规定首次从法律上对“通知与取下”程序进行了确认，但只作了原则性规定，侵权通知的形式、应当包括的内容以及发出该通知的程序可以适用国务院《信息网络传播权保护条例》中的有关规定。

2. “通知与取下”程序的具体适用

根据第二款规定，网络服务提供者在接到权利人发出的侵权通知后，应当及时采取删除、屏蔽或者断开链接等措施，阻止公众访问侵权信息。

本款中的“网络服务提供者”主要指提供技术服务的网络服务提供者。因为本款与第一款的适用前提不一样，“通知与取下”程序主要是为了有条件地豁免网络服务提供者对网络用户的直接侵权行为所应承担的间接侵权责任，对于网络服务提供者主动实施的侵权行为，只要符合法律规定的构成要件，就应当承担侵权责任，不能主张适用“通知与取下”程序豁免责任。

在本法起草过程中，有的意见提出，将“通知与取下”程序适用于侵犯人格权领域，赋予被侵权人不经法院审理，直接发出侵权通知，要求网络服务提供者采取删除、屏蔽、断开链接等措施的权利，可能会危及言论自由，妨碍正常的网络监督。我们认为，本条第二款明确规定“通知与取下”程序适用于存在侵权行为的情形下，如果发布信息的人认为其发布的信息没有侵犯他人合法权益，可以援引“反通知”程序，要求网络服务提供者恢复，如果事后证明不存在侵权行为，没有侵犯发出通知的人的人格权、著作权等合法权益，发出通知的人应当对由此造成的损失承担责任。

法律保护正当的网络监督与言论自由，对于在网络上公布他人个人信息是否构成侵权行为，应当区别不同主体予以不同对待，公众人物的工作地点、办公电话、违法行为就不属于隐私，公众有知情权，即便公开了这些信息，也不能构成侵权行为，该公众人物无权要求网络服务提供者删除、屏蔽或者断开链接。

此外，根据所提供的技术服务的类型不同，不同类型的网络服务提供者在接到侵权通知后所应承担的义务也应当有所区别。对于提供信息存储空间、搜索、链接服务的网络服务提供者，其在接到侵权通知后，应当对侵权信息采取删除、屏蔽、断开链接等必要措施；对于提供接入、缓存服务的网络服务提供者，其在接到侵权通知后，应当在技术可能做到的范围内采取必要措施，如果采取这些措施会使其违反普遍服务义务，在技术和经济上增加不合理的负担，该网络服务提供者可以将侵权通知转送相应网站。由于所有网络信息都须经由接入服务进行传输，很多权利人都会要求接入服务提供者删除侵权信息，如果不对此类服务提供者采取必要措施的义务进行必要的限制，可能会妨碍网络产业的正常发展。

（三）根据第三款规定承担责任的要件

根据本条第三款规定，当网络服务提供者知道网络用户通过其网络服务实施侵权行为时，应当承担侵权责任。这一款中“网络服务提供者”的含义与第二款相同，主要指的是提供技术服务的网络服务提供者。

根据这一款的规定，提供技术服务的网络服务提供者承担的是过错责任，在起草过程中，有的意见提出，此类网络服务提供者的地位有如出版者，应当承担无过错责任，只要其网络服务中存在侵权信息，就应当承担侵权责任。经研究，我们认为，在网络发展初期，有的国家的法院曾经以无过错责任判决此类网络服务提供者承担侵权责任，但随着对网络问题的研究越来越深入，研究者逐渐认识到，提供技术服务的网络服务提供者并不直接向公众提供信息，只是为网络用户发布或者检索信息提供平台，每天面对海量的信息，在技术上无法逐一审核，与传统著作权领域中出版者的地位不尽相同，令此类网络服务提供者承担无过错责任责任可能使其承担过重的义务，远超出其能够承受的范围，不仅危及网络行业的正常发展，最终将损害社会公共利益。

侵权责任法草案第一次审议稿和第二次审议稿都规定以"明知"作为主观要件。在起草过程中，有的意见建议将"明知"修改为"知道或者应当知道"。对此，我们进行了深入的调查研究。其一，要求被侵权人证明网络服务提供者具有"明知"的主观状态，难度太大，可能使网络服务提供者逃脱责任，这显然不符合制定这条规定的本意。其二，虽然网络上的信息是海量的，侵权信息混杂其中，难以逐一辨别，但有些侵权信息是可以通过技术措施进行控制的，某些领域的过滤技术已经比较成熟，而且运用这种技术不会给网络服务提供者在经济上造成过重的负担，目前很多网站正在以技术措施加人工审查的方式对网络用户上传的信息进行过滤，取得了很好的效果。其三，网络上的某些侵权事实已为社会大众所共知，如盗版音乐、盗版影视作品、明显具有恶意攻击意图的文章广泛传播，但很多网络服务提供者却视而不见，甚至以此获得高额利润，长此以往，不利于净化网络环境，也不利于培育行业道德规范，更不利于网络行业的正常发展。其四，要求网络服务提供者在过错而不仅在故意的情形下承担侵权责任，符合其他国家和地区的发展趋势以及国际惯例，并没有给我国网络服务提供者加以过重的义务。基于这些考虑，我们将“明知”修改为“知道”。从法解释学角度来讲，“知道”可以包括“明知”和“应知”两种主观状态。

如何判断“知道”？这是一个极具实务操作的难题，法官在具体案件中应当综合各种因素，以一个合理标准去判断，需要在促进网络行业健康发展与保护权利人合法权益之间寻找合适的平衡点，既不能失之过严，也不能操之过宽，法律难以规定一个普遍适用的标准。总的来讲，我们认为法官在掌握判断标准时应当遵循以下三大原则：

第一，根据提供技术服务的网络服务提供者的类型不同，判断标准应当有所不同。相比提供其他服务的此类网络服务提供者，认定提供接入、缓存服务的网络服务提供者“知道”的标准应当更加严格。接入服务连接着网站和网络用户，所有网络信息包括侵权信息都需要通过接入服务才能得以传输，但这种传输是即时的，信息量十分庞大，该类型网络服务提供者无法一一核实，如果认定标准过于宽泛，可能会使接入服务提供者承担过重的责任，影响普遍接入服务。

第二，根据保护对象的不同，判断标准也应当有所不同。对于著作权而言，除非侵权信息十分明显，只要网络服务提供者没有对网络用户上传的信息进行人工编排等，一般不应认定构成侵权行为。涉嫌诋毁他人名誉、不当使用他人肖像、违法公布他人个人信息等行为，不经法院审理，有时难以准确判断是否为侵权行为，网络服务提供者不是司法机关，不应当要求其具有专业的法律素养，更不能要求其对用户发布的信息一一核实，通常人认为不应属于侵权信息即可免除责任。

第三,提供技术服务的网络服务提供者没有普遍审查义务。在审判实践中,应当谨慎认定此类网络服务提供者"知道"网络用户利用其网络服务实施侵权行为。如果判断标准过宽,可能会使网络服务提供者实际上承担了普遍审查的义务。事实上,由于网络具有开放性的特质,网络信息十分庞杂,要求此类网络服务提供者逐一审查,可能大量增加网络服务提供者的运营成本,阻碍网络产业的发展,美国 DMCA 以及欧盟电子商务指令也都规定,网络服务提供者不具有监视其传输或储存信息的义务,也不应赋予其寻找不法活动的事实或情况的义务。

(四)责任承担形式

根据本条第二款规定,网络服务提供者与网络用户对损害的扩大部分承担连带责任。网络用户是直接侵权行为人,应当对该侵权行为造成的全部损害承担侵权责任;而网络服务提供者在接到侵权通知后应当及时采取必要措施,阻止侵权信息进一步扩散,如果网络服务提供者未能尽到此项义务,应当对未及时采取必要措施而给受害人造成的损失承担侵权责任。我们考虑到,要求网络服务提供者对受害人的全部损失承担责任,既有违过错原则,也有失公平。所以,本款仅规定网络服务提供者对损害的扩大部分与网络用户承担连带责任。在接到侵权通知前已经造成的损害,应当由实施侵权行为的网络用户单独承担,网络服务提供者不承担责任。

根据本条第三款规定,网络服务提供者与网络用户承担连带责任。如果网络服务提供者明知网络用户利用其网络服务实施侵权行为,却不采取必要措施,可以认定为构成帮助侵权,应当对全部损害与网络用户承担连带责任。如果网络服务提供者实际上并不知道网络用户利用其网络服务实施侵权行为，而是疏于管理，没有意识到这种侵权行为的存在，只应对应当知道而没有知道侵权行为之时起的损害与网络用户承担侵权责任，之前的损害应当由网络用户单独承担责任。

（五）第二款与第三款之间的关系

厘清本条第二款与第三款之间的关系，是准确理解提供技术服务的网络服务提供者应当在何种情形下承担间接侵权责任的关键。

由于此类网络服务提供者一般无须承担普遍注意义务，其没有义务对其网络服务中的所有信息进行审查、筛选。所以，在实践中，大多数侵权信息都是由被侵权人通过侵权通知，要求此类网络服务提供者删除的，但并不能由此简单地认为发出侵权通知是要求此类网络服务提供者承担责任的唯一条件，也不能简单地认为只能以其接到侵权通知而未采取必要措施来判断是否构成"知道"。

这两款是并列关系，并非递进关系，更非包含关系。如果被侵权人能够举证证明网络服务提供者对侵权行为"知道"，可以不发出侵权通知，直接要求网络服务提供者承担第三款规定的侵权责任；如果被侵权人认为其无法举证证明网络服务提供者具有过错，可以根据第二款发出侵权通知。

**第三十七条　宾馆、商场、银行、车站、娱乐场所等公共场所的管理人或者群众性活动的组织者，未尽到安全保障义务，造成他人损害的，应当承担侵权责任。**

**因第三人的行为造成他人损害的，由第三人承担侵权责任；管理人或者组织者未尽到安全保障义务的，承担相应的补充责任。**

**【释义】**　本条是关于公共场所的管理人或者群众性活

动的组织者未尽到安全保障义务的侵权责任的规定。

一、安全保障义务概述

在侵权责任法的制定过程中，对于什么是安全保障义务，哪些人负有安全保障义务，哪些人是安全保障义务的保护对象，未尽到安全保障义务应当承担什么样的侵权责任等问题，各方面有不同意见，国外的做法也有一定的差异。

从了解的情况来看，典型的大陆法系国家法律中对安全保障义务都没有作出一般性规定，而是通过判例来确立，其适用领域较为广泛。但各国判例确立的规则存在较大差异，这主要是因为各国侵权法和合同法调整范围的不同、侵权法的立法模式和侵权损害赔偿请求权与违约损害赔偿请求权的时效不同以及赔偿范围的差异造成的。

在德国，存在"交往安全义务"的概念，指开启或者持续特定危险的人所应承担的，根据具体情况采取必要、适当的防范措施，以保护第三人免受损害的义务。这个概念并未明文出现在德国法律中，而是由法院通过对民法典有关条款的解释和类推适用确立的。最初，德国法院通过判例确立了"交通安全义务"的概念，用于解决供公众往来的道路交通设备，如土地、道路、公园、桥梁等出现事故时的责任归属问题。随后，法院逐渐将其扩展到许多其他领域，形成了"交往安全义务"的概念。这一义务主要基于以下原因产生：一是维持某种交通或者交往；二是保有作为危险源的物；三是实施了导致一定危险结果的行为；四是从事一定营业或者职业。

法国相类似的概念是"保安义务"，也是由法院通过判例所创设的，指不侵害他人人身、财产的安全义务。保安义务既涉及侵权法也涉及合同法。最初，保安义务仅适用于合同法领域，属于合同一方当事人在履行合同所规定的主要义务时，对另一方当事人所承担的确保其安全的附属性义务。该义务要求合同当事人既要保护另一方当事人的生命和身体的完整性,也要保护其财产的安全。以后,法院将保安义务逐渐扩展到侵权法领域,受害人可以不依据合同而直接向负有保安义务的责任人提出侵权损害赔偿的要求。

日本使用“安全关照义务”的概念,这是由日本最高裁判所1975年通过判例创设的,指“基于某种法律关系”而具有特殊法律关系的当事人之间、作为法律关系的附随义务而存在的,当事人各自对于相对人基于诚实信用原则所负的一般义务。该义务要求其保障他方当事人的生命、身体、健康免受由这种法律关系所产生的损害危险,主要适用于雇佣、劳动、承揽、委托、承包和转包合同关系中。对于是否适应于学校与学生、医院与患者、商场与消费者、监狱与犯人、建筑物出租人与承租人等法律关系中,学者们还存在较大争议。

在英美侵权法中,与安全保障义务相类似的一个概念是“注意义务”。当原告与被告之间存在某种特殊关系,或者被告是某种危险源的开启者时,则被告就对原告负有注意义务。注意义务是被告承担过失侵权责任的前提。在英美侵权法中,注意义务主要来源于当事人之间的契约关系(包括契约明确规定和暗含或者默示的注意义务)、制定法的规定(如有关交通安全、产品安全、未成年人保护等法律中规定的注意义务)和非制定法的规定(主要是基于可预见性、特殊关系以及被告的责任自愿承担而产生的注意义务)。是否违反注意义务,应以合理人的行为标准,并结合生理缺陷、精神缺陷、醉酒、未成年、紧急情况等其他因素予以判断。

安全保障义务的概念在我国此前的其他法律中从未出现过,2003年最高人民法院颁布的《关于审理人身损害赔偿案件适用法律若干问题的解释》第六条中首次对安全保障义务的有关问题作出规定:“从事住宿、餐饮、娱乐等经营活动或者其他社会活动的自然人、法人、其他组织,未尽合理限度范围内的安全保障义务致使他人遭受人身损害,赔偿权利人请求其承担相应赔偿责任的,人民法院应予支持。因第三人侵权导致损害结果发生的,由实施侵权行为的第三人承担赔偿责任。安全保障义务人有过错的,应当在其能够防止或者制止损害的范围内承担相应的补充赔偿责任。安全保障义务人承担责任后,可以向第三人追偿。赔偿权利人起诉安全保障义务人的,应当将第三人作为共同被告,但第三人不能确定的除外。”侵权责任法在总结司法实践经验的基础上,借鉴国外相关规定,对未尽到安全保障义务的侵权责任作出了明确规定。

根据本条规定,安全保障义务,是指宾馆、商场、银行、车站、娱乐场所等公共场所的管理人或者群众性活动的组织者,所负有的在合理限度范围内保护他人人身和财产安全的义务。理解安全保障义务,须注意以下问题:

1. 安全保障义务人的范围

在侵权责任法制定过程中,对于安全保障义务人的范围,有多种意见。有的意见认为,应当采用司法解释的规定,即“从事住宿、餐饮、娱乐等经营活动或者其他社会活动的自然人、法人、其他组织”。有的意见认为,安全保障义务人应当规定为“经营者及其他开启或者持续危险者”。有的意见认为,可以引进美国“土地利益占有人”的概念,明确土地利益占有人对其占有土地上的人负有安全保障义务。

合理确定安全保障义务人的范围,既要以人为本,对社会生活中可能发生危险的场所或者活动,要求行为人履行必要的防范损害发生的义务，充分保护广大人民群众的人身和财产安全；又要考虑我国国情，从促进社会和谐稳定的目的出发，不能盲目地扩大安全保障义务人的范围，避免引发过多社会纠纷；同时还要处理好未尽到安全保障义务的侵权行为与其他侵权行为之间的关系，避免或者减少相关法律规定间的冲突或者竞合。“其他社会活动”或者“其他开启或者持续危险者”的表述过于模糊，范围不明确，在司法实践中容易引起歧义和争议。“土地利益占有人”的概念难以涵盖一些因行为产生的安全保障义务，与本法第十一章物件致人损害中的有关内容也会重合。经反复研究，综合考虑，侵权责任法明确安全保障义务人为下列两类人：

第一，宾馆、商场、银行、车站、娱乐场所等公共场所的管理人。公共场所包括以公众为对象进行商业性经营的场所，也包括对公众提供服务的场所。例如，本条列举的宾馆、商场、银行、车站、娱乐场所等，除了本条列举的这些场所外，机场、码头、公园、餐厅等也都属于公共场所。

第二，群众性活动的组织者。群众性活动，是指法人或者其他组织面向社会公众举办的参加人数较多的活动，如体育比赛活动，演唱会、音乐会等文艺演出活动，展览、展销等活动，游园、灯会、庙会、花会、焰火晚会等活动，人才招聘会、现场开奖的彩票销售等活动。

2. 保护对象的范围

安全保障义务所保护的对象与安全保障义务人之间应存在某种关系，但是否要在法律中作出明确规定有不同意见。有的建议规定为“顾客或参与活动者”或者“进入公共场所或者参与活动的人”，有的建议规定为“合法进入公共场所或者参加活动的人”，有的建议不作明确规定。考虑到司法实践中的情况较为复杂,仅仅进入商场上洗手间、问路或者躲雨的人能不能界定为顾客,上错了公交车又准备下车的人是否属于保护对象,特别是对于非法进入者如到宾馆里打算偷窃的人是否给予保护等,争议很大。在法律中明确哪些人属于保护对象较为困难,因此,本法对安全保障义务的保护对象规定为“他人”,没有明确具体的范围,实践中哪些人属于保护对象应根据具体情况判断。

3. 安全保障义务的内容和判断标准

安全保障义务的目的在于保护他人的人身和财产安全,其主要内容是作为,即要求义务人必须采取一定的行为来维护他人的人身或者财产免受侵害。这种义务的具体内容既可能基于法律的明确规定,也可能基于合同义务,也可能基于诚实信用原则而产生。由于安全保障义务人的范围很广,涉及多个行业、多类主体,不同义务人对不同保护对象所负有的安全保障义务是不同的,在法律中无法明确其具体内容。对于实践中需要确定义务人应当负有的具体安全保障义务的内容,进而判断安全保障义务人是否已经尽到安全保障义务的,可以参考该安全保障义务人所在行业的普遍情况、所在地区的具体条件、所组织活动的规模等各种因素,从侵权行为的性质和力度、义务人的保安能力以及发生侵权行为前后所采取的防范、制止侵权行为的状况等方面,根据实际情况综合判断。

二、未尽到安全保障义务的侵权责任

根据安全保障义务的内容不同,可以将安全保障义务分为以下两类:一是防止他人遭受义务人侵害的安全保障义务。这是指安全保障义务人负有不因自己的行为而直接使他人的人身或者财产受到侵害的义务。例如,宾馆负有不因自己提供的服务或者设施存在危险而使前来住宿的客人受伤的安全保障义务。二是防止他人遭受第三人侵害的安全保障义务。这是指安全保障义务人负有的不因自己的不作为而使他人的人身或者财产遭受自己之外的第三人侵害的义务。例如，宾馆对在本宾馆住宿的旅客负有使其人身或者财产安全免受第三人侵害的义务。他们之间的区别主要是造成损害后果的直接侵害人不同，未尽到前一类义务造成他人损害的，其直接加害人就是安全保障义务人，没有第三人的介入；未尽到后一类义务的并不必然导致他人的损害，只有当这种未尽到义务的行为与第三人的侵权行为相互结合时才导致了他人的损害。本条规定根据所未尽到的义务种类的不同，规定了安全保障义务人不同的侵权责任。

1. 安全保障义务人未尽到防止他人遭受义务人侵害的安全保障义务的，应当承担侵权责任。

根据本条第一款的规定，宾馆、商场、银行、车站、娱乐场所等公共场所的管理人或者群众性活动的组织者未尽到安全保障义务，造成他人损害的，如果损害结果的发生没有第三人的介入，安全保障义务人就应当自己承担全部侵权责任。例如，顾客到餐厅吃饭，由于餐厅的地板有油渍导致顾客摔倒受伤的，餐厅就应当承担侵权责任。

2. 安全保障义务人未尽到防止他人遭受第三人侵害的安全保障义务的，应当承担相应的补充责任。

在实践中，存在不少第三人的侵权行为和安全保障义务人未尽到安全保障义务两个因素结合在一起而造成他人损害的情形。例如，储户到银行取钱或者存款，遭到第三人抢劫，银行的保安人员未尽到安全保障义务，没有及时注意或者制止，导致储户钱款被抢或者人身受到伤害；又如，宾馆没有完善的保安措施或者没有认真履行保安职责，导致住宿旅客被外来人员殴打等。在这种情形下，根据本条第二款的规定，第三人的行为是造成损害的直接原因，应当首先由第三人承担侵权责任。在上述例子中，应当先由抢劫者和打人者承担侵权责任，安全保障义务人未尽到安全保障义务也是造成损害的因素，应当承担相应的补充责任。理解这一规定，应当注意以下两点：

第一，第三人的侵权责任和安全保障义务人的补充责任有先后顺序。首先由第三人承担侵权责任，在无法找到第三人或者第三人没有能力全部承担赔偿责任时，才由安全保障义务人承担侵权责任。如果第三人已经全部承担侵权责任，则安全保障义务人不再承担侵权责任。

第二，安全保障义务人承担的补充责任是相应的补充责任。对于第三人没有承担的侵权责任，安全保障义务人不是全部承担下来，而是在其未尽到安全保障义务的范围内承担，即根据安全保障义务人未尽到的安全保障义务的程度来确定其应当承担的侵权责任的份额。

**第三十八条　无民事行为能力人在幼儿园、学校或者其他教育机构学习、生活期间受到人身损害的，幼儿园、学校或者其他教育机构应当承担责任，但能够证明尽到教育、管理职责的，不承担责任。**

**【释义】**　本条是关于无民事行为能力人受到人身损害时，幼儿园、学校或者其他教育机构的侵权责任的规定。

一、幼儿园、学校和其他教育机构的侵权责任概述

幼儿园、学校和其他教育机构的侵权责任，是指在幼儿园、学校和其他教育机构的教育、教学活动中或者在其负有管

理责任的校舍、场地、其他教育教学设施、生活设施中，由于幼儿园、学校或者其他教育机构未尽教育、管理职责，致使学习或者生活的无民事行为能力人和限制民事行为能力人遭受损害或者致他人损害的，学校、幼儿园或者其他教育机构应当承担的与其过错相应的侵权责任。

幼儿园，通常是指对3周岁以上学龄前幼儿实施保育和教育的机构。学校，是指国家或者社会力量举办的全日制的中小学（含特殊教育学校）、各类中等职业学校、高等学校。其他教育机构，是指少年宫以及电化教育机构等。无民事行为能力人，是指不满10周岁的未成年人和不能辨认自己行为的精神病人。限制民事行为能力人，是指10周岁以上18周岁以下的未成年人和不能完全辨认自己行为的精神病人。

随着经济的快速增长，社会的明显进步，近年来我国的教育事业蓬勃发展，据统计，我国在各类教育机构学习的人员总数已经达到甚至超过我国总人数的1/5，其中，绝大多数是无民事行为能力人和限制民事行为能力人。再考虑到其父母、近亲属，可以说在教育机构就读的无民事行为能力人和限制民事行为能力人的人身安全牵动着全社会每一个人的心。但一个严峻的事实是，近年来学校学生人身伤害事故频频发生，一些重大恶性事故也有发生。导致在校无民事行为能力人和限制民事行为能力人人身损害发生的原因很多，主要有以下情况：（1）因幼儿园、学校和其他教育机构的教学和生活设施、设备不符合安全标准或者管理、维护不当引起的人身损害；（2）因幼儿园、学校和其他教育机构提供的食品、药品、饮用水、教学用具或者其他物品不合格引起的人身损害；（3）因幼儿园、学校和其他教育机构教师或者其他工作人员体罚、变相体罚学生或者其他侮辱学生人格尊严的行为引起的人身损害;(4)因对抗性或者具有风险性的体育或者竞赛活动引起的人身损害;(5)幼儿园、学校和其他教育机构组织学生进行实验教学或者劳动时发生的人身损害;(6)学生之间互相嬉戏、玩耍造成的人身损害;(7)幼儿园、学校和其他教育机构组织学生外出活动时出现的人身损害;(8)校外人员在校内造成的人身损害;(9)因学生自身原因造成的人身损害;(10)因不可抗力造成的人身损害;(11)其他因幼儿园、学校和其他教育机构未尽到教育、管理职责而发生的人身损害。因这些原因而导致的在校无民事行为能力人和限制民事行为能力人遭受的人身损害,有的幼儿园、学校和其他教育机构存在过错,应当承担与其过错相应的侵权责任;有的幼儿园、学校和其他教育机构没有过错,应当由第三人或者无民事行为能力人、限制民事行为能力人及其监护人承担责任。

二、我国现行规定

无民事行为能力人或者限制民事行为能力人在幼儿园、学校或者其他教育机构学习、生活期间受到人身损害的,幼儿园、学校或者其他教育机构在什么条件下需要承担侵权责任,我国法律、行政法规均未作出具体规定。

2002 年教育部颁布了《学生伤害事故处理办法》,北京市、上海市、江苏省、湖南省、杭州市、福州市、郑州市、贵阳市、西安市、银川市、苏州市等地近几年均制定了中小学生人身伤害事故处理条例。这些部门规章和地方性法规对学校、幼儿园和其他教育机构需要承担的侵权责任作了较为详细的规定,但这些规范法律效力较低,且在侵权责任的确定、免责事由、赔偿标准等问题上规定不一。

1988 年《最高人民法院关于贯彻执行〈中华人民共和国民法通则〉若干问题的意见(试行)》第一百六十条规定:“在

幼儿园、学校生活、学习的无民事行为能力人或者在精神病院治疗的精神病人，受到伤害或者给他人造成损害，单位有过错的，可以责令这些单位适当给予赔偿。”2003 年《最高人民法院关于审理人身损害赔偿案件适用法律若干问题的解释》第七条规定：“对未成年人依法负有教育、管理、保护义务的学校、幼儿园或者其他教育机构，未尽职责范围内的相关义务致使未成年人遭受人身损害，或者未成年人致他人人身损害的，应当承担与其过错相应的赔偿责任。第三人侵权致未成年人遭受人身损害的，应当承担赔偿责任。学校、幼儿园等教育机构有过错的，应当承担相应的补充赔偿责任。”后一规定是目前司法审判实践中处理这类侵权案件的主要依据。

对是否在侵权责任法中规定幼儿园、学校和其他教育机构的侵权责任，存在一定争议。考虑到未成年人天性好动、喜欢冒险，但同时身心方面的发展却远未成熟，缺少自我保护的知识和能力，在参加各种活动时极有可能造成自身或者他人的损害。即便幼儿园、学校等教育机构和教师尽了全部注意义务，也很难杜绝损害的发生。再加上我国目前各类幼儿园、学校等教育机构的教育管理水平仍有待提高，近年来，因儿童、学生伤害事故而引起的赔偿案件逐年增多，成为社会普遍关注的热点问题。在侵权责任法中对此问题作出明确规定，明确界定幼儿园、学校和其他教育机构的侵权责任，有利于及时有效地解决纠纷，切实保护未成年人的合法权益，加强学校、幼儿园的教学管理工作。因此，有必要在侵权责任法中对学校、幼儿园和其他教育机构的侵权责任作出规定。

三、其他国家和地区的规定

《德国民法典》第 832 条规定：“（1）依法对因未成年或因其精神或身体状况而需要监督的人负有监督义务的人，对此人给第三人不法造成的损害，负有赔偿的义务。其尽监督义务的，或损害即便在进行适当监督时仍会发生的，不发生赔偿的义务。(2)因合同而承担实施监督的人，负有相同的责任。”

《法国民法典》第1384条第6～8款规定：“小学教师与家庭教师及手艺人，对学生与学徒在受其监视的时间内造成的损害，负赔偿的责任。如父、母与手艺人能证明其不能阻止引起责任的行为，前述责任得免除之。涉及小学教师与家庭教师时，其受到指控的造成损害事实的过错、轻率不慎或疏忽大意，应由原告按照普通法于诉讼中证明之。”

《意大利民法典》第2048条第2、3款规定：“家庭教师和传授技能或手艺的人，对其学生和徒弟在其监管期间发生的不法行为导致的损害，应当承担责任。上述两款所涉的人能够证明其不能阻止该不法行为的，不承担责任。”

《日本民法典》第714条规定：“①在前两条规定无责任能力人不负责任的情况下，对于无责任能力人给第三人造成的损害，由对无责任能力人负有法定监督义务的人负赔偿责任。但监督义务人并没有怠于履行其义务，或者即便不怠于履行其义务仍不免要发生时，则不在此限。②代监督义务人监督无责任能力人的人，负前项责任。”

《俄罗斯民法典》第1073条第2、3款规定：“2. 如需予监护的幼年人处于教育、医疗、居民社会保护以及依法作为幼年人监护人的其他类似机构，而该机构又不能证明损害非因幼年人的过错所致，则应对幼年人所致损害负赔偿责任。3. 如果幼年人处于学校、教育、医疗或其他应对其实施监督的机构，或者在依合同实施监督的人监督管理之下致人损害，而各该机构或者个人又不能证明，损害非因其在实施监督时过错所致，则应对损害负赔偿责任。”

《越南民法典》第 621 条规定：“1. 15 岁以下的未成年人在学校学习期间造成损害的，学校应当承担赔偿责任。2. 丧失民事行为能力人处在医院或其他组织直接管理的期间造成他人损害的，医院、其他组织应当承担赔偿责任。3. 在本条第 1 款、第 2 款规定的情形，若学校、医院或其他组织能够证明自己没有管理上的过错，则 15 岁以下未成年人、无民事行为能力人的父母、监护人应当承担赔偿责任。”

美国的判例法依据过错责任原则来确定学校的侵权责任。法院在判断学校是否承担侵权责任时，根据学校是否负有法定的“注意义务”、该义务是否实际上得到履行、未履行义务的行为与损害结果之间是否具有因果关系和学校是否具有抗辩事由来作出结论。决定注意义务的程度和范围时需考虑下列因素：活动的性质和场所，学生的数量和年龄，提供不同水平监督的可行性和代价等。法院并不要求学校履行无限的注意义务，若学生从事的活动不具有危险性，则要求教师尽一般注意义务即可；而当活动具有潜在危险性或者学生对其所从事的活动不熟悉时，就要求教师尽到个别的注意义务。

在加拿大，法院根据“细心父母原则”来判断学校对损害有无过错和承担什么样的侵权责任，学校违反这一原则，即被认为存在过失，须根据过失的程度承担损害赔偿责任。细心父母原则主要是针对教师而言的，它要求教师用审慎或细心的父母对待其子女的关心态度去对待学生。法院认为，没有一个标准可以以同样态度和程度适用在每个案件中，在不同案件中的运用要根据在任一给定时间内所监护的学生数、所进行的练习或活动的特点、学生的年龄、技能水平、学生在这种活动中所受的训练、所使用设备的特点和状况、学生的能力和其他许多问题的变化而变化。

四、本条规定的内容

关于幼儿园、学校和其他教育机构的侵权责任，争议最大的是如何确定归责原则。其他国家和地区存在不同的立法例。一种是过错推定原则，如德国、意大利、日本、俄罗斯、越南等采用该种立法例。另一种是过错责任原则，如法国、美国、加拿大等采用该种立法例。

《最高人民法院关于审理人身损害赔偿案件适用法律若干问题的解释》中采用过错责任原则。国内学者关于这一问题也是意见不一，有的主张采用过错推定原则；有的主张采用过错责任原则；有的区分无民事行为能力人和限制民事行为能力人"自身遭受损害"和"给他人造成损害"两种情形，前者实行过错责任原则，后者实行过错推定原则；有的主张区分"公益性质的学校"和"非公益性质的学校"，前者实行过错推定原则，后者实行无过错责任原则。

主张采用过错推定原则的理由主要是：第一，由于未成年学生心理和生理上的特点，难以对事故发生的情形准确地加以描述，如果按照"谁主张、谁举证"的一般举证原则来处理，显然对未成年学生一方有失公正。第二，未成年人离开其监护人之后，监护人就失去了对未成年人的控制，整个教育活动都在学校的控制之下，要让监护人来证明学校的过错，几乎是不可能的，这对保护学生及其监护人的利益非常不利。因此从公平原则来考虑，应该对学校适用过错推定原则。第三，由学校来证明已经尽到了相当的注意并且实施了合理的行为，以达到免责的目的，有助于学校尽到更多的注意义务，更有利于保护未成年人。而且学校也能举证反驳，也有机会免责。第四，随着社会经济状况的较大变化，学校等教育机构更有可能通过保险等方式来向社会转移风险,民办教育机构可以通过适当提高学费来抵消增加的成本,公立教育机构也可由国家拨付资金来设立这种保险。

主张采用过错责任原则的理由主要是:第一,学校对学生的管理、教育和保护职责,是一种特定的义务,这种义务不履行,应当采用证明的方式进行,必须证明学校方未尽谨慎义务。第二,适用过错推定的主要目的是加强对受害人的救济,特别是在当事人双方力量对比极不平衡的情况下适用,如垄断性行业与消费者之间等,从而体现法律的实质正义。在学校与受害人之间不存在经济力量、诉讼地位的明显不平衡,无须对受害人给予特别的保护。第三,适用过错推定原则易于不适当地扩大学校的责任,学校为免责必然会采取消极对策,如不再组织春游、参观等校外活动,严格限制学生在校时间,甚至不允许学生在课间互相追逐打闹等,不利于素质教育的推行。第四,完全由受害人承担举证责任,判断学校在主观上是否有过错确实存在一定的困难,可以通过采用客观化的过错判断标准如学校的各种教学设施是否符合安全要求,对存在的各种安全隐患是否及时排除、是否已采取必要的防范措施,学校是否制定了合理、明确的安全规章制度等来缓和举证责任,减轻受害人的举证负担,以利于对未成年学生的救济。第五,国外不少国家实行过错推定原则,主要是由于他们广泛实行责任保险制度,应由学校承担的责任,最终都由保险公司赔付,而在我国目前全面实行这一制度尚不现实。

如何确定归责原则,要考虑各方面的因素和社会经济发展状况。一方面,由于未成年学生天性好动,对各类新鲜事物抱有强烈的好奇心,喜欢冒险,但同时身心方面的发展却远未成熟,缺少自我保护的知识和能力,情绪易于冲动,不善控制。

因此在参加各种学校活动时极有可能造成自身或者他人的损害，即便学校和教师尽了百分之百的注意义务，也很难保证百分之百地杜绝损害的发生。另一方面，在我国，重视和关心下一代的意识根深蒂固，再加上实施了二十多年的独生子女政策，有的对孩子过分照顾呵护，一旦在学校出现任何意外，便会怪罪学校，极易采取不理智的态度。因此，在侵权责任法中必须确定合理的归责原则，对学校、幼儿园和其他教育机构的侵权责任作出适当的界定，以做到既维护未成年人和其他受害人的合法权益，又维护幼儿园、学校和其他教育机构的正常教学秩序和管理秩序。

在听取各方意见并深入了解现实情况的基础上，经过反复研究、综合分析，侵权责任法根据未成年人的年龄和民事行为能力的不同，规定了幼儿园、学校和其他教育机构侵权责任的不同的归责原则。本条规定："无民事行为能力人在幼儿园、学校或者其他教育机构学习、生活期间受到人身损害的，幼儿园、学校或者其他教育机构应当承担责任，但能够证明尽到教育、管理职责的，不承担责任。"这是采用过错推定原则。同时在第三十九条规定："限制民事行为能力人在学校或者其他教育机构学习、生活期间受到人身损害，学校或者其他教育机构未尽到教育、管理职责的，应当承担责任。"这是采用过错责任原则。

根据本条规定，无民事行为能力人在幼儿园、学校或者其他教育机构学习、生活期间受到人身损害的，幼儿园、学校或者其他教育机构应当证明自己已经尽到教育、管理职责，对该无民事行为能力人所发生的人身损害没有过错，否则就要承担责任。对无民事行为能力人的情况，采用过错推定原则，主要考虑是：无民事行为能力人智力发育还很不成熟，对事物的认知和判断上存在较大不足，不能辨认或者不能充分理解自己行为的后果，必须加以特别保护，这就要求学校更多地履行保护孩子身心健康的义务。无民事行为能力人在幼儿园、学校或者其他教育机构学习、生活期间，超越了监护人的控制范围，如果受到人身损害，基本无法对事故发生的情形准确地加以描述，此时要让无民事行为能力人或者其监护人来证明学校的过错，几乎是不可能的。采用过错推定原则，学校也能举证反驳，可以通过证明已经尽到了相当的注意并且实施了合理的行为，以达到免责的目的。同时，学校等教育机构更有可能通过保险等方式来向社会转移风险。比如，从 2003 年开始北京市开始推行学校责任险。到 2009 年，北京市公办学校都已经投保学校责任险，经北京市教委批准举办的民办学校 80% 以上也都投保了。每位学生每年 5 元，由市财政统一拨款投保。赔偿上规定了一个限额，2009 年学生死亡的赔偿金上限是 40 万元。以后针对无民事行为能力人，还可以进一步加大投保力度。

五、立法过程中的其他问题

1. 关于此类侵权行为的范围

对此问题，各方认识基本一致，即由幼儿园、学校和其他教育机构承担侵权责任的侵权行为应当限于发生在幼儿园、学校和其他教育机构的教育、教学活动中或者其负有管理责任的校舍、场地、其他教育教学设施、生活设施中的侵权行为。但具体范围究竟有多宽，存有不同意见，如学生自行到校或者放学后滞留学校发生的损害，幼儿园、学校和其他教育机构是否应当承担侵权责任等。由于这个问题较为复杂，与幼儿园、学校和其他教育机构所应负有的教育、管理职责密切相关，实践中个案的情况也千差万别，在侵权责任法中作出统一、具体的规定较为困难，宜由人民法院在具体案件审判过程中作出判断更为合适。

2. 幼儿园、学校和其他教育机构的教育、管理职责

幼儿园、学校和其他教育机构只有在未尽教育、管理职责时，才可能承担侵权责任。但如何确定教育、管理职责的范围，进而判断幼儿园、学校和其他教育机构是否已尽教育、管理职责，也存在一定争议。经研究，教育法、未成年人保护法以及其他地方性法规和部门规章中，对于幼儿园、学校和其他教育机构的教育、管理职责已经作了广泛、具体的规定，出现纠纷时，应当参考这些规定结合具体情况由人民法院作出最终判断，侵权责任法中对此没有也很难作出具体规定。

3. 免责事由

在制定侵权责任法的过程中，有的部门和专家建议，明确幼儿园、学校和其他教育机构不承担赔偿责任的具体情形，如在自行上学、放学、返校、离校途中发生损害的，学生自杀、自伤的等。经考虑，这些情形有的根据本法规定明显不属于幼儿园、学校和其他教育机构的责任，有的在本法第三章“不承担责任和减轻责任的情形”已经有所规定，没有必要再作重复规定。因此，侵权责任法没有对这一问题进行规定。

**第三十九条　限制民事行为能力人在学校或者其他教育机构学习、生活期间受到人身损害，学校或者其他教育机构未尽到教育、管理职责的，应当承担责任。**

**【释义】** 本条是关于限制民事行为能力人受到人身损害时，学校或者其他教育机构的侵权责任的规定。

本法第三十八条规定了在受侵害人是无民事行为能力人的情况下，幼儿园、学校或者其他教育机构应当承担的侵权责

任。本条则规定了在受侵害人是限制民事行为能力人的情况下，学校或者其他教育机构应当承担的侵权责任。

根据本条规定，限制民事行为能力人在学校或者其他教育机构学习、生活期间受到人身损害的，如果该限制民事行为能力人或者其监护人能够证明学校或者其他教育机构没有尽到教育、管理职责，对该限制民事行为能力人所发生的人身损害有过错，学校或者其他教育机构就要承担责任。与第三十八条采用过错推定原则不同，对限制民事行为能力人的情况，本条采用了过错责任原则，主要是考虑：与无民事行为能力人相比，限制民事行为能力人的心智已渐趋成熟，对事物已有一定的认知和判断能力，能够在一定程度上理解自己行为的后果，对一些容易遭受人身损害的行为也有了充分认识，应当在构建和谐的成长环境的同时，鼓励其广泛地参加各类学校活动和社会关系，以利于其更好、更有效地学习、成长。如果适用过错推定原则，课以学校较重的举证负担，为避免发生意外事故，有的学校会采取消极预防的手段，如减少学生体育活动、劳动实践，不再组织春游、参观等校外活动，严格限制学生在校时间，甚至不允许学生在课间互相追逐打闹等，一些措施甚至与素质教育目标背道而驰，成为推行素质教育的一大障碍，最终不利于学生的成长、成熟。同时，在判断学校尽到教育、管理职责时也可以通过采用客观化的判断标准，如学校的各种教学设施是否符合安全要求，对存在的各种安全隐患是否及时排除、是否已采取必要的防范措施，学校是否制定了合理、明确的安全规章制度等来缓和举证责任，减轻被侵权人的举证负担，以利于对学生的救济。

教育法、未成年人保护法以及其他地方性法规和部门规章中，对于学校和其他教育机构的教育、管理职责已经作了广泛、具体的规定，只要能够证明学校或者其他教育机构违反了这些职责，使限制民事行为能力人在学习、生活期间受到人身损害的，学校或者其他教育机构就要承担责任。比如，教育部2002年颁发的《学生伤害事故处理办法》中就明确规定："因下列情形之一造成的学生伤害事故，学校应当依法承担相应的责任：(一)学校的校舍、场地、其他公共设施，以及学校提供给学生使用的学具、教育教学和生活设施、设备不符合国家规定的标准，或者有明显不安全因素的；(二)学校的安全保卫、消防、设施设备管理等安全管理制度有明显疏漏，或者管理混乱，存在重大安全隐患，而未及时采取措施的；(三)学校向学生提供的药品、食品、饮用水等不符合国家或者行业的有关标准、要求的；(四)学校组织学生参加教育教学活动或者校外活动，未对学生进行相应的安全教育，并未在可预见的范围内采取必要的安全措施的；(五)学校知道教师或者其他工作人员患有不适宜担任教育教学工作的疾病，但未采取必要措施的；(六)学校违反有关规定，组织或者安排未成年学生从事不宜未成年人参加的劳动、体育运动或者其他活动的；(七)学生有特异体质或者特定疾病，不宜参加某种教育教学活动，学校知道或者应当知道，但未予以必要的注意的；(八)学生在校期间突发疾病或者受到伤害，学校发现，但未根据实际情况及时采取相应措施，导致不良后果加重的；(九)学校教师或者其他工作人员体罚或者变相体罚学生，或者在履行职责过程中违反工作要求、操作规程、职业道德或者其他有关规定的；(十)学校教师或者其他工作人员在负有组织、管理未成年学生的职责期间，发现学生行为具有危险性，但未进行必要的管理、告诫或者制止的；(十一)对未成年学生擅自离校等与学生人身安全直接相关的信息，学校发现或者知道，但未及时告知未成年学生的监护人，导致未成年学生因脱离监护人的保护而发生伤害的；（十二）学校有未依法履行职责的其他情形的。”在司法实践中，只要有上述十二项情形之一，就基本可以认定学校没有尽到教育、管理职责，就要依法对限制民事行为能力人受到的人身损害承担责任。

**第四十条 无民事行为能力人或者限制民事行为能力人在幼儿园、学校或者其他教育机构学习、生活期间，受到幼儿园、学校或者其他教育机构以外的人员人身损害的，由侵权人承担侵权责任；幼儿园、学校或者其他教育机构未尽到管理职责的，承担相应的补充责任。**

**【释义】** 本条是关于无民事行为能力人或者限制民事行为能力人受到校外人员人身损害时的责任分担的规定。

本法第三十八条和第三十九条对未成年人在幼儿园、学校或者其他教育机构学习、生活期间遭受人身损害时幼儿园、学校或者其他教育机构的侵权责任，区分无民事行为能力人和限制民事行为能力人分别规定了不同的归责原则。本条则区分造成损害的主体为幼儿园、学校或者其他教育机构以外的人员的情况，规定幼儿园、学校或者其他教育机构应当承担的侵权责任。本条规定分两部分：

一、幼儿园、学校或者其他教育机构以外的人员承担的侵权责任

幼儿园、学校或者其他教育机构以外的人员是指幼儿园、学校或者其他教育机构的教师、学生和其他工作人员以外的人员。

如果未成年人在幼儿园、学校或者其他教育机构学习、生活期间遭受人身损害，是由于幼儿园、学校或者其他教育机构

本身的人员的行为造成的，幼儿园、学校或者其他教育机构未尽到教育、管理职责时，就要承担责任。如因学校的教学和生活设施、设备不符合安全标准或者管理、维护不当引起的学生人身损害；因学校提供的食品、药品、饮用水、教学用具或者其他物品不合格引起的学生人身损害；因学校教师或者其他工作人员体罚、变相体罚学生或者其他侮辱学生人格尊严的行为引起的学生人身损害；学生之间互相嬉戏、玩耍，教师管理不当造成学生人身损害等。但在某些情况下，幼儿园、学校或者其他教育机构以外的人员可能进入校园内或者在幼儿园、学校或者其他教育机构组织学生外出活动期间直接造成学生人身伤害，如社会人员进入学校殴打学生，校外车辆在校园内撞伤学生等。在这种情况下，该幼儿园、学校或者其他教育机构以外的人员的侵权行为直接造成人身损害后果的发生，其作为侵权人就应当依法承担侵权责任。

二、幼儿园、学校或者其他教育机构承担的相应补充责任

无民事行为能力人或者限制民事行为能力人在幼儿园、学校或者其他教育机构学习、生活期间，受到幼儿园、学校或者其他教育机构以外的人员人身损害的，该人员作为侵权人应当承担侵权责任。但由于此时受到人身损害的无民事行为能力人或者限制民事行为能力人仍在幼儿园、学校或者其他教育机构监管之下，幼儿园、学校或者其他教育机构仍负有管理职责，如果幼儿园、学校或者其他教育机构未尽到管理职责的，对损害的发生也具有过错，其未尽到管理职责的行为是造成损害发生的间接原因，应当承担补充责任。幼儿园、学校或者其他教育机构是否尽到管理职责，要根据人身损害发生时的具体情况判断，如幼儿园、学校或者其他教育机构的安全管理制度是否有明显疏漏，或者是否管理混乱，存在重大安全隐

患。如果幼儿园、学校或者其他教育机构的安全保卫工作存在过失,如学校门卫管理制度欠缺或者门卫管理不善,导致校外人员随意进入学校殴打学生,或者学校为改善经济条件将学校校舍、场地租给他人使用,甚至将学校操场辟为停车场,致使校内常有车辆来往,出现车辆撞伤、撞死学生等情况的,学校就应承担补充责任。理解这一规定,应当注意以下两点:

第一,第三人的侵权责任和安全保障义务人的补充责任有先后顺序。首先由第三人承担侵权责任,在无法找到第三人或者第三人没有能力全部承担侵权责任时,才由幼儿园、学校或者其他教育机构承担侵权责任。如果第三人已经全部承担侵权责任,则幼儿园、学校或者其他教育机构不再承担侵权责任。

第二,幼儿园、学校或者其他教育机构承担的补充责任是相应的补充责任。对于第三人没有承担的侵权责任,幼儿园、学校或者其他教育机构不是全部承担下来,而是在其未尽到安全保障义务的范围内承担,即根据幼儿园、学校或者其他教育机构未尽到的管理职责的程度来确定其应当承担的侵权责任的份额。

# 第五章 产品责任

产品责任关系人民生命和财产安全，我国十分重视。1993年第七届全国人大常委会就通过产品质量法，规定了合同责任和产品责任。本章所说的“产品责任”，是指产品存在缺陷发生侵权，造成他人损害，生产者、销售者等所应当承担的侵权责任，而不是指合同中的产品质量不合格的民事责任。这里的缺陷，不是一般指产品有瑕疵，而是指产品质量不好达到危害人民生命和财产安全的程度。例如，汽车制动有缺陷，致使刹车不灵，造成交通事故，导致人身、财产损害，对此生产者、销售者等应当承担侵权责任。汽车空调不制冷，为产品有瑕疵，对此生产者、销售者等应当承担合同责任。

本章共七条，对生产者、销售者、运输者、仓储者及第三人等承担产品责任的归责原则及侵权责任，被侵权人的索赔途径，先行赔偿人的追偿权，因产品缺陷危及他人人身、财产安全，被侵权人有权要求生产者、销售者承担排除妨碍、消除危险等侵权责任，对已投入流通后发现缺陷产品的警示、召回等补救措施及侵权责任，故意生产、销售缺陷产品的惩罚性赔偿等问题作了规定。

本章在产品质量法的基础上对产品责任进行了完善，通过明确产品责任，促进产品生产者、销售者、运输者、仓储者等改善和加强产品质量管理，提高科学技术水平和产品的安全性能，以维护人民群众的生命财产安全，维护广大使用人的合法权益。

**第四十一条　因产品存在缺陷造成他人损害的，生产者应当承担侵权责任。**

**【释义】** 本条是关于产品生产者侵权责任的规定。

一、关于产品责任的归责原则

本条对产品生产者承担侵权责任的归责原则作了规定。产品责任的归责原则是确定产品责任归属的准则，是要求行为人承担产品责任的根据、标准和理由。关于产品责任的归责原则，各国多经历从合同责任到过失责任（疏忽责任）再发展到现在的无过错责任的过程。无过错责任是指损害发生后，无论行为人有无过错，法律规定应当承担侵权责任的，行为人应当对其行为所造成的损害承担侵权责任。受害人无须就侵权人的过错进行举证，侵权人也不得以其没有过错为由主张免责或者减责。免责及减责情形由法律明确规定。

两大法系国家的法律多对生产者的产品责任作了规定。例如，《美国侵权法重述·第三次·产品责任》第1条规定，凡从事产品销售或分销经营活动，销售或者分销缺陷产品，应对该缺陷所造成的人身或者财产损害承担责任。《英国消费者保护法》第2条规定，生产者对因产品缺陷造成的部分或全部损害承担责任。第7条规定，任何合同条款或其他方面都不能限制或排除这种责任。这一规定只适用于人身伤害和财产损害赔偿，当事人承担责任时不考虑其是否有合同关系。《魁北克民法典》第1468条规定，动产制造商负有责任赔偿因物件的安全瑕疵造成的对第三人的损害，即使该动产作为不动产的服务或运作目的结合或安置在不动产上，亦同。

大陆法系国家也对生产者的产品责任作了规定，例如，

《法国民法典》第1386－1条规定，产品的生产者应对因其产品缺陷造成的损害承担责任，不论其与受害人是否有合同联系。日本1994年制定的《制造物责任法》规定，制造业者当其物品交付后侵害他人的人身或财产的应负赔偿责任。

1985年通过的《欧共体产品责任指令》第1条规定，商品制造人对于其产品瑕疵所致损害应负赔偿责任，不论其是否明知或可知瑕疵的存在。到了1989年，英国、希腊、意大利、卢森堡、丹麦、葡萄牙和德国已把这一指令纳入本国立法。荷兰于1990年，比利时、爱尔兰于1991年分别依据指令制定了国内的产品责任法。欧共体制定的《关于人身伤亡产品责任公约》第3条也规定，制造者应承担其产品的缺陷造成的死亡或者人身伤害的赔偿责任。

地处亚欧的俄罗斯在其民法典第1095条规定，因商品、工作或服务的结构、配方的瑕疵，以及因关于商品（工作或服务）的信息不可靠或不详尽，而造成公民生命、健康或财产的损害及法人财产的损害，商品的出售者或制造者，完成工作或提供服务的人应负赔偿责任，而不论他们是否有过错，也不论受害人与他们有或无合同关系。同时规定，本条的规定仅适用于以消费目的获得商品（完成工作、给予服务）的情形，而对于企业经营活动中的使用情形不适用。

埃塞俄比亚、蒙古、越南等发展中国家也对生产者的产品责任作出了规定，例如《埃塞俄比亚民法典》第2085条规定，为营利制造商品并向公众销售的人，应对因该商品的正常使用给他人造成的损害承担责任。《蒙古民法典》第380条规定，如果由于其制造、设计、配方和其他方面的缺陷，商品、服务和完成工作的结果引起了对他人生命、健康和财产之损害，应由其生产者或销售者赔偿此等损害。《越南民法典》第632

条规定,从事生产、经营活动的个人、法人或其他主体,因生产、经营的粮食、食品、药品或其他商品不符合质量标准从而造成消费者损害的,必须赔偿损害。

再来看我国台湾地区的做法,台湾地区“民法典”第191条之一规定,商品制造人因其商品之通常使用或者消费所致他人之损害,负赔偿责任。

侵权责任法制定之前,我国现有法律对生产者产品责任的规定主要有,民法通则第一百二十二条:因产品质量不合格造成他人财产、人身损害的,产品制造者、销售者应当依法承担侵权责任。运输者、仓储者对此负有责任的,产品制造者、销售者有权要求赔偿损失。产品质量法第四十一条第一款:因产品存在缺陷造成人身、缺陷产品以外的其他财产损害的,生产者应当承担侵权责任。产品质量法第四十二条还对销售者的产品责任作了规定:由于销售者的过错使产品存在缺陷,造成人身、他人财产损害的,销售者应当承担赔偿责任。

侵权责任法中的产品责任应采用何种归责原则,在立法过程中看法不一,大致有四种观点:一是无过错责任原则。此种观点认为不论生产者、销售者有无过错,只要产品有缺陷并造成他人损害,就应当承担赔偿责任。多数人主张此说。二是过错责任原则。理由是我国正处于经济发展中,还不具备生产者、销售者承担无过错责任的条件,因此,产品生产者、销售者只对自己的过错行为承担责任,没有过错即可免责。三是过错推定原则。认为产品责任既非过错责任,亦非无过错责任,是无过错责任和过错责任之间的中间责任,即产品缺陷的事实本身,应视为产品生产者或销售者有过错,即过错推定。四是二元归责原则。认为产品责任既适用无过错责任,也适用过错责任,但以无过错责任原则为主导。产品质量法

第四十一条已明确规定生产者承担无过错责任，第四十二条规定销售者承担过错责任。

在广泛借鉴国际通行做法并充分调查研究国内实际情况下，立法部门经过多次研究论证，在产品质量法的基础上，在本条对产品生产者的侵权责任作了规定，因产品存在缺陷造成他人损害的，生产者应当承担侵权责任。按照本条的规定，只要产品存在缺陷造成他人损害的，除了法定可以减轻或者免除责任事由外，不论缺陷产品的生产者主观上是否存在过错，都应当承担侵权责任。

二、关于产品责任的构成要件

依据本条的规定，构成产品责任须具备三个要件：第一，产品具有缺陷；第二，须有缺陷产品造成受害人损害的事实；第三，缺陷产品与损害事实之间存在因果关系。

（一）关于产品缺陷

产品缺陷是构成产品责任的首要条件，可以说，没有产品缺陷，就无所谓产品责任。从国外不同国家及相关公约看，关于产品缺陷定义虽然表述不同，但其意思都与产品的“不安全性”或“危险性”相关，基本都将产品缺陷的定义建立在产品欠缺安全性的基础上。

美国《侵权法重述·第三次·产品责任》将产品缺陷分为制造缺陷、设计缺陷、产品警示说明不充分。该重述第二条规定，一份产品在销售或者分销的时候，包含制造缺陷，产品设计存在缺陷，或者因为缺乏使用说明或警示而存在缺陷，该产品构成缺陷产品。（1）如果产品背离其设计意图，即使所有可能的关注在制造和销售该产品的过程中都已尽到，该产品存在制造缺陷；（2）当产品之可预见的损害风险，能够通过销售或其他分销者，或者它们在商业批发销售链中的前手的更为合理的产品设计加以减少或者避免,而没有进行这样的合理设计使得产品不具有合理的安全性能,该产品则存在设计缺陷;(3)当产品之可预见的损害风险,能够通过销售或其他分销者,或者它们在商业批发销售链中的前手提供合理的使用说明或者警示而加以减少或者避免,而没有提供这样的使用说明或者警示使得产品不具有合理的安全性能,该产品则存在缺乏使用说明或警示的缺陷。

英国 1987 年《消费者保护法》第 3 条第(1)款规定,依本条下述规定,为本章之目的,如果产品不具有人们有权期待的安全性,该产品即存在缺陷;对产品而言,安全性包括组合到另一产品之中的产品安全性以及在造成人身伤害、死亡危险方面的安全性。(2)为上述(1)款之目的,在确定人们有权期待某项产品应当具有何种安全性时,应当考虑与产品有关的所有情况,包括:(a)该产品被出售的方式和目的,产品的样式,与产品有关的任何标识的使用,关于允许或不允许使用该产品以进行任何事项的警告与指示。(b)可合理期待的产品的用途或可合理期待的与产品有关的用途。(c)生产者向他人提供产品的时间。1997 年英国法律委员会在"瑕疵产品责任"的报告中明确指出,产品缺陷是指产品投入流通时未达到人们有权期待的合理安全的标准。

《德国产品责任法》第 3 条规定,考虑到下列所有情况,产品不能提供人们有权期待的安全性,就是存在缺陷的产品:(1)产品的说明;(2)能够投入合理期待的使用;(3)投放流通的时间。不得仅以后来投入流通的产品更好为理由,认为以前的产品有缺陷。

《日本制造物责任法》第 2 条第 2 款规定:本法所称缺陷,是指考虑该制造物之特性、其通常可预见之使用形态、其制造业者等交付该制造物之时期，以及其他与该制造物有关之情事，该制造物欠缺通常应有之安全性。

澳大利亚《1992年交易行为法改正法》第75条之AC第1项至第3项规定，在本章之意旨上，动产未具备一般人通常可期待之安全性者，为具有缺陷……2. 于决定动产之安全性之程度时，应考虑包括下列各款所列事项以外之一切相关情事：(a)动产进入市场之方法及目的；(b)动产之包装；(c)关于动产之标识之使用；(d)与动产相关联之任何行为或禁止行为之指示或警告；(e)与动产相关联之合理期待之行为；(f)由制造人供给之时期。欧洲理事会《涉及人身伤害与死亡的产品责任公约》第2条c规定，考虑包括产品说明在内的所有情况，如果一件产品没有向有权期待安全的人提供安全，则该产品为有缺陷。

《欧共体产品责任指令》第6条规定，在考虑了所有情况后，如果该产品没有达到人们有权期待的安全程度，那么该产品就是有缺陷的。即应考虑的情况包括：(1)产品的说明；(2)符合产品本来用途的合理的使用；(3)产品投入流通的时间。但发展缺陷不承担责任。这些规定表明其对缺陷的定义采用了客观标准，将缺陷的定义建立在产品的安全性之上。在确定产品是否有缺陷时，要考虑到各种因素，其中包括产品的状况、产品的合理预期用途和产品投入流通的时间等。由于产品是不断更新换代的，不能因为后来有了更好的产品投放市场就认为先前的产品有缺陷。

我国台湾地区“民法典”第191-1条第3款规定，商品之生产、制造或加工、设计，与其说明书或广告内容不符者，视为有欠缺。

我国产品质量法第四十六条对产品缺陷的规定是，本法所称缺陷,是指产品存在危及人身、他人财产安全的不合理的危险;产品有保障人体健康和人身、财产安全的国家标准、行业标准的,是指不符合该标准。

侵权责任法起草过程中,对缺陷产品的含义是否作出规定,存在不同意见。有的认为,尽管各国法律及公约对产品缺陷有不同的规定,但有一点是共同的,即产品未提供使用者或消费者有权期待的安全或具有不合理的危险。我国产品质量法关于产品缺陷的规定与其他国家的规定不同在于,其他各国法律在产品缺陷上只确定了一个标准,即不合理危险标准。而我国对产品缺陷规定了两个标准:一是不合理的危险;二是国家标准和行业标准。判断缺陷产品的两个标准造成实践中有时出现当事人在参照标准时无所适从。这种意见还提出,采取国家标准和行业标准这种强制性标准认定产品是否存在缺陷也不十分科学、合理。即使产品的各项性能都符合该产品的强制性标准,也很难说该产品不存在缺陷。因为某一项产品的强制性标准,可能并未涵盖该产品的全部安全性能指标。因此,认定产品缺陷时应当对符合强制性标准的产品同时适用不合理危险标准。

还有的意见认为,侵权责任法是一个基本法,不宜对某些概念作过细、过于具体的规定,否则会限制产品的更新与发展。因为随着科学技术的发展,对产品的缺陷会有不同的认识。如果在侵权责任法中对产品的缺陷作出具体的界定,则要求侵权责任法随着客观实际情况的变化随时作出修改,这不利于法律的稳定。侵权责任法不对产品缺陷的含义作出规定,不等于实践中无法操作。在实际生活中可以以产品质量法关于缺陷产品的规定为标准,判断何为缺陷产品。随着社会的发展及科学技术的进步,如果大家对产品的缺陷有了新的认识或新的判断标准时,可以修改产品质量法。

侵权责任法没有对产品缺陷作出定义性的规定。实践中可以产品质量法第四十六条关于缺陷的规定为标准判断产品是否为缺陷产品。产品质量法的规定从法律上确立了判断产品是否存在缺陷的基本标准。具体如何运用这项标准判断产品是否存在缺陷,要根据每一案件、每种产品的情况具体分析,作出结论。一般来说,产品存在缺陷,即产品存在"不合理危险"。按照标准化法的规定,对在全国范围内需要统一技术要求的产品,由国务院标准化行政主管部门制定国家标准。对没有国家标准而又需要在全国某个行业范围内统一技术要求的产品,由国务院有关行政主管部门制定行业标准,并报国务院标准化行政主管部门备案。如果产品有上述保障人体健康,人身、财产安全的国家标准、行业标准的,产品缺陷"是指不符合该标准"的规定,这是从方便对缺陷产品认定的角度出发作出的规定。需要指出的是,如果产品的各项性能指标都符合该产品的强制性标准,是否可据此判定该产品不存在缺陷呢?某一产品的强制性标准,可能并未覆盖该产品的全部安全性能指标(特别对某些新产品更是如此),在这种情况下,如果因该产品中的某项属于国家强制性标准、行业标准中未作规定的性能指标不符合保障人身、财产安全的要求,可能造成他人损害的,仍可判定该产品存在缺陷。例如,某厂生产的农用地膜的有关性能指标都符合国家、行业关于农用地膜的强制性标准,但该地膜中含有一种国家和行业标准中都未作规定的对农作物生产不利的有害物质,结果导致使用该厂生产的地膜的农田减产,造成农民的财产损失,对该种地膜仍应认为是存在缺陷的产品。

（二）关于缺陷产品造成受害人损害的事实

缺陷产品造成受害人损害的事实，是指缺陷产品的使用人或者第三人因缺陷产品造成损害的客观存在。损害事实包括人身损害、财产损害。人身损害包括致人死亡和致人伤残。财产损害，主要指缺陷产品以外的其他财产的损失，是否包括缺陷产品本身的损失，在立法中存在争论。有的认为，多数国家产品责任中的财产损害仅指缺陷产品以外的其他财产的损失，不包括缺陷产品本身。缺陷产品本身的损害，属于合同责任问题，应当通过合同解决，缺陷产品以外的其他财产损害，才是本章所称的财产损害。有的认为，财产损害应当包括缺陷产品本身的损害。有的提出，立法应当从我国国情出发，从保护用户、消费者的角度出发，财产损害不应区分缺陷产品本身的损害及缺陷产品以外的其他财产的损害。我们认为本条的财产损害，既包括缺陷产品以外的其他财产的损害，也包括缺陷产品本身的损害，这样，有利于及时、便捷地保护用户、消费者的合法权益。

（三）关于缺陷产品与损害事实之间的因果关系

产品责任中的因果关系，是指产品的缺陷与受害人损害事实之间存在引起与被引起的关系。产品缺陷是造成受害人损害的原因，受害人受到损害的事实是由于缺陷产品导致的结果，即受害人的损害是由于产品缺陷造成的，二者有直接的因果关系。确认产品责任的因果关系，通常要由受害人证明，证明的内容是，损害是由于使用或消费缺陷产品所致。受害人证明损害时，首先要证明曾使用过缺陷产品，其次要证明因使用缺陷产品所产生的损害状况，再有要证明使用缺陷产品是损害发生的原因。在一般侵权案件中，原则上是谁主张谁举证。产品责任是一种特殊的侵权，考虑到用户、消费者与生产者之间存在信息上的不对称,特别是对于高科技产品致害原因不易证明等特点,通常要求生产者就缺陷不存在,或缺陷与损害之间不存在因果关系举证。如果生产者不能举证证明,则认定产品存在缺陷及缺陷与损害之间存在因果关系。对此,《最高人民法院关于民事诉讼证据的若干规定》第四条第六项规定,因缺陷产品致人损害的侵权诉讼,由产品的生产者就法律规定的免责事由承担举证责任。

产品具有缺陷、缺陷产品造成受害人损害、缺陷产品与损害事实之间存在因果关系三个条件须同时具备,生产者方可承担产品责任。

三、关于生产者免责情形

产品责任虽为无过错责任,但不是绝对责任。生产者仍有减轻或者免除责任的情形,对此,国外许多国家的法律及一些条约也对生产者免责情形作出了规定。

《俄罗斯民法典》第 1098 条规定,商品的出售者或者制造者、工作或服务的执行人,如能证明损害的发生是因不可抗力或者消费者违反了商品使用、工作、服务成果的使用或其保管规定,则可免除赔偿责任。

《法国民法典》第 1386 - 11 条规定,产品生产者除能够证明以下事项外,均当然应负责任:(1)证明其并未将产品投入流通;(2)考虑到具体情形,有理由认为在产品由其投入流通之当时并不存在造成损害的产品缺陷,或者有理由认为此种缺陷是后来才出现的缺陷;(3)该产品并不是为了投入销售或者其他任何形式流通;(4)在其产品投入流通之时,现有的科学与技术知识并不能够发现缺陷的存在;(5)或者由于本产品符合立法与条例性质的强制性规则,其缺陷系由此而引起。如果产品的构成部件的生产者能够证明,产品的缺陷是由于其为之提供部件的产品本身的设计所造成的,或者是由于该产品的生产者所提出的指令要求所造成的,该部件的生产者不再负责任。

《日本制造物责任法》第4条规定,制造业者证明有以下事项之一时,不承担同条规定的赔偿责任:(1)依其制造业者交付该制造物时的科学技术水准,尚不能认识到该制造物存在该缺陷。(2)在该制造物作为其他制造物的部件或原材料使用的情形,该缺陷之发生是遵从该其他制造物的制造业者关于设计所作指示的结果,且就该缺陷之发生并无过失。

《荷兰民法典》第6编债法总则第3章侵权行为第185条规定:(1)产品的生产者应当对其产品的缺陷所造成的损害承担责任。但是有下列情形之一的除外:a. 其未将该产品投入流通;b. 考虑到各种情况,该缺陷很可能在他将产品投入流通时不存在,或者该缺陷是在产品投入流通之后产生的;c. 生产者并非为了销售或者带有具有经济目的的任何其他形式的分配而制造产品的,或者产品并非在生产者的执业或营业过程中被制造或被分配;d. 产品缺陷是因执行公共机关颁布的强制性规范所致;e. 基于产品投入流通时的科学技术知识的水平,不可能发现该缺陷的存在的;f. 在涉及原材料生产者或者零部件制造者时,产品缺陷归因于该原材料或者零部件构成其组成部分的产品的设计;或者,缺陷归因于产品制造者的指示。(2)考虑到所有的情形,产品缺陷和受害人或受害人应对之负责的人的过错共同导致损害发生的,减轻或免除生产者的责任。

《蒙古民法典》第380条规定,如果由于其制造、设计、配方和其他方面的缺陷,商品、服务和完成工作的结果引起了对他人生命、健康和财产之损害,应由其生产者或销售者赔偿此等损害。如果生产者或销售者能证明损害是由于违反有关商品(服务、工作)的使用、保管规则所致,则应免除其责任。

《欧共体产品责任指令》(85/374 号)第 7 条规定,生产者如能证明以下情形之一的,不承担本指令所规定的责任:(a)生产者并未将产品投入流通;或(b)斟酌有关情事,可以判定生产者将产品投入流通时,导致损害发生的缺陷尚不存在,或者缺陷发生于产品投入流通之后;或(c)产品非生产者为供销售或具有经济目的之其他供应方式而生产,也非在生产者的营业活动过程中所生产或供应;或(d)产品的缺陷系因遵守公权者所颁布之强行规定而产生;或(e)依生产者将该产品投入流通时的科学技术水准,不能发现缺陷之存在;或(f)在零配件生产者的情形,零配件之缺陷起因于使用该零配件的产品之设计或该产品生产者的指示。

《欧洲私法原则》第 4 条规定,生产者能够证明下列情形之一的,不承担产品责任:(1)未将产品投入流通领域的;(2)产品投入流通时,引起缺陷的损害尚不存在的;(3)既不是为了营利目的销售或分销而生产产品,也不是在商业的过程中生产或销售;(4)因遵守公共机构发布的强制性条例造成的缺陷;(5)将产品投入流通时的科学技术水平尚不能发现缺陷存在的;或者(6)零件制造商的产品缺陷归因于:a. 零件适合产品的设计;或者 b. 遵循产品制造商的指示。

侵权责任法草案曾对生产者免责情形单独规定一款,即"生产者证明有下列情形之一的,不承担侵权责任:(一)未将产品投入流通的;(二)产品投入流通时,引起损害的缺陷尚不存在的;(三)将产品投入流通时的科学技术水平尚不能发现缺陷存在的"。侵权责任法草案征求意见时,有的部门和专家学者提出,这一规定与产品质量法的规定基本一样,侵权责任法中再作规定意义不大。侵权责任法二次审议稿和三次审议稿将这一规定修改为“法律规定不承担责任或者减轻责任的,依照其规定”。侵权责任法草案再次审议和征求意见时,有的意见认为,侵权责任法草案第五条“其他法律对侵权责任另有特别规定的,依照其规定”已经有这一内容,本条没有必要重复规定。考虑到随着科学的发展,技术水平的提高,新产品不断产生与成熟,生产者减轻或者免除产品责任的情形会不断变化,侵权责任法对生产者不承担责任或者减轻责任的情形未作具体规定。实践中是否免除或者减轻生产者产品责任要看其他法律的规定。需要注意的是,这里的法律仅指全国人大或者全国人大常委会制定的法律。从目前已经制定的法律来看,对生产者免除产品责任作出明确规定的主要是产品质量法。该法第四十一条第二款规定,生产者不承担产品责任的情形主要有:(1)生产者能够证明未将产品投入流通的。产品责任仅发生在投入流通中的产品,如果产品未投入市场流通,则不发生缺陷产品造成他人损害的产品责任。根据产品质量法的规定,产品应当是经过加工、制作,用于销售的产品。这里所讲“未将产品投入流通”,是指生产者生产的产品虽然经过了加工制作,但是没有投入市场流通。(2)生产者能够证明产品投入流通时,引起损害的缺陷尚不存在的。这里所讲“产品投入流通时”“引起损害的缺陷尚不存在”,是指生产者能够证明其将产品投放市场,转移到销售商或者直接出售给购买者时,产品并不存在缺陷。(3)生产者能够证明将产品投入流通时的科学技术水平尚不能发现缺陷的存在的。由于科学技术的发展,根据新的科学技术,可能会发现过去生产并投入流通的产品存在缺陷,但该缺陷是产品投入流通时的科学技术水平不能发现的,对此生产者不承担责任。这是生产者当时生产产品时无法掌握、难以预见到的，对其免除责任是合理的。需要指出的是，评断产品缺陷是否为投入流通时的科技水平不能发现的，应当以当时整个社会所具有的科学技术水平来认定，不能依据产品生产者自身所掌握的科学技术来认定。

**第四十二条　因销售者的过错使产品存在缺陷，造成他人损害的，销售者应当承担侵权责任。**

**销售者不能指明缺陷产品的生产者也不能指明缺陷产品的供货者的，销售者应当承担侵权责任。**

**【释义】** 本条是关于销售者因过错致使产品存在缺陷造成他人损害的侵权责任的规定。

依据本法第四十一条的规定，承担产品责任的主体主要是产品的生产者，生产者对因产品存在缺陷造成他人损害的，除法律规定不承担责任或者减轻责任的外，应当承担无过错责任。但是销售者在一定条件下也要承担产品责任。对此，本条规定，因销售者的过错使产品存在缺陷，造成他人损害的，销售者应当承担侵权责任。销售者不能指明缺陷产品的生产者也不能指明缺陷产品的供货者的，销售者应当承担侵权责任。这一规定表明了销售者承担产品责任的前提是有过错，即过错责任原则。

依据本条的规定，销售者在以下两种情形下有过错，应当承担产品责任：

第一，由于销售者的过错使产品存在缺陷，造成他人损害。

根据这一规定，销售者承担产品责任的原则是须有过错，只有在销售者因有过错致使产品存在缺陷的情形下，才承担产品责任。对此，销售者承担侵权责任须同时具备下述条件：一是因销售者存在过错导致产品有缺陷。销售者的过错包括两个方面：一方面是由于销售者积极的行为（即作为）而使产品存在缺陷；另一方面是由于销售者不积极的行为（即不作为）而使产品存在缺陷，比如在不适宜的条件下保存产品，结果造成产品缺陷。二是须有损害事实的存在，即已经造成他人人身、财产损害。三是损害事实是由于销售者的过错使产品存在缺陷而引起的。

第二，销售者不能指明缺陷产品的生产者也不能指明缺陷产品的供货者的，销售者应当承担赔偿责任。

销售者不能指明缺陷产品的生产者也不能指明缺陷产品的供货者的，说明销售者有过错，未能严格把好进货关，应当承担赔偿责任。法律的这一规定，避免发生因不能准确确定缺陷产品的生产者而使受害人求偿无着的情况，体现了对受害人利益的充分保护，也有利于促使销售者谨慎进货，选择可靠的生产者、供应商，不经销隐匿、伪造生产厂名的产品。我国产品质量法、食品安全法等有关法律都明确规定，销售者应当执行进货检查验收制度，验明产品合格证明和其他标识。如果销售者严格执行了这些规定，则可以指明缺陷产品的生产者或者指明缺陷产品的供货者，从而免除自己的产品责任。

国外许多国家的法律及国际条约对销售者承担产品责任也作了规定，例如《法国民法典》第 1386 - 7 条规定，除信贷租赁人或被视为信贷人的人之外，销售人、出租人或者其他任何职业供应商，按照产品生产者相同的条件，对有缺陷的产品承担责任。《俄罗斯民法典》第 1095 条规定，因商品、工作或服务的结构、配方的瑕疵或者其他瑕疵，以及因关于商品（工作或服务）的信息不可靠或不详尽，而造成公民生命、健康或财产的损害及法人财产的损害，商品的出售者或制造者，完成工作或提供服务的人（执行人）应负赔偿责任。而不论他们是否有过错，也不论受害人与他们有无合同关系。《美国侵权法重述·第三次·产品责任》第1条规定，从事产品销售或产品其他形式的经营者，对其销售或经营的缺陷产品因该缺陷造成的人身或财产损害，应当承担侵权责任。第5条规定，凡从事产品零件销售行业或者分销业经营活动，销售或者分销产品零件，应对包含该零件的产品造成的人身或财产损害承担责任。第7条规定，凡从事食品销售行业或者分销业经营活动，销售或者分销含有第1条、第3条、第4条规定之缺陷食品者，应对该缺陷所造成的人身或财产损害承担责任。第8条规定，凡从事旧货销售或者分销商业经营活动，销售或分销含有缺陷的旧货，应对该缺陷所造成的人身或财产损害承担责任。第9条规定，凡从事产品销售或者分销商业经营活动，销售或者分销缺陷产品，对于有关产品的重要事实作出欺诈的、过失的或者无辜的错误陈述，应对由于这样的错误陈述引起的人身或财产损害承担责任。《蒙古民法典》第380条规定，如果由于其制造、设计、配方和其他方面的缺陷，商品、服务和完成工作的结果引起了对他人生命、健康和财产之损害，应由其生产者或销售者赔偿此等损害。《欧洲私法原则》第3条规定，下列情形之一的，产品的供应商负相应的侵权责任：(1)不能查明生产者；或者(2)进口产品没有表明进口者身份（无论生产者的名称是否表明），产品提供者在合理时间内告知受害者生产者身份或者上游产品提供者的除外。

我国产品质量法第四十二条也规定，由于销售者的过错使产品存在缺陷，造成人身、他人财产损害的，销售者应当承担赔偿责任。还有民法通则第一百二十二条规定，因产品质量不合格造成他人财产、人身损害的，产品制造者、销售者应当依法承担民事责任。

**第四十三条　因产品存在缺陷造成损害的，被侵权人可以向产品的生产者请求赔偿，也可以向产品的销售者请求赔偿。**

**产品缺陷由生产者造成的，销售者赔偿后，有权向生产者追偿。**

**因销售者的过错使产品存在缺陷的，生产者赔偿后，有权向销售者追偿。**

**【释义】**　本条是关于被侵权人要求损害赔偿的途径和先行赔偿人追偿权的规定。

被侵权人因产品存在缺陷造成损害后，往往不清楚这一缺陷究竟是谁造成的，因此也就不知道应当向谁请求赔偿。为解决这一问题，本条规定，因产品存在缺陷造成损害的，被侵权人可以向产品的生产者请求赔偿，也可以向产品的销售者请求赔偿。产品缺陷由生产者造成的，销售者赔偿后，有权向生产者追偿。因销售者的过错使产品存在缺陷的，生产者赔偿后，有权向销售者追偿。

1. 本条所讲被侵权人，是指因产品存在缺陷造成人身、财产损害之后，有权要求获得赔偿的人。包括直接购买并使用缺陷产品的人，也包括非直接购买使用缺陷产品但受到缺陷产品损害的其他人。

2. 本条从方便被侵权人维护自己合法权益的角度出发，规定了被侵权人请求赔偿的两个途径：一个是可以向产品的生产者请求赔偿；另一个是可以向产品的销售者请求赔偿。也就是说，只要是缺陷产品引起的损害，被侵权人可以向生产者和销售者中的任何一方提出赔偿请求。如果二者不予赔偿,被侵权人可以生产者和销售者中的任何一方为被告提起民事诉讼。

3. 根据本条规定,生产者、销售者中先行赔偿的一方有权向应当承担责任的一方追偿自己已经向被侵权人垫付的赔偿费用。也就是说,没有责任的生产者或者销售者,对因缺陷产品而引起的赔偿请求,预先替对方垫付了赔偿费用。一方有权要求有责任的一方支付自己已经垫付的赔偿费用。本条即为先行垫付赔偿费用的一方向另一方行使追偿权提供了法律依据。需要明确的是,生产者和销售者承担产品责任的原则是不同的,生产者承担无过错责任,销售者承担过错责任,对此本条明确规定"产品缺陷由生产者造成的,销售者赔偿后,有权向生产者追偿。因销售者的过错使产品存在缺陷的,生产者赔偿后,有权向销售者追偿"。先行垫付赔偿费用的一方只有在另一方符合承担产品侵权责任条件的情形下,才可以向对方行使追偿权。

我国现行一些法律、法规对被害人的索赔途径、先行赔偿人的追偿权等作了规定。例如,产品质量法第四十三条规定,因产品存在缺陷造成人身、他人财产损害的,受害人可以向产品生产者要求赔偿,也可以向产品的销售者要求赔偿。属于产品生产者的责任,销售者赔偿的,销售者有权向生产者追偿。属于产品的销售者的责任,生产者赔偿的,生产者有权向销售者追偿。消费者权益保护法第三十五条规定,消费者在购买、使用商品时,其合法权益受到损害的,可以向销售者要求赔偿。销售者赔偿后,属于生产者的责任或者属于向销售者提供商品的其他销售者的责任的,销售者有权向生产者或者其他销售者追偿。消费者或者其他受害人因商品缺陷造成人身、财产损害的，可以向销售者要求赔偿，也可以向生产者要求赔偿。属于生产者责任的，销售者赔偿后，有权向生产者追偿。属于销售者责任的，生产者赔偿后，有权向销售者追偿。乳品质量安全监督管理条例第四十三条规定，乳制品销售者应当向消费者提供购货凭证，履行不合格乳制品的更换、退货等义务。乳制品销售者依照前款规定履行更换、退货等义务后，属于乳制品生产企业或者供货商的责任的，销售者可以向乳制品生产企业或者供货商追偿。《最高人民法院关于贯彻执行〈中华人民共和国民法通则〉若干问题的意见（试行）》第一百五十三条也对此问题作了规定，即消费者、用户因为使用质量不合格的产品造成本人或者第三人人身伤害、财产损失的，受害人可以向产品制造者或者销售者要求赔偿。

侵权责任法正是在总结上述规定的基础上，对被侵权人请求损害赔偿的途径和先行赔偿人的追偿权作出了规定。

**第四十四条　因运输者、仓储者等第三人的过错使产品存在缺陷，造成他人损害的，产品的生产者、销售者赔偿后，有权向第三人追偿。**

**【释义】**　本条是关于运输者、仓储者等第三人因过错致使产品存在缺陷造成他人损害的侵权责任及生产者、销售者先行赔偿后的追偿权的规定。

产品在运输流通过程中，运输者、仓储者等应当按照有关规定和产品包装上标明的储藏、运输等标准进行储存、运输。如果运输者、仓储者等不按上述规定运输或者仓储，有可能造成产品缺陷。根据过错原则，行为人应当对因自己的过错产生的损害负赔偿责任，因此，因运输者、仓储者等第三人导致产品缺陷造成他人损害的，应当承担赔偿责任。

现实生活中，产品从生产到使用人手中，要经过生产、储存、运输、销售等许多环节，被侵权人往往不知道运输者、仓储者是谁，也不清楚产品缺陷究竟是谁造成的，损害发生后，找生产者或者销售者请求赔偿最简单、方便。因为产品使用人通常清楚从何处购买的产品，即使非直接购买者，也容易找到产品生产者。为了充分保护被侵权人的利益，方便被侵权人请求赔偿，根据本条的规定，即使是因运输者、仓储者等第三人的过错使产品存在缺陷造成损害，被侵权人仍然可以先找产品的生产者或者销售者请求赔偿。生产者、销售者承担赔偿责任后，可以依据本条的规定，向造成产品缺陷的有过错的运输者、仓储者等第三人行使追偿权，要求其支付赔偿费用。

民法通则及其司法解释对运输者、仓储者承担产品责任的规定是：民法通则第一百二十二条规定，因产品质量不合格造成他人财产、人身损害的，产品制造者、销售者应当依法承担民事责任。运输者、仓储者对此负有责任的，产品制造者、销售者有权要求赔偿损失。《最高人民法院关于贯彻执行〈中华人民共和国民法通则〉若干问题的意见（试行）》第一百五十三条规定，消费者、用户因为使用质量不合格的产品造成本人或者第三人人身伤害、财产损失的，受害人可以向产品制造者或者销售者要求赔偿。因此，提起的诉讼，由被告所在地或者侵权行为地人民法院管辖。运输者和仓储者对产品质量负有责任，制造者或者销售者请求赔偿损失的，可以另案处理，也可以将运输者和仓储者列为第三人，一并处理。

侵权责任法的这条规定，使因运输者、仓储者等第三人的过错致产品缺陷的赔偿责任更加清晰、明确、具体，便于司法实践中掌握和操作。属于运输、储存等原因造成产品缺陷的，运输者、仓储者等应当承担赔偿责任，首先承担产品责任的产品生产者、销售者,有权向负有赔偿责任的运输者、仓储者等追偿。

**第四十五条 因产品缺陷危及他人人身、财产安全的,被侵权人有权要求生产者、销售者承担排除妨碍、消除危险等侵权责任。**

**【释义】** 本条是关于因产品缺陷危及他人人身、财产安全的侵权责任的规定。

产品存在缺陷对他人可能产生两种影响:一是造成他人损害,这种损害是已经发生的,是现实存在的。二是对他人人身、财产安全产生一种危险,存在不安全因素。从某种角度说,这是一种尚未发生,非现实存在的损害,如果不采取相应措施,这种潜在的损害随时都有可能发生,造成受害人的实际损害。为了避免这种潜在损害实际发生,给受害人造成真正的损害,杜绝、减少或者减轻受害人的损失,也为了便利被侵权人请求损害赔偿,本条规定,因产品缺陷危及他人人身、财产安全的,被侵权人有权要求生产者、销售者承担排除妨碍、消除危险等侵权责任。

排除妨碍、消除危险是承担产品侵权责任的两种方式。妨碍是指侵权人实施的妨碍他人合法权益的行为或者造成的妨碍他人合法权益正常行使的某种有害状况。排除妨碍是指依据被侵权人的请求,侵权人以一定的积极行为除去妨碍,以使被侵权人正常行使合法权益的民事责任方式。被侵权人在请求排除妨碍时,应当注意以下几个问题:第一,妨碍必须是不法的。至于妨碍人主观是否预见妨碍后果,均不影响被侵权人提出请求。但如果妨碍是合法的,即正当行使权利的行为,则妨碍人可以拒绝当事人的请求。第二,妨碍既可以是已经发生的，也可以是可能出现的。被侵权人不仅可以对已经发生的妨碍要求排除，对尚未发生但又确有可能发生的也有请求排除的权利。第三，妨碍是权利人行使权利的障碍，只要不法行为妨碍他人行使物权、人身权等，被侵权人均可请求排除妨碍。

侵权人的侵权行为或者其他行为构成对他人人身、财产的现实威胁，为侵权责任法规定的危险。这里的危险是指现实威胁，即随时可能发生的、发生概率极大的危险而不是遥不可及的危险。消除危险，是指人身或者财产受到现实威胁的当事人请求造成危险或对危险负有责任的人消除危险状况，保障请求权人人身、财产安全的民事责任方式。适用这种责任方式，能有效地防止损害的发生，充分保护民事主体的民事权利。

需要明确的是，产品责任中，被侵权人承担排除妨碍、消除危险侵权责任的前提是产品存在缺陷，且危及他人人身、财产安全，在这两个条件同时具备的情况下，被侵权人可以要求产品生产者或者销售者承担包括但不限于排除妨碍、消除危险的侵权责任。依据本条的规定，被侵权人除了可以要求产品生产者或者销售者承担排除妨碍、消除危险的侵权责任外，还可以依据侵权责任法第十五条的规定，要求生产者或者销售者以其他方式承担侵权责任，如停止侵害、恢复原状等。

**第四十六条　产品投入流通后发现存在缺陷的，生产者、销售者应当及时采取警示、召回等补救措施。未及时采取补救措施或者补救措施不力造成损害的，应当承担侵权责任。**

**【释义】**　本条是关于产品投入流通后发现存在缺陷的，生产者、销售者应当采取警示、召回等补救措施及承担侵权责任的规定。

产品投入流通时,生产者、销售者可能因某种原因或者技术水平等未能发现产品有缺陷,在产品售出已经进入流通后才发现产品存在缺陷。在这种情形下,生产者、销售者应当及时以合理、有效的方式向使用人发出警示,或者采取召回缺陷产品等补救措施,以防止损害的发生或者进一步扩大。对此本条规定,产品投入流通后发现存在缺陷的,生产者、销售者应当及时采取警示、召回等补救措施。

警示,是指对产品有关的危险或产品的正确使用给予说明、提醒,提请使用者在使用该产品时注意已经存在的危险或者潜在可能发生的危险,避免危险的发生,防止或者减少对使用者的损害。警示的作用有两个:一是告知使用者产品有危险,明示产品的缺陷;二是让使用者知道在使用该产品时如何避免危险的发生,以保证人身、财产的安全。侵权责任法制定前我国已有对产品予以警示说明的规定。例如,消费者权益保护法第十八条规定,经营者应当保证其提供的商品或者服务符合保障人身、财产安全的要求。对可能危及人身、财产安全的商品和服务,应当向消费者作出真实的说明和明确的警示,并说明和标明正确使用商品或者接受服务的方法以及防止危害发生的方法。经营者发现其提供的商品或者服务存在严重缺陷,即使正确使用商品或者接受服务仍然可能对人身、财产安全造成危害的,应当立即向有关行政部门报告和告知消费者,并采取防止危害发生的措施。消费者权益保护法侧重对经营者售出前的产品警示说明作出规定;侵权责任法则是对产品售出已经进入流通后发现缺陷产品的警示补救措施作出规定。二者相辅相成,最大限度地保护了用户、消费者的合法权益。

召回，是指产品的生产者、销售者依法定程序，对其生产或者销售的缺陷产品以换货、退货、更换零配件等方式，及时消除或减少缺陷产品危害的行为。缺陷产品召回制度已经在我国初步确立，食品安全法第五十三条明确规定，国家建立食品召回制度。食品生产者发现其生产的食品不符合食品安全标准，应当立即停止生产，召回已经上市销售的食品，通知相关生产经营者和消费者，并记录召回和通知情况。食品经营者发现其经营的食品不符合食品安全标准，应当立即停止经营，通知相关生产经营者和消费者，并记录停止经营和通知情况。食品生产者认为应当召回的，应当立即召回。食品生产经营者未依照本条规定召回或者停止经营不符合食品安全标准的食品的，县级以上质量监督、工商行政管理、食品药品监督管理部门可以责令其召回或者停止经营。国务院颁布的《乳品质量安全监督管理条例》也对缺陷产品的召回作了规定，该条例第三十六条规定，乳制品生产企业发现其生产的乳制品不符合乳品质量安全国家标准、存在危害人体健康和生命安全危险或者可能危害婴幼儿身体健康或者生长发育的，应当立即停止生产，告知销售者、消费者，召回已经出厂、上市销售的乳制品，并记录召回情况。第四十二条规定，对不符合乳品质量安全国家标准、存在危害人体健康和生命安全或者可能危害婴幼儿身体健康和生长发育的乳制品，销售者应当立即停止销售，追回已经售出的乳制品，并记录追回情况。随后，国家质检总局先后颁布了《食品召回管理规定》《儿童玩具召回管理规定》，国家食品药品监督管理局颁布了《药品召回管理办法》，国家质量监督检验检疫总局、国家发展和改革委员会、商务部、海关总署联合颁布了《缺陷汽车产品召回管理规定》，分别对食品、儿童玩具、药品、汽车等缺陷产品的召回作了详细的规定。召回的意义在于防患于未然,就此而言,有些类似于消除危险的侵权责任方式。消除危险,是指行为人的行为对他人人身、财产造成威胁,或者存在侵害他人人身、财产的可能,他人有权要求行为人采取有效措施消除危险。召回是生产者、销售者将缺陷产品从流通环节中撤回,阻断可能发生的危害,与消除危险是有区别的,因此有观点认为,召回是产品责任的一种独立方式,是新生的、独特的侵权责任方式。

依据本条的规定,对投入流通后发现存在缺陷的产品,生产者、销售者采取补救措施不限于警示、召回两种,可以根据每个产品的不同性能、特点、作用、缺陷的状况、损害发生的概率等情况采取更有利于防止损害发生或者进一步扩大的措施。

如果生产者、销售者对投入流通后发现存在缺陷的产品,不及时采取补救措施或者采取补救措施不力造成损害的,应当承担侵权责任。

这条规定不仅总结了我国相关法律规定及司法实践的经验,而且充分借鉴了国外的做法,例如《美国侵权法重述 · 第三次 · 产品责任》第 10 条规定,如果销售者未能在产品销售或者分销之后提出警示,而一个在销售者地位的符合理性的人应该会提出这样的警示,因这样的不作为而导致他人财产或人身伤害的,从事销售或者分销产品的商业行为者,应承担民事责任。第 11 条规定,凡从事产品销售或者分销商业经营活动,在下列情形下,应对销售者未能在产品出售或分销后追回该产品从而导致的人身或财产损害承担责任:(a)(1)依据成文法或者行政法规所颁发的政府命令,具体要求销售者或分销者追回该产品;或者(2)在没有(a)(1)追回要求的情况下，销售者或分销者主动决定追回该产品；而且(b)销售者或分销者未能在追回产品的过程中合理谨慎地行事。

本条规定的主要目的是，明确生产者、销售者对产品跟踪服务的义务，要求生产者、销售者对投入流通后的产品不能撒手不管，应当跟踪服务，发现产品使用过程中存在缺陷的，应当及时采取警示、召回等补救措施。

**第四十七条　明知产品存在缺陷仍然生产、销售，造成他人死亡或者健康严重损害的，被侵权人有权请求相应的惩罚性赔偿。**

**【释义】**　本条是关于产品侵权惩罚性赔偿的规定。

惩罚性赔偿也称惩戒性赔偿，是加害人给付受害人超过其实际损害数额的一种金钱赔偿。是一种集补偿、惩罚、遏制等功能于一身的赔偿制度。

一些英美法系国家承认惩罚性赔偿制度，比较典型的是美国。20世纪以来，大公司制造的不合格商品对消费者造成了严重损害。尽管消费者可以通过一般损害赔偿获得补救，但由于大公司财大气粗，补偿性赔偿可能难以对其制造和销售不合格甚至危险商品的行为起到遏制作用，需要通过惩罚性赔偿的方法保护广大消费者利益。惩罚性赔偿逐渐被用于产品责任。目前，美国大多数州都采纳这一制度。美国的一些联邦法案如《谢尔曼法案》《克莱顿法案》《联邦消费者信用保护法》《联邦职业安全与健康法》等都对惩罚性赔偿作了规定。《美国侵权法重述》也对惩罚性赔偿制度作了规定。其第908条(1)规定，惩罚性赔偿是在补偿性赔偿或名义上的赔偿之外、为惩罚该赔偿交付方的恶劣行为并阻遏他与相似者在将来实施类似行为而给予的赔偿。

在美国,适用惩罚性赔偿责任一般要具备以下要件:第一,主观要件。主要包括以下几种:(1)故意。即行为人明知自己的行为会发生损害他人的后果而故意为之,或者放任结果的发生。(2)具有恶意。恶意指行为人行为时不但具有故意,而且在动机上是恶劣的。动机恶劣指行为人的目的在道德上应当受到谴责。(3)毫不关心他人的权利。即行为人鲁莽而轻率地漠视他人权利致他人损害的,应当承担惩罚性赔偿责任。美国《1982 年产品责任法》规定,如果有明确的证据证明损害是由于行为人毫不顾及受害人安全造成的,行为人应负惩罚性赔偿责任。(4)重大过失。如果行为人具有重大过失,则可能被施加惩罚性赔偿。第二,要有造成损害的后果。适用惩罚性赔偿时,受害人必须首先证明已经发生了实际损害。第三,要有因果关系的存在。在请求惩罚性赔偿的案件中,受害人不仅要证明损害的发生,而且还要证明该损害是由行为人的行为导致的。第四,惩罚性赔偿必须依附于一般损害赔偿。惩罚性赔偿不是独立的请求权,必须依附于补偿性的一般损害赔偿。除上述要件外,美国法院在适用惩罚性赔偿时一般还考虑以下因素:(1)行为人的经济条件;(2)行为人行为的影响程度;(3)行为人与受害人的关系;(4)行为的持续程度;(5)行为人是否从该行为中获利;(6)受害人为避免损失承担的费用。对此,《美国侵权法重述之二》第 908 条(2)规定,惩罚性赔偿可以针对因被告的邪恶动机或他莽撞地无视他人的权利而具有恶劣性质的行为做出。在评估惩罚性赔偿的数额时,事实裁定人可以适当考虑被告行为的性质、被告所造成或意欲造成的原告所受损害的性质与范围,以及被告的财产数额。

大陆法系国家在民事立法、司法实践中一直不接受惩罚性赔偿制度，主要原因是：这些国家严格区分公法与私法，强调公私法具有不同的职能。行政法、刑法等公法的任务是惩罚犯罪和不法行为，维护社会公共利益；私法的任务是协调私人之间的利益纷争，对受害人所受损害进行补偿和救济，维护个体之间的利益平衡，私法责任（民事责任）具有完全补偿性，不具有惩罚性。惩罚性赔偿制度实质是一种公法责任而非私法责任，将其作为民事责任纳入私法体系，与公、私法的严格划分观念及私法的基本原则不相符。但是，近年来，有的大陆法系国家和地区开始规定惩罚性赔偿。

侵权责任法制定前，我国已有惩罚性赔偿的法律规定，例如，消费者权益保护法对欺诈消费者的行为规定了惩罚性赔偿。该法第四十九条规定，经营者提供商品或者服务有欺诈行为的，应当按照消费者的要求增加赔偿其受到的损失，增加赔偿的金额为消费者购买商品的价款或者接受服务的费用的一倍。再如，食品安全法第九十六条第二款规定，生产不符合食品安全标准的食品或者销售明知是不符合食品安全标准的食品，消费者除要求赔偿损失外，还可以向生产者或者销售者要求支付价款十倍的赔偿金。还有，合同法第一百一十三条第二款规定，经营者对消费者提供商品或者服务有欺诈行为的，依照消费者权益保护法的规定承担损害赔偿责任。此外，《最高人民法院关于审理商品房买卖合同纠纷适用法律若干问题的解释》第八条、第九条也对惩罚性赔偿作了规定。该解释第八条规定，具有下列情形之一，导致商品房买卖合同目的不能实现的，无法取得房屋的买受人可以请求解除合同、返还已付购房款及利息、赔偿损失，并可以请求出卖人承担不超过已付购房款一倍的赔偿责任：(1)商品房买卖合同订立后，出卖人未告知买受人又将该房屋抵押给第三人；(2)商品房买卖合同订立后,出卖人又将该房屋出卖给第三人。第九条规定,出卖人订立商品房买卖合同时,具有下列情形之一,导致合同无效或者被撤销、解除的,买受人可以请求返还已付购房款及利息、赔偿损失,并可以请求出卖人承担不超过已付购房款一倍的赔偿责任:(1)故意隐瞒没有取得商品房预售许可证明的事实或者提供虚假商品房预售许可证明;(2)故意隐瞒所售房屋已经抵押的事实;(3)故意隐瞒所售房屋已经出卖给第三人或者为拆迁补偿安置房屋的事实。

在侵权责任法中是否规定惩罚性赔偿有不同意见。有的认为,侵权责任是民事责任,损害赔偿以填平为原则,侵权人情节严重的,还可以依法承担行政责任和刑事责任,侵权责任法不宜规定惩罚性赔偿。有的认为,侵权人的侵权行为不同,承担侵权责任的情况不同,对那些昧着良心、草菅人命的违法经营者,应当通过惩罚性赔偿以制止违法经营行为,这是符合侵权责任法立法宗旨的。况且我国有些法律对惩罚性赔偿已有规定。经研究认为,在侵权责任法中应当规定惩罚性赔偿。从我国实际情况看,恶意侵权行为屡有发生,例如,出售假药导致患者死亡,出售劣质奶粉导致少儿死亡等。对这些恶意侵权人施以惩罚性赔偿,有利于遏制恶意侵权行为的发生。侵权责任法应对惩罚性赔偿作出规定,以体现侵权责任法的制裁、遏制功能。但从目前来看,应当严格限制惩罚性赔偿的适用范围和条件。对此,侵权责任法在本条规定,明知产品存在缺陷仍然生产、销售,造成他人死亡或者造成健康严重损害的,被侵权人有权请求相应的惩罚性赔偿。

根据本条的规定,适用惩罚性赔偿的条件是:第一,侵权人具有主观故意,即明知是缺陷产品仍然生产或者销售;第二,要有损害事实,这种损害事实不是一般的损害事实,而应当是造成严重损害的事实，即造成他人死亡或者健康受到严重损害；第三，要有因果关系，即被侵权人的死亡或者健康严重受损害是因为侵权人生产或者销售的缺陷产品造成的。本条还规定了惩罚性赔偿的适用范围，即在被侵权人死亡或者健康受到严重损害的范围内适用，除此之外的其他损害不适用惩罚性赔偿，如被侵权人的财产损害。为防止滥用惩罚性赔偿，避免被侵权人要求的赔偿数额畸高，本条规定，被侵权人有权请求相应的惩罚性赔偿。这里的"相应"，主要指被侵权人要求的惩罚赔偿金的数额应当与侵权人的恶意相当，应当与侵权人造成的损害后果相当，与对侵权人威慑相当，具体赔偿数额由人民法院根据个案具体判定。

需要指出的是，惩罚性赔偿的主要目的不在于弥补被侵权人的损害，而在于惩罚有主观故意的侵权行为，并遏制这种侵权行为的发生。从赔偿功能上讲，其主要作用在于威慑，不在于补偿。虽然从个案上看，被侵权人得到了高于实际损害的赔偿数额，但从侵权人角度来看，这种赔偿能够提高其注意义务，从而避免类似情况再次发生。

# 第六章 机动车交通事故责任

机动车交通事故责任作为一种特殊侵权责任，侵权责任法作了专章规定。道路交通事故赔偿责任问题，涉及广大人民群众的切身利益。保障道路交通安全，关系到社会经济发展和人民群众的生命财产安全，至关重要。机动车交通事故损害大，纠纷多。据世界卫生组织报告，全世界每年因道路交通死亡人数大约为125万，每天平均3000多人；全世界每年因道路交通事故造成损失大约5000亿美元。机动车交通事故案件占我国法院受理的侵权案件约三分之一，有的地方法院占一半以上。因此，规定好这一章，对预防和减少交通事故，保护人身和财产安全，维护道路交通秩序，提高道路通行效率，具有重要作用。本章机动车交通事故赔偿制度设计的指导思想是：一是减少事故。道路交通事故发生原因错综复杂，好的赔偿制度应当明确责任，促使各方面都遵守交通法律法规，减少事故发生。二是减少纠纷。事故发生后，责任明确，能及时、合理解决纠纷，就能减少纠纷。三是有利道路畅通。

本章共六条，分别规定了机动车发生交通事故造成损害承担赔偿责任的原则规定；因租赁、借用等情形，机动车所有人和使用人不是同一人时，发生交通事故后如何承担赔偿责任；当事人之间已经以买卖等方式转让并交付机动车但未办理所有权转移登记，发生交通事故后由谁承担赔偿责任；以买卖等方式转让拼装的或者已达到报废标准的机动车,发生交通事故造成损害的如何承担责任;盗窃、抢劫或者抢夺的机动车发生交通事故造成损害的,由谁承担赔偿责任;机动车驾驶人发生交通事故后逃逸的责任承担。

本章所称的机动车,是指以动力装置驱动或者牵引,上道路行驶的供人员乘用或者用于运送物品以及进行工程专项作业的轮式车辆。交通事故,是指车辆在道路上因过错或者意外造成的人身伤亡或者财产损失的事件。

**第四十八条　机动车发生交通事故造成损害的,依照道路交通安全法的有关规定承担赔偿责任。**

**【释义】**　本条是关于机动车发生交通事故造成损害承担赔偿责任的原则规定。

本条规定是机动车发生交通事故造成损害承担赔偿责任的原则规定。依照道路交通安全法的有关规定承担赔偿责任,是指依照道路交通安全法第七十六条等有关规定。

道路交通安全法于2003年10月28日第十届全国人民代表大会常务委员会第五次会议通过。2007年12月29日第十届全国人民代表大会常务委员会第三十一次会议对道路交通安全法第七十六条作了修改。修改前的道路交通安全法第七十六条第一款规定:“机动车发生交通事故造成人身伤亡、财产损失的,由保险公司在机动车第三者责任强制保险责任限额范围内予以赔偿。超过责任限额的部分,按照下列方式承担赔偿责任:(一)机动车之间发生交通事故的,由有过错的一方承担责任;双方都有过错的,按照各自过错的比例分担责任。(二)机动车与非机动车驾驶人、行人之间发生交通事故的,由机动车一方承担责任;但是,有证据证明非机动车驾驶人、行人违反道路交通安全法律、法规，机动车驾驶人已经采取必要处置措施的，减轻机动车一方的责任。”第二款规定：“交通事故的损失是由非机动车驾驶人、行人故意造成的，机动车一方不承担责任。”

在这一规定实施的三年中，对维护道路交通秩序，预防和减少道路交通事故，保护公民人身和财产安全发挥了积极作用。社会各方面普遍认可这条规定的立法原则，同时对非机动车驾驶人、行人有过错以及机动车一方没有过错时如何“减轻”机动车一方的赔偿责任有不同理解和看法，社会上也存在机动车一方“无责全赔”的误解。

道路交通事故赔偿制度，涉及非机动车驾驶人、行人和机动车驾驶人的切身利益。2007 年立法对道路交通安全法第七十六条作了修改，总结了第七十六条施行实践经验，主要目的是妥善处理非机动车驾驶人、行人和机动车双方的权益，着重明确三个方面的问题：一是在什么情况下机动车一方承担全部责任；二是非机动车驾驶人、行人有过错的，如何减轻机动车一方的责任；三是机动车一方没有过错的，是否承担责任，承担多少责任。

修改后的道路交通安全法第七十六条第一款规定：“机动车发生交通事故造成人身伤亡、财产损失的，由保险公司在机动车第三者责任强制保险责任限额范围内予以赔偿；不足的部分，按照下列规定承担赔偿责任：（一）机动车之间发生交通事故的，由有过错的一方承担赔偿责任；双方都有过错的，按照各自过错的比例分担责任。（二）机动车与非机动车驾驶人、行人之间发生交通事故，非机动车驾驶人、行人没有过错的，由机动车一方承担赔偿责任；有证据证明非机动车驾驶人、行人有过错的，根据过错程度适当减轻机动车一方的赔偿责任；机动车一方没有过错的，承担不超过百分之十的赔偿责任。”第二款规定：“交通事故的损失是由非机动车驾驶人、行人故意碰撞机动车造成的，机动车一方不承担赔偿责任。”

本条所指向的道路交通安全法第七十六条主要有以下几层含义：

一、关于强制保险的赔偿

（一）首先由保险公司在机动车第三者责任强制保险责任限额范围内予以赔偿

第七十六条的规定表明，机动车发生交通事故造成人身伤亡、财产损失的，首先由保险公司在机动车第三者责任强制保险责任限额范围内予以赔偿。道路交通安全法第十七条规定，国家实行机动车第三者责任强制保险制度。机动车第三者责任强制保险是解决道路交通事故赔偿问题的重要制度。机动车发生交通事故，包括机动车与机动车之间，机动车与非机动车驾驶人、行人之间，都是先由保险公司在机动车第三者责任强制保险责任限额内予以赔偿，不足的部分才由机动车一方承担赔偿责任。这对及时充分地使受害人获得赔偿，分散机动车驾驶人的风险，有重要意义。

机动车第三者责任强制保险，也称机动车交通事故责任强制保险，是指由保险公司对被保险机动车发生道路交通事故造成本车人员、被保险人以外的受害人的人身伤亡、财产损失，在责任限额内予以赔偿的强制性责任保险。根据《机动车交通事故责任强制保险条例》第二条的规定，在中华人民共和国境内道路上行驶的机动车的所有人或者管理人，应当依照《中华人民共和国道路交通安全法》的规定投保机动车交通事故责任强制保险。第二十一条规定，被保险机动车发生道路交通事故造成本车人员、被保险人以外的受害人人身伤亡、财产损失的，由保险公司依法在机动车交通事故责任强制保险责任限额范围内予以赔偿。第二十三条规定，机动车交通事故责任强制保险在全国范围内实行统一的责任限额。责任限额分为死亡伤残赔偿限额、医疗费用赔偿限额、财产损失赔偿限额以及被保险人在道路交通事故中无责任的赔偿限额。

2008年2月1日起施行的机动车交通事故责任强制保险责任限额为：(1)机动车在道路交通事故中有责任的赔偿限额：死亡伤残赔偿限额110000元人民币；医疗费用赔偿限额10000元人民币；财产损失赔偿限额2000元人民币。(2)机动车在道路交通事故中无责任的赔偿限额：死亡伤残赔偿限额11000元人民币；医疗费用赔偿限额1000元人民币；财产损失赔偿限额100元人民币。

（二）有关第三者责任强制保险的情况介绍

1. 强制保险的赔偿原则

强制保险的赔偿原则大体分为两种情况：一是在强制保险的保额范围内，不论机动车一方是否有过错都给予赔付。法国、美国一些州和我国台湾地区等采取这种办法。比如，我国台湾地区"强制汽车责任保险法"第5条规定，因机动车交通事故致受害人体伤、残废或死亡者，加害人不论有无过失，在相当于本法规定之保险金额范围内，受害人均得请求保险赔偿给付。二是有的国家如日本规定，发生事故后在被保险机动车应当承担的责任范围内保险公司给予赔付。在日本，实践中机动车碰撞行人后一般都要承担赔偿责任。

2. 强制保险的赔偿范围

在道路交通安全法第七十六条修改过程中，有的意见提出，强制保险只赔偿人身伤害，不赔偿财产损失。据了解，美国、德国、法国、韩国、新加坡强制保险的赔偿范围,既包括人身伤害,也包括财产损失。日本强制保险的赔偿范围,只包括人身伤害,不包括财产损失,机动车之间的车辆毁损以及碰撞行人后造成的财产毁损,机动车一方要通过商业保险来解决。

3. 强制保险的赔偿数额

不少国家和我国香港、台湾地区第三者责任强制保险的保额较高,发生事故后大体上可以弥补受害人受到的损失。

德国的强制保险,保险公司原先对人身伤亡的保额为250万欧元,对财产损失的保额为50万欧元。投保人支付的保费,根据驾驶人的驾龄、年龄、交通事故率以及车辆的品牌、车型、排气量、颜色等因素,一般为200欧元至500欧元。2007年11月,德国大幅度提高了保额,保险公司对人身伤亡的保额为750万欧元,对财产损失的保额为100万欧元。

韩国的强制保险,保险公司对死亡的保额1亿韩元;未留后遗症伤害的保额最高2000万韩元,最低80万韩元;留有后遗症伤害的保额最高1亿韩元,最低630万韩元。

日本的强制保险,家庭用车的保费一般为每年15000日元。保险公司对死亡的保额为3000万日元;未留后遗症伤害的保额120万日元;留有后遗症伤害的保额最高4000万日元,最低75万日元。

我国香港特别行政区的强制保险,人身伤亡的保额不少于1亿港元。我国台湾地区的强制保险,人身伤亡的保额为新台币170万元。

在道路交通安全法修改的过程中,有意见认为,现在保费过高、保额过低,远不能满足基本的赔偿要求,应予调整。也有的意见认为,第三者责任强制保险制度在我国实行的时间不长,实践经验还不多,需要一个逐步完善的过程。从境外的发展经验看，保费、保额需要根据经济发展状况和交通事故率等因素进行相应调整。

二、在强制保险责任限额范围内赔偿后不足部分的责任承担

（一）机动车之间发生交通事故的赔偿责任

机动车之间发生交通事故的，由有过错的一方承担赔偿责任；双方都有过错的，按照各自过错的比例分担责任。这一规定表明，机动车之间发生交通事故的，适用过错责任原则。即机动车之间发生交通事故造成损害的，由有过错的机动车一方承担责任，没有过错的，不承担赔偿责任。由于机动车之间没有强弱之分，发生交通事故的，应当适用侵权责任的一般归责原则，由有过错的一方承担赔偿责任；如果双方都有过错的，应当按照各自过错的比例分担责任。

（二）机动车与非机动车驾驶人、行人之间发生交通事故的赔偿责任

1. 归责原则

道路交通安全法第七十六条第一款第二项规定，机动车与非机动车驾驶人、行人之间发生交通事故，非机动车驾驶人、行人没有过错的，由机动车一方承担赔偿责任；有证据证明非机动车驾驶人、行人有过错的，根据过错程度适当减轻机动车一方的赔偿责任；机动车一方没有过错的，承担不超过10%的赔偿责任。这一规定表明，机动车与非机动车驾驶人、行人之间发生交通事故，主要适用过错推定原则，同时，机动车一方还要承担一部分无过错责任。

过错推定源于过错责任原则，但在适用上与一般的过错责任原则有明显不同。发生损害后，首先推定行为人有过错，同时给予其举证证明自己没有过错以及对方有过错的机会，

如果能够证明自己没有过错的，可以免除责任；不能证明自己没有过错的，就要承担损害赔偿责任。过错推定与一般过错责任的最大不同就是采用了举证责任倒置的方法。无过错责任原则，是指在发生损害后，不考虑行为人是否有过错，只要符合责任要件，就应当承担侵权责任。行为人如欲免责，仅举证证明自己没有过错是不能免责的，而需要证明具有法律明确规定的免责事由。

修改后的道路交通安全法第七十六条还表明：(1)机动车与非机动车驾驶人、行人之间发生交通事故，非机动车驾驶人、行人没有过错的，由机动车一方承担全部赔偿责任。(2)有证据证明非机动车驾驶人、行人有过错的，应当根据其过错程度适当减轻机动车一方的责任。这样规定，一是明确了非机动车驾驶人、行人有过错的，应当根据其过错程度适当减轻机动车一方的责任。在第七十六条修改过程中，对非机动车驾驶人、行人有过错的情况下，是否规定机动车一方的具体赔偿比例有不同意见。有的意见认为，规定具体赔偿比例有利于统一赔偿标准，便于操作。有的意见认为，赔偿比例不宜规定过死，应有个幅度。有的意见认为，规定具体赔偿比例难以切合实际。例如，行人负5%的次要责任，机动车一方只承担80%的赔偿责任不合适；行人负95%的主要责任，机动车一方要承担40%的赔偿责任也不合理。修改后的道路交通安全法第七十六条作出这样的规定，主要考虑是交通事故错综复杂，在当事人和解、公安机关调解或者人民法院审判中，根据该规定所确立的原则确定个案的具体赔偿数额较为切合实际。据了解，国外也没有在法律中对具体赔偿比例作规定。二是明确了机动车一方的举证责任。机动车与非机动车驾驶人、行人之间发生交通事故后，依过错推定原则，非机动车驾驶人、行人只需证明损害是由机动车碰撞造成，而机动车有无过错等需要由机动车一方举证证明。具体来说，主要有以下几个方面：第一，非机动车驾驶人、行人是否有过错；第二，机动车驾驶人是否尽到了谨慎驾驶的高度注意义务，是否采取了必要的处置措施；第三，所驾驶的机动车是否具备安全运行的技术条件等。上述过错推定原则的规定，无论第七十六条修改前后，其原则精神都是一致的。(3)机动车一方没有过错的，承担不超过10%的赔偿责任。这是机动车在没有过错的情况下，也要承担一小部分的赔偿责任的规定。就此部分而言，机动车承担的是无过错责任。对机动车一方没有过错，应当承担多少责任，在第七十六条修改过程中有不同意见。有的意见认为，这一规定体现了以人为本、关爱生命的精神，是恰当的。有的意见认为，机动车一方没有过错，承担10%的赔偿责任过高。有的部门根据解决道路交通事故赔偿问题的实践，还提出承担不超过10%的赔偿责任是不够的，建议提高到不超过20%。第七十六条规定机动车一方没有过错的，承担不超过10%的赔偿责任，与1991年国务院颁布的《道路交通事故处理办法》确定的赔偿原则是类似的，也是多年来公安交通管理部门处理交通事故的实际做法，执行中基本可行。在征求意见过程中，广大机动车驾驶员对这一规定也普遍表示可以接受。

2. 道路交通事故赔偿制度及其归责原则的演进

道路交通事故损害赔偿责任制度，尤其是其中的归责原则是有一个发展过程的。

世界上第一辆机动车是1886年卡尔·奔驰制造的。从汽车诞生以来到现在，道路交通事故损害赔偿责任制度不断发展，不断完善。根据部分国家和我国台湾地区等实际情况

来看,道路交通事故损害赔偿责任制度大体经历了三个阶段:

第一阶段——按照过错责任原则处理交通事故赔偿问题(也可以说是按责论处阶段)。在19世纪80年代至20世纪三四十年代,都是按照过错责任原则处理交通事故赔偿问题。按责论处是处理民事侵权问题的普通原则,当时解决道路交通事故损害赔偿纠纷也适用这一原则,即受害人只有证明机动车一方有过错才能得到赔偿,否则,机动车一方就不承担赔偿责任。

第二阶段——按照无过失责任原则或者过错推定责任原则处理交通事故赔偿问题。1925年,法国一个叫珍德的女孩横穿马路被卡车撞死,一审、二审法院按照过错责任原则判定女孩的母亲败诉,女孩的母亲上诉到法国最高法院。1930年,法国最高法院作出终审判决,判机动车一方败诉。法国最高法院认为,道路交通事故的赔偿问题,仅以机动车一方没有过错就不承担责任是不够的,只有在不可抗力等情况下才能免除机动车一方的责任。这个判例确立了法国在交通事故上的无过失责任原则。

学理上探讨从过错责任原则发展到无过失责任原则或者过错推定原则的理由主要是:(1)导致交通事故发生的原因是多方面的,不只是驾驶员的过错。驾驶员的驾驶技术、身体状况,车辆的安全性能,交通设施状况,甚至天气状况等,都会影响到交通事故的发生。(2)发生交通事故,受伤害的都是行人和非机动车一方,机动车是用钢铁制作的,在高速行驶时对行人和非机动车一方具有危险性。(3)在道路交通中,机动车一方获得了代步的安全性和舒适性,作为交通工具的受益者,机动车一方应当承担更多的风险。(4)在交通事故中绝大多数是车撞人而不是人撞车,加重机动车一方的责任,更能避免事故的发生。

为什么道路交通事故赔偿原则从过错责任原则发展到无过失责任原则或者过错推定原则,学理上有危险源说、风险控制说和利益说等多种理论,但其最主要的原因是根据传统的过错责任原则,受害人不能证明机动车一方有过错,机动车一方就不承担赔偿责任,这一原则实施的结果是大量的受害人因难以证明而得不到赔偿,酿成社会问题。据英国议会皮尔森委员会和美国交通部的报告,适用过错责任原则,有一半左右的受害人得不到赔偿或者只得到部分赔偿。

据了解,德国、意大利、奥地利、葡萄牙、荷兰、俄罗斯、比利时、瑞士、日本、韩国、越南、蒙古等多数国家在交通事故上都实行无过失责任原则或者过错推定原则。1955 年,日本借鉴欧洲一些国家的经验,制定了《机动车损害赔偿保障法》,法律规定的是过错推定原则,但在该法的说明中明确指出在交通事故上实行"近于无过失责任"。

第三阶段——主要通过第三者责任强制保险制度解决道路交通事故赔偿问题。无过失责任原则或者过错推定责任原则虽然加重了机动车一方的赔偿责任,有利于保护受害人的权益,但对受害人的保护还不够。一是解决纠纷耗时长,受害人要从机动车一方切实得到赔偿,往往旷日持久,对受害人及时救助非常不利。二是交通事故往往后果严重,伤亡大,机动车一方赔不起,受害越严重,越难以得到赔偿。如何解决这一难题,英国、德国从 20 世纪 30 年代,更多的国家从 20 世纪五六十年代,开始建立第三者责任强制保险制度来解决道路交通事故赔偿问题。根据第三者责任强制保险制度,机动车一方只需向保险公司交纳少量保费,事故发生后,原则上不论机动车一方是否有过错,受害人都可以在强制保险责任限额范围内从保险公司直接获得赔偿。

(三)机动车一方不承担责任的情形

道路交通安全法第七十六条第二款规定,交通事故的损失是由非机动车驾驶人、行人故意碰撞机动车造成的,机动车一方不承担赔偿责任。这是关于机动车一方免责事由的规定。机动车与非机动车驾驶人、行人之间发生交通事故,如果交通事故的损失是因非机动车驾驶人、行人自杀、自伤、有意冲撞(碰瓷)等行为故意造成的,机动车一方不承担赔偿责任。这与本法第二十七条规定的"损害是因受害人故意造成的,行为人不承担责任"的原则是一致的。

三、一些国家及我国香港和台湾地区道路交通事故赔偿制度的规定

德国、法国、俄罗斯、荷兰、美国、日本、韩国、新加坡、蒙古、越南、埃塞俄比亚等国家和我国香港、台湾地区的民法典以及道路交通法,对道路交通事故赔偿制度作了规定,现简要介绍如下:

发生道路交通事故时,绝大多数国家和我国香港、台湾地区都明确规定了加重机动车一方的赔偿责任。

《德国道路交通法》第7条规定,车辆一方在使用车辆过程中造成他人损害的,对损害负赔偿责任,但损害是由不可抗力造成的除外。

《法国改善交通事故受害者处境法》第3条规定,车辆在使用中造成他人损害的,车辆一方对损害负赔偿责任,不得以受害人有过错予以对抗。但是,有下列情形之一的,机动车一方不承担赔偿责任:(1)事故因受害人不可原谅的过错造成,而且,该过错为事故发生的唯一原因;(2)事故因受害人的故

意行为造成。

《俄罗斯民法典》第 1079 条规定，从事高度危险活动（使用交通工具、机械装置、高压电力、原子能等；从事建筑和其他与建筑有关的活动等）的法人和公民，如果不能证明损害是因不可抗力或者受害人故意造成的，应当赔偿高度危险源所造成的损害。

《荷兰道路交通法》第 185 条规定，机动车在运行中造成损害的，应当承担赔偿责任，除非存在不可抗力的情形。

《意大利民法典》第 2054 条规定，机动车驾驶人不能证明已尽一切注意义务避免损害发生的，应当对车辆运行造成的人身或者财产损害负赔偿责任。

《日本机动车损害赔偿责任保障法》第 3 条规定，机动车运行侵害他人生命或者身体的，机动车一方对损害负赔偿责任，除非机动车一方能够证明同时具备以下三种情况：(1)对机动车的运行未怠于行使注意义务；(2)受害人或者第三者对损害的发生有过错；(3)机动车不存在结构缺陷或者功能障碍。

《韩国机动车损害赔偿保护法》第 3 条规定，机动车一方因使用机动车而造成他人死亡或者伤害的，应当承担赔偿责任，但下列情形除外：(1)造成行人人身伤亡时，机动车一方能够证明自己对机动车的使用未怠于行使注意义务、受害人或者第三人有过错以及机动车无结构缺陷、功能障碍；(2)造成乘客人身伤亡时，事故由乘客故意或者自杀行为而发生。

《越南民法典》第 627 条规定，高度危险源包括交通运输工具、输电系统、正在运行中的工业机械、武器、易爆物、剧毒物、放射物、野兽及法律规定的其他高度危险源。高度危险源的所有人对于高度危险源造成的损害必须承担赔偿责任；如果所有人已将高度危险源移交他人占有、使用，占有人、使用人必须承担赔偿责任；双方有约定的，依照约定。但是，有下列情形之一的，不承担赔偿责任：(1)损害的发生完全是由受害人引起的；(2)损害是由不可抗力或者紧急避险造成的，法律另有规定的除外。

《蒙古民法典》第379条规定，高度危险源（包括机动车）造成损害的，高度危险源的持有人应当承担赔偿责任。但是，损害是由意外事件、不可抗力、受害人故意或者疏忽造成的，高度危险源持有人不承担赔偿责任。

《埃塞俄比亚民法典》第2081条规定，机器或者机动车的所有人，应对机器或者机动车造成的任何损害承担赔偿责任。该损害是由未经允许操作、发动或者驾驶该机器、机动车的人造成的，机器或者机动车的所有人也应当承担赔偿责任。

我国台湾地区“民法典”第191条之二规定，汽车、机车或其他非依轨道行驶之动力车辆，在使用中加损害于他人者，驾驶人应赔偿因此所生之损害，但于防止损害之发生，已尽相当之注意者，不在此限。

德国、意大利、俄罗斯、荷兰、日本、蒙古等国家的法律规定，受害人对损害的发生有过错的，可以减轻机动车一方的赔偿责任。例如，《德国道路交通法》第9条规定，在运行机动车而发生的事故中，如果受害人对于损害的发生也具有过错，受害人应当依照民法典第254条承担责任。再如，《俄罗斯民法典》第1083条规定，因受害人的重大过失造成损害或者使损害扩大的，应根据受害人和加害人的过错程度减少赔偿金额。对公民生命或者健康造成损害的，不得免除加害人的赔偿责任。

美国的一些州和有的国家在道路交通事故赔偿原则上实

行过错责任原则。美国的一些州实行过错责任原则的主要原因:一是道路交通事故绝大多数发生在机动车之间;二是要求机动车一方的注意义务较高,机动车碰撞行人后很难免责;三是保险制度较为完善,受害人基本上都能及时、充分地得到赔偿。

此外,上述国家和地区的法律对机动车一方和非机动车驾驶人、行人在事故中责任大小的赔偿比例未作规定(有的国家对特殊情况,如机动车碰撞老人或者儿童后应当承担全部赔偿责任作了规定),由法院根据具体案件认定机动车一方或者非机动车驾驶人、行人在事故中的责任大小以及赔偿数额。

**第四十九条　因租赁、借用等情形机动车所有人与使用人不是同一人时,发生交通事故后属于该机动车一方责任的,由保险公司在机动车强制保险责任限额范围内予以赔偿。不足部分,由机动车使用人承担赔偿责任;机动车所有人对损害的发生有过错的,承担相应的赔偿责任。**

**【释义】**　本条是关于因租赁、借用等情形机动车所有人和使用人不是同一人时,发生交通事故后如何承担赔偿责任的规定。

进一步完善机动车交通事故责任,需要根据发生事故的特殊情况作出具体规定。机动车被租赁、借用后发生事故,机动车所有人、使用人如何承担责任即是本条所规定的内容。

机动车租赁,是指机动车所有人将机动车在一定时间内交付承租人使用、收益,机动车所有人收取租赁费用,不提供驾驶劳务的行为。机动车借用,是指机动车所有人将机动车在约定时间内交由借用人使用的行为。现实生活中,机动车租赁主要是出租人仅将机动车交付承租人使用,出租人收取租金,但不提供驾驶人员。例如,汽车租赁公司在一定期间内按约定的租金将机动车出租给其他单位或个人使用。

机动车发生交通事故,属于该机动车一方责任的,当机动车所有人与使用人是同一人时,损害赔偿责任由所有人承担,这是一种常态。在现实生活中,因出租、出借等情形使机动车与其所有人分离,机动车承租人或者借用人为使用人、实际控制人的形态也是常见的。这就面临机动车发生交通事故后,是由机动车所有人还是使用人承担赔偿责任的问题。

一、关于如何确定责任主体的两种意见

在本法征求意见过程中,对因租赁、借用等情形机动车所有人与使用人不一致时,责任如何承担的问题有不同意见:

(一)机动车所有人应当与使用人共同承担责任

有的意见提出,运行支配与运行利益的归属是确定机动车交通事故责任承担的一般标准。在机动车出租、出借的情况下,承租人、借用人直接支配机动车运行,从中直接获取利益;而出租人、出借人间接支配车辆,要么从中获得经济收益,要么享有人情回报等利益。机动车承租人、借用人和出租人、出借人都应有防范机动车运行风险的义务,都应对机动车交通事故承担责任。出租人、出借人向受害人承担责任后,可以向承租人、借用人追偿。

有的意见提出,机动车的使用是一种高度危险行为,应当强化机动车所有人的管理义务。机动车所有人将车辆交与他人使用,就应当承担一定的风险。为了有效解决纠纷、减少司法和行政成本,应当规定租用、借用双方承担连带责任。

有的意见提出,发生交通事故后应由使用人承担责任,但是如果机动车使用人无力赔偿或者下落不明,应由出租人、出借人承担赔偿责任。出租人、出借人承担赔偿责任后,可以向机动车使用人追偿。

有的意见提出,不论机动车所有人在出租、出借的过程中是否有过错,只要是出租、出借的机动车发生交通事故造成损害的,机动车所有人都应当承担补充责任。这样规定可以提高机动车所有人在出租、出借时的谨慎注意义务。

有的意见提出,目前在交通事故处理中,机动车所有人、实际支配人(包括承租人、借用人等)都被公安交通行政管理部门列为机动车一方,承担损害赔偿责任。

有的意见提出,原《道路交通事故处理办法》曾规定,承担赔偿责任的机动车驾驶员暂时无力赔偿的,由驾驶员所在单位或者机动车的所有人负责垫付。目前虽然不再有类似规定,但是在实际纠纷中,机动车交通事故受害人往往以所有人也从机动车运行中获取利益为由,主张驾驶人和所有人都要赔偿。

(二)机动车所有人有过错的,应当承担责任

有的意见提出,在车辆出租、出借的情况下,对于责任承担应区分三种情况:(1)在一般情况下,机动车使用人既是行为支配人又是受益人,应当由机动车使用人承担赔偿责任;(2)如果机动车所有人明知机动车使用人没有驾驶资格,仍将机动车出租、出借给机动车使用人的,双方存在共同过错,构成共同侵权行为,应由机动车所有人与机动车使用人承担连带赔偿责任;(3)如果机动车所有人明知车辆存在交通安全技术隐患,仍将车辆出租、出借给机动车使用人的,由机动车所有人与机动车使用人按照造成交通事故的过错比例承担责任。

有的意见提出,原则上应当由租用人、借用人承担责任。

如果车辆所有人有过错,比如未能提供符合安全技术标准的车辆,明知租用人、借用人没有驾驶资格或者处于醉酒状态,仍然将车辆交与其使用,就应当承担相应的赔偿责任。在租用人、借用人逃逸或者无力赔偿的情况下,出租人或者出借人没有过错的也应当承担一定数额的补偿责任,其后再向租用人、借用人追偿。

有的意见提出,如果机动车所有人明知承租人、借用人没有驾驶资格或者醉酒,仍然出租、出借的,机动车所有人应当与承租人、借用人承担连带责任。

有的意见提出,出租、出借机动车发生交通事故的,原则上出租人、出借人不承担责任,只有在出租人、出借人有过错,比如在未排除或者未告知机动车安全隐患的情况下,才应当对因此导致的损害承担相应的赔偿责任。

二、关于本条的基本含义

根据本条规定,因租赁、借用等情形机动车所有人与使用人不是同一人时,发生交通事故后属于该机动车一方责任的,如何承担责任,需要把握以下三点:

第一,首先由保险公司在机动车强制保险责任限额范围内予以赔偿。根据《机动车交通事故责任强制保险条例》第二条的规定,在中华人民共和国境内道路上行驶的机动车的所有人或者管理人,应当依照《中华人民共和国道路交通安全法》的规定投保机动车交通事故责任强制保险。作为机动车的所有人,应当为自己的机动车购买第三者责任强制保险。在发生交通事故后,首先由保险公司在机动车强制保险责任限额范围内予以赔偿。

第二,保险公司在机动车强制保险责任限额范围内予以赔偿后,不足的部分,由机动车使用人承担赔偿责任。作为机动车出租人、出借人的所有人,将机动车出租或者出借后,就丧失了对该机动车是否会给他人带来损害的直接控制力。机动车承租人和借用人作为机动车的使用人,具有直接的运行支配力并享有运行利益,成为承担责任的主体。因此,发生交通事故后,应由使用人承担赔偿责任。本条中的“使用人”不仅包括承租人、借用人,还包括机动车出质期间的质权人、维修期间的维修人、由他人保管期间的保管人等。在机动车出质、维修和由他人保管期间,机动车由质权人、维修人和保管人占有,他们对机动车享有运行支配力,而所有人则丧失了运行支配力。质权人、维修人、保管人擅自驾驶机动车发生交通事故的,应由质权人、维修人、保管人承担赔偿责任。

第三,机动车所有人对损害的发生有过错的,承担相应的赔偿责任。机动车所有人在将机动车出租、出借时应当对承租人、借用人进行必要的审查,比如承租人、借用人是否有驾驶资格。同时,还应当保障机动车性能符合安全的要求,比如车辆制动是否灵敏等。机动车所有人没有尽到上述应有的注意义务,便有过错,该过错可能成为该机动车造成他人损害的一个因素,机动车所有人应当对因自己的过错造成的损害负相应的赔偿责任。

**第五十条　当事人之间已经以买卖等方式转让并交付机动车但未办理所有权转移登记,发生交通事故后属于该机动车一方责任的,由保险公司在机动车强制保险责任限额范围内予以赔偿。不足部分,由受让人承担赔偿责任。**

**【释义】**　本条是关于已经买卖并交付机动车,但未办理所有权转移登记,由谁承担赔偿责任的规定。

根据道路交通安全法第十二条的规定,机动车所有权发生转移的，应当办理登记。在现实生活中，存在机动车已经通过买卖、赠与等方式转让，但当事人没有及时办理所有权转移（过户）登记的情形，甚至还存在连环转让机动车但都没有办理所有权转移登记的情形。本条正是针对这种情况，明确规定了承担赔偿责任的主体。

一、关于如何确定责任主体的几种意见

在出现了登记簿上的名义所有人与实际所有人不一致的情况下，应当由谁承担发生交通事故后的赔偿责任，在本法起草过程中有不同意见：

（一）登记记载的机动车所有人应当承担责任

有的意见提出，实际生活中买卖机动车后为节省过户费而不办过户手续的现象一直存在。现在不但机动车买卖后不过户的现象比较普遍，还有的机动车所有人与他人串通，试图借虚假买卖机动车逃避交通事故责任。为了充分保护受害人，遏制这些不良现象，应当将登记记载的机动车所有人与买受人都确定为机动车一方的责任人，共同对受害人承担连带赔偿责任；登记记载的所有人承担责任后，有证据证明确实不支配机动车，也不享有运行利益的，可以向买受人追偿。

有的意见提出，机动车实际交付之后，原所有人就不再实际控制机动车，不宜与实际占有人一同承担连带责任；但是为了保护受害人利益，并且促使当事人及时依法办理变更登记，应当规定发生交通事故后，由登记记载的机动车所有人承担补充责任。

有的意见提出，根据公安部《机动车登记规定》，已注册登记的机动车所有权发生转移的，现机动车所有人应当自机动车交付之日起30日内向登记地车辆管理所申请转移登记。在未办理过户的情况下，如果在30日过户期间内发生交通事故的，一般由买受人承担赔偿责任。如果买受人逃逸或者无力赔偿，原车主也要做出一点补偿；如果在30日过户期间届满后发生交通事故的，由于原车主违反了规定，应当与买受人承担连带责任。

有的意见提出，机动车转让时原所有人应当尽到及时办理转让登记的义务，否则就应当承担责任。现实中存在由于机动车转让未办理转让登记，相应的机动车第三者强制责任保险也仍然保持着原所有人的名义，未相应变更。发生交通事故要求理赔时，保险公司往往以机动车受让人不是保险合同当事人为由，对未办理转让登记的买受人不予理赔，以致受害人难以获得赔付。机动车保险到期后，如果机动车仍未办理转让登记手续，保险公司也不会给买受人办理新的保险，一旦机动车发生交通事故，买受人承担的责任就会很重。

（二）登记记载的机动车所有人不应当承担责任

有的意见提出，机动车权属登记是为了保护交易活动中的善意第三人，并不是为了确定机动车交通事故的责任人。即使尚未变更登记，原所有人通过实际转移占有也已经转让了机动车所有权，不再控制机动车运行的风险，不应当再对此后发生的机动车交通事故承担责任。现实生活中未办理变更登记的情况不少，公安交管部门处理事故时主要调查肇事者，并不考虑机动车原所有人是谁，是否已经办理变更登记等情况。

有的意见提出，2001年《最高人民法院关于连环购车未办理过户手续，原车主是否对机动车发生交通事故致人损害承担责任的请示的批复》规定："连环购车未办理过户手续，因车辆已经交付，原车主既不能支配该车的营运，也不能从该车的营运中获得利益，故原车主不应对机动车发生交通事故致人损害承担责任。但是,连环购车未办理过户手续的行为,违反有关行政管理法规的,应受其规定的调整。”这一规定是合理的,买卖机动车一经交付,原车主就既不再支配该机动车的运行,也不再从运行中获取利益,即使尚未变更权属登记,也不应当再承担机动车交通事故责任。

有的意见提出,连环买卖但未过户车辆发生交通事故,由于车辆运行的支配人及其利益支配人均属于买受方,故应由买受人承担赔偿责任,而出卖人不承担赔偿责任。有的意见提出,实践中曾处理过一辆车卖了五次都没过户的案子,由原登记车主一直追到最后一个买车的人。对于没过户的,谁实际拥有车辆谁就应当承担责任。在农村,农民之间买卖车辆付了钱,连个收据都没有,找原登记车主不公平。

(三)应当区别情况确定责任的承担

有的意见提出,已转让但未办理变更登记的机动车发生交通事故,登记记载的机动车所有人只有证明已经履行了转让中应尽的义务的,才可以不承担责任。

有的意见提出,原则上应当由实际买受人承担责任,但出卖人有过错的,应当承担连带责任。

二、关于本条的基本含义

根据本条规定,当事人之间已经以买卖等方式转让并交付机动车但未办理所有权转移登记,机动车发生交通事故后,属于该机动车一方责任的,由保险公司在机动车强制保险责任限额范围内予以赔偿。不足部分,由受让人承担赔偿责任。这一条主要有两层意思:

第一,首先由保险公司在机动车强制保险责任限额范围内予以赔偿。根据《机动车交通事故责任强制保险条例》第二条的规定,在中华人民共和国境内道路上行驶的机动车的所有人或者管理人,应当依照《中华人民共和国道路交通安全法》的规定投保机动车交通事故责任强制保险。作为机动车的所有人,应当投保机动车第三者责任强制保险。根据本条规定,发生交通事故后,机动车原所有人已投保机动车第三者责任强制保险的,无论机动车买卖双方、赠与和受赠双方是否办理了所有权转移登记,都应当首先由保险公司在机动车强制保险责任限额范围内予以赔偿。

第二,保险公司在机动车强制保险责任限额范围内赔偿后,不足部分,由受让人承担赔偿责任。根据物权法第二十三条的规定,动产物权的设立和转让,自交付时发生效力。机动车属于动产,但又是价值较高、使用期限较长的特殊动产。因此,物权法第二十四条又规定,船舶、航空器和机动车等物权的设立、变更、转让和消灭,未经登记,不得对抗善意第三人。物权法的这一规定表明,机动车所有权的转移在交付时发生效力,未经登记,只是缺少公示而不产生社会公信力,在交易过程中不能对抗善意第三人。当事人之间已经以买卖、赠与等方式转让并交付机动车但未办理所有权转移登记的,原机动车所有人已经不是真正的所有人,更不是机动车的占有人,他不具有机动车的实质所有权,丧失了对机动车运行支配的能力,不具有防范事故发生的控制力。在机动车发生事故后,仍然要求其承担赔偿责任,是不合理、不公平的。赔偿义务应当由买受人、受赠人等对机动车运行有实质影响力和支配力的机动车的实际所有人、占有人来承担。

此外,在附所有权保留特别约定的分期付款买卖机动车的情形下,如果机动车已交付购买人,虽然出卖人仍保留机动车所有权,但并不影响购买人取得机动车的实际支配力和使用收益。该所有权仅在购买人不依约定支付价金时才发生效力,即要求购买人返还出卖人享有所有权的机动车。因此,在发生道路交通事故后,应当由购买人承担赔偿责任,保留机动车所有权的出卖人不承担赔偿责任。《最高人民法院关于购买人使用分期付款购买的车辆从事运输因交通事故造成他人财产损失,保留车辆所有权的出卖方不应承担民事责任的批复》规定:“采取分期付款方式购车,出卖方在购买方付清全部车款前保留车辆所有权的,购买方以自己名义与他人订立货物运输合同并使用该车运输时,因交通事故造成他人财产损失的,出卖方不承担民事责任。”该规定与本条规定的精神是一致的。

**第五十一条　以买卖等方式转让拼装或者已达到报废标准的机动车,发生交通事故造成损害的,由转让人和受让人承担连带责任。**

**【释义】** 本条是关于以买卖等方式转让拼装的或者已达到报废标准的机动车,发生交通事故造成损害如何承担责任的规定。

根据道路交通安全法的规定,任何单位或者个人不得拼装机动车。国家实行机动车强制报废制度。根据国务院《报废汽车回收管理办法》第二条的规定,拼装车是指使用报废汽车发动机、方向机、变速器、前后桥、车架(统称“五大总成”)以及其他零配件组装的机动车。报废机动车,是指达到国家报废标准,或者虽未达到国家报废标准,但发动机或者底盘严重损坏,经检验不符合国家机动车运行安全技术条件或者国家机动车污染物排放标准的机动车。

需要说明的是,本条所称“已达到报废标准的机动车”,包括国务院《报废汽车回收管理办法》中所指的两类报废机动车,主要是指"达到国家报废标准,或者虽未达到国家报废标准,但发动机或者底盘严重损坏,经检验不符合国家机动车运行安全技术条件"的机动车。

研制、生产机动车,需要有很高的技术水平。而拼装车辆很难达到机动车应有的安全技术标准,这样的车上路行驶,会构成很大的事故隐患。国家对报废机动车的回收、拆解和机动车的修理实行严格的监督管理。报废汽车回收企业必须拆解回收的报废汽车;其中,回收的报废营运客车,应当在公安机关的监督下解体。拆解的"五大总成"应当作为废金属,交售给钢铁企业作为冶炼原料;拆解的其他零配件能够继续使用的,可以出售,但必须标明"报废汽车回用件"。禁止任何单位或者个人利用报废汽车"五大总成"以及其他零配件拼装汽车。禁止报废汽车整车、"五大总成"和拼装车进入市场交易或者以其他任何方式交易。禁止拼装车和报废汽车上路行驶。根据道路交通安全法的规定,生产、销售拼装的机动车的,没收非法生产、销售的拼装车,可以并处非法产品价值三倍以上五倍以下罚款;有营业执照的,由工商行政管理部门吊销营业执照,没有营业执照的,予以查封。构成犯罪的,依法追究刑事责任。出售已达到报废标准的机动车的,没收违法所得,处销售金额等额的罚款,对该机动车予以收缴,强制报废。

根据道路交通安全法第一百条的规定,驾驶拼装的机动车或者已达到报废标准的机动车上道路行驶的,公安机关交通管理部门应当予以收缴,强制报废。对驾驶人处 200 元以上 2000 元以下罚款,并吊销机动车驾驶证。

拼装和已达到报废标准的机动车,由于其不能达到机动车上路行驶的安全标准,上路行驶后极易造成其他机动车、非机动车驾驶人和行人的损害。转让拼装的或者已达到报废标准的机动车，本身即具有违法性，上路行驶又具有更大的危险性，因此，本条对以买卖、赠与等方式转让拼装的或者已达到报废标准的机动车，发生交通事故造成损害的，适用无过错责任原则，且没有法定免责事由，并由买卖、赠与等转让人和受让人、赠与人和受赠人承担连带责任。这样规定有利于预防并制裁转让、驾驶拼装的或者已达到报废标准的机动车的行为，更好地保护人民群众的生命财产安全；在受害人有损害时，也可以根据本条获得较为充分的损害赔偿。

**第五十二条　盗窃、抢劫或者抢夺的机动车发生交通事故造成损害的，由盗窃人、抢劫人或者抢夺人承担赔偿责任。保险公司在机动车强制保险责任限额范围内垫付抢救费用的，有权向交通事故责任人追偿。**

**【释义】**　本条是关于盗抢的机动车发生交通事故造成损害的，由谁承担赔偿责任的规定。

机动车被盗抢，也是所有人与机动车相分离的形态之一。驾驶盗抢的机动车，又是擅自驾驶中最极端的情形。本条回答了机动车被盗窃、抢劫或者抢夺后发生交通事故造成损害的，由谁承担赔偿责任的问题。

一、盗抢的机动车发生交通事故造成损害的，由盗抢人承担赔偿责任

对盗抢的机动车发生交通事故造成损害的，由谁承担赔偿责任的问题，我国司法实践已有相关审判依据。1999 年 7 月 3 日《最高人民法院关于被盗机动车辆肇事后由谁承担损害赔偿责任问题的批复》指出："使用盗窃的机动车辆肇事，造成被害人物质损失的，肇事人应当依法承担损害赔偿责任，

被盗机动车辆的所有人不承担损害赔偿责任。”

在本法起草过程中，对机动车被盗窃、抢劫或者抢夺后发生交通事故造成损害的，由谁承担赔偿责任的问题有两种意见：

一种意见认为，机动车被盗窃、抢劫或者抢夺以后，机动车的所有人失去监管、支配机动车的能力，因而机动车产生的危险也应由盗窃者、抢劫者或者抢夺者承担。同时，还要考虑机动车所有人是否尽到妥善保管的注意义务，即所有人对机动车的被盗或者被抢有无过错。例如，车主忘记锁车门或把钥匙遗忘在车内，使他人有机可乘。如果所有人有过错，应当承担其过错限度内的补充责任。如果所有人没有过错，则不承担责任。

另一种意见认为，根据《最高人民法院关于被盗机动车辆肇事后由谁承担损害赔偿责任问题的批复》，使用盗窃的机动车肇事的，肇事人应当依法承担责任，被盗机动车的所有人不承担损害赔偿责任。机动车被盗，所有人既失去了对机动车的运行支配，又丧失了运行利益，不应当再承担责任。即使机动车所有人对机动车被盗有没锁车门等管理上的过错，但这种过错与发生交通事故没有直接的因果关系。因此，也不应由所有人承担责任。

本条规定，盗窃、抢劫或者抢夺的机动车发生交通事故造成损害的，由盗窃人、抢劫人或者抢夺人承担赔偿责任，没有规定机动车所有人的赔偿责任。主要考虑：一是，机动车被盗窃、抢劫或抢夺后，机动车所有人丧失了对机动车的运行支配力，而这种支配力的丧失是盗抢者的违法行为造成的，又是所有人不情愿的，有时还是所有人不知悉、未预想到的。二是，在机动车被盗的情形下，因所有人对机动车保管上的疏忽，导致机动车丢失，与机动车发生交通事故没有直接的因果关系。因此，应当由盗抢者承担发生交通事故后的损害赔偿责任，机动车所有人不承担赔偿责任。

驾驶盗抢的机动车上道路行驶，通常会给他人的生命财产安全和公共安全带来极大的危害。由于盗抢人不是车辆的拥有者，自认为轻易可以逃脱法律的制裁，因此，常发生不遵守交通法规，任意违章，甚至漠视他人生命财产安全的情况。法律在对机动车盗抢人课以刑罚的同时，规定其民事责任，有利于保护受害人的权益，制裁此类侵权行为。

二、机动车被盗抢后发生交通事故造成损害，保险公司在机动车强制保险责任限额范围内垫付抢救费用的，有权向交通事故责任人追偿

《机动车交通事故责任强制保险条例》第二十二条规定，被保险机动车被盗抢期间肇事的，由保险公司在机动车交通事故责任强制保险责任限额范围内垫付抢救费用，并有权向致害人追偿。参照这一规定，本条作出机动车被盗窃、抢劫或者抢夺后发生交通事故造成损害，保险公司在机动车强制保险责任限额范围内垫付抢救费用的，有权向交通事故责任人追偿的规定。

**第五十三条　机动车驾驶人发生交通事故后逃逸，该机动车参加强制保险的，由保险公司在机动车强制保险责任限额范围内予以赔偿；机动车不明或者该机动车未参加强制保险，需要支付被侵权人人身伤亡的抢救、丧葬等费用的，由道路交通事故社会救助基金垫付。道路交通事故社会救助基金垫付后，其管理机构有权向交通事故责任人追偿。**

**【释义】**　本条是关于机动车驾驶人发生交通事故后逃

逸的,对受害人如何救济的规定。

机动车肇事逃逸,是指发生道路交通事故后,道路交通事故当事人为逃避法律追究,驾驶车辆或者遗弃车辆逃离道路交通事故现场的行为。

行为人之所以在肇事后逃逸,通常是行为人对造成交通事故有过错,负有一定的责任。依照道路交通安全法第七十条的规定,在道路上发生交通事故,车辆驾驶人应当立即停车,保护现场;造成人身伤亡的,车辆驾驶人应当立即抢救受伤人员,并迅速报告执勤的交通警察或者公安机关交通管理部门。因抢救受伤人员变动现场的,应当标明位置。该条规定要求机动车驾驶人在发生交通事故后,应当立即停车、保护现场、立即抢救受伤人员并及时报案。但在现实生活中,有的机动车驾驶人在肇事后,为了逃避法律追究,要么驾车逃逸,要么弃车逃逸,给受害人的生命、财产造成了不可弥补的损失,也对社会构成了严重的危害。我国刑法、道路交通安全法和《道路交通安全法实施条例》分别对发生交通事故后逃逸的行为规定了刑事处罚、行政处罚,并规定了逃逸的当事人应当承担事故的全部责任。

本条针对机动车驾驶人发生交通事故后逃逸的,在驾驶人应当承担赔偿责任的前提下,如何通过机动车强制保险和道路交通事故社会救助基金救济受害人等问题作了如下规定:

其一,机动车驾驶人发生交通事故后逃逸,该机动车参加强制保险的,由保险公司在机动车强制保险责任限额范围内予以赔偿。这一规定表明,发生交通事故的机动车参加了机动车强制保险,并且发生交通事故后能够确定机动车的,由保险公司在机动车强制保险责任限额范围内予以赔偿。

其二，机动车不明或者该机动车未参加强制保险，需要支付被侵权人人身伤亡的抢救、丧葬等费用的，由道路交通事故社会救助基金垫付。

根据道路交通安全法第十七条的规定，国家设立道路交通事故社会救助基金。道路交通事故社会救助基金，是指依法筹集用于垫付机动车道路交通事故中受害人人身伤亡的丧葬费用、部分或者全部抢救费用的社会专项基金。救助基金的来源包括：(1)按照机动车交通事故责任强制保险的保险费的一定比例提取的资金；(2)地方政府按照保险公司经营交强险缴纳营业税数额给予的财政补助；(3)对未按照规定投保交强险的机动车的所有人、管理人的罚款；(4)救助基金孳息；(5)救助基金管理机构依法向机动车道路交通事故责任人追偿的资金；(6)社会捐款；(7)其他资金。

发生交通事故后，有时会出现受害人人身伤亡的抢救费用、丧葬费用等无法解决、无法落实的情况，其原因：一是机动车驾驶人驾车逃逸，一时难以查明是哪一辆机动车肇事；二是肇事的机动车没有参加机动车强制保险；三是抢救费用超过机动车强制责任保险责任限额。在这些情况下，需要由交通事故社会救助基金先行垫付受害人的抢救、丧葬等费用。根据《机动车交通事故责任强制保险条例》第二十四条的规定，道路交通事故中，抢救费用超过机动车交通事故责任强制保险责任限额的、肇事机动车未参加机动车交通事故责任强制保险的、机动车肇事后逃逸的，受害人人身伤亡的丧葬费用、部分或者全部抢救费用，由救助基金先行垫付。这里的“抢救费用”，是指机动车发生道路交通事故导致人员受伤时，医疗机构按照《道路交通事故受伤人员临床诊疗指南》，对生命体征不平稳和虽然生命体征平稳但如果不采取处理措施会产生生命危险，或者导致残疾、器官功能障碍，或者导致病程明显延长的受伤人员，采取必要的处理措施所发生的医疗费用。

本条着重对机动车驾驶人驾车逃逸，导致机动车不明以及肇事的机动车没有参加机动车强制保险的情形，规定了需要支付被侵权人人身伤亡的抢救、丧葬等费用的，由道路交通事故社会救助基金先行垫付全部费用。对抢救费用超过机动车强制责任保险责任限额的，根据道路交通安全法的规定，由道路交通事故社会救助基金先行垫付超过限额部分的费用。

道路交通事故社会救助基金垫付后，其管理机构有权向交通事故责任人追偿。这一规定表明，道路交通事故社会救助基金垫付被侵权人人身伤亡的抢救、丧葬等费用后，道路交通事故社会救助基金管理机构有权向逃逸的机动车驾驶人、应当购买而未购买强制责任保险的机动车所有人或者管理人等交通事故责任人追偿。道路交通安全法和机动车交通事故责任强制保险条例也作了同样的规定。

# 第七章　医疗损害责任

本章共11条，对医疗损害责任作了规定。侵权责任法草案的一审稿，即2002年12月提请九届全国人大常委会第三十一次会议审议的民法草案第八编，没有专章规定医疗损害责任。近年来医疗纠纷逐年上升，社会广泛关注。在立法征求意见过程中，普遍认为医疗纠纷案件在实际处理过程中存在法律适用二元化的现象，成为当前解决医疗纠纷中的突出问题。

一是关于责任范围。国务院于2002年发布的《医疗事故处理条例》第二条规定，医疗事故"是指医疗机构及其医务人员在医疗活动中，违反医疗卫生管理法律、行政法规、部门规章和诊疗护理规范、常规，过失造成患者人身损害的事故"。条例的这一规定，比国务院1987年《医疗事故处理办法》规定的医疗事故的范围，已有明显扩大。但是，在医疗活动中仍有可能存在"违反医疗卫生管理法律、行政法规、部门规章和诊疗护理规范、常规"以外的，其他原因造成患者人身损害的情况。条例仅对医疗事故的赔偿作了专章规定，同时条例第四十九条第二款规定："不属于医疗事故的，医疗机构不承担赔偿责任。"民法通则第一百零六条第二款规定，公民、法人由于过错侵害他人财产、人身的，应当承担民事责任。民法通则是民事基本法，民法通则的这一规定，是我国法律对侵权行为造成损害予以救济的一般规定。2003年《最高人民法院关于参照〈医疗事故处理条例〉审理医疗纠纷民事案件的通知》规定："条例施行后发生的医疗事故引起的医疗赔偿纠纷，诉到法院的，参照条例的有关规定办理；因医疗事故以外的原因引起的其他医疗赔偿纠纷，适用民法通则的规定。"这样，关于医疗纠纷的责任范围，实践中就出现医疗事故和非医疗事故的二元现象。

二是关于赔偿标准。条例规定了医疗费、误工费等十二个赔偿项目，并分别规定了计算标准。2003 年 12 月，最高人民法院发布了《最高人民法院关于审理人身损害赔偿案件适用法律若干问题的解释》，该司法解释根据民法通则等法律的有关规定，详细列明了人身损害的赔偿项目和计算方法。司法解释与条例的差别主要有以下几点：(1)死亡赔偿金。条例未规定死亡赔偿金，而司法解释作了规定。因而在医疗侵权造成患者死亡的情况下，按医疗事故适用条例所得到的赔偿将明显少于按非医疗事故适用民法通则和司法解释所得到的赔偿。司法解释规定的死亡赔偿金的计算标准是"按照受诉法院所在地上一年度城镇居民人均可支配收入或者农村居民人均纯收入标准，按二十年计算"。据介绍，目前死亡赔偿金在农村平均为 10 万元左右，在城市平均为 20 万元左右，在一些经济较发达的城市，达到 40 万元左右。条例对于造成患者死亡的，规定了一项"精神损害抚慰金"，按照医疗事故发生地居民年平均生活费计算，"赔偿年限最长不超过 6 年"。(2)残疾赔偿金。条例规定了残疾生活补助费，其标准是，"根据伤残等级，按照医疗事故发生地居民年平均生活费计算，自定残之月起最长赔偿 30 年"；司法解释规定了残疾赔偿金，其计算标准是，"根据受害人丧失劳动能力程度或者伤残等级，按照受诉法院所在地上一年度城镇居民人均可支配收入或者农村居民人均纯收入标准,自定残之日起按二十年计算。”(3)被扶养人生活费。条例规定的标准是,“按照其户籍所在地或者居所地居民最低生活保障标准计算。对不满十六周岁的,扶养到十六周岁。对年满十六周岁但无劳动能力的,扶养二十年”;司法解释规定的标准是,“按照受诉法院所在地上一年度城镇居民人均消费性支出和农村居民人均年生活消费支出标准计算。被扶养人为未成年人的,计算至十八周岁;被扶养人无劳动能力又无其他生活来源的,计算二十年。”(4)护理费。条例仅规定了陪护费,即“患者住院期间需要专人陪护的,按照医疗事故发生地上一年度职工年平均工资计算”;司法解释规定的护理费标准是,“护理人员有收入的,参照误工费的规定计算;护理人员没有收入或者雇用护工的,参照当地护工从事同等级别护理的劳务报酬标准计算。”“护理期限应计算至受害人恢复生活自理能力时止。受害人因残疾不能恢复生活自理能力的,可以根据其年龄、健康状况等因素确定合理的护理期限,但最长不超过二十年。”

三是关于鉴定机构。实践中根据条例和《最高人民法院关于参照〈医疗事故处理条例〉审理医疗纠纷民事案件的通知》规定,医疗事故由医学会组织专家进行鉴定;因医疗事故以外的原因引起的其他医疗赔偿纠纷,由司法鉴定机构进行鉴定。医疗事故鉴定主要由医学会组织的医疗卫生专业技术人员进行,司法鉴定主要由法医和其他医务人员进行。据介绍,由于医疗事故鉴定的结果既是医疗事故损害赔偿的依据,同时又是对医疗机构及其医务人员给予行政处分的依据,医学会组织的专家存在不愿意出具构成医疗事故鉴定结论的现象。患者也普遍不信任医疗事故鉴定,即使经过医疗事故鉴定,往往还要申请司法鉴定。

各方面普遍认为，医疗纠纷案件处理中法律适用二元化现象损害了我国法制的严肃性和统一性，影响司法公正，加剧了医患矛盾，亟须通过立法加以解决。立法机关通过深入调研，广泛听取各方面意见，在侵权责任法草案中增加了医疗损害责任一章，调整范围涵盖了前述的医疗事故和非医疗事故。患者在诊疗活动中受到损害的，都统一适用本法的各项规定，从而有利于消除二元化现象。本章采用了“医疗损害责任”的章名，这里的“损害”指的是依照本法规定，医疗机构应当承担侵权责任的患者损害，不包括实施正常的医疗行为无法避免的患者肌体损伤或者功能障碍。

2008 年 12 月，侵权责任法草案提请十一届全国人大常委会第六次会议第二次审议。在这次会议上，《全国人民代表大会法律委员会关于〈中华人民共和国侵权责任法草案〉主要问题的汇报》提出：“要妥善处理医疗纠纷，界定医疗损害责任，切实保护患者的合法权益，也要保护医务人员的合法权益，促进医学科学的进步和医药卫生事业的发展。”这是起草本章规定所遵循的指导原则。本章明确了医疗损害责任，即“患者在诊疗活动中受到损害，医务人员有过错的，由所属的医疗机构承担赔偿责任”。此外，本章对医疗损害责任的一些重要内容作了规定，包括患者的知情同意权、医务人员的过错界定、医疗机构的过错推定、药品和血液等造成患者损害的责任、医疗机构免责事由、病历资料的查阅复制、患者的隐私保护、制止过度检查以及医疗机构和医务人员的合法权益保护等。

**第五十四条　患者在诊疗活动中受到损害，医疗机构及其医务人员有过错的，由医疗机构承担赔偿责任。**

**【释义】** 本条是关于医疗损害责任归责原则的规定。

目前，与医疗损害责任的归责原则相关的规定主要是，《医疗事故处理条例》第二条规定：“本条例所称医疗事故，是指医疗机构及其医务人员在医疗活动中，违反医疗卫生管理法律、行政法规、部门规章和诊疗护理规范、常规，过失造成患者人身损害的事故。”同时，条例第五章规定了医疗事故的赔偿。可见条例体现的是过错责任原则的思路。2001 年《最高人民法院关于民事诉讼证据的若干规定》第四条第八项规定：“因医疗行为引起的侵权诉讼，由医疗机构就医疗行为与损害结果之间不存在因果关系及不存在医疗过错承担举证责任。”依照最高人民法院这项司法解释处理医疗损害赔偿案件，可能产生等同于过错推定原则的适用效果。

在立法征求意见过程中，大体有三种意见。有的认为，医疗侵权责任一般应当适用过错责任原则。医疗行为不同于一般的民事行为，其本身往往具有侵害性，即在治疗疾病的同时亦会给患者造成一定的损害后果。如果对医疗损害责任一般适用无过错责任或者过错推定责任，将会给医疗机构带来过重的负担，影响正常的医疗活动。有的认为，医学是一门探索性、经验性的学科，并受到患者体质特异的局限，简单地采用过错推定，加重医务人员的责任，可能会阻碍医学的发展，最终是对患者不利。有的认为，《最高人民法院关于民事诉讼证据的若干规定》中的举证责任倒置规则应当在侵权责任法中继续保留。实行举证责任倒置更符合医疗侵权案件的特殊性。如果不规定举证责任倒置，对患者来说，打医疗官司实在太难。医学文书基本掌握在医疗机构手中，只要医疗机构在证据上采取一些对患者不利的措施，患者将毫无办法。有的提出，在举证责任分配方面，可采用“谁主张，谁举证”以及特定条件下的举证责任转移方式。在一般情况下，应当由患者就医疗机构存在过错承担初步的举证责任。在实践中，该举证责任可以通过提交相关证据或者专业鉴定的方式完成。如果有医疗机构隐匿或者销毁患者病历资料等情形，则可以推定医疗机构有过错，举证责任转移至医疗机构。

合理规定医疗损害责任，必须充分考虑诊疗活动特点。诊疗活动的主要特点有：(1)未知性。医学是一门探索性、经验性的学科，直至今天，我们对许多疾病的发生原因还不了解，已知发病原因的，也有一半难以治愈，对许多药品副作用的认识非常有限。(2)特异性。人体的基因不同，体质不同，情绪不同，所处环境不同，因此患者疾病表现、治疗效果也不同。如大家熟知的青霉素，有人过敏，有人不过敏，即使青霉素皮试过关，也不排除有过敏反应的可能。(3)专业性。医务人员是救死扶伤的白衣天使，据了解，培养一名专科医师至少需要15年时间。卫生部《医疗机构诊疗科目名录》，一级科目有32类，二级科目有130类。

疾病的发生有患者原因，疾病的治疗需要患者配合，在诊疗纠纷中不能适用无过错责任，也没有哪个国家实行无过错责任。不问青红皂白，一律实行过错推定，将助长保守医疗，不利于医学科学进步。对诊疗活动引起的纠纷，应当适用一般过错责任。医疗机构及其医务人员有过错的，医疗机构才承担赔偿责任，原则上由原告承担过错的举证责任。只在特殊情况下如医务人员有违规治疗行为或者隐匿、拒绝提供与纠纷有关的医学资料，才适用过错推定责任原则，发生举证责任倒置。患者和医院之间信息不对称问题，应当通过信息交流和信息公开等办法解决。

关于医疗侵权的归责原则，各国大都按照过错责任原则处理，如德国、法国、日本、美国等。德国处理医疗侵权案件的法律依据是《德国民法典》第823条的规定，适用一般的过错责任原则，即原则上由病人承担举证责任，病人需要证明医生没有遵守相应的标准、医生存在过错、医生的过错与其损害之间具有因果关系。只有当医生出现重大过错时，才由医生承担没有过错和因果关系的举证责任。一些国家将医疗侵权归入专家责任范畴，如英美法国家的不当执业概念包含医生、律师、会计师的失职行为，奥地利民法典对专家责任作了规定，适用范围包括医疗侵权。无论是适用侵权法的一般条款，还是适用专家责任，过错原则都是解决医疗侵权的基本原则。我国台湾地区司法实务中曾试图用无过错责任原则处理医疗侵权责任。台湾地区法院曾认为，医疗行为系属医疗机构提供服务之消费行为，而依据台湾地区"消费者保护法"第7条的规定，应当适用无过错责任。有台湾学者认为，医疗行为终究不是商品，也不是以消费为目的的营利性服务，自然不宜适用消费者权益保护法。2004年台湾地区"医疗法"第82条规定："医疗机构及其医事人员因执行业务致病人损害，以故意或过失为限，负损害赔偿责任。"依该条的立法目的以及文义解释，显然已经改变"消费者保护法"第7条规定的原则，使医疗侵权责任转变为过错责任。

本章规定的"诊疗活动"，包括诊断、治疗、护理等环节，对此可以参考《医疗机构管理条例实施细则》第八十八条的有关规定，即诊疗活动是指通过各种检查，使用药物、器械及手术等方法，对疾病作出判断和消除疾病、缓解病情、减轻痛苦、改善功能、延长生命、帮助患者恢复健康的活动。

本法第四章规定，用人单位的工作人员因执行工作任务造成他人损害的，由用人单位承担侵权责任。因此，本条规定患者在诊疗活动中受到损害,医疗机构及其医务人员有过错的,“由医疗机构承担赔偿责任”。

还有一点需要说明,患者在诊疗活动中受到损害,除了医疗机构及其医务人员有过错的条件外,医疗机构及其医务人员的过错还要与患者的损害具有因果关系,医疗机构才承担赔偿责任。因果关系的条件适用于各种侵权行为产生的侵权责任。本条规定的患者在诊疗活动中受到的损害,指的就是与医疗机构及其医务人员的过错有因果关系的损害。

**第五十五条　医务人员在诊疗活动中应当向患者说明病情和医疗措施。需要实施手术、特殊检查、特殊治疗的,医务人员应当及时向患者说明医疗风险、替代医疗方案等情况,并取得其书面同意;不宜向患者说明的,应当向患者的近亲属说明,并取得其书面同意。**

**医务人员未尽到前款义务,造成患者损害的,医疗机构应当承担赔偿责任。**

**【释义】**　本条是关于患者知情同意权利的规定。

一些现有法律、行政法规、规章中规定了有关医务人员告知说明义务和患者知情同意权的内容,这些规定普遍为医疗机构的诊疗活动所遵循,并取得了很好的实践效果。本条对这些规定加以借鉴。执业医师法第二十六条规定,医师应当如实向患者或者其家属介绍病情,但应注意避免对患者产生不利后果。医师进行试验性临床医疗,应当经医院批准并征得患者本人或其家属同意。《医疗事故处理条例》第十一条规定,在医疗活动中,医疗机构及其医务人员应当将患者的病情、医疗措施、医疗风险等如实告知患者,及时解答其咨询;但是,应当避免对患者产生不利后果。《医疗机构管理条例》第三十三条规定，医疗机构施行手术、特殊检查或者特殊治疗时，必须征得患者同意，并应当取得其家属或者关系人同意并签字；无法取得患者意见时，应当取得家属或者关系人同意并签字。《医疗机构管理条例实施细则》第六十二条规定，医疗机构应当尊重患者对自己的病情、诊断、治疗的知情权利。在实施手术、特殊检查、特殊治疗时，应当向患者作必要的解释。因实施保护性医疗措施不宜向患者说明情况的，应当将有关情况通知患者家属。《医疗机构管理条例实施细则》第八十八条规定，特殊检查、特殊治疗是指“具有下列情形之一的诊断、治疗活动：（一）有一定危险性，可能产生不良后果的检查和治疗；（二）由于患者体质特殊或者病情危笃，可能对患者产生不良后果和危险的检查和治疗；（三）临床试验性检查和治疗；（四）收费可能对患者造成较大经济负担的检查和治疗”。

本条第一款规定，医务人员在诊疗活动中应当向患者说明病情和医疗措施。这是医务人员在诊疗活动中一般应尽的义务。除此以外，如果需要实施手术、特殊检查、特殊治疗的，还应当及时向患者说明医疗风险、替代医疗方案等情况，并取得其书面同意。上述说明如果不宜向患者说明，如将会造成患者悲观、恐惧、心理负担沉重，不利于治疗，医务人员应当向患者的近亲属说明，并取得其书面同意。本条第二款规定，医务人员未尽到前款义务，造成患者损害的，医疗机构应当承担赔偿责任。这里需要说明一点，不是说医务人员尽到了本条第一款规定的义务，在后续的诊疗活动中造成患者损害的，医疗机构就可以不承担赔偿责任了。本章第五十七条规定，医务人员在诊疗活动中未尽到与当时的医疗水平相应的诊疗义务，造成患者损害的，医疗机构应当承担赔偿责任。医务人员尽管尽到了本条第一款规定的义务,尽管取得了患者或者其近亲属同意相关治疗的签字,但如果在后续的诊疗活动中未尽到与当时的医疗水平相应的诊疗义务,造成患者损害的,医疗机构仍应当承担赔偿责任。

医疗机构的说明义务和患者的知情同意权为各国相关法律普遍规定。了解国外相关规定有助于更好地理解本条的规定。关于说明义务,综观各国情况,医方的说明义务与患者的知情同意权相对应,该项义务主要是指医方为取得患者对医疗行为的同意,而对该医疗行为的有关事项进行说明的义务。此种说明义务的对象主要是医疗过程中具有严重损伤后果的医疗行为,该行为可能影响身体机能甚至危及生命,因此需要患者在知晓自己病情并了解该医疗行为风险的基础上,作出是否同意该医疗措施的决定。一般医疗过程中惯常实施的不具有严重损伤后果的医疗行为,如常规注射、用药等,则不需向患者详尽说明。医方说明义务源自 20 世纪初叶,美国 1914 年就有相关判例,某患者因脊椎方面的疾病到医院接受手术治疗,术前医院向患者告知该手术可能导致死亡,但未告知可能导致残疾。术后患者残疾,以医院告知不足为由要求损害赔偿,法院判决支持患者的请求。其后各国法律对此都作出相应的规定,也出现了大量的相关判例。美国有统一医疗信息法、病人权利典章等法律,确定了患者的如下权利:有权了解关于其疾病的诊断、治疗及愈后情况;有权了解对其病情的医疗决定及所有治疗建议的措施;有权了解医疗和护理上适宜的替代方法;有权了解实质性的风险;有权了解为其服务的医务人员的身份和职业状态;有权了解结算的总账单的分项和详细解释;有权了解病历、化验等各种与其病情有关的资料。英国通过判例也确立了知情同意原则,荷兰民法典在医疗服务合同中对患者知情同意权作了规定,芬兰在病人权利法中规定了患者有权了解的内容。各国规定的内容基本相似。据日本学者介绍,虽然日本学术界于20世纪60年代就提出了说明义务理论,但作为损害赔偿的诉因在诉讼中得到广泛承认是近些年的事情。目前日本法学界通说认为,说明义务可分为两类:一是为取得患者有效同意的说明义务。日本最高法院于昭和五十六年(1981年)6月19日的一个案例,对说明义务事项作了非常详细的列举,基本上囊括了有关医疗行为的所有细节,为日本以后的此类案件所遵从。二是为回避不良结果的说明义务。对于这项义务日本最高法院认为其判断标准为诊疗当时临床医学实践中的医疗水准,对依当时诊疗水准未确立的内容,医师不负有说明义务。

关于患者的同意,美国医院法规定,病人有权利通过合理方式参与有关其医疗的决定。如果没有病人或者其合法代表基于充分理解和自愿的同意,不能对病人采取任何诊疗措施。在荷兰,医生要将治疗方案的特征和危险因素、可能存在的副作用、成功的可能性及其他可供选择方法等信息以简单易懂的语言提供给患者,只有在病人同意后才能开始治疗。同时,患者有权中止正在进行的治疗或者要求采用其他方案,医生必须遵从病人的决定。并非一切医疗行为都要征得患者的同意,例如,芬兰法律规定,如果医患双方的目的都很明确且不涉及比较复杂的治疗方法,如感冒病人到执业医生的诊所打针,就不涉及病人的同意权问题。日本札幌高等法院1981年5月27日及横滨地方法院1982年5月20日就有关于阑尾炎手术案件的判决认为,关于脊髓麻醉的危险性属于一般社会常识,医生不必取得患者专门同意。在日本另外一起案件中,医生手术中摘取了患者右乳房的肿瘤后,又对其左乳房做了病理切片检查出异常，在没有得到本人的承诺下，将其左乳房也切除了。对此案的判决认为，全部摘除女性乳房对于患者来说，从生理机能到外观上都是具有非常重大的影响。为此，被告在摘除原告左乳房手术时，必须重新取得患者的同意。各国还要求患者应当具有同意的能力。在美国，判断患者是否具有同意的能力要考虑患者的信息传达能力、理解能力以及对于选择的逻辑性思考能力和推理能力。患者没有同意能力时，通常由其近亲属或者监护人代为同意，这基本上是各国的共同规则。德国实务认为，子女无同意能力时，医生不能无视其父母不同意的表示，即使其父母是因继承或者财产利益等不合理的理由拒绝同意，但是，可以请示法院给予变更，强令同意治疗。美国 1990 年 Curran v. Bosze 案的判例也表明，如果父母的决定不符合孩子的最终利益，法院可以否决其决定。而英国的一个判例认为，危急时即使监护人不同意，医生也应当及时施行救治。在该案中，一个 13 岁女孩患扁桃腺肿，急需手术治疗，但其父母拒绝手术，结果造成女孩耳聋。法院认为，为了保护患者的生命健康，如果疾病已危及生命或者无充分时间取得代理人或者监护人的同意，即使未经同意也应当进行治疗。我国台湾地区"医疗法"第 46 条规定，医院实施手术时，应取得病人或其配偶、家属或关系人之同意，签具手术同意书；在签具之前医师应向其本人或配偶家属或关系人说明手术原因、手术成功率或可能发生之并发症及危险，在其同意之下，始得为之。但如情况紧急不在此限。

**第五十六条　因抢救生命垂危的患者等紧急情况，不能取得患者或者其近亲属意见的，经医疗机构负责人或者授权**

**的负责人批准，可以立即实施相应的医疗措施。**

**【释义】** 本条是关于紧急情况下知情同意的特殊规定。

上一条规定了患者的知情同意权，本条是针对抢救危急患者等紧急情况所作的特殊规定。《医疗机构管理条例》第三十三条规定，无法取得患者意见又无家属或者关系人在场，或者遇到其他特殊情况时，经治医师应当提出医疗处置方案，在取得医疗机构负责人或者被授权负责人员的批准后实施。本条借鉴了这一规定。

本条规定的“不能取得患者或者其近亲属意见”，主要是指患者不能表达意志，也无近亲属陪伴，又联系不到近亲属的情况，不包括患者或者其近亲属明确表示拒绝采取医疗措施的情况。2008 年 12 月，侵权责任法草案提请全国人大常委会二审时，本条规定为：“因抢救生命垂危的患者等紧急情况，难以取得患者或者其近亲属同意的，经医疗机构负责人批准可以立即实施相应的医疗措施。”这里的“难以取得患者或者其近亲属同意”的表述易被理解为包括了患者或者其近亲属明确表示不同意的情况。后来，根据各方面意见对草案进行修改，考虑到虽然患者或者其近亲属明确不同意治疗的情况在实践中确有发生，但对于如何处理认识上不一致，分歧较大。国外的情况也不尽相同，有的国家要求，疾病已危及生命时，为了保护患者的生命健康，即使代理人或者监护人不同意也应当进行治疗。有的国家规定，医生不能无视患者家属不同意治疗的表示，但可以请求法院裁定治疗。这个问题还涉及法定代理权、监护权等基本民事法律制度，情况较为复杂，还应当总结实践经验作进一步研究，待今后条件成熟时再作明确规定。

**第五十七条 医务人员在诊疗活动中未尽到与当时的医疗水平相应的诊疗义务，造成患者损害的，医疗机构应当承担赔偿责任。**

**【释义】** 本条是关于在诊疗活动中如何界定医务人员过错的规定。

本法第五十四条规定，患者在诊疗活动中受到损害，医疗机构及其医务人员有过错的，由医疗机构承担赔偿责任。医务人员的过错包括故意和过失，故意易于理解，如何界定过失是本条的主要着眼点。“尽到与当时的医疗水平相应的诊疗义务”体现了侵权责任法上的重要概念，即注意义务。在现代侵权责任法上，无论是大陆法系还是英美法系，注意义务是侵权责任的核心要素，是界定过失的基准。各国侵权责任法中注意义务的内涵大同小异。英美法对注意义务的一般解释是一种为了避免造成损害而合理注意的法定责任。在侵权法中，如果行为人造成损害的行为违反了应对受害人承担的注意义务，则应当承担侵权责任。如果一个人能够合理地预见到其行为可能对其他人造成人身或者财产损害，那么，一般情况下他应对可能受其影响的人负有注意义务。

依照本条规定，医务人员的注意义务就是应当尽到与当时的医疗水平相应的诊疗义务。尽到诊疗义务的一个重要方面，是诊疗行为符合法律、行政法规、规章以及诊疗规范的有关要求。然而，医务人员的注意义务并非与合法合规是完全等同的概念。一个医务人员应当具有的诊疗水平，并非完全能够被法律、行政法规、规章以及诊疗规范的有关要求所涵盖。医务人员完全遵守了具体的操作规程，仍然有可能作出事后证明是错误的判断，实施事后证明是错误的行为。然而，医疗行为具有未知性、特异性和专业性等特点，不能仅凭事后证明错误这一点来认定医务人员存在诊疗过错,不能唯结果论。关键要看是不是其他的医务人员一般都不会犯这种错误。因此,本条规定的诊疗义务可以理解为一般情况下医务人员可以尽到的,通过谨慎的作为或者不作为避免患者受到损害的义务。

医疗纠纷解决的时间可能较长,判断是否尽到诊疗义务应当以诊疗行为发生时的诊疗水平为参照才公平合理。另外,侵权责任法草案曾规定,“判断医务人员注意义务时,应当适当考虑地区、医疗机构资质、医务人员资质等因素”。后来考虑到诊疗行为的实际情况很复杂,删去了这一规定。地区、资质等因素能否在适用本条时考虑,应当结合具体情况。法律、行政法规、规章以及诊疗规范规定了具体要求的诊疗行为,医疗机构和医务人员一般都应当遵守,不应当因地区、资质的不同而有差别。除此以外,有的诊疗行为属于基本性操作,也不一定要考虑这些因素。反之,对于有的诊疗行为,在有的情况下,“与当时的医疗水平相应的诊疗义务”也可以理解为包括地区、资质等因素。

一些国家的立法和实务对诊疗注意义务有所规定,可以作为理解本条的参考。从国外情况看,注意义务的内容包括两个方面:一是注意义务的一般抽象性规定;二是明确在每一项具体医疗行为中的注意义务。关于抽象的注意义务,日本最高法院 1961 年 2 月 16 日在东大医院输血梅毒感染一案中明确,从事人的生命及健康管理业务的人,与其业务的性质相对照,要求负有为防止危险而在实际经验上必要的最善的注意义务。日本最高法院 1969 年 2 月 6 日在国立东京第一医院脚癣放射线皮肤癌一案中对前一判例中“最善的注意义务”作了进一步阐述:作为医师,对于患者的症状应予以注意,并在依当时的医学知识考虑效果及副作用的前提下确定治疗方法及程度，在万全的注意之下实施治疗。《荷兰民法典》第7-453条规定，“提供救助者在其作业过程中必须遵守一个好救助者的谨慎，他的行为应当符合其源于救助者专业标准，并据此承担责任。”

诊疗环节的具体注意义务涉及问诊是否充分、诊断和治疗是否错误的问题。第一，关于问诊义务。在日本东大医院输血梅毒感染一案中，医师在对职业供血人（该供血人持有值得信赖的血清反应的阴性检查证明、健康诊断书、血液调供所会员证等材料）进行问诊时，依照惯例询问“是否身体健康”并得到供血人肯定回答后（当时供血人所患有的梅毒症尚无任何外在表现引起医师注意），实施了抽血输血，最终导致接受输血的患者感染梅毒。该案焦点在于医师是否进行了充分的问诊。日本最高法院在判决中认为，虽然对持有上述证件的职业供血者，依照医学界惯例只需询问“身体是否健康”，在得到肯定回答后即可进行抽血，但医学界这一惯例仅是判定过失轻重的参酌因素，仅依这种医学界惯例本身不能否定医师违反了注意义务。本案中，如果医师对供血者血液有无危险的相关问题进行详细问诊，通过仔细观察他回答时的反应来诱导其作出真实回答，则并非不可能得到供血者感染梅毒这一事实。所以本案医师未尽“最善的注意义务”。日本最高法院1976年一例关于疫苗接种的案件曾在日本医疗界引起强烈反响。该案中，医师对上千名受种者接种，仅依照惯例询问“是否健康”后即加以实施，结果一些人第二天发生过敏现象，法院判决认为医师仅进行简单询问是不够的，应对每位受种者当时的身体状况进行具体详细的询问，因此法院判定医师存在过失。医学界人士普遍认为在对上千人进行集体接种时要求医师对每个人进行分别询问是难以做到的，但司法界认为，为更切实保护患者利益，必须要求医师充分履行问诊义务。医界行业惯例是否可以作为抗辩事由，很多医师在医疗损害赔偿诉讼中提出自己省略某些问诊内容的做法是医学界的惯例，因此不应认定违反问诊义务。日本法院一般认为，行业惯例在法律上不具有直接的效力，法律判断问题的依据是法律规定与立法目的，是否存在医界惯例不能直接影响法律上是否违反注意义务的判断，但可在过失程度上予以考虑。这要求医学界人士认真对待患者的利益，改变惯性思维，重新审视已有惯例的合理性。

第二，关于诊断过失。诊断过程中医师的过失行为主要是误诊，但并非所有误诊都可判定存在过失。因人体生理的复杂性及许多疾病在症状上的相似性常使医师难以一次性诊断正确。德国学者克雷斯蒂安在《欧洲比较侵权法》一书中介绍，欧洲法院在误诊案件中对过失的认定持相当谨慎的态度。瑞典最高法院在 1974 年 3 月 15 日一例误诊案件中仍适用传统的过失标准，认为要考虑未查出病症和其他诊断错误是否在一定程度上可认为是无法避免的。德国法院也持同样的态度，据德国法官介绍，德国法中只有在医师作出的诊断是极为严重和错误的情形下，才可认定医生作出了错误的诊断。错误可能源于应当做某项检查而没有做，如果患者描述了症状，但医师未作相应检查，或做检查后未做相应治疗，则是非常严重的错误，可以认定医师过失的存在。而法国最高法院民事审判庭在 1987 年 11 月 24 日的判决中也明确，只有当误诊是源于对当前医学知识的过失不知时，误诊才表现为过错。爱尔兰最高法院在数个医生同时疏忽了新生婴儿髋关节移位的案件中否认了医师过失的存在，并且将“一个理性的医生不可能出现这样的错误”认定为误诊责任的条件。

第三，关于治疗过失。各国法院对治疗过失的判定一般也采取谨慎的态度。如丹麦最高法院1985年6月25日在脊椎穿刺一案中明确，当某种医疗措施本身就有一定的危险，只有当此种医疗措施无必要或者在施行过程中有严重错误时，方能认定医师的过失。丹麦最高法院在另一例案件中也判定医师无过失，该案中医师作了20次尝试，试图将管子插入病人的气管，但终未成功，由于病人被麻醉时间过长导致终身瘫痪。法院认为，麻醉过程过长并不表明医师具有错误，因为它是源于对极不寻常症状的错误估计。同时，治疗方法选择过程中的错误也不必然导致赔偿责任的产生，在这方面，法院倾向于给医师相当的自由空间。据德国法官介绍，德国在判断医生是否有过失方面，往往通过客观地评判医生采取的措施是否得当，是否应当知道但不知道该采取何种措施，或者应当采取却没有采取相应的措施。

**第五十八条　患者有损害，因下列情形之一的，推定医疗机构有过错：**

**（一）违反法律、行政法规、规章以及其他有关诊疗规范的规定；**

**（二）隐匿或者拒绝提供与纠纷有关的病历资料；**

**（三）伪造、篡改或者销毁病历资料。**

**【释义】**　本条是关于在什么情况下推定医疗机构有过错的规定。

本法第五十四条规定，患者在诊疗活动中受到损害，医疗机构及其医务人员有过错的，由医疗机构承担赔偿责任。这表明医疗损害一般适用过错责任归责原则。只在本条规定的特殊情况下，即医务人员有违规治疗行为或者隐匿、拒绝提供与纠纷有关的病历资料，伪造、篡改或者销毁病历资料的，才推定医疗机构有过错。

患者有损害，因本条规定情形之一的，推定医疗机构有过错，并非当然认定医疗机构有过错。也就是说，医疗机构可以提出反证证明自己没有过错。患者在诊疗活动中受到损害，医疗机构及其医务人员有过错的，由医疗机构承担赔偿责任。具体地，依照本法第五十七条规定，医务人员在诊疗活动中未尽到与当时的医疗水平相应的诊疗义务，造成患者损害的，医疗机构应当承担赔偿责任。本条第一项规定的违反法律、行政法规、规章以及其他有关诊疗规范的规定，是医疗机构存在过错的表面证据，并且是一种很强的表面证据，因此，本条规定这种情形下推定存在过错。但医务人员有过错与违反法律、行政法规、规章以及诊疗规范的规定毕竟不是等同的概念。例如，遇有抢救危急患者等特殊情况，医务人员可能采取不太合规范的行为，但如果证明在当时情况下该行为是合理的，就可以认定医疗机构没有过错。

本条第二项和第三项规定了医疗机构隐匿或者拒绝提供与纠纷有关的病历资料和伪造、篡改或者销毁病历资料。这两项情形，一方面反映了医疗机构的恶意；另一方面使患者难以取得与医疗纠纷有关的证据资料，这时再让患者举证已不合理。因此，推定医疗机构有过错。

**第五十九条　因药品、消毒药剂、医疗器械的缺陷，或者输入不合格的血液造成患者损害的，患者可以向生产者或者血液提供机构请求赔偿，也可以向医疗机构请求赔偿。患者向医疗机构请求赔偿的，医疗机构赔偿后，有权向负有责任的生产者或者血液提供机构追偿。**

**【释义】** 本条是关于因药品、消毒药剂、医疗器械的缺陷,或者输入不合格的血液造成患者损害的责任的规定。

因药品、消毒药剂、医疗器械的缺陷,或者输入不合格的血液造成患者损害的,涉及药品、消毒药剂、医疗器械的生产者或者血液提供机构和医疗机构的责任。立法调研中了解到,许多患者在因此受到损害后,都有被相互推诿,求偿困难的经历。由于法律缺乏明确的规定,患者在这方面寻求司法保护的效果也不理想。本条为了更好地维护患者的权益,便利患者受到损害后主张权利,明确规定"患者可以向生产者或者血液提供机构请求赔偿,也可以向医疗机构请求赔偿"。同时规定,如果患者向医疗机构请求赔偿,医疗机构赔偿后,有权向负有责任的生产者或者血液提供机构追偿。

患者因药品、消毒药剂、医疗器械的缺陷受到损害的,争议相对较小。药品、消毒药剂、医疗器械属于产品,产品质量法第四十一条规定,因产品存在缺陷造成人身、缺陷产品以外的其他财产(以下简称他人财产)损害的,生产者应当承担赔偿责任。第四十三条规定,因产品存在缺陷造成人身、他人财产损害的,受害人可以向产品的生产者要求赔偿,也可以向产品的销售者要求赔偿。属于产品的生产者的责任,产品的销售者赔偿的,产品的销售者有权向产品的生产者追偿。属于产品的销售者的责任,产品的生产者赔偿的,产品的生产者有权向产品的销售者追偿。立法征求意见中就医疗机构是否为销售者有不同意见。但是,如前所述,本条主要以便利患者受到损害后主张权利为目的,依据产品质量法作出具体规定。一些医疗机构的同志也认为,因药品、消毒药剂、医疗器械的缺陷造成患者损害,患者向医疗机构请求赔偿,符合社会一般常理,可以接受。理解本条中"缺陷"的含义,可以参考产品质量法第四十六条的规定，即“是指产品存在危及人身、他人财产安全的不合理的危险；产品有保障人体健康和人身、财产安全的国家标准、行业标准的，是指不符合该标准”。

关于输入不合格的血液造成患者损害，情况复杂一些，立法过程中有不同意见。主要考虑了以下几方面的情况：

一是法律规定无偿献血的意义和目的。无偿献血是指公民向血站自愿、无报酬地提供自身血液的行为。献血法第二条规定：“国家实行无偿献血制度。国家提倡十八周岁至五十五周岁的健康公民自愿献血。”无偿献血是国际红十字会和世界卫生组织从20世纪30年代建议和提倡的。经过几十年的不懈努力，世界上很多国家都从过去的有偿献血，逐步向无偿献血过渡，最终实现了公民无偿献血。如德国、日本、瑞士、美国、加拿大、澳大利亚等国家都先后全部或基本上实现了公民无偿献血。实行无偿献血制度，有利于保证医疗临床用血安全，保障献血者和用血者的身体健康。在有偿献血制度下，个体供血者容易受经济利益驱动，频繁供血，使得血液质量不高，经血液途径传播疾病的风险加大。实行公民无偿献血制度，禁止血液买卖，是从根本上提高血液质量，保证医疗临床用血安全的重要途径。另外，无偿献血是一种社会共济行为，是一种无私的奉献，是人道主义精神的体现。实行无偿献血制度，有利于弘扬中华民族团结、友爱、互助的传统美德，促进社会主义精神文明建设。

二是血液从血站经医疗机构到患者的费用和价格。血液从采集到最终输入患者体内，经过血站及医疗机构两个阶段的操作程序。血站是采集和提供临床用血的机构。目前我国规范血站的法律、法规和规范主要有献血法、血站管理办法、血站质量管理规范等。这些法律、法规和规范规定了血液的采集、检验、储存的操作程序，主要包括：要求献血者填写健康征询表；对献血者的血液做初筛，初筛合格后采集血液；将采集到的血液带回至血站进行进一步检测；将检测合格的血液按照要求进行保存。目前我国规范医疗机构用血、输血的规定主要是《医疗机构临床用血管理办法（试行）》《临床输血技术规范》等。较大的医院一般设有血库，医院根据自身情况向血站申请调取血液，经核对后办理入库。患者有用血指征，经过有关检查，并同意输血的，医院按照操作程序从血库调取血液，进行交叉配血，无异常即可进行输血。根据卫生部、国家发改委《关于调整公民临床用血收费标准的通知》（卫规财发〔2005〕437 号）的规定，血站向医疗机构供应血液的价格包括血站采集、储存、分离、检验的费用。不同类型的血液具有不同的供应价格。其中全血执行全国统一价格 220 元（200 毫升）；对于其他类型的血液分别制定了最高价格：手工分红细胞悬液每单位（200 毫升全血制备）210 元、手工分浓缩血小板每单位（200 毫升全血制备）100 元、手工分冰冻血浆每 100 毫升 40 元、机采血小板每治疗量（$\geq 2.5\times10^{11}$ 血小板）1400 元，同时允许各省、自治区、直辖市卫生行政部门会同同级价格主管部门根据当地实际情况，在不超过最高供应价格的前提下制定当地的血站供应价格。医疗机构对临床用血的收费包括血站供应的血液价格、储血费和配血费。储血费收费标准由各省、自治区、直辖市价格主管部门会同同级卫生行政部门根据实际情况确定，目前北京市规定每单位 10 元；配血费一般按当地有关医疗服务价格的规定收取，实践中多为几十元不等。医疗机构按血站供应价格向血站支付费用，留取储血费和配血费。

三是输血中发生的突出问题。近年来，因输血而导致患者受到损害的事例时有发生，因此而引发的医疗纠纷也越来越受到社会关注。实践中发生的输血感染或者导致其他损害的案例，大多是因为血站或者医疗机构在血液采集或者临床用血过程中未按照有关法律、法规和规范的要求操作造成的。表现在采供血环节的主要是：未做检测或者未检验出应当检验出的病毒；采血过程中，血液受到污染；保管过程中，因保管措施不当导致血液变质；运输过程中，因设备配置不当导致血液变质等。表现在临床用血环节的主要是：血液保存、管理不当导致血液受到污染或者变质；使用过期输血器具或者消毒不严使患者受到损害；未考虑患者的特殊体征不当输血导致患者受到损害，如对心功能不全的患者输血过多过快导致心衰，对肝功能不全的患者输入大量贮存血导致氨血症等。如果血站和医疗机构的行为存在过错，则依法解决这些纠纷的难度并不大。实践中较为突出的问题是采血、输血行为无过错的情况下如何适用法律处理纠纷。这主要反映在输血引发感染的情况下。输血引发感染主要包括感染乙肝、丙肝、艾滋病、梅毒病毒等。据了解，实践中经采供血机构检验合格的血液输血后，仍有传染肝炎、艾滋病等疾病的可能性。目前的检验方法受到现有医学水平的限制，部分早期病毒感染患者，其病毒标志物在血液中难以检出，医学上一般称为“窗口期”。处于“窗口期”的献血者的血液在按照操作规范检查时通常显示为正常，这类经初检和复检合格的血液，作为正常血液输入人体后就会发生上述传染病。基于目前医学的局限，这类血液引发的感染有时难以避免。从司法实践看，近年来各地因输血感染疾病而引发的侵权损害赔偿案件不断出现。现行法律法规对该类纠纷缺乏明确具体的规定，法院在审理中适用不同的归责原则，导致不同的判决结果。主要有以下三种情况:(1)适用无过错责任原则。这类情况实践中不多。例如某案例中,原告在医院手术中输血400毫升,术后不久被确诊为丙型肝炎。法院查明原告输入的血液已经过检验不存在质量问题,但判决医院赔偿原告各项损失六千余元。(2)适用过错责任原则。这类情况实践中较为常见。如某案例中,原告在被告医院手术治疗过程中两次输血共1400毫升。原告出院后1个月被确诊为丙型肝炎,起诉至法院。医疗事故鉴定委员会鉴定认为,原告所患肝炎系输血所致,但属于无过错输血,不属于医疗事故。法院依据该鉴定结论,判决驳回原告的诉讼请求。再如某案例中,原告因摔伤到医院治疗,输血4次,后发现感染艾滋病病毒。法院查明,原告所用血液的三名供血员无献血档案,无法确定这三名供血者的健康情况,血站存在过错。因血站被撤销,由当地卫生局以血站的财产赔偿原告各项损失11万余元。(3)适用公平责任原则。民法通则第一百三十二条规定:"当事人对造成损害都没有过错的,可以根据实际情况,由当事人分担民事责任。"一般认为该条规定不是该侵权损害赔偿中的一个独立归责原则,而只是对损害结果的分担原则。对于输血感染疾病的纠纷,法院认为医疗机构及血液中心均无过错,但适用过错责任原则又对受害人明显不公平时,往往适用公平责任原则,由各方当事人分担损害结果,判决医疗机构和血站给予患者一定的补偿,以适当保护患者的利益,或者达到社会的稳定目的。如某案例中,原告住院治疗,输血4次,出院后发现感染丙肝。法院查明,医院及血站均无过错,法院判决原告、医院、血站各承担原告医疗费的三分之一。在另一案情相似的案例中,法院判决原告、医院、血站按3:3:4的比例分担原告的损失。

四是关于血站的责任。对于血站违反有关操作规程和制度采集血液,献血法第十九条只规定了给献血者健康造成损害的,应当依法赔偿,未规定对受害患者的赔偿。对于血站违反规定向医疗机构提供不符合国家规定标准的血液,造成经血液途径传播的疾病传播,献血法第二十一条只规定了行政责任以及“构成犯罪的,依法追究刑事责任”,未规定血站的民事责任。血站在采供血过程中存在违反有关操作规程和制度等过错,向医疗机构提供不合格的血液,造成经血液途径传播的疾病传播,给患者健康造成损害的,依照民法通则的规定应当承担赔偿责任。对此当无异议,司法实践也是这样掌握的。有关血站是否应当承担赔偿责任的争议,主要存在于采供血过程中无过错的情况,如造成不合格血液产生的原因是供血者处于病毒感染的“窗口期”,限于目前的医学检测水平无法发现。在这种情况下,对于血站依法是否应当承担无过错责任,有不同意见。目前没有法律明确规定血站对民事损害应当承担无过错责任。依照产品质量法第四十一条的规定,缺陷产品的生产者应当承担无过错责任。因此,对血站责任问题的不同意见就主要反映在对于血液是否属于“产品”的争议上,大体有三种意见:(1)认为血液不是产品,输血是医疗抢救和治疗病人的重要手段,不同于普通的商品买卖,对血液不应当作为“产品”适用产品质量法。产品质量法第二条规定:“本法所称产品,是指经过加工、制作,用于销售的产品。”将从供血者身体抽取的血液,进行分装、贮存、保管、运输以及加入抗凝剂等,这些工序尚不构成加工和制作。血液的本质特征不是生产劳动的成果,血站也不能生产、制造血液。“制造”血液是人类的一种身体机能,血液是从献血者身上采集而来。输血不同于普通的商品销售,而类似于人体组织的移植,其目的是满足患者治疗的需要。献血法规定,国家实行无偿献血制度。血站是采集、提供临床用血的机构,是不以营利为目的的公益性组织。无偿献血的血液必须用于临床,不得买卖。血站、医疗机构不得将无偿献血的血液出售给单采血浆站或者血液制品生产单位。公民临床用血时只交付用于血液的采集、储存、分离、检验等费用。根据这些规定,结合产品质量法第二条的规定,应当认为输血用的血液不属于"产品",血站不应承担无过错责任。(2)认为血液是产品,无过错输血感染疾病案件应适用产品质量法,由血液提供者向受害人承担无过错责任。输血用血液(包括全血与成分血)与人体内的血液不同,它经过了加工、制作,尽管过程相对要简单一些,但如果不经过器械采血、分离、加入抗凝剂等工艺流程,人体内流出的血液不能自动成为输血用血液。而且,输血用血液是血站通过等价交换的方式销售给医院,患者又通过等价交换的方式向医院支付相关费用后才使用的。(3)认为应当将血液视为"产品",使血液提供者承担与血液制品生产者相同的责任。相对于输血用血液,普遍认为血液经过提取分离而形成的血液制品,如冻干血浆、白蛋白、丙种球蛋白和凝血因子等属于产品。血液与血液制品的来源相同,都是献血者体内自然流动的血液(或血浆),只是输血用血液由血液提供者以较为简单的工艺流程加工而成,而血液制品由企业以较为复杂的工艺流程加工制作。如果对"窗口期"等原因造成的输血感染事件按照不同的规则处理,对血站适用过错责任原则,对血液制品生产企业则适用无过错责任原则,不符合法律公平公正的理念。因此在无过错输血感染疾病案件中,对于血液是否为产品不宜机械考虑,即使血液不是产品,亦应将其视为产品,适用产品质量法由血液提供机构承担无过错责任。以上意见,第三种意见有可取之处。输血感染案件中的受害人与血液提供机构相比是处于被动接受地位的弱者。对于无过错输血感染这一不可预料的风险，血液提供者更有控制风险、承担风险和分散风险的能力。合理保护受害患者的利益，有利于体现公平正义的法律精神，有利于减少医患纠纷，构建和谐社会。然而，妥善处理这一纠纷，也要考虑医药卫生事业的发展，避免过于加重血液提供机构的经济负担。应当借鉴国外的有益经验，尽快研究推进我国医药卫生领域的责任保险制度和赔偿基金制度的建设。职业责任保险制度已被许多国家采用，血液损害责任保险也在很多国家实行。国外的经验表明，通过责任保险或者赔偿基金制度，由全社会分担输血损害的风险，是解决这一问题的最有效方法，符合现代社会处理此类涉及广大民众利益的侵权纠纷的发展方向。

五是关于医疗机构的责任。医疗机构因过错致使患者受到输血损害的，应当承担侵权责任。为了规范、指导医疗机构用血，临床输血技术规范、医疗机构临床用血管理办法（试行）等都规定了医疗机构在临床用血的各个环节中应当履行的职责。医疗机构未履行职责，如对血液的储存措施不当、血型核对错误、交叉配血错误、输血后发生不良反应抢救不当等，造成患者损害，应当承担赔偿责任。争议较大的是在无过错输血患者感染通过血液传播的病毒性疾病的情况下，医疗机构如何承担责任。与血站的情形相似，也有上述三种意见。主张医疗机构不应承担责任的意见进一步提出，医疗机构只是血站提供血液的使用者。在输血过程中，医疗机构仅负责检测患者的血型，以及将血站取得的血液与患者的血样进行交叉配血检测。对于从血站取来的血液，医疗机构没有义务进行乙肝、丙肝、艾滋病、梅毒等病毒检测。医疗机构对血液本身并未收取任何费用。在输血过程中，医疗机构向患者收取三项费用，包括血站供应价格、储血费和配血费。其中血站供应价格是由医疗机构代为收取的，要全款支付给血站，属于患者支付给血站的费用。患者支付给医疗机构的费用只有储血费和配血费两项，分别是血液储存费用和为患者输血进行血型试验和交叉配血试验的检验项目费用。主张医疗机构应当承担责任的意见进一步提出，医疗机构与其他销售者相比，更具专业性，对于血液和血液制品，医疗机构都应负有最终的把关责任，这种责任关系着患者的生死存亡，作为专业机构和专业人员，医院和医生有能力与责任对血液和血液制品进行鉴别，而患者比一般消费者而言，在专业性方面更处于劣势。因此，医疗机构的责任不应当比一般销售者的责任更低。

**第六十条　患者有损害，因下列情形之一的，医疗机构不承担赔偿责任：**

**（一）患者或者其近亲属不配合医疗机构进行符合诊疗规范的诊疗；**

**（二）医务人员在抢救生命垂危的患者等紧急情况下已经尽到合理诊疗义务；**

**（三）限于当时的医疗水平难以诊疗。**

**前款第一项情形中，医疗机构及其医务人员也有过错的，应当承担相应的赔偿责任。**

**【释义】**　本条是关于医疗机构免责情形的规定。

本法第三章专门规定了一般情况下免责和减责情形的内容，如损害是因受害人故意造成的，行为人不承担责任；再如因不可抗力造成他人损害的，不承担责任。以上规定对于医疗损害责任也是适用的，但是，鉴于医疗损害责任的特殊性，除以上规定外，患者有损害，因下列情形之一的，医疗机构也不承担赔偿责任：一是患者或者其近亲属不配合医疗机构进行符合诊疗规范的诊疗（但是该种情形下医疗机构完全免责的前提，必须是医疗机构及其医务人员没有过错。如果患者或者其近亲属有不配合诊疗的行为，但医疗机构及其医务人员也有过错的，医疗机构仍应对患者的损害承担相应的赔偿责任）；二是医务人员在抢救生命垂危的患者等紧急情况下已经尽到合理诊疗义务；三是限于当时的医疗水平难以诊疗。现就这三种情形分述如下：

一、患者或者其近亲属不配合医疗机构进行符合诊疗规范的诊疗

首先，正确理解本项规定，需要同本条第二款的规定结合起来。本条第二款规定"前款第一项情形中，医疗机构及其医务人员也有过错的，应当承担相应的赔偿责任"。立法过程中，有意见认为，如果规定患者或者其近亲属不配合医疗机构进行符合诊疗规范的诊疗，医疗机构就可完全免除责任，太过绝对。患者或者其近亲属不配合诊疗的情况比较复杂，有的仅仅是患者一方存在过错，如在医务人员尽到合理的说明告知义务和诊疗义务的前提下，患方仍拒不配合诊疗的情况；也有的可能是混合过错，如既有患者一方不配合诊疗的行为，也有医务人员未尽相应诊疗义务的情况。因此，笼统地规定只要是因为患者或者其近亲属不配合医疗机构进行符合诊疗规范的诊疗，医疗机构就一概不承担赔偿责任的规定是不妥当的。在该种情况下，如果医疗机构及其医务人员也有过错的，医疗机构还应当承担相应的赔偿责任。

具体而言，实践中患者一方不配合诊疗的行为可以分为两类：第一类比较常见，是患者囿于其医疗知识水平的局限而

对医疗机构采取的诊疗措施难以建立正确的理解，从而导致其不遵医嘱、错误用药等与诊疗措施不相配合的现象。对于因患者上述行为导致损害后果的发生，并不能当然视为患者一方的“不配合”具有主观过错，从而医疗机构可以免除责任。判断患者一方是否存在过错的前提，是医务人员是否向患者一方履行了合理的说明告知义务。医务人员是否尽到了上述说明告知义务，是否使患者一方对于医疗机构采取的诊疗措施及其风险和后果具有合理的认识，这是判断患者一方客观上不配合诊疗的行为是否具有主观过错的关键。关于说明告知义务，本法第五十五条已经作了规定。在判断是否履行说明告知义务，以及该义务的履行是否合理适当时，还要考虑医疗行业的特殊性，结合个案进行分析。第二类是患者一方主观上具有过错，该过错又可分为故意和过失。故意的情形一般比较少见，患者就医就是为了治疗疾病、康复身体，而非追求身体损害的结果。但现实情况是复杂的，也不能完全排除患者主观追求损害结果的可能。如医务人员再三嘱咐某糖尿病患者不可饮酒，否则易引发低血糖昏迷，重则有生命危险。但该患者或者出于得到高额保险的目的或者基于其他原因，在明知该行为后果的情况下，拒不遵行医嘱，数次饮酒，结果导致低血糖昏迷。除故意的情形外，过失的情况比较常见。如近视眼激光手术后，医务人员再三明确叮嘱患者应按时滴用抗生素眼药水，否则会产生眼部炎症等不良反应，但患者疏忽大意不遵医嘱，在医务人员复查并告知其遵行医嘱后，仍未遵行，结果感染炎症。以上两种情况，医务人员已经合理尽到说明告知义务，且采取的诊疗措施并无不当，患者的行为即属于本条第一项规定的“不配合医疗机构进行符合诊疗规范的诊疗”，对此，医疗机构不承担赔偿责任。

综上可以看出，因患者一方不配合医疗机构进行符合诊疗规范的诊疗而导致患者损害的，是否可以完全免除医疗机构的赔偿责任，不能一概而论。医疗损害责任的归责原则是过错责任，医务人员是否合理地履行了说明义务及相应的诊疗义务，这是医疗机构最终是否承担责任的基础。因此，尽管有患者或者其近亲属不配合医疗机构进行符合诊疗规范的诊疗行为，如果医疗机构及其医务人员也有过错的，如履行说明告知义务不充分，医疗机构仍应对患者的损害承担相应的责任；反之，若医务人员已经尽到相应义务，患者的损害是因患者或者其近亲属不配合的行为所致，则医疗机构对此不应当承担赔偿责任。

二、医务人员在抢救生命垂危的患者等紧急情况下已经尽到合理诊疗义务

本项内容规定了两个要件，在两要件均符合的情况下，对于患者的损害，医疗机构不承担赔偿责任。这两个要件分别为：

一是抢救生命垂危的患者等紧急情况。对患者的紧急救治是医疗机构及其医务人员的职责之一。执业医师法第二十四条规定，对急危患者，医师应当采取紧急措施进行诊治；不得拒绝急救处置。现行的医疗法规规章对于“紧急情况”的界定为：患者因疾病发作、突然外伤受害及异物侵入体内，身体处于危险状态或非常痛苦的状态，在临床上表现为急性外伤、脑挫伤、意识消失、大出血、心绞痛、急性严重中毒、呼吸困难、各种原因所致的休克等。一般来讲，上述情况中的紧急性可以概括为两类：一是时间上的紧急性，它是指医师的诊疗时间非常短暂，在技术上不可能作出十分全面的考虑及安排；二是事项上的紧急性，它是指采取何种治疗措施直接关系到

患者的生死存亡需要医师作出紧急性的决断。需要说明的是，判断是否构成紧急情况，除了依据法律、法规和规章的规定外，还需要考虑以下两个方面：一是患者的生命健康受到伤病急剧恶化的威胁，这种威胁应当限定为对患者生命的威胁，而不能是对患者一般健康状况的威胁；二是患者生命受到的威胁是正在发生和实际存在的，患者伤病的急剧恶化对其生命安全的威胁不能是假想的，而应当是正在发生和实际存在的，不立即采取紧急救治措施必然导致患者死亡的后果。如果医师主观想象或虚幻地认为存在需要采取紧急救治的危险，而实际上这种危险并不存在，由于假想危险认识错误所采取的救治措施导致了不必要损害后果的，医疗机构还是应当承担责任。

仅仅是“抢救受到生命威胁的患者等紧急情况”，医疗机构是否能够完全免除责任，还不能一概而论。在紧急情况下，由于时间和治疗措施的紧迫性，取得患者或其近亲属的同意往往不现实，如患者重度昏迷而其近亲属又不在现场，但救治急危患者又是医疗机构及其医务人员的职责之一，无正当理由拖延救治时间导致不良后果的，还必须承担相应的法律责任。为此，本法第五十六条规定，因抢救危急患者等紧急情况，不能取得患者或者其近亲属意见的，经医疗机构负责人或者授权的负责人批准，可以立即实施相应的医疗措施。但是，该条只是回答了紧急情况下难以取得患者一方意见时，医疗机构是否可以“治”的问题。如果“治”的过程中产生损害，如患者心搏骤停时医务人员对其进行胸外按摩致肋骨骨折并少量血气胸，再如患者窒息时因来不及采用无菌条件下的气管切开术，情况紧急，医务人员在医院大厅实施气管切开术后导致感染。对于上述患者的损害，医疗机构是否承担赔偿责任，这就涉及第二个关键的要件,即医务人员在紧急情况下是否尽到合理的诊疗义务。

二是已经尽到合理诊疗义务。在理解本条第二项的内容时,必须同《医疗事故处理条例》的规定区别开来。《医疗事故处理条例》第三十三条第一项规定,在紧急情况下为抢救垂危患者生命而采取紧急医学措施造成不良后果的,不属于医疗事故,医疗机构不承担责任。立法过程中,有意见认为,条例规定只要是在紧急情况下为抢救危急患者而采取紧急医学措施导致的不良后果,医疗机构一概不负责任,太过绝对。医疗机构是否承担责任,还要看医务人员是否已经尽到了合理的诊疗义务。如何判断何为“合理诊疗义务”,要考虑到在紧急情况下,患者生命危在旦夕,抢救时间紧迫,医务人员对患者的病情及病状无法作详细的检查、观察、诊断,难以要求医生具有与平常时一样的思考时间、判断能力和预见能力。对于这种情况,法律对医生在注意程度上的要求相对低于一般医疗时的情形。但是,由于医疗行为直接关系患者的生命健康权,在紧急情况下实施的紧急救治措施,医务人员仍应尽到合理诊疗的注意义务。具体而言,根据现行的诊疗规范,紧急情况下合理的诊疗义务包括如下四个方面:一是对患者伤病的准确诊断。对患者伤病的准确诊断是正确实施治疗措施的前提。如情况紧急,应当采取控制患者伤病恶化的紧急措施后,再作进一步诊断和治疗。二是治疗措施的合理、适当,包括治疗措施和治疗用药的适当、合理。三是谨慎履行说明告知义务。紧急情况下,如果事前告知不可行,那么采取紧急救治措施后仍应履行该项义务。四是将紧急救治措施对患者造成的损害控制在合理限度之内。结合上述情况,如果医务人员已经尽到在紧急救治情况下医务人员通常应尽到的诊疗义务，即合理诊疗义务的，医疗机构不承担赔偿责任；否则，即便是为抢救生命垂危的患者，但医务人员未尽到紧急救治情况下医务人员应尽到的合理诊疗义务，医疗机构仍难以免除其赔偿责任。

三、限于当时的医疗水平难以诊疗的

医疗行为具有高技术性、高风险性、复杂性以及不可控因素，还有很多未知领域需要探索，医疗结果有时具有不确定性和不可预见性。现代医学技术水平的发展具有局限性，目前还不能达到100%的治愈率。据统计，即使在发达国家，临床医疗确诊率也仅有70%左右。医学作为发展中的科学，人们至今还在实践中不断探索并寻找解除疾病的办法。即使医学家开始从基因水平认识疾病，人类对癌症、艾滋病等疾病仍没有根治手段。此外，由于病人个体的差异性，就是治疗常见病或者治疗同一种疾病，即便医生采取相同的诊疗措施，所达到的效果也不尽一样。因此，法律对医务人员采取的诊疗行为是否存在过错的判断，只能基于当时的医学科学本身的发展，即是否尽到与当时的医疗水平相应的诊疗义务，尽到该项义务的，就视为医疗机构及其医务人员没有过错，对于患者的损害不承担赔偿责任。

需要说明的是，医疗机构及其医务人员对患者进行诊疗，并不负有保证治愈的义务。对于某些复杂的疾病，如果医疗机构及其医务人员已经尽到与当时的医疗水平相应的诊疗义务，但限于当时的医疗水平，对患者采取的医疗措施不仅未取得治愈的效果，反而带来新的损害，对此，医疗机构不承担赔偿责任。这一免责事由的规定也是出于鼓励和促进医学科学发展的需要。医学科学的发展必须以医务人员积极探索、大胆创新为前提，同时，由于医疗行业高技术性、高风险性和未知性的特点,医务人员在诊疗措施上的探索和创新可能会成功,例如攻克顽疾为患者带来生的希望;但也可能失败,例如不仅未治愈疾病反而对患者肌体带来新的侵害后果。对此,并不能以是否治愈的结果来判断医疗机构及其医务人员在诊疗活动中是否具有过错,如果医务人员已经尽到与当时医疗水平相应的诊疗义务,而该疾病限于当时的医疗水平难以诊疗的,医疗机构对于患者的损害不承担赔偿责任。最后需要说明的是,本条规定的几项免责事由,并不是单纯向医方利益倾斜的表现,而是考虑到广大患者利益以及整个医疗行业健康发展的需要而在法律制度上所作的平衡。对医疗机构的责任,如果法律规定得过于严格,可能会导致医务人员在诊疗活动中大量采取保守性甚至防御性治疗措施,对于存在风险的治疗方案畏首畏尾,最终牺牲的还是广大患者的利益。法律在制度上为医务人员在医学科学技术的探索和创新上提供保障,也是最终为广大患者利益服务的需要。

**第六十一条　医疗机构及其医务人员应当按照规定填写并妥善保管住院志、医嘱单、检验报告、手术及麻醉记录、病理资料、护理记录、医疗费用等病历资料。**

**患者要求查阅、复制前款规定的病历资料的,医疗机构应当提供。**

**【释义】**　本条是关于医疗机构对住院志、医嘱单等病历资料的制作、保存及向患者提供的义务的规定。

医疗服务具有不公开的特点,无论是基于医学科学的考虑,还是从保护患者隐私的角度看,除医患双方外,与医疗行为无关者不得进入医疗现场。并且,即便对于患者本人,在采取手术等治疗措施时,通常被采取麻醉措施,对于整个手术过程也无从见证和记录。鉴于医疗行业的这一特点，由医务人员填写、制作的病历、住院志、检验报告、手术及麻醉记录、病理资料、护理资料等病历资料，在发生医患纠纷时，就成了医疗侵权诉讼中极为关键的证据。这类资料作为证据，往往直接导致医疗诉讼的成败。同时，考虑到这类资料的制作、保管均由医疗机构一方完成，从证据角度讲，医疗机构一方对于证据的掌握和控制是强势的，因此，必须在合理的限度内赋予患者查阅和复制这类资料的权利，以平衡双方在举证责任能力上的悬殊。因此，本条从两方面作了规定：一是医务人员应当按照规定填写并妥善保管住院志、医嘱单、检验报告、手术及麻醉记录、病理资料、护理记录、医疗费用等病历资料；二是在患者要求查阅、复制前款规定的病历资料的情况下，医疗机构有义务向患者提供。要正确理解本条的含义，需把握如下几个问题：

一、"病历资料"的含义和范围

执业医师法曾使用"医学文书及有关资料"的提法，该法第二十三条第一款规定，医师实施医疗、预防、保健措施，签署有关医学证明文件，必须亲自诊查、调查，并按照规定及时填写医学文书，不得隐匿、伪造或者销毁医学文书及有关资料。该条第二款规定，医师不得出具与自己执业范围无关或者与执业类别不相符的医学证明文件。

侵权责任法草案审议过程中，有的意见认为"医学文书及有关资料"的含义不明确，建议采用"病历资料"的表述。采用了"病历资料"这一概念的规范性文件，还有《医疗事故处理条例》和《医疗机构病历管理规定》。《医疗事故处理条例》第八条第一款规定，医疗机构应当按照国务院卫生行政部门规定的要求，书写并妥善保管病历资料。卫生部和国家中医药管理局联合制定的《医疗机构病历管理规定》对“病历”作了界定，是指医务人员在医疗活动过程中形成的文字、符号、图表、影像、切片等资料的总和，包括门（急）诊病历和住院病历。同时，该规定还对“病历资料”作了进一步明确，规定医疗机构可以为申请人复印或者复制的病历资料包括：门（急）诊病历和住院病历中的住院志（入院记录）、体温单、医嘱单、化验单（检验报告）、医学影像检查资料、特殊检查（治疗）同意书、手术同意书、手术及麻醉记录单、病理报告、护理记录、出院记录。

从行政法规和部门规章可以看出，“病历资料”是一个集合概念，是一系列医学文书资料的总和。从分类上讲，病历包括门（急）诊病历和住院病历；从内容上讲，病历包括体温单、医嘱单、化验单（检验报告）、医学影像检查资料、手术及麻醉记录单、病理报告、护理记录等一系列医学文书资料。

二、患者查阅、复制权利的保障和行使

1. 查阅、复制权利的保障

对诊疗护理活动进行记录的病历资料，是认定是否存在医疗过错的重要依据。实践中，很多医疗诉讼结果的成败往往决定于相关病历资料的证明效力问题。而医疗行业的高度专业性和闭锁性特点，决定了这类重要的证据资料从产生时起至争议发生时止，都处于医疗机构一方的控制之中，从证据学角度讲，患者的举证能力处于劣势。同时，本法所规定的医疗损害责任归责原则，其核心是过错责任，虽然本法第五十八条对过错推定作了规定，但仅限于三种特定情形，对这三种情形之外的一般的医疗损害赔偿诉讼，患者一方负有证明医疗机构一方存在过错的举证责任。因此，对于在证据资料的掌握上地位相差悬殊的医患双方，如何公平合理地分配二者的举证责任,尤其是如何提升患者一方掌握相关证据资料的能力,这是法律必须要考虑的问题。

具体而言,对于诊疗活动中产生的病历资料,必须在公平、合理的限度内保障患者一方的查阅和复制权利。关于患者的该项权利,美国1974年就颁布了《联邦立法》,规定医疗机构必须向患者出示病历、化验结果等各种与病情有关的资料。1985年美国又颁布了《统一医疗信息法》,赋予了患者及其家属请求医疗机构出示与病情有关的各种资料的请求权。如今美国已有半数以上的州在立法上规定了患者有请求医疗机构出示与病情有关各种资料的权利。以上是国外相关立法的规定。关于患者该项权利的保障,国内相关行政法规及部门规章也有明确规定。《医疗事故处理条例》第十条第一款规定,患者有权复印或者复制其门诊病历、住院志、体温单、医嘱单、化验单(检验报告)、医学影像检查资料、特殊检查同意书、手术同意书、手术及麻醉记录单、病理资料、护理记录以及国务院卫生行政部门规定的其他病历资料。患者依照前款规定要求复印或者复制病历资料的,医疗机构应当提供复印或者复制服务并在复印或者复制的病历资料上加盖证明印记。复印或者复制病历资料时,应当有患者在场。可以看出,患者对相关病历资料的查阅和复制权利,我国现行法规中已经有所规定,本条从法律的角度作了进一步明确。

2. 查阅、复制权利的行使主体

患者本人当然是行使这一权利的主体,这一点不存在争议。除患者本人外,其他人是否可以成为查阅、复制该类病历资料的主体,对此,相关部门规章已有明确规定。

根据卫生部和国家中医药管理局联合制定的《医疗机构病历管理规定》,医疗机构应当受理下列人员和机构复印或者复制病历资料的申请:(1)患者本人或其代理人;(2)死亡患者近亲属或其代理人;(3)保险机构。受理申请时,应当要求申请人按照下列要求提供有关证明材料:(1)申请人为患者本人的,应当提供其有效身份证明;(2)申请人为患者代理人的,应当提供患者及其代理人的有效身份证明、申请人与患者代理关系的法定证明材料;(3)申请人为死亡患者近亲属的,应当提供患者死亡证明及其近亲属的有效身份证明、申请人是死亡患者近亲属的法定证明材料;(4)申请人为死亡患者近亲属代理人的,应当提供患者死亡证明、死亡患者近亲属及其代理人的有效身份证明,死亡患者与其近亲属关系的法定证明材料,申请人与死亡患者近亲属代理关系的法定证明材料;(5)申请人为保险机构的,应当提供保险合同复印件,承办人员的有效身份证明,患者本人或者其代理人同意的法定证明材料;患者死亡的,应当提供保险合同复印件,承办人员的有效身份证明,死亡患者近亲属或者其代理人同意的法定证明材料。

可以看出,除患者本人外,经本人指定的代理人,或者在患者本人死亡的情况下,其近亲属或者该近亲属的代理人等,均可依法对有关病历资料进行查阅和复制。对于患者本人未死亡的情况下,即使是患者的近亲属,如果缺乏患者本人的授权同意,也无权查阅、复制该患者的相关病历资料,在该类情况下,医疗机构可以拒绝提供,这涉及法律对患者隐私的保护问题。

3. 医疗机构向患者提供查阅、复制病历资料的范围

按照《医疗机构病历管理规定》的规定,一般情况下,门(急)诊病历由患者负责保管,只有在医疗机构建有门(急)诊病历档案的,其门(急)诊病历才由医疗机构负责保管;而住

院病历一般均由医疗机构负责保管。因此,对于一般由患者负责保管的门(急)诊病历资料,医疗机构及其医务人员只有按照相关规定填写、制作的义务,而无保管责任,自然也就不产生患者对该类病历资料要求医疗机构提供查阅、复制的问题。

对于按照法律、行政法规及部门规章的要求,应由医疗机构负责保管的病历资料,根据本条第二款的规定,患者要求查阅、复制的,医疗机构应当提供。这类病历资料,按照本条第一款的规定,即"住院志、医嘱单、检验报告、手术及麻醉记录、病理资料、护理记录、医疗费用等"。本条的规定参考了现行行政法规和部门规章的相关规定,如《医疗事故处理条例》第十条第一款规定患者有权复印或者复制的资料包括:患者门诊病历、住院志、体温单、医嘱单、化验单(检验报告)、医学影像检查资料、特殊检查同意书、手术同意书、手术及麻醉记录单、病理资料、护理记录以及国务院卫生行政部门规定的其他病历资料;再如卫生部和国家中医药管理局联合制定的《医疗机构病历管理规定》,对于可向申请人复印或者复制的资料范围,列举了如下几项内容:门(急)诊病历和住院病历中的住院志(入院记录)、体温单、医嘱单、化验单(检验报告)、医学影像检查资料、特殊检查(治疗)同意书、手术同意书、手术及麻醉记录单、病理报告、护理记录、出院记录。

需要说明的是,关于某些特殊医学文书及有关资料的问题,这涉及主观性病历资料和客观性病历资料的区别。一般来讲,整个诊疗活动(尤其是针对涉及手术治疗的复杂诊疗活动)所产生的医学文书资料,可以分为两类:一类是客观性病历资料;另一类是主观性病历资料。客观性病历资料,是指记录患者症状、生命体征、病史的病历资料,即《医疗事故处理条例》所明确的“门诊病历、住院志、体温单、医嘱单、化验单(检验报告)、医学影像检查资料、特殊检查同意书、手术同意书、手术及麻醉记录单、病理资料、护理记录”等。而主观性病历,是指医疗机构的医务人员对病情观察、对病史的了解和掌握进行的综合分析所做的记录,指的是死亡病历讨论记录、疑难病例讨论记录、上级医师查房记录、会诊意见、病程记录等。根据现行的行政法规和部门规章,对于客观性病历资料,如住院志、医嘱单、化验单(检验报告)、医学影像检查资料、手术及麻醉记录单、病理资料、护理记录等,对患者一方公开,没有异议,《医疗事故处理条例》和《医疗机构病历管理规定》均有明确规定。但是,对于主观性病历资料,如死亡病历讨论记录、疑难病例讨论记录、上级医师查房记录、会诊意见等,是否可以应患者一方的申请,予以公开,存在不同意见。《医疗事故处理条例》并未从正面规定患者对该类资料是否有查阅和复制权的问题,只是规定了在发生争议时对该类资料的封存问题。《医疗事故处理条例》第十六条规定,发生医疗事故争议时,死亡病例讨论记录、疑难病例讨论记录、上级医师查房记录、会诊意见、病程记录应当在医患双方在场的情况下封存和启封。封存的病历资料可以是复印件,由医疗机构保管。《医疗机构病历管理规定》也有类似内容,该规定第十九条第一款规定,发生医疗事故争议时,医疗机构负责医疗服务质量监控的部门或者专(兼)职人员应当在患者或者其代理人在场的情况下封存死亡病例讨论记录、疑难病例讨论记录、上级医师查房记录、会诊意见、病程记录等。封存的病历由医疗机构负责医疗服务质量监控的部门或者专(兼)职人员保管。

立法过程中,曾有意见认为,对于患者有权查阅、复制的病历资料,法律应当明确排除主观性病历资料的内容。主观性病历资料不宜向患者公开,该类资料多是医师对患者诊疗时各抒己见的讨论记录,是供同行借鉴之用,不宜公开给患者,以免产生不必要的矛盾。但也有意见认为,主观性病历资料,虽然多是医师对患者病情进行分析、诊断的思维过程的记录,具有一定的主观性,但是,它本质上还是反映了医师遵循医学规律进行分析、推理的客观过程,也具有一定的客观性,尤其是主观性病历资料中的"病程记录"更是对患者诊疗过程的客观反映。并且,当前医患矛盾激化的一个突出原因就在于医疗机构诊疗活动的不透明,造成患者对医疗机构及其医务人员的不信任。有鉴于此,对于该类资料,应当应患者的请求予以及时公开。综合考虑上述两个方面的意见,尤其是兼顾到医疗行业的特殊性,本法并未对主观性病历资料复制和查阅作出明确规定,这部分内容是否能向患者提供,在诉讼中是否应当提供,有必要进一步明确。

4. 拒绝提供相关病历资料的法律后果

根据《医疗事故处理条例》及卫生部和国家中医药管理局的《医疗机构病历管理规定》,医疗机构应当按照规定向患者提供相关病历资料,这是医疗机构的一项义务,违反该义务,要承担相应的行政责任。如《医疗事故处理条例》第五十六条规定,医疗机构违反本条例的规定,没有正当理由,拒绝为患者提供复印或者复制病历资料服务的,由卫生行政部门责令改正;情节严重的,对负有责任的主管人员和其他直接责任人员依法给予行政处分或者纪律处分。除了行政法上的责任外,在民事责任上,如果医疗机构拒绝向患者提供与纠纷有关的医学文书及有关资料的,根据本法第五十八条的规定,隐匿或者拒绝提供与纠纷有关的病历资料的,推定医疗机构对患者的损害有过错。在推定过错的情况下,如果医疗机构没有相反证明,则“推定”的过错将被“认定”为过错,医疗机构将承担不利的法律后果。

**第六十二条　医疗机构及其医务人员应当对患者的隐私保密。泄露患者隐私或者未经患者同意公开其病历资料,造成患者损害的,应当承担侵权责任。**

**【释义】**　本条是关于患者隐私保护的规定。

关于隐私保护,这是民法上的每个自然人作为民事权利主体所应享有的一项基本权利,它具有普遍性,并非只存在于医患关系之间。但是基于医患关系的特殊性以及当前医患纠纷中的现实矛盾,本法对这类特殊的隐私保护问题作了专门规定。要正确理解本条的规定,需要从以下几个问题把握:

一、隐私权的内容和现行法律的规定

所谓隐私,是指自然人不愿向外人披露的私人生活信息。隐私是无形的,是精神性人身要素。隐私保护是法律赋予自然人享有私人生活安宁与私人生活信息不受他人侵犯、知悉、使用、披露和公开的权利。属于隐私的私人生活信息内容非常广泛,从家庭成员、社会关系、财产状况,到个人的身高、体重、病史、身体缺陷、健康状况、爱好、婚恋史等,与每个人的日常生活密不可分。隐私权的概念和理论发端于美国,1890年美国两位法学家路易斯和沃伦在哈佛大学的法学评论杂志上,发表了一篇著名的论文《隐私权》,第一次明确提出了隐私权的概念。文章认为,隐私权是宪法规定的人所共享的自由权利的重要组成部分。之后,关于隐私权的理论开始受到广泛的重视和承认,隐私权的理论研究得到了蓬勃发展。比路易斯稍晚一些的美国学者埃·威斯汀将隐私权进一步概括为不受旁人干涉搅扰的权利。现代民法关于隐私权的通说认为，隐私权的客体包括：(1)身体秘密，指身体隐秘部位即生殖器官和性感器官、身高、体重、健康状况、身体缺陷等；(2)私人空间，即个人住宅及周围居住环境、私人专用箱包、日记等；(3)个人事实，指个人生活经历、生活习惯、性格爱好、社会关系、学历、婚恋状况、家庭住址、电话、收入情况等；(4)私人生活，指一切与社会无关的个人生活，如日常生活、社交、性生活等。与此对应，隐私权主要包括四项基本权能：(1)隐私隐瞒权。又称保密权，它首先包括公民对身体隐秘部位的保密权，这是公民一项最根本的隐私权，因为早期人类的隐私意识即萌发于裸露身体隐秘部位的羞耻心，今天的隐私权最早也是从"阴私"的范围逐渐扩大演变而来的。此外，隐瞒权还包括对个人身高、体重、女性三围、病历、生活经历、财产状况、身体缺陷、健康状况、婚恋、家庭、性生活、社会关系、信仰、心理特征等情报信息的保密权，未经许可，任何人不得刺探、公开和传播。(2)隐私利用权。即公民对个人隐私进行积极利用，以满足自己精神、物质方面的需要。(3)隐私维护权。公民对自己的隐私享有维护其不受侵犯的权利，在受到非法侵害时可以依法寻求司法保护。(4)隐私支配权。公民对于个人隐私有权按照自己的意愿进行支配，可以公开部分隐私，准许他人对个人活动和个人领域进行察知，准许他人利用自己的隐私。如患者在诊疗过程中，允许医生检查身体隐秘部位，了解个人经历、生活习惯等。

我国宪法等法律，对于隐私保护的问题都有所规定。如本法第二条明确将"隐私权"列入应受保护的民事权益范围之内。此外，宪法、刑法、刑事诉讼法、执业医师法及有关民法通则的司法解释中均对隐私的保护作了规定。如宪法明确，公民的人格尊严不受侵犯，住宅不受侵犯，通信秘密受法律保护。如刑法规定，非法搜查他人身体、住宅；或者非法侵入他人住宅的，处三年以下有期徒刑或者拘役。如刑事诉讼法规定，有关国家秘密或者个人隐私的案件，不公开审理。1986年的民法通则虽然没有直接规定隐私权的内容，却明确了对人格权的保护。据此，《最高人民法院在关于贯彻执行〈中华人民共和国民法通则〉若干问题的意见（试行）》第一百四十条规定，以书面、口头等形式宣扬他人的隐私，或者捏造事实公然丑化他人人格，以及用侮辱、诽谤等方式损害他人名誉，造成一定影响的，应当认定为侵害公民名誉权的行为。其后，最高人民法院在《关于审理名誉权案件若干问题的解答》中再次指出，对未经他人同意，擅自公布他人的隐私材料或以书面、口头形式宣扬他人隐私，致他人名誉受到损害，按照侵犯他人名誉权处理。具体到医患关系之间的隐私保护，执业医师法第二十二条第三项规定，医师应当关心、爱护、尊重患者，保护患者隐私。同法第三十七条规定，医师在执业活动中，泄露患者隐私，造成严重后果的，由县级以上人民政府卫生行政部门给予警告或者责令暂停6个月以上1年以下执业活动；情节严重的，吊销其执业证书；构成犯罪的，依法追究刑事责任。卫生部和国家中医药管理局联合制定的《医疗机构病历管理规定》第六条第二款规定，因科研、教学需要查阅病历的，需经患者就诊的医疗机构有关部门同意后查阅，阅后应当立即归还，不得泄露患者隐私。

二、医疗机构及其医务人员对患者隐私侵害的表现形式

我们每个人的生活几乎都离不开医院，无论是健康查体还是生病就医，都要与医院发生关系。患者到医院就医，医务人员自然首先要知晓患者的病情与既往病史，要根据患者的

陈述制作门诊或住院病历。在必要的情况下,还需对患者的身体进行接触和观察,以便对疾病进行正确的治疗。正是基于诊疗活动本身的特点,医务人员在其执业活动中极易掌握患者的隐私。因此,对于其基于患者的信赖而在执业活动中知悉的患者的隐私,医疗机构及其医务人员应负有保密的义务。实践中,医疗机构及其医务人员侵犯患者隐私权的情况可大体分为如下两种:

第一种是泄露患者隐私。泄露患者隐私,既包括医疗机构及其医务人员将其在诊疗活动中掌握的患者的个人隐私信息,向外公布、披露的行为,如对外散布患者患有性病、艾滋病的事实,导致患者隐私暴露,精神遭受巨大痛苦;也包括未经患者同意而将患者的身体暴露给与诊疗活动无关人员的行为。关于患者隐私保护和医疗机构教学需要的冲突,美国于1974年制定了专门的隐私法,对患者隐私的保护是直接而强有力的。同时,美国的教学医院管理制度也非常规范,其通行做法是,当患者入院时向其告知本院为教学医院,以及见习教学对患者的相应要求。如果患者或其家属同意则可以进行见习教学;如果不同意则不得进行或建议患者转院。患者或家属的同意并非概括性的,医院要在诊疗的不同阶段分别征求他们的意见,对于是否接受见习教学,患者或家属享有充分的选择权。德国也是对患者隐私权采取直接保护的国家,1954年后,德国将隐私权解释为民法典第823条第1款所称的“其他权利”之一,而教学医院的教学见习活动,凡涉及隐私权的内容都要受其规范。

在医患关系中,医疗机构及其医务人员并不享有向无关人员公开患者隐私的权利。这里需要说明两点:一是患者到医疗机构就医,相对于施治的医务人员来说,患者实际上放弃了自己的隐私权。同时,根据生命健康权高于隐私权这一基本的权利价值判断,在隐私权与生命健康权正面冲突时,隐私权应当主动让位于生命健康权。因此,施治人员接触患者隐私无疑是合法的,但也应以其必要的治疗活动所应接触的范围为限。二是医学院学生教学观摩问题,尽管医疗行政机关确定某些医院负有教学实习的义务,但有的专家认为,该义务仅及于教学医院一方,对患者来说,不具有法律约束力,即患者并不负有放弃自己的隐私权满足教学医院进行教学的义务。教学医院与见习学生之间、教学医院与患者之间是两个不同的法律关系,受不同法律规范的约束。医疗机构即使是出于教学目的而侵犯患者隐私的,仍应承担相应的法律责任。

第二种侵害患者隐私的表现形式是未经患者同意公开其医学文书及有关资料。患者在就诊过程中,一般均会配合医务人员的问询,披露自己的病情、病史、症状等一系列私人信息,以配合医务人员的诊疗。同时,医务人员会根据患者的陈述,将该部分信息形成患者的病历资料等医学文书。这部分记载有患者隐私内容的医学文书及相关资料,一旦被披露,不但引起患者内心的精神痛苦,还往往会导致患者社会评价的降低,比如患者的某种身体缺陷、曾患有伤风化的疾病等。实践中,医疗机构及其医务人员未经患者同意公开其医学文书及有关资料的情况,也分为两种:一是出于医学会诊、医学教学或者传染性疾病防治的目的,公开患者的医学文书及有关资料;二是医疗机构本身对医学文书及有关资料的管理不善,向未取得患者授权的人公开,造成患者损害的行为。对于第一种情况,在考虑患者隐私保护的同时,还要兼顾医学本身的特点以及医疗行业公益性的需要。在该种情况下,判断侵权责任是否成立的一个关键,就是看是否造成患者的损害。一般来说,如果医疗机构及其医务人员在为医学会诊、医学教学而公开患者医学文书及有关资料的过程中,如果能隐去带有能辨识患者个人信息的内容,如隐去患者的姓名或者用化名,再如对容易引起歧义的内容作适当掩饰,那么一般情况下,对患者就不至于造成损害,也不导致侵权责任的产生。对于第二种情况,则应当加强医疗机构对患者医学文书及有关资料的管理。曾有某患者因妇科疾病住院治疗,医院对其病历资料疏于保管,其配偶详细查阅该患者的病历资料,其中记载有该患者曾做人工流产的病例记录,其配偶遂以该原因为由与患者离婚。该患者一纸诉状将该医院告上法庭,要求其承担侵犯隐私权的赔偿责任。

《医疗事故处理条例》和《医疗机构病历管理规定》中的相关规定就体现了对患者隐私保护的内容,对于未死亡患者,如果未经其许可,即使是近亲属也无权查阅和复制相关的病历资料。如《医疗机构病历管理规定》第六条规定,除涉及对患者实施医疗活动的医务人员及医疗服务质量监控人员外,其他任何机构和个人不得擅自查阅该患者的病历。因科研、教学需要查阅病历的,需经患者就诊的医疗机构有关部门同意后查阅。阅后应当立即归还,不得泄露患者隐私。此外,对于能够提起查阅和复制病历资料申请的权利主体范围,《医疗机构病历管理规定》还作了明确规定。可以看出,除患者本人外,经本人指定的代理人,或者在患者本人死亡的情况下,其近亲属或者该近亲属的代理人等,均可依法对相关医学文书及有关资料进行查阅和复制。对于患者本人未死亡的情况下,即使是患者的近亲属,如果缺乏患者本人的授权同意,也无权查阅、复制该患者的相关医学文书及有关资料,在该类情况下,医疗机构可以拒绝提供。如果医疗机构违反上述义务,向未经患者许可的其他人公开患者的医学文书及有关资料的,造成患者损害,医疗机构还要对此承担赔偿责任。

最后需要说明一点的是,上述两种侵害患者隐私权的行为,无论是泄露患者隐私,还是未经患者同意公开医学文书及有关资料,都必须在造成患者损害的情况下,医疗机构才承担侵权责任。本条中"造成患者损害的",包含了两层含义:一是必须有损害事实,如患者承受的巨大精神痛苦等;二是该损害和医疗机构及其医务人员的行为之间存在因果关系。对于损害事实,虽然现实生活的复杂性不能排除该损害为物质损害的可能性,但一般来说,泄露患者隐私或者未经患者同意公开其医学文书及有关资料造成的损害,大多表现为精神损害。对于精神损害,根据本法第二十二条的规定,只有造成他人严重精神损害的,被侵权人才可以请求精神损害赔偿。

**第六十三条　医疗机构及其医务人员不得违反诊疗规范实施不必要的检查。**

**【释义】**　本条是关于医疗机构及其医务人员不得违反诊疗规范实施不必要检查的规定。

本条所针对的不必要检查行为,也就是目前社会上比较关注的"过度检查"问题。"过度检查"首次在规范性文件中出现,是卫生部和国家中医药管理局2006年联合制定的《关于建立健全防控医药购销领域商业贿赂长效机制的工作方案》。该方案提出,要实行院长问责制,"若发现医院存在乱收费、私设'小金库'、严重的过度检查、过度医疗行为等严重违纪违法问题,将首先追究医院院长责任"。2009年《中共中央国务院关于深化医药卫生体制改革的意见》和国务院《医药卫生体制改革近期重点实施方案(2009—2011年)》中,并未直接对“过度检查”作出规范，而是从正面角度提倡使用“基本药物”、“适宜技术”和“适宜检查”。

侵权责任法起草过程中，曾经使用了“过度检查”的表述。但是，有意见认为，“过度检查”非法律用语，并且何为“过度检查”，含义不明确，难以判断，建议删除。但也有意见认为，“过度检查”的现象当前确实存在，不仅给患者造成不必要的经济负担，有的过度检查甚至对患者身体带来不良影响。因此，为了维护患者的合法权益，对该问题作出禁止性规范是必要的。还有意见认为，不仅应当对“过度检查”作出禁止性规范，还应当规定其法律后果，如医疗机构应当退回不必要诊疗的费用，造成患者损害的，还应当承担赔偿责任。也有不同意见认为，在何为“过度检查”不明确的情况下，退费问题难以操作，同时，建议以“不必要的检查”代替“过度检查”的表述，并进一步明确“不必要的检查”的判断标准。在对各方意见进行综合考量的基础上，本条规定，医疗机构及其医务人员不得违反诊疗规范实施不必要的检查。判断“检查”是否为“不必要”的标准，即是否符合诊疗规范的要求。要正确理解本条的规定，需要从如下几个问题进行把握：

一、过度检查的特点和表现形式

关于过度检查，一般是指由医疗机构提供的超出患者个体和社会保健实践需求的医疗检查服务，医学伦理学界把它称为“过度检查”。过度检查具有以下特征：(1)为诊疗疾病所采取的检查手段超出疾病诊疗的基本需求，不符合疾病的规律与特点。(2)采用非“金标准”的诊疗手段，所谓“金标准”，是指当前临床医学界公认的诊断疾病的最可靠方法。较为常用的“金标准”有活检、手术发现、微生物培养、特殊检查和影像诊断，以及长期随访的结果等。(3)费用超出与疾病对基本诊疗需求无关的过度消费。有的意见提出,近年来,公立医院公益性质淡化,有过分追求经济利益倾向。由于政府投入不足,不少公立医院运行主要靠向患者收费,出现过分依赖市场的导向。有人错误地认为医疗改革就是赚钱,把医疗引入商业化道路。与医院服务相关的药品和医疗器材生产流通秩序混乱,价格虚高,这些都成为诱发过度检查问题的社会因素。对于患者来说,过度检查导致医疗费用激增。1990年至2002年,我国门诊和住院病人的医疗费用中,检查治疗费用所占比例从28%上升到36.7%。过度检查不仅给患者造成过重经济负担,对其身体也带来不必要的风险和损害。

二、过度检查形成的原因

过度检查不仅仅是涉及医疗机构及其医务人员诊疗活动的问题,还是一个复杂的社会问题,它的成因主要有如下几个方面:一是现行医疗体制不健全。在20世纪七八十年代,尽管存在缺医少药的问题,但医患关系相对和谐,究其原因,主要有两个:首先是"低水平,广覆盖"的医疗保障制度,缓和了就医的经济压力;其次是相对完善的医院经济补偿机制,抑制了医院和医生的求利动机。当前卫生管理运行机制发生了重大变化,但这些变化尚不够协调、不同步,因而转型时期医患关系恶化的现象是存在的。一方面是患者的医疗负担越来越重,看病贵的现象普遍存在;另一方面是医院的生存和发展依赖市场,强化了医院的求利倾向,催生了"以药养医""以检养医"现象的出现,进一步使医患关系恶化。二是受司法实践中医疗举证责任倒置的影响。为应对司法实践中举证责任倒置而导致的举证压力,医疗机构采取了"防御性医疗"的对策,而过度检查就是"防御性医疗"的一种表现形式。有些医生为了在可能发生的医疗诉讼中能够举证和免责,而对患者进行了超出所患疾病本身的检查和治疗。比如,为避免患者以误诊为名将医疗机构及其医务人员诉之法院,对于普通感冒引起的头痛脑热等不适,有的医生竟然开出一系列 CT 检查单。三是医疗责任保险制度的不完善。由于人体生命科学的复杂性,决定了医疗行业具有极高的风险性,而目前中国尚缺乏化解此类高风险的有效机制。

从宏观来看,过度检查最根本的成因在于制度层面,应从建立国家基本药物制度、推进公立医院试点改革方面解决这一问题。对此,2009 年《中共中央国务院关于深化医药卫生体制改革的意见》和国务院《医药卫生体制改革近期重点实施方案(2009—2011 年)》,从推广使用基本药物、使用适宜技术的层面,对该问题作了明确。2009 年《中共中央国务院关于深化医药卫生体制改革的意见》提出,“城乡基层医疗卫生机构应全部配备、使用基本药物,其他各类医疗机构也要将基本药物作为首选药物并确定使用比例”。同时明确,“政府举办的城市社区卫生服务中心(站)和乡镇卫生院等基层医疗卫生机构,要严格界定服务功能,明确规定使用适宜技术、适宜设备和基本药物,为广大群众提供低成本服务”。2009 年国务院《医药卫生体制改革近期重点实施方案(2009—2011 年)》提出,要建立基本药物优先选择和合理使用制度,明确“从 2009 年起,政府举办的基层医疗卫生机构全部配备和使用基本药物,其他各类医疗机构也都必须按规定使用基本药物。卫生行政部门制订临床基本药物应用指南和基本药物处方集,加强用药指导和监管”。并且,要推进公立医院改革试点,明确“强化医疗服务质量管理。规范公立医院临床检查、诊断、治疗、使用药物和植(介)入类医疗器械行为,优先使用基本药物和适宜技术,实行同级医疗机构检查结果互认”。综上可以看出，不必要检查不仅仅是医疗机构及其医务人员违反诊疗规范的问题，它更是一个复杂的社会问题，最终的解决要依靠改革我国的医药卫生体制以及建立健全医疗保障体系为基础。

**第六十四条 医疗机构及其医务人员的合法权益受法律保护。干扰医疗秩序，妨害医务人员工作、生活的，应当依法承担法律责任。**

**【释义】** 本条是关于维护医疗机构及其医务人员合法权益的规定。

当前，医患矛盾属于社会关注的焦点问题之一，近年来医疗纠纷明显增多，有的认为主要有以下几方面的原因：一是由于医保制度的普及，老百姓就医看病呈明显上升趋势，门诊及住院量大幅度上升，而医疗机构由于多年来投入不足，条件有限，一时难以满足患者的就医需求，出现各种医患矛盾和纠纷。二是部分患者对医学科学期望值过高，认为进了医院如同进了保险箱，个别患者对有些疾病无法治愈不理解，将矛盾转嫁给医院和医务人员，以至于产生医疗纠纷。三是长期以来医疗卫生事业投入不足，导致医院不得不注重经济效益挣钱养人，患者对看病难、看病贵意见很大，对医疗机构产生积怨，借以释放。四是一些医院管理不到位，制度执行不严，一些医务人员医疗技术不高，业务素质及修养缺失，对患者人文关怀不够，不会进行医患沟通。实践中解决医疗纠纷的难点主要表现为以下几个方面：一是医患双方信息不对称，导致取信患者难。医疗服务专业性很强，普通患者及其家属对出现医疗事故的原因无从分辨，不懂得如何取得对自己有利的证据，导致患方一开始就与医方处在完全不对等的位置，其举证和维权处于相对被动的地位。而部分医疗机构也存在为了维护自身利益，利用自身的强势地位，最大限度地减轻医疗责任，隐瞒部分医疗信息，使患方权利难以得到保证，引起患方对医疗机构的不信任，常常导致矛盾激化。二是医疗纠纷取证难，导致责任认定难。由于医疗行为具有高度的技术性、专业性和复杂性，医疗行为未知数多，具有不可控因素，又因为患者个体差异等因素，除少数事实可以由双方当事人自行认定外，大多数需要经医学鉴定作出。然而，对医疗事故鉴定的公正性一直受到患者的质疑，认为是“老子为儿子鉴定”，导致患者宁肯“医闹”而不信任医疗鉴定的现象。三是患者对公正解决纠纷缺乏信心，一些患者和家属不愿按法律程序解决问题。医疗事故处理有协商、调解和诉讼三种途径，但在实际操作中却遇到种种困难。由于医患双方缺乏信任，往往难以通过协商达成协议。由于患方认为卫生行政部门和医疗机构是“父子”关系，对卫生行政调解的公正性也存在顾虑，而不愿去调解。由于诉讼时间长、诉讼代理和申请鉴定成本高等原因，无论是患者还是医疗机构，都不倾向用诉讼方式处理纠纷。纠纷发生后，一些患者和家属不愿按法律程序解决问题，而是采取动员亲属形成群体一味“闹医”、“闹访”的办法，甚至存在威胁医疗机构和侮辱、殴打医护人员等过激行为。社会上还存在一种“职业医闹”，哪里出了患者死亡、伤残的事情，他们就去找家属谈，揽生意，然后纠集一些人找医院闹，闹来赔偿后与家属分成。对于该类事件，政府和卫生、司法部门也往往从维护社会稳定大局出发，本着息事宁人、息诉罢访的原则，采取医疗机构赔偿了事的办法，化解医疗纠纷，一定程度上在社会上造成了医疗纠纷“大闹大解决，小闹小解决”的认识，助长了患者家属闹医、闹访的心理倾向，给医疗单位造成了不同程度的负担。

可以看出，当前医患双方的极度不信任导致医患关系的紧张，这种紧张状态又促使医疗纠纷不断升级。法律介入医疗活动的目的是实现医患双方权利的平衡和利益的协调，并非去解释或者解决本属于医学理论和医疗科学方面的问题。因此，在法律制度设计上，既要考虑患者作为医疗活动中弱势一方的利益保护，也应兼顾到医学行业本身的特点，如医学科学的局限性、医疗行业的高风险性。法律不仅仅为遭受医疗过错损害的患者提供保护，同样，对于医疗机构及其医务人员的合法权益，法律也要保护，医疗行业的健康、有序发展是整个社会公益的需要。因此，本法对医疗机构及其医务人员的合法权益的保护作了规范。立法过程中，曾有意见认为，本条规定属于行政法上的内容，与侵权责任法无关，建议不作规定。但是，也有意见认为，考虑到当前医患矛盾较为突出的现状，尤其是"医闹"事件屡有发生，已经严重干扰了正常的医疗秩序，对医务人员的工作和生活造成很大影响。在这种情况下，侵权责任法不仅要对正在发生的权利义务关系作出调整和平衡，还应对将来可能发生的冲突作出法律上的指引，这也符合侵权责任法"预防和制裁侵权行为"的立法目的。

需要说明的是，对于干扰医疗秩序，妨害医务人员工作、生活的，应当依法承担法律责任，这里的"法律责任"不仅包括民事赔偿责任，还涉及行政责任和刑事责任。执业医师法第二十一条规定了医师在执业活动中享有的七项权利，其中第五项为"在执业活动中，人格尊严、人身安全不受侵犯"。同时，该法第四十条规定，阻碍医师依法执业，侮辱、诽谤、威胁、殴打医师或者侵犯医师人身自由、干扰医师正常工作、生活的，依照治安管理处罚法的规定处罚；构成犯罪的，依法追究刑事责任。治安管理处罚法第二十三条第一项规定,“有下列行为之一的,处警告或者二百元以下罚款;情节较重的,处五日以上十日以下拘留,可以并处五百元以下罚款:(一)扰乱机关、团体、企业、事业单位秩序,致使工作、生产、营业、医疗、教学、科研不能正常进行,尚未造成严重损失的……”同时,该条第二款规定,“聚众实施前款行为的,对首要分子处十日以上十五日以下拘留,可以并处一千元以下罚款”。

# 第八章　环境污染责任

宪法第二十六条第一款规定:“国家保护和改善生活环境和生态环境,防治污染和其他公害。”环境问题关系到人民群众的切身利益,关系到人与自然和谐相处和经济社会永续发展。环境侵权在构成要件、归责原则、举证责任等方面具有特殊性,侵权责任法对环境污染责任作了专章规定。本章共4条,分别对环境污染责任的归责原则、不承担责任或者减轻责任、举证责任、两个以上污染者造成损害的责任、因第三人的过错污染环境的责任作了规定。

**第六十五条　因污染环境造成损害的,污染者应当承担侵权责任。**

**【释义】**　本条是关于调整范围、归责原则的规定。

一、关于本章的调整范围

环境,按照环境保护法第二条的规定,是指“影响人类生存和发展的各种天然的和经过人工改造的自然因素的总体,包括大气、水、海洋、土地、矿藏、森林、草原、野生生物、自然遗迹、人文遗迹、自然保护区、风景名胜区、城市和乡村等”。环境污染,是指由于人为的原因致使环境发生化学、物理、生物等特征上的不良变化,从而影响人类健康和生产生活,影响生物生存和发展的现象。

本条规定,因污染环境造成损害的,污染者应当承担侵权责任。本条明确了本章的调整范围，本章所指的环境污染，既包括对生活环境的污染，也包括对生态环境的污染。对大气、水体、海洋、土地等生活环境的污染属于环境污染，对生物多样性的破坏、破坏生态环境和自然资源造成水土流失等生态环境的污染也属于环境污染。环境污染的形式既包括水污染、大气污染、噪声污染等传统的污染形式，还包括光污染、辐射污染等新型的污染形式。总之，因污染者的行为污染环境造成损害的，污染者应当承担侵权责任。

民法通则第一百二十四条规定："违反国家保护环境防止污染的规定，污染环境造成他人损害的，应当依法承担民事责任。"我国在保护环境、防治污染方面制定了一系列法律，如环境保护法、海洋环境保护法、水污染防治法、大气污染防治法、固体废物污染环境防治法、环境噪声污染防治法、放射性污染防治法等。这一系列法律形成环境保护的法律体系，其中也规定了一些污染环境致人损害的侵权法规范。依据这些法律，因污染环境造成损害的，除法律明确规定的不承担责任的情形外，都属环境污染侵权行为，行为人应当对受害人承担赔偿损失等民事责任。这对于保护公民、法人的合法权益和生态环境不受环境污染的侵害，具有重要的意义。

国外和我国台湾地区有关环境侵权规定的形式不尽相同，有的采用概括式，有的采用列举式，有的采用概括式和列举式相结合的方式，但环境侵权的内容和方式大致相同。如《日本环境基本法》第2条规定："本法所称'公害'是指伴随企（事）业活动及其他人为活动而发生的相当范围的大气污染、水体污染、土壤污染、噪声、振动、地面沉降和恶臭，并由此而危害人的健康或生活环境（包括与人的生活有密切关系的财产以及动植物及其繁衍的环境）。"《德国环境赔偿责任法》第 3 条第 1 款规定："一项损害系因材料、振动、噪声、压力、射线、气体、蒸汽、热量或者其他现象而引起的，以这些现象是在土地、空气或者水中传播为限，此项损害系因环境侵害而产生。"《瑞典环境损害赔偿法》第 3 条规定："由下列原因造成的损害或伤害应当予以赔偿：1. 河流、湖泊或者其他水域的污染；2. 地下水的污染；3. 地下水位的变化；4. 空气污染；5. 土壤污染；6. 噪声；7. 振动；8. 其他类似的侵害。"我国台湾地区"环境基本法"第四条第二款规定："环境污染者、破坏者应对其所造成之环境危害或环境风险负责。"

二、关于归责原则

环境污染责任作为一种特殊的侵权责任，其特殊性首先表现在其采用了无过错责任的归责原则。依无过错责任原则，在受害人有损害、污染者的行为与损害有因果关系的情况下，不论污染者有无过错，都应对其污染造成的损害承担侵权责任。在立法过程中，对环境污染责任采用无过错责任的归责原则争议不大。值得注意的是，从侵权纠纷角度研究环境污染责任，根据不同的污染源，适用不同的归责原则。居民之间生活污染适用过错责任，主要由物权法规定的相邻关系解决，不受本章调整。而企业生产污染等污染环境的适用无过错责任，主要由侵权责任法、环境保护法、大气污染防治法、水污染防治法等相关法律调整。对企业生产等环境污染责任采用无过错责任的归责原则，主要是由以下几个原因决定的：

（一）环境污染已经成为我国发展中的突出问题

环境问题关系到人民群众的切身利益，关系到人与自然和谐相处和经济社会永续发展，我国目前正处于工业化中期，重工业比重高，原材料消耗高，污染风险也高。由于国际经济结构的变化，西方发达国家已经完成了经济结构的调整，第二产业比重下降,第三产业比重大幅提升。我国有些企业一方面大量开发和利用资源,以获取利润;另一方面为节省处理成本大量排污,造成他人人身、财产和公共环境的损害。无过错责任原则有利于追究侵权人的责任,促使其积极治理污染,预防和减少污染,保护环境,救济受害人。

(二)与现行的环境保护法律中归责原则的规定一致

我国现行的民法通则和环境保护法律中对环境污染侵权都规定了无过错责任的归责原则。民法通则第一百二十四条规定:"违反国家保护环境防止污染的规定,污染环境造成他人损害的,应当依法承担民事责任。"环境保护法第四十一条第一款规定:"造成环境污染危害的,有责任排除危害,并对直接受到损害的单位或者个人赔偿损失。"海洋环境保护法第九十条第一款规定:"造成海洋环境污染损害的责任者,应当排除危害,并赔偿损失;完全由于第三者的故意或者过失,造成海洋环境污染损害的,由第三者排除危害,并承担赔偿责任。"水污染防治法第八十五条第一款规定:"因水污染受到损害的当事人,有权要求排污方排除危害和赔偿损失。"大气污染防治法第六十二条第一款规定:"造成大气污染危害的单位,有责任排除危害,并对直接遭受损失的单位或者个人赔偿损失。"固体废物污染环境防治法第八十五条规定:"造成固体废物污染环境的,应当排除危害,依法赔偿损失,并采取措施恢复环境原状。"环境噪声污染防治法第六十一条第一款规定:"受到环境噪声污染危害的单位和个人,有权要求加害人排除危害;造成损失的,依法赔偿损失。"放射性污染防治法第五十九条规定:"因放射性污染造成他人损害的,应当依法承担民事责任。"侵权责任法规定环境污染责任采用无过错责任的归责原则与这些法律的规定是一致的。

（三）符合国际上通行的做法

对于环境污染侵权，是适用一般的过错原则还是无过错原则，不同国家针对不同情况在立法上也有所不同，大都区分不同环境侵权的类型，分别采用过错责任和无过错责任。大多数国家对企业生产等危害较大的环境污染采用无过错责任的归责原则。

日本的环境立法中对一般的环境侵权依据其民法典第709条承担过错责任，但在公害事件中适用无过错原则。公害无过错原则的适用对象为大气污染、水质污染和放射性污染等有害物质所引起的公害，对于因噪声、振动、地面沉降、恶臭等造成的环境损害，无过错原则并不适用。对于适用无过错归责原则的公害事件，赔偿范围仅限于对人生命、健康损害的救济，对于财产的损害则不适用无过错原则。日本政府自1967年以来陆续出台了《公害对策基本法》《噪声控制法》《大气污染防治法》《水污染防治法》《环境影响评价法》等十多部环境保护法律。《大气污染防治法》《水污染防治法》等法律中确定了无过错责任的归责原则。其《大气污染防治法》第25条第1款规定："企业因伴随其活动而向大气中排放（包括飞散）有害于人体健康的物质（指烟尘、特定物质或粉尘。而作为仅对生活环境有害的物质则是政令规定以外的物质），从而危害了人的生命或健康时，与该排放有关的企业者对由此而引起的损害应承担赔偿责任。"《水污染防治法》第19条规定："伴随企业的活动排放含有有害物质的废水或废液，或者向地下渗透而危害了人的生命和身体时，与该排放或向地下渗透有关的企业者，应该承担由此而引起的损害赔偿责任。"《矿业法》第109条第1款规定："为了采掘矿物而挖掘土地，由于排放坑水或废水、堆积废石或排放矿烟，对他人造成损害时,损害发生时的该矿区的矿业权者,或者损害发生时矿业权业已消灭,矿业权消灭时该矿区的矿业权人,负赔偿该损害的责任。”

德国法对于环境侵害作了两类区分:其一是由于人们的日常活动或者企业无须政府许可的营业活动所引起的环境侵害,这被称为一般性的环境侵害;其二是经政府许可的营业活动,也即企业的产业活动所引起的环境侵害,这被称为特殊类型的环境侵害。与此相对应,德国环境侵权方面的法律主要涉及两个层面:一是民法典关于侵权行为、干扰侵害和侵害排除的一般性规定,主要解决一般性的环境侵权问题。《德国民法典》第906条规定:“在干扰不损害或者较轻微损害土地的使用的范围内,土地所有权人不得禁止煤气、蒸汽、臭气、烟气、煤烟、热气、噪声、震动和其他来自他人土地的类似的干扰的侵入。如果此类干扰对土地的通常使用或者对土地的收益所造成的妨害超出预期的程度,所有权人可以要求适当的金钱赔偿。”对于无法用相邻关系制度调整的其他一般性环境侵权损害赔偿,应适用《德国民法典》第823条规定的过错原则,即“因故意或过失不法侵害他人的生命、身体、健康、自由、所有权或其他权利者,负向他人赔偿因此所生损害的义务”。当此类环境侵害造成的后果仅限于精神层面,而不涉及被侵害人生命、身体、健康、自由和财产权利时,即便加害人存在故意或者过失,被侵害人也不能依据《德国民法典》第823条的规定得到赔偿。德国司法判例认为,对清洁的空气、水和舒适生活环境的利益(即所谓的环境权等法益),并不属于《德国民法典》第823条所称“其他权利”的范畴。二是涉及环境侵权的专门性法律,如《公害防治法》、《水利法》、《环境责任法》和《联邦固体废弃物防治和固体废弃物管理法》

等，主要解决特殊类型的环境侵权问题。德国法将其纳入危险责任，在民法典之外通过特别法加以规范。《德国环境赔偿责任法》第1条规定："因环境侵害而致人死亡，侵害其身体或者健康，或者使一个物发生毁损的，以此项环境侵害是由附件一中所列举的设备引起的为限，对于由此发生的损害，设备的持有人负有向受害人给付赔偿的义务。"《德国水利法》第22条规定："向水体（包括河流、湖泊、沿海和地下水）投放或导入物质，或者变更水体原来的物理、化学或生物性质，致损害他人者，就其所生损害负赔偿责任。如果是多人使水域产生影响，那他们作为整体负债人而承担责任。"

英美法系的干扰妨害和严格责任在环境侵权救济中运用得比较普遍。自1970年以来，美国逐渐采取以环境专门立法的形式来确立严厉的行政控制制度以及损害赔偿的严格责任原则，如《综合环境治理损害赔偿法》（或称1980年超级基金法）、《安全饮用水法》、《清洁空气法》和《清洁水法》等，均以严格责任为原则。

此外，对企业排污符合规定的标准但造成损害的情况是否应当承担侵权责任的问题，在立法过程中有不同意见。有的认为，企业排污符合规定的标准时应减轻或者免除企业的侵权责任。如果符合规定的标准也应承担侵权责任，会削弱企业的环保意识，加重企业的负担，就有经营困难甚至破产的可能，如果符合排放标准仍造成损害，应由国家出台更高的标准，否则应由国家承担相应的责任。有的意见认为，即使排污符合规定的标准，造成损害也应当承担侵权责任。本条规定，"因污染环境造成损害的，污染者应当承担侵权责任。"环境污染责任采用无过错责任，国家或者地方规定的污染物排放标准，是环境保护主管部门决定排污单位是否需要缴纳排污费和进行环境管理的依据，并不是确定排污者是否承担赔偿责任的界限。即使排污符合标准，给他人造成损害的，也应当根据有损害就要赔偿的原则，承担赔偿责任。

三、关于不承担责任或者减轻责任的情形

本条规定，因污染环境造成损害的，污染者应当承担侵权责任。本法第五条规定，其他法律对侵权责任另有特别规定的，依照其规定。对于适用无过错责任的环境侵权，其责任并非绝对责任，侵权人可以依据法律规定的不承担责任或者减轻责任的情形提出抗辩，从而免除或者减轻自己的侵权责任。不同类型的环境污染，关于不承担责任或者减轻责任的法律规定也不尽相同。如因核材料或者核设施泄漏引起的核污染责任，与工业废水排放引起的污染责任，法律规定其不承担责任或者减轻责任的情形有所不同。

我国环境保护方面的法律中对不承担责任或者减轻责任的情形有所规定，主要涉及不可抗力、受害人故意和第三人责任。环境保护法第四十一条第三款规定："完全由于不可抗拒的自然灾害，并经及时采取合理措施，仍然不能避免造成环境污染损害的，免予承担责任。"海洋环境保护法第九十条第一款规定："造成海洋环境污染损害的责任者，应当排除危害，并赔偿损失；完全由于第三者的故意或者过失，造成海洋环境污染损害的，由第三者排除危害，并承担赔偿责任。"海洋环境保护法第九十二条规定："完全属于下列情形之一，经过及时采取合理措施，仍然不能避免对海洋环境造成污染损害的，造成污染损害的有关责任者免予承担责任：(一)战争；(二)不可抗拒的自然灾害；(三)负责灯塔或者其他助航设备的主管部门，在执行职责时的疏忽，或者其他过失行为。"水污染防治法第八十五条第二、三、四款规定："由于不可抗力造成水污染损害的，排污方不承担赔偿责任；法律另有规定的除外。”“水污染损害是由受害人故意造成的，排污方不承担赔偿责任。水污染损害是由受害人重大过失造成的，可以减轻排污方的赔偿责任。”“水污染损害是由第三人造成的，排污方承担赔偿责任后，有权向第三人追偿。”大气污染防治法第六十三条规定：“完全由于不可抗拒的自然灾害，并经及时采取合理措施，仍然不能避免造成大气污染损失的，免于承担责任。”在发生这些环境污染侵权时，污染者可以依据这些法律的规定不承担责任或者减轻责任。

国外对于环境污染责任不承担责任或者减轻责任的情形也有规定，其中，不可抗力、受害人过错和第三方责任是国外立法例中最多见的规定。《德国环境赔偿责任法》第 4 条规定：“以损害系因不可抗力引起的为限，不存在赔偿的义务。”《德国水利法》第 22 条第 2 款规定：“因制造、加工、贮藏、堆积、运送或毁弃物品，从其设备向水体投放物质，致损害于他人者，设备营运人就所生损害负赔偿责任。如果损失由暴力引起，则没有赔偿义务。”《日本大气污染防治法》第 25 条第 3 款规定：“关于第二十五条第一款规定的损害的发生，与天灾及其他不可抗力联系在一起时，法院在对损害赔偿责任与赔偿额的认定上，应该斟酌这一情况。”《日本水污染防治法》第 20 条第 2 款规定：“第十九条第一款规定的损害的发生，如果是天灾及其他不可抗力等多种原因造成的，则法院在认定损害赔偿责任和赔偿金额时，可以斟酌这一情况。”《荷兰民法典》债法总则编第 178 条规定：“具有下列情形之一的，不发生本编第一百七十五条、第一百七十六条或者第一百七十七条（注：荷兰民法典这三条分别规定的是危险责任、垃圾场经营者污染责任及采矿工作物的经营者责任）规定的责任：

a. 损害因武装冲突、内战、叛乱、国内骚乱、暴动或者兵变所致;b. 损害因意外的、不可避免的和不可克服的自然事件所致,但是,在本编第一百七十七条第一款所称的情形下引发的地下自然力除外;c. 损害仅因执行公共机关发布的命令或者强制性法规所致;d. 损害仅因为受害人自身的利益而合理地置受害人于遭受损害的危险之下而使用本编第一百七十五条所称的物质所致;e. 损害仅因具有故意的第三人的作为或不作为所致,但以不违背本编第一百七十条和第一百七十一条的规定为限;f. 在由故意造成妨害、污染或者其他后果的人承担责任的情形下,不存在根据前节规定产生的有关妨害、污染或者其他后果的责任。"《美国综合环境反应、赔偿和责任法(1980)》第七部分(b)款规定:"如果某人能证明泄漏某种有害物质及由此造成的损失是由于以下原因引起的,则不承担本条(a)款的责任:(1)不可抗力;(2)战争;(3)损害仅因第三方的过失引起,并且第三方同该人(被告)之间不存在雇佣或者代理关系,不存在任何直接或者间接的合同关系,同时,被告必须能够证明他不仅对于该有害物质的性质以及所有相关的因素都已尽到谨慎的注意义务,并且对能够合理预见到的第三方过失都已采取谨慎的预防措施;(4)任何以上原因的组合。"《加拿大环境保护法》第 205 条第 2 款规定:"依据第一款规定的个人责任并不依靠过失或疏忽的证据,但是如果财产所有人确定环境事件有如下情形,则依据该款的规定不承担责任:1. 因战争、敌对或叛乱行为所导致,或者因一种异常的、不可避免且不可克服的自然现象所导致;2. 完全是由故意引起损害的第三方的作为或不作为引起的;3. 完全是由于政府公共部门或者公共管理机关的疏忽或其他错误行为引起的。"

一些国际公约对环境污染不承担责任或者减轻责任的情形也有规定。《欧盟关于预防和补救环境损害的环境责任指令》第 4 条规定："该指令不调整由以下情况导致的环境损害或者紧急的环境威胁：1. 武装冲突，敌对行动，内战或者骚乱；2. 不可避免和不可抑制的自然现象。该指令不适用于由建立欧洲原子能共同体条约所调整的活动导致的核风险或者环境损害或者紧急的环境损害。"《关于核损害的民事责任的维也纳公约》第 4 条第 3 款规定："（一）管理人对直接由武装冲突、敌对行动、内战或者暴动等行为引起的核事件所造成的核损害一律不承担责任；（二）管理人对由于特大自然灾害直接引起的核事件所造成的核损害不负责任，除非装置国的法律有相反的规定。"《国际油污损害民事责任公约》第 3 条第 2 款规定："船舶所有人如能证实损害系属于以下情况，即对之不负责任：（1）由于战争行为、敌对行动、内战或者武装暴动，或者特殊的、不可避免的和不可抗拒的自然现象所引起的损害；（2）完全由于第三者有意造成损害的行为或者怠慢所引起的损害；（3）完全是由于负责灯塔或其他助航设备的政府或其他主管当局在执行其职责时，疏忽或其他过失行为所造成的损害。"《关于危险废弃物越境转移及其处置所造成损害的责任和赔偿问题议定书》第 4 条第 5 款规定："如果本条第 1 和第 2 款中所述之人证明损害系由以下原因之一所致，则该人便不应对之负任何赔偿责任：（a）武装冲突、敌对行动、内战或叛乱行为；（b）罕见、不可避免、不可预见和无法抵御的自然现象；（c）完全系因遵守损害发生所在国的国家公共当局的强制性措施或；（d）完全由于第三者的蓄意不当行为，包括遭受损害者的不当行为。"

**第六十六条　因污染环境发生纠纷，污染者应当就法律规定的不承担责任或者减轻责任的情形及其行为与损害之间不存在因果关系承担举证责任。**

**【释义】**　本条是关于环境污染侵权举证责任的规定。

举证责任，是指法律要求纠纷当事人对自己所主张的事实，提出证据加以证明的责任。根据我国民事诉讼法的规定，一般实行"谁主张，谁举证"的原则。民事诉讼法第六十四条第一款规定："当事人对自己提出的主张，有责任提供证据。"如果原告不能用证据证明自己的诉讼请求，人民法院将不支持原告的诉讼请求。举证责任的分配，是指这种证明责任在当事人之间如何配置的问题。一般来说，承担较重举证责任的当事人在纠纷解决中处于相对不利的地位，因此，举证责任的分配是否公平直接关系到当事人的利益。依据本法第六十五条的规定，环境污染责任适用无过错责任的归责原则。环境污染责任确定无过错责任原则，固然可使环境侵害中受害人的合法权益得到保护，但是，环境侵权中因果关系的认定也是环境污染纠纷中的重要问题。本条规定，因环境污染发生纠纷，污染者应当就法律规定的不承担责任或者减轻责任的情形及其行为与损害之间不存在因果关系承担举证责任。这表明环境污染侵权实行因果关系的举证责任倒置。所谓举证责任倒置，是指在法律规定的一些特殊情形下，将通常应由提出事实主张的当事人所负担的举证责任分配给对方，由对方对否定该事实承担举证责任，如果该方当事人不能就此举证证明，则推定事实主张成立的一种举证责任分配制度。它是举证责任分配的一种特殊表现形式，是相对于一般举证责任分配规则的正常分配结果而言的。其实质便是免除本应由原告承担的举证责任，而就待证事实的反面事实，由被告承担举证责任。将污染行为与损害之间的因果关系的举证义务加于污染者,有利于保护受害人的合法权益。

按照环境污染责任的构成要件,构成环境污染侵权需污染者有污染环境的行为,受害人有损害,污染者污染环境的行为与受害人的损害之间有因果关系。污染者承担赔偿责任的一个必要条件就是污染行为与损害之间有因果关系,只有存在因果关系,受害人才能要求侵权人承担环境污染侵权责任。一般的侵权关系中,加害行为与损害结果之间往往具有即时性的特点,因果关系的判断上相对容易。因此,侵权人的行为与受害人的损害之间的因果关系由受害人证明,运用相应的因果关系理论可以较好地解决侵权纠纷。在环境污染责任的认定中,由受害人对污染者的行为与其损害之间存在因果关系进行举证非常困难,如果仍然按照民事诉讼中"谁主张,谁举证"原则,由受害人承担因果关系的举证义务,则受害人很难获得救济,这是由环境污染侵权的特殊性决定的。

第一,环境污染损害一般具有长期性、潜伏性、持续性、广泛性的特点,有的环境污染损害地域广泛,污染源与损害结果地距离很远,有的损害结果往往不是即时完成的,而是日积月累慢慢形成的,所以即使产生损害,往往时过境迁,证据灭失,很难判断损害事实是否由某侵权行为造成,使因果关系的证明非常困难。比如日本的哮喘病事件,从 1955 年开始排出废气,到 1961 年开始出现哮喘病人发作,1964 年才开始出现死亡病例,从开始排放到污染损害,历时近 10 年。

第二,环境污染造成损害的过程具有复杂性,损害并非总是由污染物直接作用人身和财产造成的,往往是污染物与各环境要素或者其他要素相互之间发生物理、化学、生物的反应,经过迁移、扩散、转化、代谢等一系列中间环节后才起作用。甚至有的时候,污染物本身是不会致害的,但和其他因素一起作用就产生了损害,使因果关系表现得十分隐蔽和不紧密,认定十分困难。

第三,有的环境污染侵权涉及一系列的物理、化学、生物、地理、医学等专业知识甚至一些高科技知识,要证明行为与损害事实之间的因果关系,必须具备相关的专门科学技术知识和仪器设备,这些知识、技术和仪器并非平常人所能具备。甚至在一些时候,在现在的科学技术条件下,一些环境污染损害的因果关系还无法认定。

第四,在确定因果关系时,多因一果的现象经常出现,如数家工厂向同一河流排污,河水被污染致使饮用该河水的居民感染疾病,在这种情况下,受害人很难或根本无法证明谁是致害人,证明因果关系更困难。

正因为环境污染侵权的这些特殊性,导致环境污染的因果关系链条十分复杂,所以要证明这些因果关系链条就更为复杂,由受害人承担因果关系的举证责任有非常大的难度。如果坚持在环境侵权中按照一般侵权行为的规范,仍要求有严密的因果关系的证明,适用由受害人举证的严密的逻辑推论和判断去论证因果关系,并按通常的诉讼程序去查证,在无法证明因果关系的情况下,受害人就要承担无法举证的不利益,受害人的损害就得不到救济,无异于剥夺了受害人的请求权。为了减轻环境侵权受害人的举证负担,更迅速地救济受害人,举证责任转移或倒置制度便应运而生。经过长期的探索与实践,在环境侵权中因果关系举证责任的转移或倒置已成为各国环境法上的通则,在对受害者的保护方面起到了积极作用。

因此,本条规定,因环境污染发生纠纷,污染者应当就法律规定的不承担责任或者减轻责任的情形及其行为与损害之间不存在因果关系承担举证责任，规定了环境污染侵权因果关系的举证责任倒置，由污染者就行为与损害之间的因果关系承担举证义务。污染者必须提出反证，证明其行为与损害之间没有因果关系，才能不承担侵权责任，否则依据本条规定，其应承担环境污染的侵权责任。

本条规定，因环境污染发生纠纷，污染者应当就法律规定的不承担责任或者减轻责任的情形承担举证责任。我国环境保护方面的法律中对不承担责任或者减轻责任的情形有所规定，主要涉及不可抗力、受害人故意和第三人责任。环境保护法、海洋环境保护法、水污染防治法、大气污染防治法等法律对不承担责任或者减轻责任的情形都有规定。因环境污染发生纠纷，污染者应当就法律规定的不承担责任或者减轻责任的情形承担举证责任。

对于环境污染责任中不承担责任和减轻责任的举证责任和因果关系的举证责任倒置，我国现行环境方面的法律以及司法解释对此已有规定。水污染防治法第八十七条规定："因水污染引起的损害赔偿诉讼，由排污方就法律规定的免责事由及其行为与损害结果之间不存在因果关系承担举证责任。"固体废物污染环境防治法第八十六条规定："因固体废物污染环境引起的损害赔偿诉讼，由加害人就法律规定的免责事由及其行为与损害结果之间不存在因果关系承担举证责任。"《最高人民法院关于民事诉讼证据的若干规定》第四条规定："下列侵权诉讼，按照以下规定承担举证责任：……（三）因环境污染引起的损害赔偿诉讼，由加害人就法律规定的免责事由及其行为与损害结果之间不存在因果关系承担举证责任……"《最高人民法院关于适用〈中华人民共和国民事诉讼法〉若干问题的意见》第七十四条规定:“在诉讼中,当事人对自己提出的主张,有责任提供证据。但在下列侵权诉讼中,对原告提出的侵权事实,被告否认的,由被告负责举证:……(3)因环境污染引起的损害赔偿诉讼……”

由于环境污染责任因果关系的证明难度,随着各国环境污染案件迅速增加,一些国家采取各种方式降低受害人对因果关系的证明责任,举证责任转移原则被引入环境法制领域。例如,美国密歇根州1970年颁布的《环境保护法》第203条规定:“当原告在诉讼中初步证明被告的行为已经或可能损害或毁坏空气、水体或公共托管的其他自然资源时,被告可提出相反证据来反驳这一初步证明。”

在日本,对一般不法行为,受害人应就不法行为人的故意或过失行为、损害、行为与损害之间的因果关系进行举证。对于因果关系的证明程度,只需达到高度盖然性的标准,即根据经验原则综合研究所有证据,证明特定事实导致特定结果发生的高度盖然性,达到一般人不抱有疑问的程度。但对公害案件,受害者不掌握证明因果关系的资料,证明因果关系的高度盖然性有困难。针对这些受害人证明困难的情况,通过提高加害人的注意义务、预见义务的导入、因果关系的事实推定来降低原告的举证义务。预见义务的导入,是指以认识到结果发生的抽象危险为基础,赋予信息收集义务、调查研究义务,在未能尽到必要的信息收集、调查研究义务时,对于如果尽到该义务就能预见的具体危险,认为有可预见性。

对于因果关系的举证责任,日本没有引进举证责任倒置。不承认举证责任倒置是从不法行为的归责根据和保障行为自由的角度考虑的。因为日本的不法行为法主要采用过错责任,原则上不存在原因责任、结果责任,加害人只有在没有采取通常合理的行为造成损害时才承担责任。但是不承认举证责任倒置并不是不考虑受害人的举证困难,对举证困难的案件,一般由法官采取心证,进行因果关系的事实推定。如在公害案件中,摄取被加害人的工厂排出的废水污染的鱼而受到重大健康损害的受害人,在证明健康损害与加害人的过失行为之间的因果关系时,针对疾病的机理、到达路径、被告工厂工业废水的排放、污染源可以追溯到加害工厂的排水沟这些事实进行了主张、立证时,裁判官适用经验原则,形成受害人的健康损害是加害人工厂排放废水的行为导致的结果的心证,即因果关系的事实推定。加害人除非反证不存在因果关系,否则承担责任。由于这种事实上的推论在受害人提供初步的因果关系证据就会形成,推论后举证责任就转移到加害人一方,事实上减轻了受害人的举证义务。

《德国环境责任法》中对因果关系的举证也有规定。《德国环境责任法》第 6 条规定:“(1)就具体情形之下的情况而论,一个设备能够引起所发生的损害的,推定损害是由该设备引起的。至于一个设备在具体情况之下是否能够引起损害,依运营过程、所使用的装置、投入使用以及所产生的材料的性质和浓度、气象学上的情况、损害发生的时间和地点、损害情况本身以及所有其他在具体情况之下能够说明引起损害或者能够说明不引起损害的情况加以判断和认定。(2)设备是按规定运营的,不适用第一款。按规定运营系指特别的运营义务已经得到遵守,并且也不存在运营障碍的情形。(3)特别的运营义务系指由行政法上的许可、指令以及可以执行的命令和法律规定产生的运营义务,但以这种许可、指令、命令和法律规定的宗旨是制止引起损害情形可能发生的环境侵害为限。(4)为监督特别运营义务的执行情况而在许可、指令、命令和法律规定中规定有监控措施的,在下列情形,推定遵守了此种运营义务:A. 监控措施系在一个时期之内实施,而在该时期之内,在考虑范围之内的环境侵害可能是由设备产生,并且这些监控措施并没有为违反运营义务提供依据的;或者B. 在主张损害赔偿请求权之时,在考虑范围之内的环境侵害已经超过十年的。"

《德国环境责任法》对原因推定的排除也有规定。《德国环境责任法》第 7 条规定:"(1)数个设备都能够引起损害的,在从具体情形之下的情况来看,另外一个事由能够引起损害时,不适用推定。至于在具体情况之下是否能够引起损害,依损害发生的时间和地点、损害情况本身以及所有其他在具体情况之下能够说明引起损害或者能够说明不引起损害的情况加以判断和认定。(2)只有一个设备能够引起损害的,在从具体情形之下的情况来看,另外一个事由能够引起损害时,不适用推定。"

**第六十七条 两个以上污染者污染环境,污染者承担责任的大小,根据污染物的种类、排放量等因素确定。**

**【释义】** 本条是关于两个以上污染者造成损害的责任的规定。

在一定的时间、空间里,环境容量是有限的,多个污染者共同排污的行为可能超过环境容量和环境的自净能力,污染环境给受害人造成损害。在这种情况下,多个污染者之间对受害人如何承担责任,污染者之间的责任大小如何确定是本条所规范的内容。

一、关于两个以上污染者造成损害的责任

本条所规范的环境污染侵权行为有以下要件:一是多个

侵权主体,有两个或者两个以上的污染者;二是污染者存在无意思联络的侵权行为,即污染者都有污染环境的行为,但其行为之间没有意思联络;三是数个侵权行为与损害有总体上的因果关系,并不是单个侵权行为与损害之间有因果关系;四是造成了同一损害。本条规定的两个以上污染者污染环境,污染者之间不存在污染环境的意思联络。现实中的环境污染共同侵权,从各行为人的角度考察,在污染者彼此实施侵权行为之前,一般没有主观上的意思联络。如果污染者之间有意思联络,则不是本条调整的范围,应由本法第八条规定的"二人以上共同实施侵权行为,造成他人损害的,应当承担连带责任"所调整,构成有意思联络的共同侵权,污染者承担连带责任。

在立法过程中,关于两个以上污染者污染环境造成损害,污染者对外是承担连带责任还是按份责任有不同意见。一种意见认为,应当规定污染者对外承担连带责任,再根据污染物排放量等因素确定排污者的内部责任,这样有利于救济受害人。另一种意见认为,应当规定污染者承担按份责任。经研究认为,承担连带责任虽然能更好地保护受害人,但从社会公平的角度来说,值得商榷。污染损害发生后,受害人从赔付能力考虑,一般会起诉经济能力较强的大企业,而大企业由于处理污染物能力较强,不一定比小企业排放污染物多,规定连带责任会加重大企业的负担,不利于社会公平,也不利于排污多的小企业积极治理污染。同时,部分排污者承担连带责任后还需另行起诉,根据污染物排放量等因素在排污者之间追偿,增加诉累。因此,应当规定按份责任,直接根据污染物的种类、排放量等因素确定排污者责任的大小。如数家企业向同一河流排污,河水被污染致使饮用该河水的居民感染疾病,受害人起诉这数家企业，允许被告依据本法第六十六条提出反证，如果任何一个企业能够证明其行为与损害之间没有因果关系，则不承担责任。剩余企业承担按份责任，根据污染物的种类、排放量等因素确定责任大小。

一些国家也对两个以上污染者污染环境如何承担责任作出了规定。如《德国水利法》第 22 条第 1 款规定：“向水体（包括河流、湖泊、沿海和地下水）投放或导入物质，或者变更水体原来的物理、化学或生物性质，致损害他人者，就其所生损害负赔偿责任。如果是多人使水域产生影响，那他们作为整体负债人而承担责任。”

在日本，两个以上排污者的环境污染行为被视为共同不法行为。一般情况下，根据《日本民法典》第 719 条，共同不法行为中的每个共同不法行为人都对于全部损害承担连带责任，不认可根据原因力分担责任或减责。日本认为否定分担责任，可以回避各个企业排放的污染物质对各个受害人产生影响的数量、各污染源排放的污染物质很大程度上造成了受害人的疾病等难以科学、明确地进行分析阐明的问题成为诉讼争点的不便之处。多个排放者对外承担连带责任后再根据原因力进行相互之间的追偿。

在近年来日本的判例以及学说中，将共同不法行为分为“弱关联共同性”和“强关联共同性”。为了保护受害人，一般情况下，对于“弱关联共同性”也类推适用《日本民法典》第 719 条第 1 款中“无法得知共同行为人中的某一人是否施加了不法行为对他人造成损害时，各人对于该损害负有连带责任”的规定，由有加害可能的人全部承担连带责任，但加害人可以通过证明自己的行为与损害没有因果关系来免除赔偿责任。在有些仅认定为“弱关联共同性”的判例中，如西淀川公害，综合判断各人的样态、归责性、原因力，认为不应承担连带责任，判定承担按份责任，对证明自身行为与损害没有因果关系或责任明显很小的人，认可免责或减责。

在日本，对依据《大气污染防治法》等的无过错责任适用共同不法行为的情形，根据排放量、排放浓度，认为行为人对于损害的发生应负责任明显很小时，日本法院可以对这一情况加以考虑，免除或减轻此行为人的责任。这种情形下，该行为人需向法院提交自己事业场所的排放量、排放浓度的记录。《大气污染防治法》第25条第2款规定："对于由两个以上的事业者向大气中排放有害健康的物质而引起的该损害赔偿责任，适用民法第七百一十九条第一款的规定（共同不法行为）的情形下，当认为事业者对于该损害的造成应负责任明显很小时，裁判所在决定该事业者的损害赔偿金额时可以对这一情况加以考虑。"《水污染防治法》第19条第1款也有类似规定。

二、关于判断污染者责任大小的依据

在确定两个以上污染者污染环境，应当承担按份责任后，如何判断污染者承担责任的份额，其责任大小根据什么因素确定。本条规定，污染者承担责任的大小，根据污染物的种类、排放量等因素确定。

污染者承担责任大小的依据主要是污染者的行为在导致损害的结果中所占的原因力的比例。环境污染中原因力的确定比较复杂，具体到确定责任大小，应考虑污染者排放污染物的种类、排放量等因素。排放污染物的种类是指导致损害结果的污染物的种类，如一家企业既排放A有害物质又排放B有害物质，在确定致害污染物只是A有害物质的情况下，只考虑A有害物质的排放来确定。排放量的概念是排放污染物总量乘以排放浓度,如一家企业排放污水 10 吨,浓度是 0.1%,另一家企业排放污水 5 吨,浓度是 0.2%,排放量的计算是排放污水总量乘以排放浓度,并非单指排放污水总量。突发事故的排污量可以参照监测数据,累积型的排污量可以以排污单位申报量、日常监测数据、环保部门监测数据、物量核算等方式确定。

另外,在确定责任大小时不仅仅只考虑污染物的种类、排放量两种因素,还应考虑其他因素,如排放地距离、排放持续时间、污染物的致害程度等。

**第六十八条　因第三人的过错污染环境造成损害的,被侵权人可以向污染者请求赔偿,也可以向第三人请求赔偿。污染者赔偿后,有权向第三人追偿。**

**【释义】**　本条是关于因第三人的过错污染环境的责任的规定。

第三人的过错,是指除污染者与被侵权人之外的第三人,对被侵权人损害的发生具有过错,此种过错包括故意和过失。本条规定的是如果污染环境造成损害是由于第三人的过错引起的,责任如何承担的问题。这种情况需具备以下两个条件:首先,第三人是指被侵权人和污染者之外的第三人,即第三人不属于被侵权人和污染者一方,第三人与受害者和污染者之间不存在法律上的隶属关系,如雇佣关系等。其次,第三人和污染者之间不存在意思联络。如果第三人与污染者有意思联络,则第三人与污染者构成共同侵权,不属于本条规范。

我国现有的环境保护法律中对因第三人的过错污染环境造成损害如何承担责任也有规定。如水污染防治法第八十五条第四款规定:“水污染损害是由第三人造成的,排污方承担赔偿责任后，有权向第三人追偿。”海洋环境保护法第九十条第一款规定：“造成海洋环境污染损害的责任者，应当排除危害，并赔偿损失；完全由于第三者的故意或者过失，造成海洋环境污染损害的，由第三者排除危害，并承担赔偿责任。”本条规定，因第三人的过错污染环境造成损害的，被侵权人可以向污染者请求赔偿，也可以向第三人请求赔偿。一般情况下污染者的赔偿能力比第三人强，规定污染者先替第三人承担责任再追偿的本意是对被侵权人的保护，但在第三人的赔偿能力比污染者强的情况下，应该赋予被侵权人赔偿对象的选择权，被侵权人可以向污染者请求赔偿，也可以向第三人请求赔偿。污染者赔偿后，有权向第三人追偿。

一些国家的环境法律中对因第三人的过错污染环境造成损害的情况也有规定。《荷兰民法典》第 178 条规定：“具有下列情形之一的，不承担本编第一百七十五条、第一百七十六条或者第一百七十七条规定的责任：……e. 损害仅因具有故意的第三人的作为或不作为所致，但以不违背本编第一百七十条和第一百七十一条的规定为限。”《美国综合环境反应、赔偿和责任法(1980)》第 7 部分(b)款规定：“如果某人能证明泄漏某种有害物质及由此造成的损失是由于以下原因引起的，则不承担本条(a)款的责任：(1)不可抗力；(2)战争；(3)损害仅因第三方的过失引起，并且第三方同该人(被告)之间不存在雇佣或者代理关系，不存在任何直接或者间接的合同关系，同时，被告必须能够证明他不仅对于该有害物质的性质以及所有相关的因素都已尽到谨慎的注意义务，并且对能够合理预见到的第三方过失都已采取谨慎的预防措施；(4)任何以上原因的组合。”《加拿大环境保护法》第 205 条第 2 款规定：“环境事件完全是由故意引起损害的第三方的作为或不作为引起的，免除侵害人的赔偿责任。”

一些关于环境的国际条约中对因第三人的过错污染环境造成损害的情况也有规定。《国际油污损害民事责任公约》第3条第2款规定：“船舶所有人如能证实损害系属于以下情况，即对之不负责任：(1)由于战争行为、敌对行动、内战或者武装暴动，或者特殊的、不可避免的和不可抗拒的自然现象所引起的损害；(2)完全由于第三者有意造成损害的行为或者怠慢所引起的损害；(3)完全是由于负责灯塔或其他助航设备的政府或其他主管当局在执行其职责时，疏忽或其他过失行为所造成的损害。”《关于危险废弃物越境转移及其处置所造成损害的责任和赔偿问题议定书》第4条第5款规定：“如果本条第一和第二款中所述之人证明损害系由以下原因之一所致，则该人便不应对之负任何赔偿责任：(a)武装冲突、敌对行动、内战或叛乱行为；(b)罕见、不可避免、不可预见和无法抵御的自然现象；(c)完全系因遵守损害发生所在国的国家公共当局的强制性措施；或(d)完全由于第三者的蓄意不当行为，包括遭受损害者的不当行为。”

# 第九章　高度危险责任

本章共9条，对高度危险责任的一般规定和几种典型的高度危险作业的致害责任作出规定。在本法制定前，民法通则第一百二十三条对高度危险作业责任作了原则性规定。此后，铁路法、民用航空法、电力法等法律对相关的使用铁路、民用航空器和电力等高度危险作业致人损害的民事责任作出了规定。本法在这些法律的基础上，结合实践经验，对高度危险责任作出专章规定。第六十九条是关于高度危险责任的一般规定。第七十条至第七十三条根据危险程度的高低，区分不同的高度危险作业类型，分别对民用核设施，民用航空器，高度危险物和从事高空、高压、地下挖掘活动，高速轨道运输工具的致害责任及其不承担或者减轻责任的情形作了规定。第七十四条规定了对遗失、抛弃危险物致害责任。第七十五条规定了非法占有高度危险物的致害责任。第七十六条规定了未经许可进入高度危险作业区域受到损害作业人的责任减免情形。第七十七条对赔偿限额作了规定。

**第六十九条　从事高度危险作业造成他人损害的，应当承担侵权责任。**

**【释义】**　本条是关于高度危险责任的一般规定。

一、制定本条的立法背景

（一）高度危险责任的发展和境外的立法模式

19世纪以来，随着工业革命带来的社会化大生产的迅速发展和科学技术的不断进步，铁路、机械、炸药等广泛应用于生产、生活中，但因此造成他人人身、财产损害的事件时有发生。一方面，人们为了提高社会生产力以发展经济和提高物质生活水平，追求高效、快捷，必然借助这些具有高度危险性的作业；另一方面，由于高度危险作业本身具有对人身和财产的巨大潜在危险性，即使作业者尽最大的注意和谨慎，也不能完全避免侵害的发生。这对当时的立法带来了挑战：其一，是让使用易燃、易爆、剧毒、放射的高度危险物或者使用铁路等作业继续存在和发展，以促进科技进步、提高经济效益和物质生活水平，同时在一定程度上容忍这些高度危险作业不时给人身和财产造成侵害；还是禁止或者限制这些高度危险作业的发展，维持传统宁静生活免遭高度危险作业可能带来的侵害？人类一个多世纪的历史义无反顾地选择了前者。其二，如何处理这类高度危险作业给人们的人身和财产造成的损害，是继续沿用过去的过错责任原则，还是提出新的责任归责原则以迎接新的挑战？如果固守传统的过错责任，从事危险活动者往往会以没有过失为借口，使受害人难以甚至无法获得财产上的赔偿。在这种情况下，当时的普鲁士在1838年通过了《普鲁士铁路企业法》。该法规定："铁路公司所运输的人及物，或者因转运之事故对他人人身和财物造成损害，应当承担赔偿责任。容易致人损害的企业的企业主即使没有任何过失，也不得以无过失为由请求免除赔偿。"后来，该规定扩大适用于包括铁路公司在内的一切容易致人损害（从事高度危险作业）的企业。通常认为这是首次确立高度危险作业无过错赔偿责任原则的法律规定。此后，许多国家相继通过立法对高度危险责任作出了规定。

对如何通过法律规定高度危险责任，各国做法不一。有些国家和地区，如德国、瑞士、法国、日本和我国澳门特别行政区等通过单行法或者民法典个别条款对某些特定高度危险行为进行规范，如德国只是在《道路交通安全法》《环境责任法》《航空交通法》《原子能法》《联邦狩猎法》等中对有关具体的危险作业作出规定。德国的立法者和大多数专家认为，具体的危险行为或者危险物品是否需要承担无过错责任（危险责任），都必须通过立法来确定，不允许法院类推适用，因此，不宜在法律中规定危险责任的一般条款。虽然长期以来，一直有学者主张在法律中对危险责任作一般规定，但主流意见还是坚持目前的做法。

而有些国家和地区，如意大利、荷兰、俄罗斯、越南、蒙古、埃塞俄比亚和我国台湾地区等，则在其民法典中对危险责任作了一般性规定。一般规定中如何界定"高度危险"，则有以下三种做法：

1. 不对"高度危险"作出界定，有的仅以"危险活动"概括之，如意大利、蒙古和我国台湾地区的民法典。我国台湾地区"民法典"第191－3条规定，经营一定事业或从事其他工作或活动之人，其工作或活动之性质或其使用之工具或方法有生损害于他人之危险者，对他人之损害应负赔偿责任。但损害非由于其工作或活动或其使用之工具或方法所致，或于防止损害之发生已尽相当之注意者，不在此限。有台湾学者提出，台湾学说将该条规定的危险源分为五种：第一，所经营的事业本身具有危险性，如化工厂；第二，行为本身的危险性，如弃置有毒物质；第三，活动本身的危险，如赛车比赛、群众集会;第四,使用的工具具有危险性,如使用高压锅炉;第五,活动采用的方法具有危险性,如使用炸药采矿。

2. 规定认定高度危险物的依据,如《荷兰民法典》则明确规定"特别严重危险性(物质)"是指按照《环境有害物质法》规定的标准和方法认定的具有爆炸、氧化、可燃、高度可燃或特别可燃、有毒或剧毒的物质。

3. 对常见的高度危险源作了列举并加以概括性兜底。如俄罗斯、越南、荷兰和埃塞俄比亚。虽然列举内容不尽相同,但一般包括:(1)高压电(或输电系统);(2)易燃物;(3)易爆物(或爆炸物);(4)剧毒物;(5)放射性物质(或原子能)。除此之外,俄罗斯将交通工具、机械和建筑行为作为危险源;越南将交通工具、运行中的机械、武器和凶猛的动物作为危险源;埃塞俄比亚还将改变地势的行为作为危险源。这些国家的民法典都没有列举尽危险源的范围,《俄罗斯民法典》用"等"字;《越南民法典》用"法律规定的其他高度危险源";《埃塞俄比亚民法典》用"从事特别危险的工业活动使他人承担不正当的风险"等用语对危险范围作兜底规定。

此外,在《美国侵权法重述之二》、《欧洲侵权法基本原则(草案)》这两部示范法中,则采取了另外的一种模式,即对高度危险行为不采取列举和下定义的方式界定,而是明确规定了认定高度危险行为需考虑的几个因素,确认某个行为是否属于高度危险,由法院根据这几个因素进行判断。如《美国侵权法重述之二》第520条规定了确定异常危险行为的六种因素:(1)该行为的危险程度;(2)该行为导致损害的概率;(3)损害是否难以避免;(4)该行为是否具有普遍性;(5)进行该行为的场所是否适当;(6)该行为的社会价值。《欧洲侵权法基本原则(草案)》第5条规定了构成异常危险的活动的两个条件：(1) 即使在从事活动过程中采取所有防护措施，该活动仍造成可预见的和极高的风险；且(2) 该活动并非通常作业。并要考虑该种行为造成损害的严重性和可能性以及造成实际损害的风险性。

(二)我国的高度危险责任法律体系和制定本条的立法考虑

在本法制定之前，我国关于高度危险责任法律体系主要是由民法通则对高度危险责任作一般规定，其后由铁路法、民用航空法、电力法等对相关的高度危险行为的民事责任作出规定。民法通则第一百二十三条规定，从事高空、高压、易燃、易爆、剧毒、放射性、高速运输工具等对周围环境有高度危险的作业造成他人损害的，应当承担民事责任；如果能够证明损害是由受害人故意造成的，不承担民事责任。这条规定，一是通过列举“高空、高压、易燃、易爆、剧毒、放射性、高速运输工具”这七种常见的高度危险作业形式，同时也在其后加上“等对周围环境有高度危险的作业”来界定高度危险作业的范围。二是规定了高度危险作业实行的是无过错原则，并规定损害是由受害人故意造成的，高度危险作业人可以不承担责任。民法通则第一百二十三条作为高度危险责任的一般规定，为其后制定有关涉及高度危险责任的单行法和司法实践发挥了积极的指导作用。

在起草本章时，首先考虑的一个问题是，需不需要规定高度危险责任的一般条款。对此，有的意见认为，我国目前已经有了一些关于高度危险作业的单行法，今后可以通过修改现行法律和制定新的法律，对具体的高度危险责任加以规定，对一时难以通过单行法规范的高度危险行为，可以在本章分别作出有针对性的规定，因此，不需要规定高度危险责任的一般规定。而有些人则认为,高度危险作业的范围和其本身的危险性,是随着科学技术的发展变化而不断发展变化的,通过单行法和侵权责任法对具体高度危险行为的侵权责任进行规定,难以适应社会的发展,因此,应当参考民法通则第一百二十三条的做法,对高度危险责任作一般性规定。我们研究认为,应当规定高度危险责任的一般条款。这样做的好处是,对目前已有法律规范的高度危险行为侵权责任的共性问题作出规定,可以为司法实践处理尚未有法律明确规范的高度危险行为提供一个指导性原则。因此,本条规定:从事高度危险作业造成他人损害的,应当承担侵权责任。这就明确了高度危险责任为无过错责任。

二、本条的基本含义

(一)关于本条调整的范围

这里讲的“高度危险作业”,既包括使用民用核设施、高速轨道运输工具和从事高压、高空、地下采掘等高度危险活动,也包括占有、使用易燃、易爆、剧毒和放射性等高度危险物的行为。本条的调整范围仅使用了“高度危险作业”的表述,并没有如民法通则第一百二十三条一样,将常见、典型的高度危险作业列举出来。主要考虑是:一是采用列举的方式,不可能将所有常见的高度危险作业列举穷尽,列举过多也使条文显得繁琐;二是列举的方式在实践中容易让人误解高度危险行为仅指列明的那几种,使高度危险责任的适用范围变窄;三是错误的列举可能导致某些行为承担不合理的责任;四是本章对运行民用核设施,使用民用航空器,占有或者使用易燃、易爆、剧毒和放射性等高度危险物,从事高空、高压、地下采掘活动,使用高速轨道运输工具等高度危险作业都作了专门的规定,没有必要在一般规定中再列明这些高度危险作业形式。

因此,本条的调整范围采用了“高度危险作业”的表述,这是个开放性的概念,包括一切对周围环境产生高度危险的作业形式。

那么,如何理解“高度危险作业”,或者说,实践中在法律明确规定的高度危险作业以外,还有哪些行为可以属于高度危险作业?在理论和司法实践中,一般认为,具体行为构成高度危险作业应具备以下三个条件:

第一,作业本身具有高度的危险性。也就是说,危险性变为现实损害的概率很大,超过了一般人正常的防范意识,或者说超过了在一般条件下人们可以避免或者躲避的危险。

第二,高度危险作业即使采取安全措施并尽到了相当的注意也无法避免损害。日常生活中,任何一种活动都可能对周围人们的财产或人身产生一定的危险性,但高度危险作业则具有不完全受人控制或者难以控制的危害性。

第三,不考虑高度危险作业人对造成损害是否有过错。

(二)关于归责原则

高度危险作业造成他人损害的,应当承担无过错责任,也就是说,只要是高度危险作业造成他人人身、财产损害,无论作业人是否有过错,都要承担侵权责任。高度危险责任采用无过错责任,是大部分国家的普遍做法。我国在制定民法通则时,也将高度危险责任规定为无过错责任。其后根据民法通则制定的铁路法、电力法和民用航空法等单行法确认了有关高度危险作业的无过错责任。在司法实践和学术研究中,也普遍接受高度危险作业应当实行无过错责任。因此,本条规定高度危险作业的无过错责任,与我国已有的法律实践相一致,也符合世界各国的主流做法,有利于迅速解决纠纷、及时救济受害人。

（三）关于减免责任事由

作为高度危险责任的一般规定，本条没有写明哪些情形可以不承担责任或者减轻责任。这不是说高度危险责任没有任何的不承担责任或者减轻责任情形。如果针对具体的高度危险责任，法律规定不承担责任或者减轻责任的，应当依照其规定。民法通则第一百二十三条作为我国高度危险责任的滥觞，明确规定，损害是因受害人故意造成的，高度危险作业人不承担责任。但在其后制定的铁路法、电力法、民用航空法等单行法时，根据不同行业中不同的现实情况，对作业人不承担责任或者减轻责任都作出具体的规定，如铁路法第五十八条规定，因铁路行车事故及其他铁路运营事故造成人员伤亡的，铁路运输企业应当承担赔偿责任；如果人身伤亡是因不可抗力或者受害人自身原因造成的，铁路运输企业不承担赔偿责任。违章通过平交道口或者人行过道，或者在铁路线路上行走、坐卧造成的人身伤亡，属于受害人自身的原因造成的人身伤亡。又如，电力法第六十条规定，电力运行事故由下列原因之一造成的，电力企业不承担赔偿责任：(1)不可抗力；(2)用户自身的过错。民用航空法第一百二十四条规定，因发生在民用航空器上或者在旅客上、下民用航空器过程中的事件，造成旅客人身伤亡的，承运人应当承担责任；但是，旅客的人身伤亡完全是由于旅客本人的健康状况造成的，承运人不承担责任。在起草本条时，也考虑到不同的高度危险作业因为其性质不同，难以规定统一的不承担责任或者减轻责任的事由，这个问题宜由法律根据不同高度危险作业的特点和实际情况作出具体规定。需要指出的是，这里的“法律规定”，不仅包括民用航空法等单行法的规定，也包括本章的其他条款，如第七十条规定，民用核设施发生核事故造成他人损害的，民用核设施的经营者应当承担侵权责任，但能够证明损害是因战争等情形或者受害人故意造成的除外。如果本章对单行法的有关规定作出了修改，应当适用本章的规定。

还有一点需要注意，本法第三章规定了不承担责任和减轻责任的情形，这些规定是否也适用于本章规定呢？我们认为，如果单行法、本章具体规定了不承担责任和减轻责任的情形，第三章的规定原则上不适用。如根据本法第七十条规定，民用核设施发生核事故造成他人损害的，民用核设施的经营者能够证明损害是因战争等情形或者受害人故意造成的，不承担责任。根据这条规定，因自然灾害引起的核事故，民用核设施的经营者也不能免责。受害人有重大过失的，也不能减轻责任。如果单行法和本章对某个高度危险行为没有作出具体规定，第三章的规定原则上可以适用，如第二十七条规定，损害是因受害人故意造成的，行为人不承担责任。

（四）关于责任方式

本条规定，从事高度危险作业造成他人损害的，应当承担侵权责任。这里的“侵权责任”不仅仅是损害赔偿责任。由于高度危险作业一旦造成损害，可能对周围环境带来很大的危害，因此，作业人不仅在事后应向受害人进行损害赔偿，而且在事发时就应当积极采取停止侵害、消除危险等措施并积极救助受害人，因此，我们在这里强调的是“侵权责任”而不是仅要求高度危险作业人承担赔偿责任。

**第七十条　民用核设施发生核事故造成他人损害的，民用核设施的经营者应当承担侵权责任，但能够证明损害是因战争等情形或者受害人故意造成的，不承担责任。**

**【释义】**　本条是关于民用核设施致害责任的规定。

一、制定本条的立法背景

核科学技术的发展和核能的和平利用是20世纪人类最伟大的成就之一。20世纪30年代,随着核物理科学的发展,核能的利用被提上日程。第二次世界大战后,美国和前苏联在研发核武器后,也开始进行核能的和平利用。1954年,前苏联利用石墨水冷生产堆的经验,在奥布宁斯克建成了世界上第一座核电站。1957年,美国第一座核电站——希平港压水堆核电站投入运行。此后,英国、法国、德国、日本等一些国家也相继建立起核电厂。我国的核工业是在新中国成立后创建和发展起来的。1950年成立了中国科学院近代物理研究所,开始从事核科学技术研究工作。1958年,中国第一座重水型实验用反应堆和回旋加速器建成并投入运行。20世纪70年代末,随着国家工作重点转向经济建设,核工业由主要为军用服务,转向军民结合,以核为主,多种经营,主要从事核能、核技术的和平利用,民用产品的开发。20世纪80年代初,我国决定建造秦山核电站和广东大亚湾核电站,开始发展核电工业。1991年12月,中国自行设计、建造的秦山核电站并网发电;1993年8月和1994年2月,大亚湾核电站1号机组和2号机组分别并网发电。近年来,按照"适度发展核电"的政策,我国的核工业得到了更快的发展。截至2007年,我国(不包括台湾地区)有9台核电机组在运行,总装机容量为8.54GWe。根据我国核电中长期规划,到2020年,核电装机容量争取达到40GWe,占全部发电装机容量的4%左右。

自从20世纪50年代核工业形成以来,世界核电经过半个多世纪的发展,积累了一万两千多堆年的运行经验,迄今为止核电保持了良好的运行安全记录。总的来说,核能是一种安全、经济、清洁的能源。然而,任何事物总有其两面性,美国三哩岛和前苏联切尔诺贝利核电站的事故警示我们，尽管核电站发生严重事故的频度极低，但是，由于其后果极为严重，因此必须采取严格措施保证核设施安全稳定运行。

我国一直十分重视核安全管理，不仅制定了放射性污染防治法、《民用核设施安全监督管理条例》、《核电厂核事故应急管理条例》等一系列法律、法规，还加入了《核安全公约》，全面履行公约所要求的核安全义务。总的说来，我国已经建立起一套比较完善的核安全管理法律体系，但关于核设施发生核事故的民事责任，在法律层面上规定得较为原则，如放射性污染防治法第五十九条规定，因放射性污染造成他人损害的，应当依法承担民事责任。而民法通则第一百二十三条也是对从事高空、高压、易燃、易爆、剧毒、放射性和高速运输工具等高度危险作业责任作了一般性规定。2007 年，国务院针对核事故损害赔偿责任，向国家原子能机构作出《国务院关于核事故损害赔偿责任问题的批复》（国函〔2007〕64 号），该批复根据国际通行做法，对核损害赔偿责任的主体、归责原则、赔偿限额等问题作了规定。在本法起草过程中，有关部门和单位建议，应当根据国务院 2007 年批复的内容，在本法中对民用核设施发生核事故损害的损害赔偿责任作出规定。经研究认为，民用核设施的运行是一种高度危险的行为，其不承担责任的情形应当更加严格限制，因此，有必要对民用核设施的致害责任作出单独规定。在民法通则和 2007 年国务院批复的基础上，规定了本条内容。

二、本条的基本含义

（一）本条调整的主体是民用核设施

按照放射性污染防治法的规定，核设施是指核动力厂（核电厂、核热电厂、核供汽供热厂等）和其他反应堆（研究堆、实验堆、临界装置等)；核燃料生产、加工、贮存和后处理设施；放射性废物的处理和处置设施等。核设施包括民用核设施和军用核设施，本条规定的是民用核设施。根据我国加入的核安全公约，核设施也是限定在民用核设施。其所谓的“核设施”是缔约方管辖下的任何陆基民用核动力厂，包括设在同一场址并与该核动力厂的运行直接有关的设施，如贮存、装卸和处理放射性材料的设施。当按照批准的程序永久地从堆芯卸出所有核燃料元件和安全贮存以及其退役计划经监管机构同意后，该厂即不再为核设施。

(二)针对的是民用核设施发生核事故造成的损害

一般来说，核事故是指在核设施(如核电站)内发生了意外情况，造成放射性物质外泄，致使工作人员和公众受超过或相当于规定限值的照射。国际上，根据核设施发生的核损害的严重程度，分为七个等级。只有 4 至 7 级才称为“核事故”，如前苏联的切尔诺贝利事故、英国的温茨凯尔事故和美国的三哩岛事故。在我国，按照核电厂核事故应急管理条例规定，只有民用核设施可能或者已经引起放射性物质释放并造成重大辐射后果的，才能构成核事故，才能适用本条的规定。除此之外，核设施造成他人人身、财产损害的，可以适用本法的其他规定。

(三)承担责任的主体是民用核设施的经营者，也就是所谓民用核设施的营运者

按照 2007 年《国务院关于核事故损害赔偿责任问题的批复》的规定，民用核设施的营运者应当对核事故造成的人身伤亡、财产损失或者环境受到的损害承担赔偿责任。营运者以外的其他人不承担赔偿责任。中华人民共和国境内依法取得法人资格，营运核电站、民用研究堆、民用工程实验反应堆

的单位或者从事民用核燃料生产、运输和乏燃料贮存、运输、后处理且拥有核设施的单位，为该核电站或者核设施的营运者。因民用核设施的设计人、建筑人的过错，导致该民用核设施发生核事故造成他人人身、财产损害的，按照2007年国务院批复的规定，也应当由该民用核设施的经营者向受害人承担责任，然后由经营者依照合同的约定，向设计人或者施工人等责任人追偿。

（四）民用核设施发生核事故的致害责任，实行无过错原则，按照本条规定，只有在能够证明损害是因战争等情形或者受害人故意造成的才可以不承担责任

根据2007年国务院批复的规定，对直接由于武装冲突、敌对行动、战争或者暴乱所引起的核事故造成的核事故损害，营运者不承担赔偿责任。该规定与关于核损害民事责任的1997年《维也纳公约》的规定基本一致。本条在起草过程中，参考了上述规定，明确规定因“战争等情形”民用核设施的经营者不承担责任。其中的“等”字就包括了武装冲突、敌对行动、暴乱等人为的突发性暴力事件。此外，基于民法通则第一百二十三条的规定，明确损害是因“受害人故意”造成的，民用核设施的经营者也不承担责任。

关于不可抗力是否免责的问题，在本法起草过程中有不同意见。有的意见认为，不可抗力应当作为免责事由。德国、日本等国家的核损害法中都规定了特别异常的自然灾害导致的核事故也可以免责。经研究认为，为了更好地保护受害人，本条将受害人故意之外的不承担责任情形限制在“战争等行为”，而没有一般规定为“不可抗力”，这与国际上的通行做法也是一致的。

（五）关于责任方式

本条规定，民用核设施的经营者应当承担侵权责任。这里的“侵权责任”不仅仅是损害赔偿责任。由于发生核事故，可能对周围环境带来很大的危害，因此，民用核设施的经营者不仅在事后向受害人进行损害赔偿，而且在事发时就应当积极采取停止侵害、消除危险等措施并开展积极救助受害人。在损害赔偿责任上，由于核事故造成的危害面比较广，为了兼顾核工业的正常发展和保护受害人的权益，国际通行做法是通过立法规定民用核设施的赔偿限额。如 2007 年国务院批复的规定，核电站的营运者对一次核事故所造成的核事故损害的最高赔偿额为 3 亿元人民币。核事故损害的应赔总额超过规定的最高赔偿额的，国家提供最高限额为 8 亿元人民币的财政补偿。本法也在第七十七条规定，承担高度危险责任，法律规定赔偿限额的，依照其规定。

**第七十一条　民用航空器造成他人损害的，民用航空器的经营者应当承担侵权责任，但能够证明损害是因受害人故意造成的，不承担责任。**

**【释义】**　本条是关于民用航空器致害责任的规定。

一、制定本条的立法背景

1903 年，美国莱特兄弟发明第一架飞机成功飞上天空，标志着人类进入了航空时代。1919 年，法国与比利时之间开通了世界上第一条国际民航客运航线，标志着交通运输拥有了划时代的新方式、新体系。如今，随着人们收入水平的提高、生活节奏的加快和消费结构的升级，航空运输以其快速、便捷、舒适、安全、机动等特点，日益成为长距离客运最重要的方式之一。在我国，改革开放 30 年来，民航的增长速度远远高于其他运输方式。1978 年至 2007 年,旅客周转量年均增长率持续增长,在国内中长距离旅客运输尤其是城际客运业务中,航空运输的作用大幅提升;在国际间尤其是洲际旅客运输中,航空运输完全占据主体地位。据有关资料显示,2008 年我国民用航空的客运量已经突破 1.6 亿人次。

随着技术的发展和管理的不断完善,航空运输的安全性远远高于铁路、水路运输,更高于公路运输。但是,随着航空运输的迅速发展,客货航班将不断增加,造成人员伤亡的空难也时有发生。如 2009 年仅 6 月就发生了两起震惊世界的空难:6 月 1 日,一架载有 228 人的法国航空公司空客 A330 客机从巴西里约热内卢起飞后,在大西洋上空坠毁,228 人全部遇难。6 月 30 日,一架也门航空公司的班机在东非科摩罗群岛近海区域坠海,机上 153 人,除一位 14 岁法国籍女孩奇迹生还外,其余人全部遇难。在我国近年来发生在大连和包头的空难也给人们带来了惨痛的记忆。由于航空运输具有特殊性,飞机一旦发生事故常常会造成较大规模的人员伤亡和巨大的财产损失,并造成很大的社会影响甚至政治影响,因此,如何处理民用航空器造成他人损害的民事责任是法律面临的重要问题。

我国最早处理民用航空器致害责任的法律依据是 1986 年民法通则第一百二十三条,其中规定使用高速运输工具造成他人损害的,应当承担民事责任,如果能够证明损害是由受害人故意造成的,则不承担民事责任。根据该规定,民用航空器作为一种高速运输工具,如果造成他人损害的,除能够证明损害是受害人故意造成的外,民用航空器的经营者应当承担无过错责任。1995 年我国颁布了民用航空法,该法根据民法通则、国际公约,结合我国的实际情况和国际通行做法,对民用航空器造成乘客人身、财产损害和对地面第三人损害的民事责任作了具体规定。考虑到民用航空器高速、高空带来的高风险，本法在民法通则和民用航空法的基础上，对民用航空器致害责任作出了原则性规定。

二、本条的基本含义

（一）本条调整范围限定在民用航空器

所谓航空器，是指通过空气的反作用，而不是由空气对地面发生的反作用，在大气中取得支承的任何机器，航空器主要包括固定翼飞机、滑翔机、直升机等飞机，此外，热气球、飞艇也属于航空器。一般认为，火箭是借助燃料所产生的反作用力，运动方式和空气无直接关系，因而不属于航空器。另外，气垫船和地面效应船也不属于航空器，因为它们虽然能够离开地面或水面，在离地面较低的高度上滑行，但它们的飞升力大部分都是靠地面效应产生的，以至于它们根本无法真正在大气中飞行。从航空器的使用目的看，民用航空器是指除用于执行军事、海关、警察飞行任务外的航空器。民用航空器主要用途有两个方面：一是专门从事运送旅客、行李、邮件或者货物的运输飞行。二是通用航空，包括从事工业、农业、林业、渔业和建筑业的作业飞行，以及医疗卫生、抢险救灾、气象探测、海洋监测、科学实验、教育训练、文化教育等方面的飞行活动。

（二）责任主体是民用航空器的经营者

这里的“经营者”主要包括从事运输旅客、货物运输的承运人和从事通用航空的民用航空器使用人。从事旅客、货物运输的承运人主要是公共航空运输企业。公共运输企业运送旅客的，应当出具客票，客票是航空旅客运输合同订立和运输合同条件的初步证据。公共运输企业运送货物的，应当与托运人订立合同，接受托运人出具的航空货运单，航空货运单是航空货物运输合同订立和运输条件以及承运人接受货物的初步证据。公共运输企业应当按照约定将旅客、货物及时送到目的地。从事通用航空的民用航空器的使用人，在组织实施作业飞行时，应当采取有效措施，保证飞行安全，保护环境和生态平衡，防止对环境、居民、作物或者牲畜等造成损害。

（三）承担责任前提是民用航空器在使用中造成他人损害

民用航空器造成他人损害的，包括两种情形：一种情形是，民用航空器在从事旅客、货物运输过程中，对所载运的旅客、货物造成的损害。按照民用航空法的规定，在从事公共运输航空中，因发生在民用航空器上或者在旅客上、下民用航空器过程中的事件，造成的旅客人身伤亡和其随身携带物品毁灭、遗失或者损坏的，承运人应当依法承担侵权责任。对托运的行李、货物而言，因发生在航空运输期间的事件，造成货物毁灭、遗失或者损坏的，承运人应当依法承担侵权责任。这里的“航空运输期间”，是指在机场内、民用航空器上或者机场外降落的任何地点，托运行李、货物处于承运人掌管之下的全部期间。另一种情形是，民用航空器对地面第三人的人身、财产造成的损害。具体说来，就是飞行中的民用航空器或者从飞行中的民用航空器上落下的人或者物，造成地面（包括水面）上的人身伤亡和财产损害。这里的“飞行中”，是指自民用航空器为实际起飞而使用动力时起至着陆冲程终了时止；就轻于空气的民用航空器而言，“飞行中”是指自其离开地面时起至其重新着地时止。

（四）民用航空器的经营者承担无过错责任

民用航空器作为一种高速运输工具，民法通则和民用航空法都规定了民用航空器的经营者应当承担无过错责任,这与国际公约和世界上通行做法是一致的。本条也坚持这个原则:民用航空器造成他人损害的,民用航空器的经营者应当承担侵权责任。关于不承担责任的情形,根据本条规定,能够证明损害是因受害人故意造成的,民用航空器经营者不承担责任;即使是因为自然原因引起的不可抗力事件,造成他人损害的,民用航空器的经营者也要承担责任,这也与民法通则的规定是一致的。当然,民用航空法针对不同情况,规定了较为详细的不承担责任和减轻责任情形:如旅客的人身伤亡完全是由于其本人的健康状况造成的,承运人不承担责任。因货物本身的自然属性、质量或者缺陷造成的货物毁损,承运人不承担责任。在旅客、行李运输中,承运人能够证明损失是由旅客过错造成的,可以相应免除或者减轻承运人的赔偿责任。因武装冲突直接造成的飞行中民用航空器对地面第三人损害的,民用航空器经营者不承担责任。本条虽然没有如民用航空法,把所有的不承担责任情形都一一写出来,是因为侵权责任法作为处理侵权纠纷的基本法,对民用航空器致害责任的基本原则作出规定,对民用航空法中关于不承担责任情形的具体规定,仍然适用。

**第七十二条　占有或者使用易燃、易爆、剧毒、放射性等高度危险物造成他人损害的,占有人或者使用人应当承担侵权责任,但能够证明损害是因受害人故意或者不可抗力造成的,不承担责任。被侵权人对损害的发生有重大过失的,可以减轻占有人或者使用人的责任。**

**【释义】**　本条是关于易燃、易爆、剧毒、放射性等高度危险物致害责任的规定。

一、制定本条的立法背景

本条的规定源于民法通则第一百二十三条。民法通则把高空、高压、高速运输工具与易燃、易爆、剧毒、放射性等高度危险物都作为典型的高度危险作业形式规定了高度危险责任的一般原则。实际上,不同的高度危险作业其危险程度是不同的,在具体不承担责任和减轻责任的情形上是有区别的。此外,近年来,因烟花爆竹爆炸、矿山瓦斯爆炸、危险化学品泄漏等因高度危险物品致人伤亡的重大事故时有发生,因此,有必要对高度危险品致人损害责任作单独规定。本条在民法通则规定的基础上,结合实践经验,规定因易燃、易爆、剧毒、放射性等高度危险物造成他人损害责任应当承担无过错责任。根据其危险性特点,明确限定了其不承担责任和减轻责任情形。

二、本条的基本含义

(一)本条调整的范围涉及的是易燃、易爆、剧毒、放射性等高度危险物

对易燃、易爆、剧毒、放射性物品的认定,一般根据国家颁布的三个标准:GB 6944—2005《危险货物分类和品名编号》、GB 12268—90《危险货物品名表》和 GB 13690—92《常用危险化学品分类及标志》。如《危险货物分类和品名编号》规定,危险货物是指具有爆炸、易燃、毒害、感染、腐蚀、放射性等危险特性,在运输、储存、生产、经营、使用和处置中,容易造成人身伤亡、财产损毁或环境污染而需要特别防护的物质和物品。

1. 易爆物质是指固体或者液体物质或者这些物质的混合物,自身能够通过化学反应产生气体,其温度、压力和速度高到能对周围造成破坏,包括不放出气体的烟火物质。

2. 易燃物质包括易燃液体和易燃固体。(1)易燃液体是指在其闪点温度(其闭杯试验闪点不高于60.5℃,或者其开杯试验闪点不高于65.6℃)时放出易燃蒸气的液体或液体混合物,或者是在溶液或悬浮液中含有固体的液体。(2)易燃固体包括:①容易燃烧或者摩擦可能引燃或助燃的固体;②可能发生强烈放热反应的自反应物质;③不充分稀释可能发生爆炸的固态退敏爆炸品。

3. 剧毒性物质,是指经吞食、吸入或者皮肤接触后可能造成死亡或者严重受伤或者健康损害的物质。毒性物质的毒性分为急性口服毒性、皮肤接触毒性和吸入毒性。分别用口服毒性半数致死量LD50、皮肤接触毒性半数致死量LD50,吸入毒性半数致死浓度LC50衡量。经口摄取半数致死量:固体LD50≤200mg/kg,液体LD50≤500mg/kg;经皮肤接触24h,半数致死量LD50≤1000mg/kg;粉尘、烟雾吸入半数致死浓度LC50≤10mg/L的固体或者液体。

4. 放射性物质,是指含有放射性核素且其放射性活性度浓度和总活性度都分别超过GB 11806规定的限值物质。根据放射性物品运输安全管理条例的规定,放射性物品,是指含有放射性核素,并且其活性度和比活性度均高于国家规定的豁免值的物品。该条例根据放射性物品的特性及其对人体健康和环境的潜在危害程度,将放射性物品分为一类、二类和三类:一类放射性物品,是指Ⅰ类放射源、高水平放射性废物、乏燃料等释放到环境后对人体健康和环境产生重大辐射影响的放射性物品;二类放射性物品,是指Ⅱ类和Ⅲ类放射源、中等水平放射性废物等释放到环境后对人体健康和环境产生一般辐射影响的放射性物品;三类放射性物品,是指Ⅳ类和Ⅴ类放射源、低水平放射性废物、放射性药品等释放到环境后对人体健康和环境产生较小辐射影响的放射性物品。放射性物品的具体分类和名录,由国务院核安全监管部门会同国务院公安、卫生、海关、交通运输、铁路、民航、核工业行业主管部门制定。需要指出的是,本条规定的放射性物品很广泛,包括可以应用于医疗、工业、农业、地质调查、科研教学领域的放射源和射线装置。核燃料如果在核设施中造成他人损害的,应当适用本法关于民用核设施致害责任的规定。

当然,本条调整的高度危险物,不仅仅涉及易燃、易爆、剧毒、放射性物品这几类,其他因其自然属性极易危及人身、财产的物品,如高腐蚀性物品,也适用本条的规定。

(二)本条规范的行为是对高度危险物的占有或者使用,承担责任的主体是占有人和使用人

在高度危险责任中,由于其归责的基础在于危险的存在,因此,责任的承担者原则上是控制或者应当控制该危险的人。高度危险物本身具有危及他人人身、财产的自然属性,但往往是因为在占有和使用当中造成他人损害。这里的“占有”和“使用”包括生产、储存、运输高度危险品以及将高度危险品作为原料或者工具进行生产等行为。因此,高度危险物的占有人和使用人必须采取可靠的安全措施,避免高度危险物造成他人损害。如放射性污染防治法明确规定,放射性同位素应当单独存放,不得与易燃、易爆、腐蚀性物品等一起存放,其贮存场所应当采取有效的防火、防盗、防射线泄漏的安全防护措施。化学危险品安全管理条例也明确要求,生产、储存、使用危险化学品的,应当根据危险化学品的种类、特性,在车间、库房等作业场所设置相应的监测、通风、防晒、调温、防火、灭火、防爆、泄压、防毒、消毒、中和、防潮、防雷、防静电、防腐、防渗漏、防护围堤或者隔离操作等安全设施、设备,并按照国

家标准和国家有关规定进行维护、保养,保证符合安全运行要求。

(三)占有人或者使用人承担无过错责任

这与民法通则的规定和实践做法是一致的。只要是易燃、易爆、剧毒、放射性等高度危险物造成他人人身、财产损害的,占有人或者使用人应当承担侵权责任。这里的“侵权责任”并不限于赔偿损失,而且应当包括在事故发生后,占有人或者使用人应当迅速采取有效措施,如组织抢救,防止事故扩大,减少人员伤亡和财产损失等。

(四)不承担责任和减轻责任情形

本条规定,能够证明损害是因受害人故意或者不可抗力造成的,占有人或者使用人不承担责任。民法通则第一百二十三条规定的高度危险责任,仅在受害人故意造成损害的情况下免责,本条针对高度危险物的情况,增加规定了不可抗力不承担责任的情形。不可抗力是指不能预见、不能避免并不能克服的客观情况。主要考虑主要有两点:第一,高度危险物虽然本身具有危险属性,但危险程度不及民用核设施和民用航空器,因此,在不承担和减轻责任上,应有所区别。第二,根据环境保护法、水污染防治法等法律规定,因不可抗力造成高度危险物污染损害的,免予承担责任。本条增加“不可抗力”作为不承担责任情形,也是符合实际情况的。需要指出的是,不承担责任情形的举证责任在于占有人或者使用人,由其来证明损害是因为受害人故意或者不可抗力引起的,才能依法不承担责任。

此外,本条还明确规定了减轻责任的情形:被侵权人对损害的发生有重大过失的,可以减轻占有人或者使用人的责任。该规定也体现了高度危险物致害责任与民用核设施发生核事故致害责任的不同,民用核设施如果发生核事故损害,波及的范围广,损害后果非常严重,因此责任更为严格,不论受害人有无过失,过失程度如何,民用核设施的经营者都不能减轻责任。相比之下,高度危险物发生损害的危险程度一般逊于民用核设施,因此,在高度危险物占有人或者使用人已经尽到注意义务的前提下,在受害人有重大过失的情况下,可以减轻占有人或者使用人的赔偿责任,也是合理的。毕竟高度危险物的危险性很高,一旦造成损害,对其周围的环境和人民群众人身、财产安全影响也很大。因此,本条将减轻责任的情形,严格限定在受害人的"重大过失",受害人有一般过失的,不能减轻占有人或者使用人的赔偿责任。至于什么是"重大过失",可以在实践中根据占有人或者使用人是否已经尽到注意义务、受害人行为方式、因果关系等因素作具体判断。

**第七十三条　从事高空、高压、地下挖掘活动或者使用高速轨道运输工具造成他人损害的,经营者应当承担侵权责任,但能够证明损害是因受害人故意或者不可抗力造成的,不承担责任。被侵权人对损害的发生有过失的,可以减轻经营者的责任。**

**【释义】**　本条是关于从事高空、高压、地下挖掘活动或者使用高速轨道运输工具致害责任的规定。

一、制定本条的立法背景

民法通则第一百二十三条对高度危险作业致害责任的一般原则作出了规定,并列举了高空、高压、易燃、易爆、剧毒、放射性和高速运输工具这几种高度危险作业。本章根据危险程度不同,对不同的高度危险作业进行区分,分别作出规定,其中第七十二条对易燃、易爆、剧毒、放射性等高度危险物造成他人损害的责任作出了规定。由于高空、高压活动的危险程度比高度危险物的危险程度低一些，因此，在本条中对高空、高压作业致人损害责任作出规定。同时，考虑到民法通则第一百二十三条中的“高速运输工具”包括机动车、民用航空器以及铁路等轨道运输工具，而在本法中针对不同的高速运输工具种类，在现有道路交通安全法和民用航空法的基础上，在第六章和本章第七十一条分别对机动车交通事故责任和民用航空器致害责任作出规定，因此，本条将运输工具限定在“高速轨道运输工具”。另外，针对现实中时常发生的因煤矿挖掘和地下施工建设造成地表坍塌造成他人伤害事故，有的部门提出，地下采矿、挖掘活动也是属于高度危险作业，应当在本法中作出明确规定，因此，在本条的调整范围中明确规定了“地下挖掘活动”。由于从事高空、高压、地下挖掘活动、使用高速轨道运输工具，同使用民用核设施、民用航空器和占有、使用易燃、易爆、剧毒、放射性等高度危险物相比，危险性稍低，因此，在不承担责任尤其是减轻责任的情形上，应当与本章规定的其他高度危险作业有所区别：只要被侵权人对损害的发生有“过失”而不仅限于“重大过失”的情况下，可以减轻责任人的赔偿责任。

二、本条的基本含义

本条调整的高度危险作业是从事高空、高压、地下挖掘活动和使用高速轨道运输工具。

（一）高空作业

1. 什么是“高空作业”

高空作业又称为高处作业，根据高处作业标准规定，凡距坠落高度基准面2米及其以上，有可能坠落的在高处进行的作业，称为高处作业。坠落基准面是指从作业位置到最低坠落着落点的水平面，坠落高度（又称作业高度）是指从作业位置到坠落基准面的垂直距离。高处作业分为一级、二级、三级和特级高处作业。作业高度在2米以上低于5米时，为一级高处作业；作业高度在5米以上低于15米时，为二级高处作业；作业高度在15米以上低于30米时，为三级高处作业；作业高度在30米以上时，为特级高处作业。高空作业在实践中很常见，包括高层建筑施工、在建筑物顶部安装广告牌、对高层建筑物表面进行清洁工作等，都属于高空作业。根据这里的解释，民用航空运输不属于高空作业，在民用航空器飞行中因坠落物体造成地面人员损害的，应当适用民用航空法和本法第七十一条关于民用航空器致人损害责任。如果是高空缆车造成他人损害的，则应属于高空作业，适用本条规定。

2. 责任主体和责任的减免

根据本条规定，从事高空活动造成他人损害的，应当承担无过错责任。承担责任的主体"经营者"就是从事高空作业的作业人。如果能够证明损害因受害人故意或者不可抗力造成的，作业人不承担责任。这里的"受害人故意"，是指受害人自杀或者自伤行为。对受害人故意导致损害，经营者不承担责任，这与民法通则的规定是一致的。这里的"不可抗力"，是指不能预见、不能避免并不能克服的客观情况。依通常理解，"不可抗力"包括以下两种情况：一是指自然灾害，即因自然原因引起的不可抗力，如地震、海啸等，一般性自然灾害不得作为不可抗力；二是指社会事件，即因社会原因引起的不可抗力，如战争、武装冲突、社会动乱等。如果从事高空活动的经营者能够证明受害人对损害的发生有过失的，可以减轻经营者的责任。

（二）高压作业

1. 什么是高压

“高压”就是指较高的压强，在工业、医学和地理上都有高压的概念，在本条里的“高压”则属于工业生产意义上的高压，包括高压电、高压容器等。在不同行业里认定高压的标准不同。例如，在压力容器中，高压容器的设计压力为 10 MPa 以上低于 100 MPa；100 MPa 以上为超高压容器。在电力行业，何谓高压，也有不同标准。根据有关技术标准的规定，设备对地高压高于 250 伏为高电压；输送电力线路 10 千伏以上的为高压线路。在日常生活中，一般居民用电的电压单相是 220 伏，三相是 380 伏。对人体而言，无论是 380 伏，还是 220 伏，都不是安全电压，都可以致人伤亡。但是人体接触 220 伏或者 380 伏的电，都有自救的可能，而 1 千伏及其以上的电压等级的电，对人体会有严重的伤害，人体没有自救的可能。因此，2001 年《最高人民法院关于审理触电人身损害赔偿案件若干问题的解释》（法释〔2001〕3 号）中规定的高压电是指 1 千伏以上电压等级。该司法解释中所称高电压的具体指标，是以电对人体的危害性作为判断标准，是一个法律标准，并非电力行业上的技术标准。随着科学技术的发展，电力行业技术标准特别是输电电压在不断提高，而人体所能允许通过的电流是不变的，即人体电阻基本上是不变的。因此，目前在司法实践中，认定高压电的标准是 1 千伏以上电压。

2. 责任主体

根据本条规定，从事高压活动造成他人损害的，经营者应当承担侵权责任。如果是使用高压容器造成损害的，经营者就是高压容器的使用者。如果是高压电造成损害的，作为责任主体的经营者则依具体情况而定。因为电必须有一定的载体才能存在，高电压对周围环境的危害是以电的载体来衡量的。高电压的载体应当包括高电压变压器、高电压电力线路、高电压电力设备等。从过程上看，发电、输电、配电、用电等环节必须以一个网络联系起来，并且同时进行。而发电、输电、配电和用电一般情况下分属不同主体。如果是在发电企业内的高压设备造成损害的，作为责任主体的“经营者”就是发电企业。如果是高压输电线路造成损害的，责任主体就是输电企业，在我国主要是电网公司。如果是在工厂内高压电力生产设备造成损害的，责任主体就是该工厂的经营者。

3. 责任的减免

根据本条规定，从事高压作业的经营者能够证明损害是由受害人故意或者不可抗力造成的，不承担责任。受害人对损害的发生有过失的，可以减轻经营者的责任。受害人故意和不可抗力作为免责事由，这与民法通则、电力法和有关司法解释的规定是一致的。受害人对损害的发生有过失的，可以相应减轻经营者的责任，这与电力法的规定不同。电力法第六十条规定，因用户自身的过错引起电力运行事故造成自己损害的，电力企业不承担责任。这里的“过错”包括用户的故意和过失。本条规定区分了受害人故意和过失两种情形，受害人故意导致损害的，经营者不承担责任，这与电力法是一致的，但受害人只是有过失，经营者就不承担责任，对保护受害人而言不是十分公平，也不利于促进经营者加强管理，改进措施以减少损害。但另一方面，如果受害人有过失，也让经营者承担全部责任，对经营者而言负担太重。据有关单位统计，从随机抽取的北京、天津、重庆、河南、四川等地2007年及以前发生的71起已结触电人身损害赔偿案件分析看，引起触电人身损害的主要原因是因受害人的过失引起的，如受害人在高压电下违章作业和施工,攀爬电线杆塔、变压器,在高压电线下钓鱼,也有少数因偷盗变压器等电力设施而触电的。在这些情况下,如果让电力企业承担全部赔偿责任,可能给电力企业带来过重的负担,也不利于电力行业的发展。因此,从平衡经营者和受害人双方的利益出发,本条规定被侵权人有过失的,可以减轻经营者的责任。这里的“减轻”应当是相应减轻,如果受害人的过失很轻,可以减轻经营者一点责任,如果受害人有严重过失,如违反法律规定,从事危害发电设施、变电设施或者电力线路行为而触电的,经营者基本上可以不承担责任。

(三)地下挖掘

地下挖掘就是在地表下一定深度进行挖掘的行为。近年来,因地下采矿、地下施工造成的损害日益增多。特别是城市隧道(主要是地铁工程及各类市政地下工程)施工往往处于建筑物、道路和地下管线等设施的密集区,从而导致城市隧道建设中经常出现塌陷事件,造成他人伤害。如最近几年,北京、上海、深圳、杭州等地都出现过在建地铁隧道塌陷,造成多人伤亡事件。因此,在本条中明确规定,地下挖掘活动造成他人损害的,由经营者承担侵权责任。这里的“经营者”就是从事挖掘活动的作业单位。如果能够证明损害是因受害人故意或者不可抗力造成的,经营者不承担责任;能够证明被侵权人对损害的发生有过失的,可以减轻经营者的责任。需要指出的是,现实中,因地下挖掘如采矿而造成人员伤亡的,受害人多属于作业企业的职工。对受害职工的赔偿,应当依据工伤保险有关规定处理。

(四)高速轨道运输工具

1. 什么是高速轨道运输工具

高速轨道运输工具就是沿着固定轨道行驶的车辆。通常来说，高速轨道运输工具包括铁路、地铁、轻轨、磁悬浮、有轨电车等。高速轨道运输一个主要的特点是速度快。以铁路为例，铁路速度的分档为：时速 100 ~ 120 公里称为常速；时速 120 ~ 160 公里称为中速；时速 160 ~ 200 公里称为准高速和快速；时速 200 ~ 400 公里称为高速，时速 400 公里以上称为特高速。在 1997 年铁路大提速前，我国铁路旅客运输列车的最高时速一直徘徊在 110 公里。经过 6 次大提速，时速 120 公里及以上线路延展里程达到 2.2 万公里，比第五次大提速增加 6000 公里。其中，时速 160 公里及以上提速线路延展里程达 1.4 万公里，分布在京哈、京沪、京广、京九、武九、陇海等干线；时速 200 公里线路延展里程达到 6000 多公里，分布在京哈、京沪、京广等干线，其中京哈、京广、京沪、胶济线部分区段时速达 250 公里。2008 年 8 月开始运行的京津高速城际铁路最高时速达 350 公里。2009 年 12 月 9 日，武（汉）广（州）铁路客运专线的列车时速最高达 394.2 公里，创造两车重联情况下的世界高速铁路最高运营速度。正因为高速，如果列车与车外的人员、物体发生碰撞或者发生脱轨、列车相撞，所产生的冲击力巨大，因此会产生严重的损害后果。地铁也是如此。从技术角度看，地铁的速度并不快，平均运行时速是 33 公里，进站速度小于 15 公里。但因为地铁列车本身重量大、体积大，虽然速度远低于铁路，但产生的动能也非常大，如果和车外人员发生撞击，也会造成伤亡。因此，运营速度较低的地铁、轻轨列车等也属于高速轨道运输工具。高速轨道运输工具的另一个主要特点就是不可避让性。因为高速轨道运输工具只能在固定的轨道上运行，如果在前方轨道上出现人员或者其他物体，列车无法避让，即使紧急制动，也会因为高速和本身的重量大，由于惯性向前滑行一段距离。据铁道部有关专家介绍,时速160公里的列车急刹车的制动距离是1.8公里,而时速350公里的列车急刹车的制动距离是5公里。因此,高速轨道运输工具对近距离内轨道上出现的人员和车辆或者其他物品,将无法避免地产生严重碰撞损害。正因为这种高速性和不可避让性,使用高速轨道运输工具便会产生高度危险性。

2. 责任主体

根据本条规定,责任主体是经营者,具体到高速轨道运输工具而言,经营者就是从事高速轨道运输的运输企业。如在铁路运输中,责任主体就是铁路运输企业,如一些地方的铁路局。地铁运输企业就是地铁公司,如北京市地铁运营有限公司。

3. 责任减免

根据本条规定,只有能够证明损害是因受害人故意或者不可抗力造成的,经营者才不承担责任。在本法制定前,关于使用高速轨道运输工具致害责任的法律是铁路法,该法仅调整铁路运输。铁路法第五十八条规定,因铁路行车事故及其他铁路运营事故造成人员伤亡的,铁路运输企业应当承担赔偿责任;如果人身伤亡是因不可抗力或者受害人自身原因造成的,铁路运输企业不承担赔偿责任。违章通过平交道口或者人行过道,或者在铁路线路上行走、坐卧造成的人身伤亡,属于受害人自身的原因造成的人身伤亡。2007年国务院颁布的《铁路交通事故应急救援和调查处理条例》(以下简称有关条例)第三十二条也作了同样的规定。关于不可抗力作为铁路运输企业不承担责任情形,本法规定与铁路法和有关条例规定是一致的。但铁路法和有关条例将受害人自身原因也作为铁路运输企业不承担责任情形,本条规定与之不同。受害人的自身原因有多种，本条区分故意和过失行为作不同处理。如果损害是因为受害人的故意行为，即卧轨自杀或者自伤引起的，这种情况下，铁路运输企业作为经营者不承担责任。如果受害人的人身伤亡仅仅是因为其自身过失造成的，铁路运输企业就丝毫不承担责任，不但对受害人不公平，而且也不符合将铁路运输本身作为高度危险作业的立法目的。因此，根据本条规定，受害人违章通过平交道口或者人行过道，或者违章在铁路线路上行走、坐卧造成的人身伤亡的，铁路运输企业仍然要承担一点责任。另外，由于铁路运输本身虽然具有高度危险性，但与民用核设施、民用航空运输和使用高度危险物相比，危险性小一些；此外，还考虑到，因为铁路运输相对而言，安全快捷、票价较低，已经成为我国最主要的运输方式之一，据统计，2008 年全国铁路客运总量已达 14.56 亿人次。地铁、城铁在一些城市里也已经开始成为城市公共交通的重要工具，如在北京，地铁的日运量已突破 500 万人次。为了发展地铁等公共交通，据了解每年用于地铁运输的财政补贴多达 15 个亿。如果在受害人对损害发生有过失的情况下，如醉酒、违反安全规定等原因失足坠轨受伤，也要让经营者承担全部赔偿责任，可能给铁路、地铁运输企业带来沉重负担，不利于高速轨道运输的发展。因此，本条规定，在受害人对损害的发生有过失的情况下，可以减轻铁路运输企业的责任。本条的规定，确立了使用高速轨道运输工具致害责任的法律原则，不但对铁路法的规定作了进一步明确，而且也为处理地铁、轻轨等其他高速运输工具致害责任提供了法律依据。

**第七十四条　遗失、抛弃高度危险物造成他人损害的，由所有人承担侵权责任。所有人将高度危险物交由他人管理**

**的，由管理人承担侵权责任；所有人有过错的，与管理人承担连带责任。**

**【释义】** 本条是关于遗失、抛弃高度危险物造成他人损害的侵权责任的规定。

一、立法背景

高度危险物包括易燃、易爆、剧毒、放射性等危险物品，这些物品因为本身即具有对人身、财产极易造成损害的高度危险性，因此，国家对高度危险物品的生产和储存实行统一规划、合理布局和严格控制，并对高度危险物生产、储存和处理制定了严格的规范。高度危险物的所有人或者管理人应当严格按照有关安全生产规范，对其占有 、使用的高度危险物进行储存或者处理：(1)生产、储存、使用高度危险物的，应当根据高度危险物的种类、特性，在车间、库房等作业场所设置相应的监测、通风、防晒、调温、防火、灭火、防爆、泄压、防毒、消毒、中和、防潮、防雷、防静电、防腐、防渗漏、防护围堤或者隔离操作等安全设施、设备，并按照国家标准和国家有关规定进行维护、保养，保证符合安全运行要求。(2)高度危险物必须储存在专用仓库、专用场地或者专用储存室内，储存方式、方法与储存数量必须符合国家标准，并由专人管理。高度危险物出入库，必须进行核查登记。库存高度危险物应当定期检查。剧毒化学品以及储存数量构成重大危险源的其他高度危险物必须在专用仓库内单独存放，实行双人收发、双人保管制度。(3)剧毒化学品的生产、储存和使用单位，应当对剧毒化学品的产量、流向、储存量和用途如实记录，并采取必要的保安措施，防止剧毒化学品被盗、丢失或者误售、误用。(4)生产、储存、使用剧毒化学品的单位，应当对本单位的生产、储存装置作定期的安全评价。但在现实中，有些储存、使用高度危险物的单位的安全措施不到位,随意处置高度危险物,对周围的人民群众的生命健康和财产产生巨大威胁,并造成人员伤亡事故。因此,应当对遗失、抛弃高度危险物造成损害的侵权责任作出明确规定,并加重责任人的责任。考虑到现实中,高度危险物有些情况下是由所有人占有的,有些是由所有人交由他人管理的,所以,本条区分不同情况,规定了所有人、管理人的责任承担。

二、本条的基本含义

(一)遗失、抛弃高度危险物造成他人损害的,由所有人承担侵权责任

按照有关高度危险物的生产、储存和处置的安全规范,所有人应当采取必要的安全措施保管或者处置其所有的高度危险物。如果违反有关规定抛弃或者遗失高度危险物造成他人损害的,就应当承担侵权责任。这里的"侵权责任"不仅包括对受害人的赔偿,也包括应当积极采取补救措施,立即将抛弃的高度危险物妥善回收,防止损害扩大。如果遗失高度危险物的,应当立即组织力量追查寻找遗失的高度危险物,采取一切可能的警示措施,同时还要立即报告公安、环保等有关主管部门并配合采取应急措施。由于高度危险物本身的危险特性,这里的"侵权责任"是无过错责任。同时,考虑到遗失、抛弃高度危险物,其所有人往往是违反有关安全规范,本身有过错,因此,这里的责任应当更严格。

(二)所有人将高度危险物交由他人管理的,由管理人承担侵权责任

现实中,所有人根据生产、经营需要,将其所有的高度危险物交由他人管理。如所有人可能不具备大量储存高度危险物的条件,将生产所需的高度危险物交由符合条件的储存单位保管。有的因生产、经营需要将高度危险物通过运输交由他人占

有、使用。管理人在这里就是指根据所有人的委托，对高度危险物进行占有并进行管理的单位，如专业的危险化学品仓储公司、危险化学品运输公司等。高度危险物的管理人应当具有相应的资质，并应当按照国家有关安全规范，妥善管理他人所交付的高度危险物。如果因为管理不善，遗失、抛弃高度危险物的，管理人应当承担侵权责任。

（三）所有人有过错的，与管理人承担连带责任

所有人将高度危险物交由他人管理的，应当选择有相应资质的管理单位，并如实说明高度危险物的名称、性质、数量、危害、应急措施等情况。如果所有人未选择符合资质的管理人，或者未如实说明有关情况，所有人即有过错。如果管理人抛弃、遗失高度危险物造成他人损害的，所有人与管理人承担连带责任。被侵权人可以要求所有人承担侵权责任，或者要求管理人承担侵权责任，也可以要求所有人和管理人共同承担侵权责任。在对内关系上，所有人和管理人根据各自的责任大小确定各自的赔偿数额；难以确定的，平均承担赔偿责任。支付超出自己赔偿数额的连带责任人，有权向其他连带责任人追偿。

**第七十五条　非法占有高度危险物造成他人损害的，由非法占有人承担侵权责任。所有人、管理人不能证明对防止他人非法占有尽到高度注意义务的，与非法占有人承担连带责任。**

**【释义】**　本条是关于非法占有高度危险物造成他人损害的侵权责任的规定。

一、立法背景

高度危险物包括易燃、易爆、剧毒、放射性危险化学品，这

些物品因为本身即具有对人身、财产极易造成损害的高度危险性，因此，高度危险物品的所有人和管理人应当严格按照有关安全生产规范，对其占有 、使用的高度危险物进行保管，将高度危险物储存在专用仓库、专用场地或者专用储存室内，并由专人管理。高度危险物出入库，必须进行核查登记并对库存高度危险物作定期检查。剧毒化学品以及储存数量构成重大危险源的其他高度危险物必须在专用仓库内单独存放，实行双人收发、双人保管制度，并采取必要的保安措施，防止高度危险物被盗、丢失。但在现实中，有些储存、使用高度危险物的所有人或者管理人的安全措施不到位，导致高度危险物被盗，对周围的人民群众的生命健康和财产产生巨大威胁，并造成人员伤亡事故。因此，对被非法占有的高度危险物造成损害的侵权责任作出明确规定，并区分非法占有人、所有人、管理人的责任，明确侵权责任的承担。

二、本条的基本含义

（一）非法占有高度危险物造成他人损害的，由非法占有人承担侵权责任

所谓非法占有，是指明知自己无权占有，而通过非法手段将他人的物品占为己有。现实中，盗窃、抢劫、抢夺都是非法占有的主要形式。按照高度危险物致害责任原理，一般由实际控制人承担侵权责任。在高度危险物被非法占有的情况下，高度危险物已经脱离所有人或者管理人的实际占有，由非法占有人实际控制。因此，应当由非法占有人承担侵权责任。为了加重非法占有人的责任，非法占有高度危险物造成他人损害的，非法占有人承担无过错责任。

（二）所有人、管理人与非法占有人的连带责任

按照有关高度危险物安全规范，所有人或者管理人对其

占有的高度危险物要尽到高度注意义务，采取严格的安全措施，妥善保管高度危险物，将高度危险物放置在特定的区域，并由专人看管，防止高度危险物被盗或者非法流失。如果所有人或者管理人未尽到高度注意义务，一旦导致高度危险物被非法占有，将对社会产生巨大危害，严重威胁周围人民群众的人身财产和公共安全。因此，应当加重所有人、管理人的责任，使其对自己的过失行为负责。此外，考虑到非法占有人可能没有赔偿能力，如果仅让其承担侵权责任，受害人得不到合理的赔偿，对受害人保护不力，也不利于促使高度危险物的所有人或者管理人加强管理，采取有效的安全措施。所以，所有人、管理人不能证明对防止他人非法占有尽到高度注意义务的，与非法占有人承担连带责任。如果是所有人自己占有高度危险物的，由所有人与非法占有人承担连带责任。如果所有人将高度危险物交由他人管理的，由管理人与非法占有人承担连带责任。如果所有人和管理人都有过错的，所有人、管理人和非法占有人一起承担连带责任。需要指出的是，所有人、管理人与非法占有人承担连带责任的前提是，所有人、管理人不能证明对防止他人非法占有尽到高度注意义务，而不是由受害人去证明所有人、管理人是否尽到高度注意义务。也就是说，是否尽到高度注意义务的举证责任在所有人、管理人，如果他们不能证明已尽到高度注意义务，就推定其有过错，应当与非法占有人承担连带责任，受害人可以要求所有人、管理人、非法占有人中任何人，部分或者全部承担侵权责任。

**第七十六条　未经许可进入高度危险活动区域或者高度危险物存放区域受到损害，管理人已经采取安全措施并尽到**

**警示义务的,可以减轻或者不承担责任。**

**【释义】** 本条是关于未经许可进入高度危险活动区域或者高度危险物存放区域致害责任如何承担的规定。

高度危险责任是伴随现代化工业的发展而产生的,由于它对周围环境具有高度危险性,且常人即使对它给予合理的注意,有时也难以避免损害的发生。相对于高度危险源的控制者(如高度危险物的所有人或者管理人,高度危险作业人或者高度危险活动区域的管理人)来说,受害人往往处于弱势地位。世界多数国家的法律为保护这些处于弱势地位的受害人的利益,通过不同的形式确立了高度危险致人损害适用无过错责任或者严格责任的原则。例如《美国侵权行为法重述之二》第519条规定,从事某种高度危险行为,即使尽其最大注意避免损害,也应对其行为给他人人身、土地或动产造成的损害承担责任。第520条又规定了判断何为高度危险行为的标准,即决定某一行为是否为高度危险,宜考虑下列因素:(1)该行为是否对他人人身、土地或动产具有高度危险;(2)因该行为产生损害概率是否很大;(3)通过合理的注意是否能避免这一危险;(4)该行为是否为一常用作业;(5)该行为在其实施地点是否合适;(6)该行为对公众的价值。

要正确理解本条的规定,需要看到高度危险责任的类型非常复杂,一般来说,对于高度危险作业活动,即高度危险作业人积极、主动地对周围环境实施具有高度危险的活动,作业人应当承担无过错责任。无过错责任非常重要的一个特点,就是它的免责或者减责事由仅限于法律规定,即只有在法律明文规定不承担责任或者减轻责任的情况下,作业人才可以提出抗辩。否则,即使存在本法第三章规定的对于其他侵权责任一般适用的不承担责任或者减轻责任的情形(如受害人过错等),高度危险作业人仍然无法减轻或者免除责任。但是,高度危险责任中除了这一类对周围环境实施积极、主动危险活动的高度危险作业外,还包括另一类,它并非积极、主动实施对周围环境造成高度危险的活动,而是因其管理控制的场所、区域具有高度危险性,如果未经许可擅自进入该区域,则易导致损害的发生,即高度危险活动区域或者高度危险物存放区域责任。如果将对高度危险场所、区域的控制和管理也视为高度危险活动,这一类高度危险活动是静态的,不像高度危险作业活动一样对周围环境实施了积极、主动的危险。虽然二者都属于高度危险责任,但在免责和减责事由上,二者应有所区别。因此,本条规定,未经许可进入高度危险活动区域或者高度危险物存放区域受到损害,管理人已经采取安全措施并且尽到警示义务的,可以减轻或者不承担责任。

一般来说,高度危险活动区域或者高度危险物存放区域都同社会大众的活动场所相隔绝。如果在管理人已经采取安全措施并且尽到警示义务的情况下,受害人未经许可进入该高度危险区域这一行为本身就说明受害人对于损害的发生具有过错。例如,出于自杀的故意积极追求损害的发生,或者出于过失,虽然看到警示标识但轻信自己能够避免。上述两种情况下,高度危险活动区域或者高度危险物存放区域的管理人可以减轻或者不承担责任。

**第七十七条 承担高度危险责任,法律规定赔偿限额的,依照其规定。**

**【释义】** 本条是关于高度危险责任赔偿限额的规定。

高度危险责任,属于无过错责任,其重要特点之一就是不论行为人对损害的发生是否具有过错,高度危险责任人都必须对损害承担责任,除非法律另有规定。因此,法律对于高度危险责任人的要求非常严格。但是,从行业的发展和权利义务平衡的角度来看,法律必须考虑在这种严格责任的前提下,有相应责任限额的规定,这也是许多国家在高度危险责任立法上的一致态度。我国现行法律对于高度危险责任赔偿限额问题也有比较明确的规定,对此,如果法律对不同类型的高度危险责任有赔偿限额规定的,要依照其规定。

一、关于民用航空器致人损害的赔偿限额

民用航空法第一百二十八条第一款规定,国内航空运输承运人的赔偿责任限额由国务院民用航空主管部门制定,报国务院批准后公布执行。该条第二款规定,旅客或者托运人在交运托运行李或者货物时,特别声明在目的地点交付时的利益,并在必要时支付附加费的,除承运人证明旅客或者托运人声明的金额高于托运行李或者货物在目的地点交付时的实际利益外,承运人应当在声明金额范围内承担责任;本法第一百二十九条的其他规定,除赔偿责任限额外,适用于国内航空运输。同法第一百二十九条规定,国际航空运输承运人的赔偿责任限额按照下列规定执行:(1)对每名旅客的赔偿责任限额为16600计算单位;但是,旅客可以同承运人书面约定高于本项规定的赔偿责任限额。(2)对托运行李或者货物的赔偿责任限额,每公斤为17计算单位。旅客或者托运人在交运托运行李或者货物时,特别声明在目的地点交付时的利益,并在必要时支付附加费的,除承运人证明旅客或者托运人声明的金额高于托运行李或者货物在目的地点交付时的实际利益外,承运人应当在声明金额范围内承担责任。托运行李或者货物的一部分或者托运行李、货物中的任何物件毁灭、遗失、损坏或者延误的,用以确定承运人赔偿责任限额的重量,仅为该一包件或者数包件的总重量；但是，因托运行李或者货物的一部分或者托运行李、货物中的任何物件的毁灭、遗失、损坏或者延误，影响同一份行李票或者同一份航空货运单所列其他包件的价值的，确定承运人的赔偿责任限额时，此种包件的总重量也应当考虑在内。(3)对每名旅客随身携带的物品的赔偿责任限额为332计算单位。同法第一百三十条规定，任何旨在免除本法规定的承运人责任或者降低本法规定的赔偿责任限额的条款，均属无效；但是，此种条款的无效，不影响整个航空运输合同的效力。同法第一百三十二条规定，经证明，航空运输中的损失是由于承运人或者其受雇人、代理人的故意或者明知可能造成损失而轻率地作为或者不作为造成的，承运人无权援用本法第一百二十八条、第一百二十九条有关赔偿责任限制的规定；证明承运人的受雇人、代理人有此种作为或者不作为的，还应当证明该受雇人、代理人是在受雇、代理范围内行事。

关于民用航空器致人损害赔偿责任限额，相关的规范性文件还有《国内航空运输承运人赔偿责任限额规定》。该规定第三条明确，国内航空运输承运人（以下简称承运人）应当在下列规定的赔偿责任限额内按照实际损害承担赔偿责任，但是民用航空法另有规定的除外：(1)对每名旅客的赔偿责任限额为人民币40万元；(2)对每名旅客随身携带物品的赔偿责任限额为人民币3000元；(3)对旅客托运的行李和对运输的货物的赔偿责任限额，为每公斤人民币100元。该规定第四条明确，本规定第三条所确定的赔偿责任限额的调整，由国务院民用航空主管部门制定，报国务院批准后公布执行。第五条规定，旅客自行向保险公司投保航空旅客人身意外保险的，此项保险金额的给付，不免除或者减少承运人应当承担的赔偿责任。

二、关于火车等高速运输工具致人损害的赔偿限额

国务院《铁路交通事故应急救援和调查处理条例》第三十三条规定，事故造成铁路旅客人身伤亡和自带行李损失的，铁路运输企业对每名铁路旅客人身伤亡的赔偿责任限额为人民币15万元，对每名铁路旅客自带行李损失的赔偿责任限额为人民币2000元。铁路运输企业与铁路旅客可以书面约定高于前款规定的赔偿责任限额。

三、关于民用核设施发生核事故致人损害的赔偿限额

《国务院关于核事故损害赔偿责任问题的批复》第七项规定，核电站的营运者和乏燃料贮存、运输、后处理的营运者，对一次核事故所造成的核事故损害的最高赔偿额为3亿元人民币；其他营运者对一次核事故所造成的核事故损害的最高赔偿额为1亿元人民币。核事故损害的应赔总额超过规定的最高赔偿额的，国家提供最高限额为8亿元人民币的财政补偿。对非常核事故造成的核事故损害赔偿，需要国家增加财政补偿金额的由国务院评估后决定。该批复第八项规定，营运者应当做出适当的财务保证安排，以确保发生核事故损害时能够及时、有效地履行核事故损害赔偿责任。在核电站运行之前或者乏燃料贮存、运输、后处理之前，营运者必须购买足以履行其责任限额的保险。

# 第十章 饲养动物损害责任

本章共7条,对饲养的动物致人损害的一般规定,未对动物采取安全措施的责任承担,禁止饲养的危险动物致害的责任,动物园的责任,遗弃、逃逸动物造成损害后的责任主体,第三人过错致使动物造成他人损害责任等问题进行了规定。

一、饲养动物致人损害责任概述

近年来,各地饲养的动物致人损害事件逐年增多,特别是狗咬伤人的事件更为突出。为了更好地规范饲养动物的行为,进一步明确饲养人的责任,本章在民法通则的基础上,对饲养的动物致人损害的责任作了较为严格的规定。

饲养的动物致人损害应承担赔偿责任是一项古老的法律规则。在古代,动物是一种重要的财产,同时,由此产生的损害也属于一种常见的侵权责任。罗马法的《十二铜表法》规定,如果动物致人损害,其所有人负责赔偿,或者把该牲畜交与受害人作为对其的补偿。在我国古代社会,动物致害责任也为不同时期的法律所确认。在《秦简·法律答问》中记载,如果因为马受惊或者被人弄断绊索,食他人庄稼,要进行赔偿。唐宋以后,各代律令也对动物致害规定了赔偿责任,如动物毁食官私之物,畜主负全部赔偿责任。

近代以来,法国、德国、意大利、日本、荷兰、埃塞俄比亚民法典,瑞士债务法,美国侵权行为法重述之二,以及加拿大、秘鲁、新加坡等国的有关法律对动物致害责任都有规定。如法国规定，动物的所有人或者使用人在使用期间，对动物所造成的损害，不问该动物是否在其管束下，或者在走失或者逃脱时所造成的损害，均应负赔偿责任。《德国民法典》规定，因动物致人死亡或者伤害人的身体健康，或者损坏财物时，动物饲养人对受害人因此产生的损害负有赔偿义务。如果损害系由于维持动物饲养人的职业、营业或者生计的家畜所造成的，而动物饲养人已尽必要注意，或者即使已尽必要注意仍难免发生损害的，不发生赔偿义务。《意大利民法典》规定，动物的所有权人或在利用动物期间对其进行管理之人，无论动物是在其保管下，还是遗失或者跑走，都要对动物所致损害承担责任，除非证明是意外事件所致。

我国民法通则规定，饲养的动物造成他人损害的，动物饲养人或者管理人应当承担民事责任；由于受害人的过错造成损害的，动物饲养人或者管理人不承担民事责任；由于第三人的过错造成损害的，第三人应当承担民事责任。《最高人民法院关于民事诉讼证据的若干规定》规定，饲养动物致人损害的侵权诉讼，由动物饲养人或者管理人就受害人有过错或者第三人有过错承担举证责任。

二、我国饲养动物致人损害的情况介绍

据统计，2006 年上半年北京市被狗咬伤的人数高达 6.9 万，每天平均不少于 380 人被咬伤。2007 年北京市被犬咬伤或者抓伤的人数已达 8.3 万余人次，比 2006 年同期上升了 33.7%，其中被自家宠物犬致伤的人数约占 60% ~70%；亲朋好友串门时被宠物犬致伤的人数约占 20%；因饲养人出门遛犬对犬不束链等违规行为造成伤害的约占 10% ~20%。上海 2007 年犬咬伤患者高达 13 万多人。

2008 年宁波有 12 万多人不同程度地被狗、猫等抓伤、咬伤。2008 年国庆长假期间，北京市有 3587 人被狗咬伤。较 2007 年国庆期间的 3435 例的被狗咬伤人数上升了 4.42%。

2009 年，根据我国人用狂犬病疫苗的使用量，估计全国（不含港澳台地区）每年被动物伤害的人数超过 4000 万人。

三、我国狂犬病疫情形势

（一）狂犬病的简介

狂犬病是人类最古老的疫病之一，每年全球有 55000 人死于狂犬病，即平均每 10 分钟就有 1 人因狂犬病死亡。至今，已知的人与猫、狗共患的疾病约有 60 多种，其中危害较大的是狂犬病。狂犬病是一种由弹状病毒科狂犬病毒侵犯中枢神经系统引起的人畜共患的急性传染病，因临床表现以恐水为特征，又称恐水病。我国传染病防治法规定其为乙类传染病，人患狂犬病主要是通过已感染狂犬病病毒的疯动物咬伤时，由动物唾液中的狂犬病病毒经咬伤处的伤口侵入人体而感染，伤人动物以犬多见。除犬外，“恒温动物”都有可能携带狂犬病毒，如猫、蝙蝠、狐狸、狼、猫鼬、浣熊、臭鼬等。

狂犬病的潜伏期一般在 3 个月以内，多数病例的潜伏期在20～60天，个别病例的潜伏期仅有 9 天，也有报道称病例的潜伏期长达 10 年以上，但较罕见。狂犬病发病率虽然比较低，但是，一旦发病无一幸免，死亡率达 100%，可以说只可防不可治。全球现仅有一例美国狂犬病患者花费 80 万美元才被治愈。

狂犬病在我国流行已久，自 1951 年起开展全国性灭犬活动，狂犬病控制工作大见成效，但 20 世纪 70 年代以后疫情又开始上升并日趋严重。在我国 38 种法定报告传染病中，与动物致人损伤有最直接联系的为狂犬病，狂犬病报告死亡病例数长期位居甲乙类法定传染病的前三位。根据卫生部等四部委发出《中国狂犬病防治现状》的数据显示，我国已经成为受狂犬病危害最为严重的国家之一，仅次于印度，居全球第二位。有关专家甚至认为“第三次狂犬病流行高峰正在中国形成”。

（二）狂犬病防控现状及问题

1. 犬密度高

家犬是我国现阶段最主要的狂犬病传播动物，90% 以上的病例由犬引起。近年来，农村和城市地区的看家护院犬和宠物犬数量不断增加。据有关部门估计，全国现有犬只数量为 1 亿只左右，而且其需求量正以每年 20% 的速度递增。在很多乡村，几乎每户都养有犬或者猫。每年因犬伤人事件频发，其中约 60% 以上的受伤者是被他人养的犬、猫所伤，有 30% 被自家犬、猫所伤。

2. 犬管理差、免疫率低

我国目前的犬只管理和免疫状况令人担忧。按规定一年注射一次狂犬病疫苗就是健康宠物，不带有狂犬病毒。在疫情严重的农村，犬只几乎都没有登记注册，更没有注射疫苗。由于看家护院的需要，犬只绝大多数为放养。农村的犬只免疫率非常低，使人感染病毒的危险持续存在。现在很多人喜欢带宠物去郊区玩，这很容易使相对健康的家养犬和一些没免疫的犬、流浪犬等接触。

3. 人群暴露率高、暴露后处置率低

由于犬只数量庞大且散养居多，每年有大量人群被犬所伤。调查显示，部分农村地区居民每年的Ⅱ和Ⅲ度暴露率高达 5% 左右，北京和上海等城市估计也达 2% 左右。根据我国人用狂犬病疫苗的使用量统计，全国每年被动物伤害的人数超过 4000 万人。然而，由于难以负担疫苗费用和缺乏狂犬病预防知识，很多人被犬伤后不去医院就诊和接种疫苗。目前国产狂犬病疫苗为200～300元/人份、进口疫苗为380～650元/人份，免疫球蛋白则超过1000元，这对于经济条件较差的农民来说难以负担，很多群众抱着侥幸的心态咬伤后不去就诊。

疾病预防控制中心的专家认为，狂犬病疫情上升的主要原因是，当前群众养犬逐渐增多，城市的宠物犬、农村的看家犬等数量明显增加；养犬人由于犬只注册、管理费较高等因素而逃避注册；部分群众被犬咬伤后不能进行正规的伤口处理，或者因为价格较高等因素不接种狂犬病疫苗等。

四、管理措施

据有关部门的介绍，国家对养犬问题历来的政策就是限养而不禁养。目前群众反映比较集中、比较强烈的主要问题：一个是犬伤人的问题，另一个就是犬扰民的问题。对于这两个问题，有关机关依照刑法、治安管理处罚法的有关规定，对构成犯罪的追究了刑事责任，比如驱使恶犬伤人，用犬来阻碍执行公务，对这类行为构成犯罪的，要追究刑事责任。不构成犯罪的，属于治安案件的，要依照治安管理处罚法有关规定给予处罚。

地方性法规对养犬人的行为规范也作了规定：

《上海市犬类管理办法》规定，凡饲养犬类的单位和个人，必须遵守下列规定：(1)在准养犬颈部佩戴由市公安局统一制作的圈、牌；(2)除领证、检疫、免疫接种和诊疗外，禁止携带犬类进入道路、广场和其他公共场所；(3)因犬类领证、检疫、免疫接种、诊疗，而携犬进入道路、广场和其他公共场所的，应当束以犬链，并采取防止犬类咬伤他人的措施；(4)犬类在道路、广场和其他公共场所便溺的，由携犬者立即予以清除;(5)禁止携犬乘坐公共交通工具。

《天津市养犬管理条例》规定,养犬人必须遵守下列规定:(1)携犬出户时携带养犬登记证,由成年人用束犬链牵领,并应当避让他人,特别是避让老年人、残疾人、孕妇和儿童;因检疫、诊疗等特殊情况携犬出户时,将犬装在犬笼内,不得牵领。(2)携犬乘坐电梯的,应当避开乘坐电梯的高峰时间,并为犬戴嘴套或者将犬装入犬笼、犬袋。居民委员会、村民委员会、业主委员会可以根据实际情况确定禁止携犬进入电梯的时间。(3)不得携犬乘坐除客运出租车以外的公共交通工具,携犬乘坐客运出租车时须征得驾驶人同意。(4)不得携犬进入市场、商店、商业街区、饭店、公园、公共绿地、学校、医院、展览馆、影剧院、体育场馆、社区公共健身场所、游乐场、候车室和其他人员聚集的公共场所。(5)在重点管理区携犬出户时,携犬人及时清除犬排泄的粪便。

《重庆市养犬管理暂行办法》规定,饲养犬只应当遵守下列规定:(1)不得携犬进入机关、医院、学校、体育场馆、博物馆、图书馆、影剧院、商场以及设有犬只禁入标识的公园、风景名胜区等公共场所;(2)不得携犬乘坐除小型出租汽车以外的公共交通工具;携犬乘坐小型出租汽车时,应当征得驾驶员同意;携犬乘坐电梯的,应当将犬装入犬袋、犬笼,或者怀抱、戴嘴套;(3)重点管理区域内携犬出户的,犬只必须挂犬牌、束犬链,犬链长度不得超过 1 米,并由成年人牵领;(4)饲养烈性犬、攻击性犬的,必须在住所外显著位置张贴警示标牌;携烈性犬、攻击性犬出户的,除遵守本条相关规定外,还应当将犬只装入犬笼或者为犬只戴嘴套;(5)不得虐待、遗弃饲养犬只;犬只死亡的,养犬人不得随意丢弃,应当及时进行无害化处理;(6)犬只在公共场所产生的粪便,养犬人应当立即清除;(7)饲养犬只不得干扰他人正常生活,不得放任、驱使犬只恐吓、攻击他人;犬吠影响他人休息的,养犬人应当采取措施予以制止。

《厦门经济特区养犬管理办法》规定,犬只不得放养。个人携带犬只到户外活动的,应携带养犬登记证、犬类免疫证,并遵守下列规定:(1)在准养犬颈部佩戴犬牌;(2)佩束犬链并由成年人牵领、看管;(3)携带犬只乘坐电梯,应为犬只戴嘴套或者将犬只装入笼内、袋内;(4)即时清除犬只粪便和呕吐物;(5)约束犬只不得惊吓、伤害他人。禁止携带犬只出入下列场所:(1)公共交通工具(个人包租的除外);(2)国家机关及学校、儿童活动场所;(3)博物馆、图书馆、文化馆、体育馆、展览馆、会场、影剧院、歌舞厅、游乐场等公众文化娱乐及集会场所(犬类表演、展览场所除外);(4)医院、候车(船、机)厅、商店、集贸市场、餐厅、酒店等公共场所。

五、责任保险

在国外,给宠物上保险是很常见的事,而国内由于以前没有这方面的专门险种,一旦宠物咬了人或者损坏他人财产,往往会在赔偿问题上“扯皮”。目前,已有几家保险公司启动了动物伤人的保险业务。

有的保险公司推出“动物饲养责任保险”。这款保险承诺,当宠物造成第三者人身伤亡或者财产损失时,保险公司将替宠物饲养者或者管理者进行赔偿,最高赔付高达50万元;如果是动物园动物伤人,最高赔付数字可达到500万元。

有的保险公司推出“家庭养犬意外伤害保险”。该保险最大的特点是,流浪犬等非自养犬伤人也能得到赔偿了,即无论养狗的还是不养狗的市民,买了该保险后,如果被邻居家的狗、流浪狗等非自家犬咬伤、抓伤,都可得到赔偿。该保险保费门槛很低,如 A 款主险保费每人每年 1.5 元,被保险人如遭非自家犬咬伤、抓伤等意外伤害,造成意外死亡的,给付的基本保险金额最高 5 万元;造成残疾的,给付的基本保险金额最高 5 万元。A 款附加险"家庭养犬意外伤害医疗保险",每人每年每份保费 4.5 元,被保险人如遭非自家犬咬伤、抓伤等意外伤害,门、急诊费用补偿每年赔付限额 300 元,住院费用补偿每年赔付限额 2000 元,狂犬疫苗费用补偿每年限额 300 元,狂犬病住院费用补偿每年赔付限额 5000 元。该保险规定,被自家狗咬伤打狂犬疫苗,要想让保险公司赔付,必须先为狗报"户口"。

有的保险公司集中为 2008 年年检的有证狗的犬主办理第三者责任保险。此险种每年保险费为 10 元,保险期为一年。主要赔偿被保险人在保险期间合法饲养的犬只造成第三者人身伤害,依法应由被保险人承担经济赔偿责任的费用,以及被保险人实际支付的事先经保险人书面同意的与保险事故直接相关的诉讼费、律师费、仲裁费和事故鉴定费等。保险公司可全年累计赔付人身伤害赔偿费 10000 元、医疗费 5000 元。

**第七十八条　饲养的动物造成他人损害的,动物饲养人或者管理人应当承担侵权责任,但能够证明损害是因被侵权人故意或者重大过失造成的,可以不承担或者减轻责任。**

**【释义】** 本条是关于饲养的动物致人损害的一般规定。

在各类侵权行为中,饲养动物致人损害是一种特殊的形式,其特殊性在于它是一种间接侵权引发的一种直接责任,其加害行为是人的行为与动物的行为的复合。人的行为是指人对动物的所有、占有、饲养或者管理。动物的行为是直接的加害行为。这两种行为相结合,才能构成侵权行为。

一、归责原则

一般民法理论认为,动物致人损害的构成要件是:须为饲养的动物;须有动物的加害行为;须有造成他人损害的事实;须有动物加害行为与损害之间的因果关系。

法国民法规定,动物的所有人或者使用人在使用期间,对动物所造成的损害,不问该动物是否在其管束下,或者在走失或者逃脱时所造成的损害,均应负赔偿责任。在具体适用上,法国民法理论对动物致害责任最初倾向于采取过错责任原则,后期才逐渐改为无过错责任原则。在英美法国家,法律将动物致害责任作为无过错责任对待,即无论动物的占有人有无过失,只要其产生了损害后果,那么,动物的占有人或者管理人必须要承担责任。

在我国,民法通则实施以前,司法实践中是按照过错责任原则处理的。例如,1981 年 1 月 22 日《最高人民法院关于李桂英诉孙桂清鸡啄眼赔偿一案的复函》中指出:"李桂英带领自己三岁男孩外出,应认识到对小孩负有看护之责。李桂英抛开孩子,自己与他人路旁闲聊,造成孩子被鸡啄伤右眼,这是李桂英做母亲的过失,与养鸡者(孙桂英)无直接关系。因此,判决孙桂英负担医药费是没有法律根据的。"这一司法解释肯定了动物致害责任是一种过错责任。1984 年 8 月 30 日《最高人民法院关于贯彻执行民事政策法律若干问题的意见》第七十四条又明确动物致害责任的过错责任性质:"动物因饲养人或管理人管理不善,而致他人人身或财物损害的,应由饲养人或管理人承担赔偿责任。"而后,1986 年民法通则第一百二十七条规定,"饲养的动物造成他人损害的,动物饲养人或者管理人应当承担民事责任;由于受害人的过错造成损害的，动物饲养人或者管理人不承担民事责任；由于第三人的过错造成损害的，第三人应当承担民事责任”。《最高人民法院关于民事诉讼证据的若干规定》第四条第（五）项规定，饲养动物致人损害的侵权诉讼，由动物饲养人或者管理人就受害人有过错或者第三人有过错承担举证责任。

本条规定，饲养的动物造成他人损害的，动物饲养人或者管理人应当承担侵权责任，这一规定的目的就是要促使动物饲养人或者管理人能够认真、负责地担负起全面的注意、防范义务，以保护公众的安全。

任何动物，其本性决定了都不同程度地存在致人损害的危险。由于动物的饲养人或者管理人对动物负有管束的义务，因而也就必须对动物所具有的危险性负责，保证其动物不至于造成他人损害。而一旦这种危险性造成损害，动物的饲养人或者管理人就应承担民事责任，除具有法定的抗辩事由外，不能免责。对动物饲养人或者管理人责任承担进行特别规定的原因，在于动物具有令人难以估量的行为和因此而对他人的生命、健康和财产造成的危险。因此，动物饲养人或者管理人必须对所有由于这种动物的难以估量而发生的损害承担责任。

二、“饲养的动物”范围

关于“饲养的动物”范围。有人认为，不管是什么性质的动物，只要是人工饲养的动物都包括在内。例如，饲养的家畜家禽、饲养的野生动物，公园里饲养的猴子、老虎、豹子、毒蛇，等等。有人认为，饲养的动物既应包括以食用、牟利为目的的，也应包括以观赏为目的的。有人认为，只要属于在人的控制下，主要依靠人为供给食物生存的动物，都应包括在这个范围内。各国对此的规定也不尽一致，大陆法系的德国、法国、意大利、日本等国对“动物”的范围是宽泛的理解，而美国不仅包括“放牧牲畜”，也包括“家养动物”和野兽。

普遍认为，“饲养的动物”应同时具备：为特定的人所有或者占有；饲养人或者管理人对动物具有适当程度的控制力；依动物自身的特性，有可能对他人或者财产造成损害；该动物为家畜、家禽、宠物或者驯养的野兽、爬行类动物等。因此，饲养的动物必须是能够为人所占有或者控制的动物。那么，对于自然保护区或者野生动物保护区的野兽，虽然可能为人们在一定程度上所饲养或者管理，如定期投放食物，甚至为其生存和繁殖提供了适宜的条件和环境，但人们对它的控制力较低。因此，野生动物不能列入本法所说“饲养的动物”。

三、动物致害责任的赔偿主体

动物的饲养人或者管理人都是责任主体。动物的饲养人是指动物的所有人，即对动物享有占有、使用、收益、处分权的人；动物的管理人是指实际控制和管束动物的人，管理人对动物不享有所有权，而只是根据某种法律关系直接占有和控制动物。在实际生活中，动物的饲养人与管理人有时为同一人，有时则为不同人。动物的饲养人与管理人为同一人时，也就是由动物的所有人自己占有和管束动物，在这种情况下，赔偿主体是很清楚的。当动物的饲养人与管理人为不同人时，管束动物的义务由饲养人转移给管理人，这时的赔偿主体应为管理人。至于管理人是有偿管理还是无偿管理，是长期管理还是临时管理，在所不问。

有的意见提出，“动物的饲养人”说明不了物权关系，建议修改为“所有人”、“管理人”、“占有人”或者“保有人”。有人认为，还是沿用民法通则“动物的饲养人或者管理人”为好。对于责任主体，德国是占有人或者管理人；法国是所有人或者使用人;意大利是所有人或者管理人;瑞士债务法是动物的管理人。本条沿袭了民法通则,仍用“动物饲养人或者管理人”。

四、抗辩事由——被侵权人故意或者重大过失

饲养动物致人损害的民事责任的抗辩事由,是指动物的饲养人或者管理人依法用以减轻或者免除其承担民事责任的事由或者理由。

并非动物的饲养人或者管理人需要对其饲养或者管理的动物造成的一切损害都要承担赔偿责任。本条规定,因被侵权人自己故意或者重大过失造成损害的,动物的饲养人或者管理人可以不承担或者减轻责任。可以说,动物饲养人或者管理人可以免责或者减轻的事由是证明损害是因为被侵权人自己的故意或者重大过失造成的。

在动物致害中,有时被侵权人故意或者重大过失应该是诱发动物致害的直接原因,是引起损害的全部或者主要原因。也就是说,被侵权人致害,是因自己挑逗、刺激等诱发动物的行为直接造成的,如果被侵权人的行为不足以诱发动物,其过失只是引起损害的部分原因或者次要原因,则不能认为被侵权人在该损害中存在故意或者重大过失。例如,甲明知乙有一条性情暴躁的狗且经常咬人,但甲必须从乙的家门路过,当甲路过乙的门口时,乙的狗突然蹿出来把甲咬伤。此案中就不得认定甲明知乙的狗有咬人的恶习、有危险的存在、疏于防范,因此而认为甲是有重大过失的。因为甲的行为本身不能直接诱发动物损害,与动物损害没有必然的因果关系,因此,动物饲养人或者管理人就不能认为被侵权人有重大过失而减轻或者不承担责任。

可以说,被侵权人是否存在故意或者重大过失,具体行为

在不同的案件中的认识是不相同的。在动物侵权案件中，对于被侵权人有故意或者重大过失的认定都是非常严格的，否则，任何主动接近动物的行为如果被认定为是故意或者重大过失的行为，那就会造成对动物饲养人或者管理人的偏袒，失去社会的公平。同时，被侵权人有故意或者重大过失的，动物饲养人或者管理人可以不承担或者减轻责任，这对饲养人或者管理人也是公平的。

五、举证责任倒置

本条规定，饲养的动物造成他人损害的，动物饲养人或者管理人应当承担侵权责任，但能够证明损害是因被侵权人故意或者重大过失造成的，动物饲养人或者管理人可以不承担或者减轻责任，表明了本条适用举证责任倒置。

对于动物致人损害的举证责任，《最高人民法院关于民事诉讼证据的若干规定》第四条第（五）项规定，饲养动物致人损害的侵权诉讼，由动物饲养人或者管理人就受害人有过错或者第三人有过错承担举证责任。上述规定采取的是举证责任倒置原则，动物饲养人或者管理人如果想要减轻或者不承担责任，就必须证明被侵权人的损害是因为他自己行为的故意或者重大过失造成的。如果举证不足或者举证不能，动物饲养人或者管理人就应承担动物致害的赔偿责任。

在诉讼中举证责任通常是“谁主张，谁举证”。但在有些特殊的侵权案件中，如果还适用这一原则，就会使被侵权人很难或者无法完成举证责任，这种举证上的困难，必然使原告主张的事实得不到法庭的确认，最终导致被侵权人的合法权益得不到应有的法律保护，从而不能保证对案件处理的公正性和平等性；而侵权人方面却可以因此而逃避赔偿责任。这种状况显然不公平，违背了法律公平正义的宗旨。本条适用举证责任的倒置，对保护被侵权人有重要作用。

六、动物饲养人或者管理人的义务

由于动物本身所具有的危险性，因此，动物致人损害的赔偿责任，是一种特殊的民事侵权责任。动物饲养人或者管理人既然占有或者控制着动物，就应该谨慎管束，肩负起对自己、对社会、对公众负责任的义务，而不能只图自己的喜好，只享受宠物带来的快乐，而疏于对动物的管理。否则，动物致他人损害的，就要承担无过错责任予以的赔偿。本条这样规定有利于切实保障广大人民群众的人身和财产安全，维护社会的稳定和正常秩序。

**第七十九条　违反管理规定，未对动物采取安全措施造成他人损害的，动物饲养人或者管理人应当承担侵权责任。**

**【释义】**　本条规定了未对动物采取安全措施造成他人损害的责任承担。

近些年来，随着饲养宠物人群的不断增多，社会上无序养犬、违规养犬的情况日益突出，特别是狗咬伤人的事件逐年呈上升趋势。基于此问题的严重性，为维护百姓的人身和财产安全，侵权责任法对动物致人损害的侵权责任作了严格的规定。未对动物采取安全措施造成他人损害的，动物饲养人或者管理人应当承担侵权责任。这一条并未规定免责事由，即使被侵权人对损害的发生有过失，动物饲养人或者管理人也不能减轻或者不承担责任。例如，狗的主人携狗乘电梯，没有给狗戴嘴套，一个小孩子拿出香肠去喂小狗，被狗咬伤。这时就不得以小孩子的监护人没有尽到监护职责而认定监护人有过错，全部责任应由狗的主人承担，因为狗的主人没有采取安全措施，即没有给狗戴嘴套。

一、国内的相关规定

动物饲养人或者管理人不仅要对动物本身负责，还要对社会负责，履行相关法律规定的义务。目前，全国已有北京、天津、上海、河北、山东、辽宁等二十多个省、自治区、直辖市以及石家庄、长春等近七十个城市颁布了养犬管理的地方性法规和规章。养犬管理规定是一部协调养犬者与非养犬者、养犬者与社会公共利益之间关系的法规。各地的养犬管理规定不仅对人们普遍关注的养犬收费、携犬乘梯、养犬遛犬范围、管理处罚等问题作了规定，最主要的对于饲养人的行为进行了规范，例如：(1)携犬出户时，应当对犬束犬链，由成年人牵领，并应当避让老年人、残疾人、孕妇和儿童；携犬乘坐电梯的，应当避开乘坐电梯的高峰时间，并为犬戴嘴套，或者将犬装入犬袋、犬笼。(2)在重点管理区内，禁止饲养烈性犬及成年体高超过35～48厘米的大型犬种，如獒犬、猎狐犬、澳洲牧羊犬、松狮犬、斑点狗等。(3)主要区域和道路禁止遛犬。饲养人不得携犬进入市场、商店、商业街区、饭店、公园、公共绿地、学校、医院、展览馆、影剧院、体育场馆、社区公共健身场所、游乐场、候车室等公共场所；不得携犬乘坐除小型出租汽车以外的公共交通工具；携犬乘坐小型出租汽车时，应征得驾驶员的同意，并为犬戴嘴套，或将犬装入犬袋、犬笼或者怀抱……

除此之外，养犬管理规定还对犬伤人后的救济措施作了规定：(1)犬伤害他人的，养犬人应当立即将被伤者送到医疗机构诊治，并先行垫付医疗费用。因养犬人或者第三人过错，致使犬伤害他人的，养犬人或者第三人应当负担被伤害人的全部医疗费用，并依法赔偿被伤害人其他损失。(2)对在禁养区内养犬的或者在重点管理区内饲养烈性犬、大型犬的，由公安机关没收其犬,并可对单位处 1 万元罚款,对个人处 5000 元罚款。对在禁遛区遛犬、携犬进入公共场所或者携犬乘坐交通工具的;违反规定携犬出户或者乘坐小型出租汽车、电梯等上述行为之一的,由公安机关予以警告,并可对单位处 2000 元以下罚款,对个人处 500 元以下罚款;情节严重的,没收其犬,吊销养犬登记证。

二、国外饲养动物管理情况介绍

1. 养狗必须办理证件上“户口”

美国、德国、日本和新加坡等国的大部分地区都要求狗主人为他们的宠物狗办理许可证,许可证章(狗牌)必须牢固地缚在狗的颈圈上。许可证主要有两方面的作用:第一,表示狗是健康的,已经注射过狂犬病疫苗,不会对周围的人造成健康上的威胁;第二,记录了主人的情况,当狗走失的时候,相关人员可以通过它顺利找到狗的主人。

2. 对狗进行培训及管理

在德国养狗是让狗主人提心吊胆的事。为了让狗有良好的行为,绝大多数的养狗人都把狗送进狗学校培训,然后才带狗到公共场合。狗在狗校里要学会与人礼貌相处,尤其不能对儿童有攻击行为。狗校还教狗有良好的卫生习惯,遵守交通规则。而且各州还对养狗人在公共场合的行为作了规定,狗不得破坏公共卫生,狗主人必须随时能控制狗。柏林市规定,在人多的公共场所,必须用不长于 2 米的绳子牵着狗。在室内、公交场合牵狗绳不得长于 1 米。狗不准进入儿童游戏场所,不能进入供人休闲、躺着的草坪,不能进入游泳场地和其他标明狗不得进入的场所。各州法律都对养危险性狗有特别限制,明确规定危险狗的范围。18 岁以下的人禁养此类狗,不得将其交给没有这方面资格的人看管。有独立住宅的人才能养危险性狗,房周围要有保护措施,并悬挂警示标志。在多家居住的住宅房、楼房里严禁养这种狗。饲养危险狗必须有资格证明,对狗主人的身体、品行、精神状态、狗知识及具备控制这种狗的能力,都有规定。这种狗出门时必须佩戴审批标志、戴口套,用不超过 2 米的绳子牵着,狗主人要携带相关证明,以备查验。

美国的法律规定,不管是什么狗,只要长着嘴巴还有 4 条腿,就必须给它在脖子上套一个链子。美国人常说,买一只狗,就是买了很多责任。

新加坡规定,在公共场所,狗主人必须给宠物犬系上皮带,巨型犬除系上皮带外还要戴上口套。

3. 责任保险

德国很多城市和州都规定,养狗人必须为狗上类似于机动车的强制保险,用于赔付因狗造成的损失。一旦狗肇事,小至咬坏衣服,大到引发交通事故,甚至造成他人伤亡,保险公司应先行赔付。鉴于德国养狗人的责任越来越大,德国养狗人协会建议养狗人为狗上更高的保险,不低于 500 万欧元赔偿额。通常养狗人每年为狗缴 75 欧元至 270 欧元保险费。如柏林规定,养狗人要为狗上不低于 100 万欧元赔偿额的保险。具有危险性的狗还要多付 30% 以上的保费。另外,除了警用、导盲犬等服务功能的狗,养狗人要交狗税,在柏林养第一只狗每年交税为 120 欧元,第二只狗则要再交 180 欧元,不许再养更多的狗。

新加坡还对饲养巨型犬作了特别规定。巨型犬的主人除了必须为犬投保 10 万新元(约合 50 万元人民币)的第三方责任险外,还必须提供 5000 新元的保证金。在犬死亡或者离开新加坡后,保证金将会如数退还,但如果犬主人违反了相关规定，保证金就会被收缴。

美国每年发生约 500 万起狗咬人的事件，致使 80 万人到医疗机构治疗，其中又有 6000 人需要住院治疗。由此引发的损失每年约 10 亿美元，其中保险公司赔付 3 亿多美元，其余主要是由狗主人们承担。狗主人们每年赔出 7 个亿。美国很多州的法律规定，在没有过错、没有故意招惹狗的情况下被狗咬伤，狗的主人承担全部的责任。伊利诺伊州的法律还明确规定，受害者可以得到：第一时间紧急治疗的费用；未来消除或减少伤疤产生的医疗费用；还有心理治疗、误工补偿等一系列费用。

4. 处罚措施

在德国，违反“狗规”者可能被判罚数万欧元。勃兰登堡州规定，如上街不采取安全措施最高可判罚 5 万欧元；未经允许就饲养、训练、繁殖、出售危险狗的也可判罚 5 万欧元；在公共场所对狗看管不力的，可判罚 1 万欧元；养狗不及时申报的判罚 1 万欧元。

在新加坡，如果违反规定，农粮与兽医局有权扣押犬只，并对狗主人处以最高 500 新元的罚款或者吊销养狗许可证。此外，如果狗过度吠叫造成滋扰，或者导致他人受伤，或者狗主人唆使狗攻击他人，或者狗弄污了环境，狗主人都会依法受到罚款、吊销或者无法更新养狗许可证的惩处。此外，如果狗主人有遗弃狗等的行为，狗主人也要依法受到惩处。

信息化时代的今天，饲养动物早已不像是农业社会时代，动物只是充当劳动力，是一个家庭不可或缺的生产工具，它的生产价值已在逐步下降。家庭饲养宠物，是因为宠物可以给动物饲养人带来精神上的满足。如果要饲养，动物饲养人或者管理人就应当采取安全措施，避免对他人造成伤害，否则，应当承担严格的侵权责任,这也是侵权责任法所体现的社会公平和正义。因此,在损害与危险有关时,让动物饲养人承担严格的责任,这样是公平的。

**第八十条　禁止饲养的烈性犬等危险动物造成他人损害的,动物饲养人或者管理人应当承担侵权责任。**

**【释义】**　本条是关于对禁止饲养的烈性犬等危险动物致人损害的责任规定。

一、饲养烈性动物的危害性

生活中,在人多且空间狭小的居民小区常会见到狗的主人带着大型犬、烈性犬悠闲自在地在公共场地遛犬,有的甚至不拴狗链、不戴嘴套,给周围的居民尤其是对老人以及小孩带来恐惧,狗咬人、伤人事件时有发生。动物饲养人总是认为自己的狗最听话、很是温顺,不会咬人。据了解,即使是平时从未暴露出进攻人倾向的动物,也可能会在突然之间野性发作。狗是否温顺只是相对而言,比如獒犬对主人很温顺,但是对生人就很凶狠。如某镇的一居民家中,一条一米多长的藏獒破门而出,冲上街头咬伤6人。随后,藏獒被主人用铁链拴住,一个小时后,该藏獒挣开铁链,再次冲上街头,又咬伤了二十多位居民。饲养动物人或者管理人的过失,会对他人造成无法弥补的伤害。

饲养动物对于周围人的人身和财产具有的危险性不仅存在,有时甚至是巨大的。首先,许多动物在野性发作时或者发情时具有难以控制的破坏力,从而具有伤害人和损害财产的危险性。其次,动物的流动性可能形成难以控制的破坏力。动物的危险性不仅在于具有攻击性和难以预见性的行为,即使是温顺的奶牛或者绵羊卧倒在道路、轨道上也会引发交通事故,其动物饲养人也应当承担侵权责任。前不久德国的一个案例:一个动物饲养人所饲养的信鸽在飞行中,被一架喷气式飞机吸入引擎中,导致该飞机引擎出现了损害,德国法院判该动物饲养人承担该飞机的部分损害赔偿责任。

二、有关法律的规定

美国没有统一的涉及养犬的法律,但每个州都有自己的法律。一些州的法律规定,只要狗咬了人,狗的主人就要承担责任,具体的刑事罪名有:拥有危险狗罪、饲养凶猛动物致人死亡罪等。如 2001 年 1 月,美国旧金山一对夫妇养的两条大狗将邻居女教练活活咬死,警方对狗实施安乐死,并勒令狗主人 3 年内不许养狗。加州法庭的陪审团对狗主人判决二级谋杀罪、过失杀人罪和拥有危险狗罪,但洛杉矶高等法院在 2002 年 6 月推翻了陪审团二级谋杀罪的判决,维持对该夫妇犯过失杀人罪,处 4 年监禁的判决。又如,2002 年 2 月,美国威斯康星州一个 10 岁女孩与 6 条罗特维尔牧犬玩耍时被咬死,狗主夫妇被控饲养凶猛动物致人死亡的罪名。

加拿大的温尼伯、安大略、魁北克等多个省份禁止饲养凶猛狗,狗一旦肇事,狗主人必须受到严厉的惩罚。

我国很多的地方性法规对禁止饲养的烈性犬和大型犬作了明确的规定。各地对禁止饲养的烈性犬或者大型犬的品种规定不等,大致在 18 种至 40 种,如阿富汗猎犬、阿根廷杜高犬、阿根廷犬、比利时牧羊犬、藏獒犬、德国牧羊犬、俄罗斯高加索犬、雪达猎犬。除对烈性犬的品种有禁止饲养的规定外,对大型犬的体高也作了限制性规定。例如,北京市养犬条例规定,禁止饲养成年体高超过 35 厘米的大型犬种;苏州市养犬管理条例规定,大型犬的标准是成年犬肩高 61 厘米。还有地方规定限高 48 厘米。

为确保群众人身安全，本条对动物伤人的侵权行为作出了非常严格的规定，只要违反管理规定饲养了烈性犬等危险动物，并造成他人损害的，动物饲养人或者管理人就应当承担侵权责任。在烈性犬潜伏种种危险的情况下，让它的饲养人或者管理人承担更加严格的责任是对社会、对公众负责的态度。本条规定了如此严格的责任就是引导爱犬的人认识到自己的社会责任和法律责任，为动物、为自己、为他人着想，不要违反规定饲养烈性犬等危险动物。

另外，需要说明一下属于大型犬的导盲犬的问题。

据了解，全球每年发生狗伤人案件500多万件，但没有一起因导盲犬伤人的案件。目前，全世界有近2万多只导盲犬在服役。美国有1万只，英国4000只，德国1100只，日本969只，法国600只……而中国一年仅能培养出3~5只。

导盲犬作为一种特殊的工作犬，必须要具备非常严格的条件，不仅要性情温和，喜欢与人在一起，不具有任何攻击性，不会对他人安全产生威胁，更为重要的是对狗的品种和血统的要求极为苛刻，只有“黄金猎犬”和“拉布拉多犬”等少数犬种才适合作为选材来源，而且培训的成功率只有30%。导盲犬的训练费用非常高，国际上一只好的导盲犬其价值是6万美元。国外驯养导盲犬的经费一般是政府、企业和个人捐助各占1/3。在我国，训练一只导盲犬大概要花费10万至20万元人民币，一般使用期限为8年左右。

在许多国家和地区，免费使用导盲犬是盲人享有的一项社会福利。对盲人使用导盲犬的权利，至少有30多个国家通过立法予以保障。盲人可以携带导盲犬出入所有公共场所和乘坐各种公共交通工具。拒绝盲人携带导盲犬出入者，要承担法律责任。

由于导盲犬在我国还是新生事物，管理部门和社会各界对之缺乏了解，过去往往将其作为宠物犬加以管理，限制了盲人使用导盲犬的权利。为确保2008年残奥会期间残疾人出行方便，2007年8月24日，北京市出台了《关于北京奥运会残奥会期间导盲犬使用和管理的通告》，通告指出“2008年7月20日至2008年9月20日，参加北京奥运会、残奥会的盲人运动员、盲人官员和观摩北京奥运会、残奥会的盲人携导盲犬可以在本市出行”。此外，北京公交集团和地铁运营公司也出台了新规定：盲人可以携带导盲犬乘坐公交车和地铁。由此大家看到了，火炬手、中国首枚残奥会金牌获得者平亚丽手牵导盲犬在“鸟巢”内传递火炬。

我国残疾人保障法强调对残疾人各项“自立生活”权利的保护。如第十条规定：“国家鼓励残疾人自尊、自信、自强、自立，为社会主义建设贡献力量。”第五十八条专门规定：“盲人携带导盲犬出入公共场所，应当遵守国家有关规定。”《北京市养犬管理规定》规定“对盲人养导盲犬和肢体重残人养扶助犬的，免收管理服务费”。有的省市也作了规定，如济南市养犬管理条例规定，重点管理区内禁止个人饲养大型犬、烈性犬，但盲人饲养导盲犬、肢体重残的残疾人饲养扶助犬的除外。

**第八十一条　动物园的动物造成他人损害的，动物园应当承担侵权责任，但能够证明尽到管理职责的，不承担责任。**

**【释义】**　本条是关于动物园的动物致人损害的责任承担的规定。

一、动物园的动物伤人案的情况介绍

目前，全国动物园伤人事件也不少，有些是由于动物园的管理措施不到位造成的，而有些是因游客的过失，如擅自跨越栏杆投喂食物、戏弄动物、与动物拍照等过度骚扰行为造成的。例如以下事件：

事件一:2007 年 2 月 22 下午,在昆明动物园内,一个小孩高兴地站在老虎后面等待照相。可是当相机闪光灯一闪,躺在桌子上的老虎突然欠起身一回头死死咬住了小孩子的头部……随后,五个驯兽员拿着木棍、板凳不停地向老虎砸去,一分钟以后老虎终于松开嘴巴。小孩子因伤势过重抢救无效死亡。经调解动物园赔偿了 34 万元。

事件二:2007 年 2 月,武汉动物园大象馆外的草坪上,两头体态庞大的非洲象引来众多游客围观。因草坪四周有铁栏杆围着,还挖了一人多深的防护沟,一些游客认为十分安全,遂拿着石块、泥土、塑料瓶等扔向大象。开始,两头大象没有在意,仍在用长鼻子卷草吃。后来,有几个石块砸中一头公象,只见它突然暴躁起来,大声朝人群怒吼,可游客不为所动,还在向它扔东西。这时大象因不堪游客频繁"袭击",竟用鼻子从地上卷起一块拳头大小的石头,朝人群扔去,石头正中一名被抱在父亲怀中的小女孩头部,小女孩顿时血流满面,众人吓得四散而逃。

事件三: 1999 年 11 月 17 日,在上海野生动物园,许某驾车前往救助抛锚的另一辆车。当车进入东北虎区时,因前方有一车辆停留挡住去路,许某下车催促其继续行进,随即遭到老虎袭击而死亡。经法院调解,动物园一次性给付死者 30 万元。

事件四:2005 年 7 月 17 日,张某在海洋世界潜水时,被一条 3 米多长的鲨鱼咬伤。张某认为自己拥有 PADI 和 2 年潜水经验,此番被袭自己无任何过错,而是海洋馆未尽到合理的照顾义务:三个潜水游客只有两个教练陪同,并未像其网站上承诺的“一对一”,并且在游客潜水时有工作人员正在喂食鲨鱼。而海洋馆则认为张某被袭是由于其擅自脱离潜水队伍及教练,还反复强调张某的受伤是因为与鲨鱼“相撞”而非鲨鱼咬人。

事件五:2001 年 9 月 8 日上午,四岁小男孩被邻居带到杭州市动物园看大猩猩,小孩出于好奇给猩猩喂食,结果猩猩从铁栅栏处伸出手臂抓住小孩的右手臂往馆舍里拖、咬伤其右手臂。法院认为,猩猩馆舍的观赏区域防护措施得当,而且,公园在出售的动物园门票上、各观赏景点及事发的猩猩馆舍处均印刷或悬挂了提醒游客的警示语,即“请勿跨越栏杆、投喂食物和戏弄动物、防止发生意外”。动物园内各分散处还悬挂有“爱护动物请勿投食”“管好孩子注意安全”等警示语。尽到了应尽的警示义务。因此法院判决,责任应由游客自负,动物园不承担民事责任。

据动物专家介绍,一般动物在三种情况下的攻击性特别强:一是已成年正值发情期的时候;二是面临环境的改变;三是当它感觉自己的安全受到威胁的时候。例如,人出现在距离动物 50 米开外,动物可能选择转身就跑,但当人距离动物只有 5 米的时候,动物就感到受到致命威胁了,没有退路了,动物就会毫不犹豫地冲上来攻击你,其实这也是动物自我保护的一种方式。

二、赔偿责任

在侵权责任法起草过程中,有的认为,作为一个公共场所,动物园应承担比较严格的责任,其原因在于:既然动物园收取了门票,就有义务承担更重的责任。无论在建设规模上,还是在人力、物力的投入上,都应该比一般动物饲养人的要求高。有的认为,法律不能对动物园的要求太低。一般动物园年游客接待量五百余万人次，学龄前儿童占15% ~20%，因此，从保护儿童的角度考虑，应当加重动物园的责任。有人提出，被侵权人的伤害，有些时候是因为自己不遵守动物园的规定，无视警示牌、不听工作人员的劝阻，擅自挑逗动物造成的，如果动物园已尽到管理责任的，应减轻或者不承担责任。有人提出，可以通过保险机制解决赔偿问题。据了解，现在动物园的门票里多没有包含保险费，游客可以在门票之外另买2元的保险费，保额为8万元，这完全是游客的自愿购买行为。

本条规定，动物园的动物造成他人损害的，动物园应当承担侵权责任，但能够证明尽到管理职责的，不承担责任。也就是说，如果动物园能够证明兽舍设施、设备没有瑕疵、有明显的警示牌，管理人员对游客挑逗、投打动物或者擅自翻越栏杆靠近动物等行为进行了劝阻，可以说该尽的管理职责已经做得很好了，那么动物园就可以不承担侵权责任。

三、关于野生动物

这里还有一个问题需要说明，关于野生动物致人损害的问题。侵权责任法草案曾在2002年一审稿中对野生动物致害问题进行过规定，即自然保护区内的野生动物造成他人损害的，由管理单位承担赔偿责任，但管理单位能够证明损害是由于受害人的过错造成的除外。由于第三人的过错造成损害的，第三人应当承担侵权责任。在草案征求意见中，对此意见分歧较大。

有人提出，随着生态环境极大改善，野生动物保护力度的加强，已绝迹多年的野生动物又频频出现在人们的视野中，但随之而来的是，华南虎经常跳入村民的猪圈、羊圈里，吃掉猪，衔走大山羊；野鹿成群出没，黑熊、野猪、猕猴等破坏庄稼；羚牛、大熊猫、金丝猴、扭角羚等珍稀动物也不断发生伤人毁物事件，农牧民防不胜防。野生动物频频伤人毁物，给地方政府和当地群众留下"剪不断，理还乱"的后事。相关人士呼吁建立野生动物补偿机制，否则，农牧民会"谈保护色变"，从而影响了保护动物的积极性。有人提出，作为国家重点保护的野生动物，从科学研究的角度、从保护物种多样性的角度都是很有必要的。然而，那些具有很强的攻击性的动物，在保护它们的同时，也会造成很多安全隐患。因此，野生动物伤害人身及损毁财产的，国家虽然不是侵权人，但要承担起赔偿或者补偿的责任。有人建议删去该条，由野生动物保护法等有关法律法规调整。

野生动物保护法第十四条规定，因保护国家和地方重点保护野生动物，造成农作物或其他损失的，由当地政府给予补偿。实践中很多地方性法规对此也都有规定。如《陕西省重点保护陆生野生动物造成人身财产损害补偿办法》规定，在本省行政区域内，国家和省重点保护陆生野生动物造成人身伤害或者财产损失的，受害人有依照本办法取得政府补偿的权利；造成人身伤害的，有得到政府医疗救治的权利。办法还规定，重点保护野生动物造成人身伤害且符合有关规定的，当地乡镇人民政府应当立即组织抢救。经抢救后需继续治疗或住院治疗的，应到县级人民政府指定的医疗机构治疗。抢救治疗费用由县级人民政府林业行政主管部门核实报销。同时规定，人身伤害医疗救治费和人身财产损害补偿费列入各级财政预算，由各级财政按照财政管理体制分级负担。重点保护野生动物造成人身伤害的，医疗救治费和损害补偿费省级财政负担80%，设区市、县级财政各负担10%；造成农作物、经济林木、家畜损害的，损害补偿费省级财政负担20%，设区市、县级财政各负担40%。

从上述规定可以看出，实践中对受到损害的单位和个人已经有了相关的救济措施。因此，侵权责任法对野生动物致害问题就没有再作专条规定。

**第八十二条　遗弃、逃逸的动物在遗弃、逃逸期间造成他人损害的，由原动物饲养人或者管理人承担侵权责任。**

**【释义】** 本条是关于遗弃、逃逸的动物在遗弃、逃逸期间造成他人损害的责任规定。

随着饲养动物的人越来越多，一些饲养的动物或者被抛弃，或者不慎走失，城市里流浪猫、狗等动物不断增多。数量众多的流浪动物不但成为城市管理的难题，而且对城市居民生活、健康也产生了严重危害。

一、流浪动物的现状

（一）相关数字

据有关部门于2009年的统计，在北京，流浪猫、狗约有100万只；在中等城市如长沙，流浪猫有3万多只、流浪狗有7千多只。流浪的动物繁殖能力惊人，据了解，一只狗一年生育2次，一次生仔1～13只；一只猫一年生育3次，一次生仔4～8只，其繁殖速度每年以几何数字增长。

导致饲养的动物流落街头的主要原因是：(1)因动物患病被饲养人抛弃；(2)饲养人不愿承担过高的办证费等费用；(3)不愿意饲养动物所生育的幼仔；(4)饲养人家庭生育了小孩，不再饲养动物；(5)城乡拆迁等原因抛弃所饲养的动物；(6)饲养的动物走失。

（二）流浪动物的危害

流浪动物无依无靠，只能自食其力。它们多在垃圾桶周围觅食，在城市的大街小巷里到处乱窜；它们的身上携带各种病毒和寄生虫，成了流动的“生物武器”，遇上适当的时机很可能成为威胁市民健康的祸害；它们的排泄物、呕吐物以及尸体可能带有病毒，很容易形成疾病的传染源，还可能污染水源，对公共卫生安全构成威胁。同时，流浪动物比较野性，容易对人产生仇视的情绪，攻击性强，危及人们的安全。

据有关部门统计，流浪动物伤人事件中，流浪狗占82%，流浪猫约占12%。在北京，每月到“狂犬病免疫预防门诊”就诊的人数就有近万人，其中大多是被流浪猫、狗抓伤、咬伤。至今，已知的人与猫、狗共患的疾病约有60多种，其中危害较大的常见疾病有十多种，如狂犬病、弓形虫病、钩端螺旋体病、结核病、皮霉菌病等。在我国，狂犬病的发病率和致死率多年居各类传染病之首，狂犬病的死亡率几乎是100%。

（三）管理措施

面对流浪动物数量不断增多、伤人事件不断高升的现状，一些地方采取了禁养措施，如陕西省汉中市和黑龙江省黑河市曾全面禁止养狗，强制捕杀辖区内的流浪狗甚至是正在饲养的宠物狗，但因社会争议较大而中止。

二、承担责任的主体

侵权责任法草案一审稿、二审稿对流浪动物的问题没有作规定。但在征求意见和调研时，一些部门、地方和专家建议，在侵权责任法中对流浪动物的问题作出规定，明确饲养人和管理人的管理责任，有助于从源头遏制遗弃饲养的动物，看管好自己饲养的动物以防丢失的情况发生。鉴于流浪动物问题的严重性，本章增加了遗弃、逃逸的动物在遗弃、逃逸期间造成他人损害的，由原动物饲养人或者管理人承担侵权责任。

动物的遗弃是指动物饲养人抛弃了动物。逃逸的动物是指饲养人并不是放弃了自己饲养的权利，而是暂时地丧失了对该动物的占有和控制。例如,饲养人张某的狗跑出去多日,张某明确表示他不再要这条狗了,而后该狗把他人咬伤。又如,李某饲养的牛离开牛群四处游荡,后来在公路上与汽车相撞,由此引发了交通事故。又如,甲饲养的一条狗经常咬人,于是甲将狗捆上石头投入河中后离开,希望狗被溺死,后狗被人救起而成为流浪狗并将乙咬伤。以上几个事件有动物饲养人主动遗弃的,也有动物逃逸的。

那么,动物在失去饲养人或者管理人控制下造成他人损害的,应当如何确定责任主体?法国、意大利等国民法典明确规定,动物的所有人或者使用人在使用期间,对走失或者逃脱的动物所造成的损害,应负赔偿责任。《智利民法典》规定,动物即使在逃逸或者迷失后造成损害,其所有权人亦负责任。《阿根廷民法典》规定,造成损害的动物非因看管者的过失而逃逸或迷失的,其所有权人的责任停止。动物的主人不得提出抛弃该动物的所有权而规避其损害的赔偿义务。《埃塞俄比亚民法典》规定,动物的所有人对动物所致的任何损害承担责任,即使动物偶然逃脱其控制,或所致损害时不可预见的,亦得如此。《阿尔及利亚民法典》规定,动物管理人即使并非为动物的所有人,应对动物(包括走失或者逃离的动物)致害的结果承担民事责任。但管理人能证明损害系不可归咎于管理人的意外原因所致者除外。英国判例对于丧失占有的动物造成损害的,如果尚能认为丧失占有的动物为被告之物,虽然该动物已恢复其天然状态,被告仍应负责。

因此,无论动物饲养人或者管理人遗弃动物,还是未尽到管理责任致使动物逃逸,其行为都是加剧了动物对人和社会的危险性,而损害的事实正是由于动物在失去人为的管理和控制下任意流动的危险性所导致。因此,为了社会公众利益,为了充分保护被侵权人利益，遗弃、逃逸动物的原饲养人或者管理人就应当对自己遗弃动物的行为，以及疏于管理没有尽到管理义务的行为承担责任。

**第八十三条　因第三人的过错致使动物造成他人损害的，被侵权人可以向动物饲养人或者管理人请求赔偿，也可以向第三人请求赔偿。动物饲养人或者管理人赔偿后，有权向第三人追偿。**

**【释义】**　本条是关于因第三人的过错致使动物造成他人损害，由谁承担责任的规定。

现实中经常发生的动物伤人事件，并非被侵权人自己有过错，也非动物独立行为致人伤害，很多情形是由于第三人的原因致使动物伤及他人。如某甲故意在马身边按车喇叭，致使拴在木桩上的马受惊挣脱绳子，冲出去撞伤了行人。众所周知，很难要求动物具有识别行为后果的能力，像这种在人的强制或者驱使下损害他人权益的行为，表面看似乎是动物致人伤害，其实动物已成为人的工具。本条就是要解决因第三人的原因，造成动物伤害他人的赔偿问题。

一、第三人的过错

第三人的过错是指被侵权人和动物饲养人或者管理人以外的人对动物造成损害有过错。第三人的过错在大多数场合表现为：有意挑逗、投打、投喂、诱使动物，其后果致使他人受到人身或者财产的损害，其实质是实施了诱发动物致害的行为。对此问题，日本专家认为，某人唆使动物给他人造成损害只能解释为将动物当作道具使用的人自身的加害行为，应适用《日本民法典》第709条“由于故意或者过失，侵害了他人权利或者法律上受保护的利益者，对由此产生的损害负有赔偿责任”的规定。鉴于第718条规定“动物占有人负赔偿其动物造成他人损害的责任。但是,按动物种类及性质,以相当注意进行保管者,不在此限”,在第三人唆使动物给他人造成损害的情形下,动物原占有人是否承担责任,还是需要根据其是否尽到了第718条规定的注意义务来判断。

二、对被侵权人救济的选择权

本条赋予了被侵权人的选择权。因第三人的过错致使动物造成被侵权人损害的,被侵权人既可以请求第三人承担赔偿责任,也可以请求动物饲养人或者管理人承担赔偿责任。这样规定,就可以使被侵权人根据具体情况要求赔偿。例如,甲饲养了一匹马,拴在自家的院内,乙路过此院看马很漂亮,便拿小棍子拍马,马受惊挣脱绳子冲出门,把正在路过的丙撞伤。这时被撞伤的丙既可以要求动物饲养人甲赔偿,也可以要求第三人乙赔偿。如果乙是个流浪汉,那么,作为第三人的乙与动物饲养人甲哪个更有赔偿能力就很明显了,被侵权人当然会选择经济实力强的动物饲养人甲进行赔偿。法律赋予被侵权人的选择权,一方面可使被侵权人获得法律救济、得到实际赔偿的可能性增大;另一方面也会使动物饲养人对动物的管理更加尽注意义务,从而减少动物伤人的机会。这样的设计可以让被侵权人受到更多的保护。

三、动物饲养人或者管理人的追偿权

本条还赋予了动物饲养人或者管理人的追偿权。动物饲养人或者管理人对被侵权人赔偿后,有权向第三人追偿。动物饲养人或者管理人之所以享有追偿权,是因为动物饲养人或者管理人实际上是代替第三人履行的赔偿义务,在动物饲养人或者管理人与第三人之间,第三人仍然是责任的最终承担者。法律规定,允许动物饲养人或者管理人在赔偿了被侵权人的损害后对第三人进行追偿，一方面有利于被侵权人及时获得救济，另一方面也是维护动物饲养人或者管理人自身权益的一项重要手段。

根据本条规定，第三人过错造成他人损害的，可作为动物饲养人或者管理人减轻或者不承担责任的事由，但这种减轻或者免责往往是从最终意义上讲的，而不是绝对的。审判实践中，经常出现损害是由第三人造成的，但第三人是谁一时难以查明，这时，可以先由饲养人或者管理人承担起责任，然后饲养人或者管理人再向第三人追偿。如果第三人找到了，动物饲养人或者管理人还可以追偿；如果第三人找不到，那就应由饲养人或者管理人承担全部责任。

**第八十四条　饲养动物应当遵守法律，尊重社会公德，不得妨害他人生活。**

**【释义】**　本条是关于动物饲养人应当遵守法律的规定。

老百姓养猫、狗等宠物，本无可非议，但饲养的动物伤害别人、滋事扰民，污染环境，那就不是他个人的事了。生活中，在居民小区，饲养的猫、狗很多，猫狗群吠，常常扰民。平日走在路上，居民们更是小心翼翼，不仅要防止踩上狗的排泄物，还要提防被冷不丁蹿出的猫狗吓着。有些狗不是虎视眈眈盯着路人，就是趴卧在路边，居民们经过时都是提心吊胆，放假期间也不敢让孩子们随意出门玩耍，生怕狗伤到孩子。

饲养宠物虽是爱心的体现，但事物都有两个方面，宠物除了能给人们带来快乐与安慰，也会对人带来伤害，而动物的一切行为约束全部靠动物饲养人的管制。

针对目前养犬伤人案件日益增多的现状，本条规定，饲养动物应当遵守法律，尊重社会公德，不得妨害他人生活。既然饲养了动物，饲养人就应该意识到自己担负着遵守社会公德和保护公共环境的双重社会责任，不能放任宠物侵扰他人的正常生活。动物饲养人应当自觉规范自己的行为，应该按照规定饲养动物：(1)动物饲养人或者管理人在携犬出户时，应当对犬束犬链，由成年人牵领，并应当避让老年人、残疾人、孕妇和儿童。(2)动物饲养人或者管理人不得让动物干扰他人正常生活。犬吠影响他人休息时，养犬人应当采取有效措施予以制止。(3)不得携犬进入市场、商店、商业街区、饭店、公园、公共绿地、学校、医院、展览馆、影剧院、体育场馆、社区公共健身场所、游乐场、候车室等公共场所；不得携犬乘坐除小型出租汽车以外的公共交通工具；携犬乘坐小型出租汽车时，应征得驾驶员的同意，并为犬戴嘴套，或者将犬装入犬袋、犬笼或者怀抱。(4)养犬人要定期为犬注射预防狂犬病疫苗；不得虐待、遗弃所养犬只。(5)携犬出户时，对犬在户外排泄的粪便，携犬人应当立即清除……

人与宠物和谐相处，是社会和谐、社会安定的一种体现。一个社区鸡飞狗跳，人与宠物、宠物与环境冲突不断，老百姓如何安居乐业。饲养动物的问题可以说涉及千家万户，涉及不同群体的利益。因此，对于动物饲养人或者管理人来讲，应当严格履行饲养动物的一些必要义务，规范自己的行为，不要给他人的生活带来不便，要充分考虑到不饲养动物人的利益，要依法、科学、文明地饲养动物。如果动物饲养人或者管理人都能遵守规范，能设身处地的处理因养犬所造成的邻里纠纷，对社会的和谐、安宁也是一份不小的贡献。希望动物饲养人或者管理人为和谐社会的文明建设做出努力，为创造良好的社会环境尽到应尽的义务。

# 第十一章 物件损害责任

本章共7条,规定了建筑物、构筑物或者其他设施及其搁置物、悬挂物发生脱落、坠落造成他人损害责任,建筑物、构筑物或者其他设施倒塌造成他人损害责任,从建筑物中抛掷物品或者从建筑物上坠落的物品造成他人损害责任,堆放物倒塌造成他人损害责任,在公共道路上堆放、倾倒、遗撒妨碍通行的物品造成他人损害责任,林木折断造成他人损害责任,在公共场所或者道路上挖坑、修缮安装地下设施等造成他人损害责任,窨井等地下设施造成他人损害责任。

物件损害责任,是指建筑物、构筑物或者其他设施及其搁置物、悬挂物,堆放物,妨碍通行物和林木等由于存在缺陷或者疏于管理、维护,造成他人损害,侵权人应当承担的侵权责任。

物件,包括建筑物、构筑物或者其他设施及其搁置物、悬挂物,堆放物,妨碍通行物和林木等。在侵权责任法立法过程中,有的意见认为,应当将本章章名中的"物件"修改为"建筑物和物件"、"工作物"或者"物品"。考虑到长期以来,"物件"这一用法已经被我国的民法理论和实践所接受,因此,侵权责任法仍采用"物件"的表述。

物件损害责任是侵权责任法的重要组成部分,很多国家和地区都对物件损害责任作了规定。例如,《德国民法典》规定了土地、建筑物以及其他附着于土地上的工作物的占有人、维护义务人的责任;《法国民法典》和《意大利民法典》用一个概括性的条款规定了物的照管人的责任,另外又单独规定了建筑物所有人的责任;《荷兰民法典》规定了土地、建筑物、构筑物、道路和其他工作物致人损害责任;《日本民法典》和《韩国民法典》规定了土地工作物、竹木等致人损害责任;我国台湾地区"民法典"规定了建筑物和其他工作物致人损害责任。

**第八十五条 建筑物、构筑物或者其他设施及其搁置物、悬挂物发生脱落、坠落造成他人损害,所有人、管理人或者使用人不能证明自己没有过错的,应当承担侵权责任。所有人、管理人或者使用人赔偿后,有其他责任人的,有权向其他责任人追偿。**

**【释义】** 本条是关于建筑物、构筑物或者其他设施及其搁置物、悬挂物脱落、坠落造成他人损害责任的规定。

建筑物、构筑物或者其他设施及其搁置物、悬挂物脱落、坠落造成他人损害责任,是侵权责任法中的重要制度。民法通则第一百二十六条规定:"建筑物或者其他设施以及建筑物上的搁置物、悬挂物发生倒塌、脱落、坠落造成他人损害的,它的所有人或者管理人应当承担民事责任,但能够证明自己没有过错的除外。"《最高人民法院关于审理人身损害赔偿案件适用法律若干问题的解释》第十六条规定,道路、桥梁、隧道等人工建造的构筑物因维护、管理瑕疵致人损害的,适用民法通则第一百二十六条的规定,由所有人或者管理人承担赔偿责任,但能够证明自己没有过错的除外。《最高人民法院关于民事诉讼证据的若干规定》第四条规定,建筑物或者其他设施以及建筑物上的搁置物、悬挂物发生倒塌、脱落、坠落致人损害的侵权诉讼,由所有人或者管理人对其无过错承担举证责任。在民法通则、司法解释和司法实践经验的基础上，侵权责任法对建筑物、构筑物或者其他设施及其搁置物、悬挂物脱落、坠落造成他人损害责任作了规定。

一、建筑物、构筑物或者其他设施及其搁置物、悬挂物发生脱落、坠落造成他人损害，所有人、管理人或者使用人不能证明自己没有过错的，应当承担侵权责任

（一）关于建筑物、构筑物或者其他设施及其搁置物、悬挂物

建筑物是指人工建造的、固定在土地上，其空间用于居住、生产或者存放物品的设施，如住宅、写字楼、车间、仓库等。

构筑物或者其他设施，是指人工建造的、固定在土地上、建筑物以外的某些设施，如道路、桥梁、隧道、城墙、堤坝等。

建筑物、构筑物或者其他设施上的搁置物、悬挂物，是指搁置、悬挂在建筑物、构筑物或者其他设施上，非建筑物、构筑物或者其他设施本身组成部分的物品。例如，搁置在阳台上的花盆、悬挂在房屋天花板上的吊扇、脚手架上悬挂的建筑工具等。

建筑物、构筑物或者其他设施及其搁置物、悬挂物脱落、坠落，是指建筑物、构筑物或者其他设施的某一个组成部分以及搁置物、悬挂物从建筑物、构筑物或者其他设施上脱落、坠落。例如，房屋墙壁上的瓷砖脱落、房屋天花板坠落、吊灯坠落、屋顶瓦片滑落、房屋窗户玻璃被风刮碎坠落、阳台上放置的花盆坠落等。

（二）所有人、管理人或者使用人不能证明自己没有过错的，应当承担侵权责任

建筑物、构筑物或者其他设施的所有人、管理人或者使用

人应当对建筑物、构筑物或者其他设施及其搁置物、悬挂物进行合理的管理、维护,避免给他人造成损害。例如,要保证建筑物等设施及其搁置物、悬挂物的稳固;应当进行必要的检查,发现可能造成他人损害的,要及时采取相应的安全措施等。建筑物、构筑物或者其他设施及其搁置物、悬挂物脱落、坠落造成他人损害,本条规定了三个侵权责任主体:

一是所有人。所有人是指对建筑物等设施拥有所有权的人。建筑物、构筑物或者其他设施多为不动产。一般来讲,不动产的所有人是指不动产登记机构依法登记确定的人。我国物权法第九条规定,不动产物权的设立、变更、转让和消灭,经依法登记,发生效力;未经登记,不发生效力,但法律另有规定的除外。第十六条规定,不动产登记簿是物权归属和内容的根据。有时,虽然没有登记,但是也可以依法确定不动产的所有人。例如,我国物权法第三十条规定:"因合法建造、拆除房屋等事实行为设立或者消灭物权的,自事实行为成就时发生效力。"因此,在农村宅基地上自建的房屋和城市中一些依法新建的房屋,虽然没有来得及登记,仍然可以依法确定具体的所有人。

建筑物、构筑物等设施的所有人依法享有所有权,同时也承担维护、管理的义务,建筑物、构筑物或者其他设施及其搁置物、悬挂物脱落、坠落造成他人损害的,所有人应当依法承担侵权责任。许多国家和地区的法律都明确规定了建筑物等设施致人损害时所有人的责任。

二是管理人。管理人是指对建筑物等设施及其搁置物、悬挂物负有管理、维护义务的人。我国国有资产一般由特定的机关或者单位进行管理。例如,物权法第五十四条规定:"国家举办的事业单位对其直接支配的不动产和动产,享有占有、使用以及依照法律和国务院的有关规定收益、处分的权利。”教育法第二十八条规定,学校及其他教育机构管理、使用本单位的设施和经费。因此,一般来讲,公立学校里国家所有的建筑物、构筑物等由学校管理,学校是其管理人。

三是使用人。一般来讲,使用人是指因租赁、借用或者其他情形使用建筑物等设施的人。侵权责任法立法过程中,有的意见认为,实践中,建筑物等设施的所有人将其出租或者出借,使用人的不当使用是导致建筑物等设施及其搁置物、悬挂物发生脱落、坠落的原因之一。因此,建筑物等设施及其搁置物、悬挂物脱落、坠落致人损害,使用人不能证明自己没有过错的,也应当承担侵权责任。经研究,侵权责任法规定了使用人的责任。

一般来讲,使用人承担责任有两种情形:一是,使用人依法对其使用的建筑物、构筑物或者其他设施负有管理、维护的义务时,因其管理、维护不当造成他人损害。例如,合同法第二百二十条规定:“出租人应当履行租赁物的维修义务,但当事人另有约定的除外。”当根据合同约定,房屋承租人对房屋有管理、维护义务时,房屋及其搁置物、悬挂物脱落、坠落造成他人损害,承租人不能证明自己没有过错的,要承担侵权责任。二是,使用人对建筑物、构筑物或者其他设施的搁置物、悬挂物管理、维护不当,造成他人损害。例如,承租人在阳台上放置的花盆或者晾晒的物品坠落造成他人损害,承租人不能证明自己没有过错的,要承担侵权责任。

(三)归责原则

本条采用过错推定原则。损害发生后,被侵权人证明自己的损害是因建筑物等设施或者其搁置物、悬挂物脱落、坠落造成的,所有人、管理人或者使用人对自己没有过错承担举证责任，其不能证明自己没有过错的，应当承担侵权责任。

所有人、管理人或者使用人控制着建筑物等设施及其搁置物、悬挂物，一般情况下，这些设施或者物体的脱落、坠落与所有人、管理人或者使用人在管理、维护时存在过错有很大关系。另外，被侵权人通常并不了解建筑物等设施及其搁置物、悬挂物的管理、维护情况，很难获得足够的证据。因此，让被侵权人来证明所有人、管理人或者使用人的过错，对被侵权人来说不公平。采用过错推定原则，既符合社会生活的实际情况，也有利于保护被侵权人的合法权益。多年的司法实践也证明，对建筑物等设施及其搁置物、悬挂物脱落、坠落致人损害责任采用过错推定原则，是科学合理的。

二、所有人、管理人或者使用人赔偿后，有其他责任人的，有权向其他责任人追偿

本条规定，所有人、管理人或者使用人赔偿后，有其他责任人的，有权向其他责任人追偿。

其他责任人，是指所有人、管理人或者使用人之外的，对损害的发生负有责任的人。建筑物、构筑物或者其他设施及其搁置物、悬挂物脱落、坠落造成他人损害，所有人、管理人或者使用人不能证明自己没有过错的，应当对被侵权人承担侵权责任。实践中，有时损害的发生除了与所有人、管理人或者使用人的过错有关外，还与其他人有关，只是该其他人不直接对被侵权人承担侵权责任。但是，所有人、管理人或者使用人向被侵权人赔偿后，有权向该其他责任人追偿。例如，房屋所有人与承揽人签订承揽合同，由承揽人为房屋安装防盗网。由于承揽人的过错，防盗网没有安装牢固，后来坠落将他人砸伤。房屋所有人不能证明自己没有过错的，应当对被侵权人承担侵权责任。另外，由于防盗网的坠落与承揽人的过错有

关,根据合同法的规定,承揽人应当向房屋所有人承担责任。因此,房屋所有人对被侵权人赔偿后,有权向承揽人追偿。

有些国家和地区也对追偿权作了规定。《瑞士债权法》第58条规定:“(1)房屋或者其他建筑物的所有人对因设计缺陷,或者结构缺陷,或者维修不足造成的损害承担赔偿责任。(2)所有人可以向应当承担责任的人追偿。”《日本民法典》第717条规定,因土地的工作物设置或保存有瑕疵,致他人产生损害时,工作物的占有人对受害人负损害赔偿责任。但是,占有人为防止损害发生已尽了必要注意时,损害应由所有人赔偿。就损害原因另有责任者时,占有人或所有人可以对其行使求偿权。我国台湾地区“民法典”第191条规定:“土地上之建筑物或其他工作物所致他人权利之损害,由工作物之所有人负赔偿责任……如别有应负责任之人时,赔偿损害之所有人,对于该应负责者,有求偿权。”

**第八十六条　建筑物、构筑物或者其他设施倒塌造成他人损害的,由建设单位与施工单位承担连带责任。建设单位、施工单位赔偿后,有其他责任人的,有权向其他责任人追偿。**

**因其他责任人的原因,建筑物、构筑物或者其他设施倒塌造成他人损害的,由其他责任人承担侵权责任。**

**【释义】** 本条是关于建筑物、构筑物或者其他设施倒塌造成他人损害责任的规定。

一、立法背景

由于近年来我国发生多起房屋、桥梁倒塌事故,对人民群众的生命、财产安全造成了较大危害,建筑物、构筑物等设施的质量问题引发了社会的广泛关注。侵权责任法专门对建筑物、构筑物或者其他设施倒塌造成他人损害的情形作了规定。

建筑物倒塌造成他人损害的，是否应当明确规定建设单位、施工单位等承担侵权责任，在侵权责任法立法过程中，有不同意见。有的意见认为，建筑物倒塌严重危害人民群众的人身、财产安全，应当对此作出严格规定，从而促使建设单位等提高建设工程质量，杜绝"豆腐渣"工程，保障人民群众的生命财产安全。有的意见则认为，造成建筑物、构筑物或者其他设施倒塌的原因复杂，建议依照建筑法、建设工程质量管理条例等法律、法规的规定追究责任，没有必要在侵权责任法中专门规定。经同有关部门研究，侵权责任法区分了建筑物倒塌与脱落、坠落的不同责任，规定建筑物、构筑物或者其他设施倒塌造成他人损害的，由建设单位与施工单位承担连带责任。建设单位、施工单位赔偿后，有其他责任人的，有权向其他责任人追偿。因其他责任人的原因，建筑物、构筑物或者其他设施倒塌造成他人损害的，由其他责任人承担侵权责任。

本条所说的倒塌，是指建筑物、构筑物或者其他设施坍塌、倒覆，造成该建筑物、构筑物或者其他设施丧失基本使用功能。例如，楼房倒塌、桥梁的桥墩坍塌、电视塔从中间折断、烟囱倾倒等。

二、建设单位与施工单位的连带责任以及建设单位、施工单位对其他责任人的追偿权

（一）建筑物、构筑物或者其他设施倒塌造成他人损害的，由建设单位与施工单位承担连带责任

本条第一款第一句规定了建设单位与施工单位承担连带责任。我国一些法律和司法解释都对相关问题作了规定。根据建筑法第五十五条、第五十六条的规定，建筑工程实行总承包的，工程质量由工程总承包单位负责，总承包单位将建筑工程分包给其他单位的，应当对分包工程的质量与分包单位承

担连带责任。分包单位应当接受总承包单位的质量管理。建筑工程的勘察、设计单位必须对其勘察、设计的质量负责。刑法第一百三十七条规定:“建设单位、设计单位、施工单位、工程监理单位违反国家规定,降低工程质量标准,造成重大安全事故的,对直接责任人员,处五年以下有期徒刑或者拘役,并处罚金;后果特别严重的,处五年以上十年以下有期徒刑,并处罚金。”《最高人民法院关于审理人身损害赔偿案件适用法律若干问题的解释》第十六条规定,道路、桥梁、隧道等人工建造的构筑物因设计、施工缺陷造成损害的,由所有人、管理人与设计、施工者承担连带责任。

侵权责任法立法过程中,对于建筑物、构筑物或者其他设施倒塌致人损害的责任承担,有不同意见:

有的意见认为,为了更好地保护被侵权人,应当规定由建设单位、设计单位、施工单位、监理单位等承担连带责任。

有的意见认为,在实践中,被侵权人一般都不去要求设计、施工单位等承担责任,有时甚至根本不知道设计、施工单位是谁,因此,通常是向建设单位求偿。所以没有必要将侵权责任主体的范围扩大至设计单位、施工单位等。建议规定由建设单位承担侵权责任,建设单位赔偿后,可以向有过错的勘察单位、设计单位、施工单位和监理单位等追偿。

经研究,本条第一款规定,建筑物、构筑物或者其他设施倒塌造成他人损害的,由建设单位与施工单位承担连带责任。建设单位、施工单位赔偿后,有其他责任人的,有权向其他责任人追偿。本款对建筑物、构筑物或者其他设施倒塌造成他人损害规定了两个责任主体:

一是建设单位。通常情况下,建设单位依法取得土地使用权,在该土地上建造建筑物、构筑物或者其他设施,是建设工程合同的总发包人。实践中，房地产开发企业、机关和工厂是比较常见的建设单位。建设单位是建设工程合同的发包人，通过选择、确定勘察单位、设计单位、施工单位和监理单位等，参与工程建设的很多环节，对建设工程的质量有很大的影响。因此，很多相关的法律、法规都对建设单位的义务进行了规定。根据合同法和《建设工程质量管理条例》的规定，建设单位对建设工程发包的，应当发包给具有相应资质等级的单位，建设单位可以与总承包人订立建设工程合同，也可以分别与勘察人、设计人、施工人订立勘察、设计、施工承包合同。但是，不得将应当由一个承包人完成的建设工程肢解成若干部分发包给几个承包人。建设单位依法对建设工程质量负责。建设单位违反《建设工程质量管理条例》的规定，对建设工程未组织竣工验收，擅自交付使用，或者验收不合格，擅自交付使用，或者对不合格的建设工程按照合格工程验收，造成损失的，依法承担赔偿责任。

二是施工单位。施工单位与建设单位或者其他发包人签订建设工程合同，对建设工程进行施工。实践中，建筑公司是比较常见的施工单位。建设工程施工企业要符合法律、法规规定的条件。根据建筑法的规定，承包建筑工程的单位应当持有依法取得的资质证书，并在其资质等级许可的业务范围内承揽工程。建筑施工企业不能超越本企业资质等级许可的业务范围或者以任何形式用其他建筑施工企业的名义承揽工程，也不能以任何形式允许其他单位或者个人使用本企业的资质证书、营业执照，以本企业的名义承揽工程。施工单位负责建设工程的具体施工工作，对建设工程质量有比较直接的影响，应当对建设工程的质量负责。施工单位既包括总承包施工单位，也包括分包施工单位。我国相关的法律对施工单位的责任作了规定，建筑法第五十五条规定："建筑工程实行总承包的，工程质量由工程总承包单位负责，总承包单位将建筑工程分包给其他单位的，应当对分包工程的质量与分包单位承担连带责任。分包单位应当接受总承包单位的质量管理。"第五十八条规定："建筑施工企业对工程的施工质量负责。建筑施工企业必须按照工程设计图纸和施工技术标准施工，不得偷工减料。工程设计的修改由原设计单位负责，建筑施工企业不得擅自修改工程设计。"第六十七条规定，承包单位将承包的工程转包的，或者违反本法规定进行分包的，对因转包工程或者违法分包的工程不符合规定的质量标准造成的损失，与接受转包或者分包的单位承担连带赔偿责任。

根据本条第一款第一句的规定，建筑物、构筑物或者其他设施倒塌造成他人损害的，由建设单位与施工单位承担连带责任。建筑物倒塌造成他人损害的，被侵权人既可以要求建设单位承担侵权责任，也可以要求施工单位承担侵权责任，还可以要求二者共同承担侵权责任。

（二）建设单位和施工单位赔偿后，有其他责任人的，有权向其他责任人追偿

本条第一款第二句规定，建设单位、施工单位赔偿后，有其他责任人的，有权向其他责任人追偿。

建筑物、构筑物或者其他设施倒塌的，除了建设单位、施工单位以外，可能还存在其他责任人。例如，如果设计人的设计存在缺陷，造成建筑物倒塌，根据建筑法和《建设工程质量管理条例》的规定，设计单位应当对建筑物的倒塌负责。根据本条第一款的规定，对被侵权人承担责任的直接主体是建设单位和施工单位，不包括设计单位。此时，设计单位属于本条第一款所说的其他责任人，建设单位、施工单位赔偿后，有

权向设计单位追偿。

一般来讲,本条第一款规定的“其他责任人”,主要包括以下范围:

一是勘察单位、设计单位等。建筑法第五十六条规定:“建筑工程的勘察、设计单位必须对其勘察、设计的质量负责。勘察、设计文件应当符合有关法律、行政法规的规定和建筑工程质量、安全标准、建筑工程勘察、设计技术规范以及合同的约定。设计文件选用的建筑材料、建筑构配件和设备,应当注明其规格、型号、性能等技术指标,其质量要求必须符合国家规定的标准。”第七十三条规定,建筑设计单位不按照建筑工程质量、安全标准进行设计,造成损失的,承担赔偿责任。《建设工程质量管理条例》第十九条规定:“勘察、设计单位必须按照工程建设强制性标准进行勘察、设计,并对其勘察、设计的质量负责。注册建筑师、注册结构工程师等注册执业人员应当在设计文件上签字,对设计文件负责。”

二是监理单位。合同法第二百七十六条规定,发包人与监理人的权利和义务以及法律责任,应当依照本法委托合同以及其他有关法律、行政法规的规定。建筑法第三十五条规定,工程监理单位不按照委托监理合同的约定履行监理义务,对应当监督检查的项目不检查或者不按照规定检查,给建设单位造成损失的,应当承担相应的赔偿责任。工程监理单位与承包单位串通,为承包单位谋取非法利益,给建设单位造成损失的,应当与承包单位承担连带赔偿责任。《建设工程质量管理条例》第三十六条规定,工程监理单位代表建设单位对施工质量实施监理,并对施工质量承担监理责任。

三是勘察、设计、监理单位以外的责任人。例如,根据建筑法第七十九条的规定,负责颁发建筑工程施工许可证的部门及其工作人员对不符合施工条件的建筑工程颁发施工许可证，负责工程质量监督检查或者竣工验收的部门及其工作人员对不合格的建筑工程出具质量合格文件或者按合格工程验收，造成损失的，由该部门承担相应的赔偿责任。

三、因其他责任人的原因，建筑物、构筑物或者其他设施倒塌造成他人损害的，由其他责任人承担侵权责任

建筑物、构筑物或者其他设施倒塌有多种原因，有的是因质量不合格，有的是由于年久失修，有的是业主擅自改变承重结构，不宜都由建设单位、施工单位承担责任。因此，本条第二款规定，因其他责任人的原因，建筑物、构筑物或者其他设施倒塌造成他人损害的，由其他责任人承担侵权责任。建筑物等设施因质量不合格而倒塌造成他人损害的，一般适用本条第一款的规定；如果建筑物等设施倒塌是因超过合理使用期限、业主擅自改变承重结构等特殊情形造成的，被侵权人可以根据本条第二款的规定，依法直接请求造成建筑物等设施倒塌的其他责任人承担侵权责任。《建设工程质量管理条例》第四十二条规定，建设工程在超过合理使用年限后需要继续使用的，产权所有人应当委托具有相应资质等级的勘察、设计单位鉴定，并根据鉴定结果采取加固、维修等措施，重新界定使用期。如果建筑物等设施已经超过合理的使用年限，所有人不采取必要的加固、维修等安全措施，导致建筑物等设施倒塌造成他人损害的，所有人即属于本条第二款规定的"其他责任人"，被侵权人可以依照本条第二款的规定，要求所有人承担侵权责任。根据物权法第七十一条的规定，业主对其建筑物专有部分行使权利不得危及建筑物的安全。《建设工程质量管理条例》第六十九条规定，房屋建筑使用者在装修过程中擅自变动房屋建筑主体和承重结构，造成损失的，

依法承担赔偿责任。如果业主或者其他房屋使用者在装修房屋的过程中，擅自拆改房屋的承重墙导致房屋倒塌造成他人损害的，该业主或者其他使用人即属于本条第二款规定的“其他责任人”，应当承担侵权责任。

**第八十七条　从建筑物中抛掷物品或者从建筑物上坠落的物品造成他人损害，难以确定具体侵权人的，除能够证明自己不是侵权人的外，由可能加害的建筑物使用人给予补偿。**

**【释义】**　本条是关于从建筑物中抛掷物品或者从建筑物上坠落的物品造成他人损害，难以确定具体加害人时，如何对被侵权人进行救济的规定。

一、立法背景

实践中，建筑物不明抛掷物、坠落物致人损害的情形时有发生，比较典型的有“重庆烟灰缸案”、“济南菜板案”和“深圳玻璃案”。

（1）重庆烟灰缸案。2000年5月10日深夜，重庆市的郝某在街上被一只从天而降的烟灰缸砸在了头上，基本丧失了生活自理能力。公安机关侦查后，未能查到具体的加害人。郝某将位于出事地点的65号和67号楼的开发商及该两幢楼一层以上的24户居民告上法庭，要求他们共同赔偿自己的医药费、精神损失费等各种费用共计17万余元。一审法院驳回郝某对开发商的诉讼请求，根据过错推定原则，判决24户居民中的22户共同分担16万余元的赔偿责任，每户赔偿8000余元。二审法院维持原判。

（2）济南菜板案。2001年6月20日中午，李某某等的母亲孟某某在济南市林祥南街76号楼二单元一楼入口处，突然被从该单元楼上落下的一块菜板砸中头部，后经抢救无效死亡。由于不知道该菜板是楼上谁家扔的，李某某等对该楼二单元住户共15户提起诉讼，要求他们承担损害赔偿责任。济南市市中区人民法院经审理认为，原告在起诉中无法确定致其母亲死亡的加害人，缺乏具体明确的被告。根据民事诉讼法第一百零八条第（二）项的规定，原告起诉时，必须要有明确的被告。本案中，原告的起诉不符合该规定，因此裁定驳回起诉。原告不服该裁定，向济南市中级人民法院提起上诉。济南市中级人民法院以同样的理由裁定驳回上诉，维持原裁定。在再审程序中，法院仍然维持了原裁定。

（3）深圳玻璃案。2006年5月31日傍晚，深圳市的一名小学生在经过一幢居民楼时，被该楼上掉下的一块玻璃砸中头部，当场死亡。公安机关侦查后，无法查明具体的加害人。该小学生的父母起诉该居民楼二层以上73家居民和管理该居民楼的物业公司，要求他们共同赔偿20万元。一审法院认为原告没有证据证明该楼的73家居民对损害的发生有过错，因此这些居民不承担侵权责任。但物业公司在管理上存在疏漏，判决物业公司承担30%的赔偿责任。判决后，原告认为该楼的居民应当承担侵权责任，而物业公司认为自己不应当承担侵权责任，双方均提起上诉。

通过上述案例可以看到，由于缺乏明确的法律规定，法院在审理这类案件时没有统一、明确的依据。在司法实践中，不同的法院会有完全不同的处理结果，有时在同一法院内部，法官之间也会存在分歧。在当事人不接受调解的情况下，法院的裁判常常难以令当事人信服，当事人往往提起上诉、再审，从而长期陷入纠纷之中，这不利于促进社会和谐稳定。为了统一审判依据，保护当事人的合法权益，侵权责任法对从建筑物中抛掷物品或者从建筑物上坠落的物品造成他人损害，难以确定具体侵权人时，如何救济被侵权人作了规定。

二、立法过程中的一些不同意见

本法起草过程中，对于建筑物不明抛掷物、坠落物致人损害的责任承担，有不同意见。

一种意见认为，不宜规定由建筑物使用人承担侵权责任。理由是：（1）侵权责任的承担需要以可归责性为前提，缺乏可归责性的，受害人就应当风险自负。建筑物抛掷物、坠落物致人损害，难以确定具体侵权人的，缺乏可归责性，让所有可能加害的建筑物使用人承担责任，对他们不公平。（2）建筑物抛掷物、坠落物致人损害，难以确定具体侵权人时的责任归属，既不能用建筑物所有人、管理人责任来分析，也无法用共同侵权来解释，更难以用英美法系“市场份额”理论来推理。由可能加害的建筑物使用人承担侵权责任，缺乏理论基础，其他国家和地区也没有这样的立法例。（3）让所有可能加害的建筑物使用人承担侵权责任，牵涉的范围太大，容易引发更多的矛盾。（4）侵权责任法不能解决所有的问题，不可能保证所有被侵权人的损失都能够得到充分的填补。对于建筑物不明抛掷物、坠落物致人损害这类涉及公众安全的问题，可以考虑通过社会保险、国家救助基金制度等解决。

另一种意见认为，应当由可能加害的建筑物使用人承担赔偿责任。理由是：（1）一般情况下，真正的侵权人就在建筑物使用人的范围内，如果仅因为不能够确定具体的侵权人而让被侵权人自己承担损害后果，对被侵权人不公平，同时也是对侵权行为的纵容。（2）这种情况与共同危险行为类似，在难以确定具体侵权人时，可以借鉴共同危险行为的责任承担方式，由可能加害的建筑物使用人承担侵权责任。（3）让可能加害的建筑物使用人承担侵权责任，有利于发现真正的侵权人。由于建筑物使用人以外的人难以深入了解建筑物的使用情况,因此由被侵权人寻找真正的侵权人是极其困难的。同一建筑物的使用人多是长期生活在一起的邻居,相对比较熟悉,可以更方便地知道真正的侵权人,但是,人们大多抱着“多一事不如少一事”的心态,特别是碍于邻里关系,不愿提供证据证明他人的违法行为,这就使得更加难以查找到真正的侵权人,有时即使是公安机关也很难查出具体的侵权人。让可能加害的建筑物使用人对被侵权人承担赔偿责任,可以促使他们积极举证,有利于确定真正的侵权人。

还有一种意见认为,应当由可能加害的建筑物使用人对被侵权人给予补偿。建筑物抛掷物、坠落物造成他人损害,难以确定具体侵权人的,如果让被侵权人自己承担不利后果,对被侵权人不公平。如果让可能加害的建筑物使用人承担赔偿责任,建筑物使用人也难以接受。但是,让可能加害的建筑物使用人对被侵权人给予补偿,既保护了被侵权人的合法权益,同时也使建筑物使用人在心理上更容易接受,有利于缓和矛盾,解决纠纷。

经过对上述意见反复研究,本条规定,从建筑物中抛掷物品或者从建筑物上坠落的物品造成他人损害,难以确定具体侵权人的,除能够证明自己不是侵权人的外,由可能加害的建筑物使用人给予补偿。

三、本条的基本含义

(一)关于从建筑物中抛掷物品或者从建筑物上坠落的物品

造成他人损害的物品须是从建筑物中抛掷或坠落的。如果物体并非从建筑物中抛掷或坠落,不适用该规定。例如,在群众性活动中被他人从人群中抛掷的物品砸伤而无法确定具体的侵权人时，被侵权人不能依据这一条主张由参加活动的所有可能的侵权人承担赔偿责任。在道路上被机动车撞伤而无法确定具体的加害车辆时，被侵权人不能主张由当时所有经过的可能加害的车辆承担赔偿责任。

（二）关于难以确定具体侵权人

难以确定具体侵权人是指无法确定物品具体是从哪一个房间抛掷、坠落的，因此无法确定具体的侵权人。

（三）关于可能加害的建筑物使用人

在建筑物使用人是多人的情况下，从建筑物中抛掷物品或者从建筑物上坠落的物品造成他人损害，难以确定具体侵权人的，要从这些使用人中确定可能的侵权人。本条规定的建筑物使用人，是指在侵权行为发生时建筑物的实际使用人。建筑物使用人在建筑物内进行活动，控制、管理着建筑物和建筑物内的物品，建筑物抛掷物、坠落物致人损害，无法确定具体侵权人时，在他们中间确定可能的侵权人，符合社会生活实践经验。

使用人包括使用建筑物的所有权人、承租人、借用人以及其他使用建筑物的人。物业服务公司是否属于建筑物使用人，要视具体情况而定，一般情况下，物业服务公司只是与业主签订合同，负责对物业的管理、服务，并不占有、控制建筑物本身，其不属于建筑物使用人。但是，如果物业服务公司实际占有、使用建筑物，则其也属于建筑物使用人。

如果按照社会生活实践经验、科学手段以及其他方法，可以推测认为抛掷物、坠落物有可能是从某人使用的建筑物中抛掷或坠落的，则该使用人就是本条所说的“可能加害的建筑物使用人”。当然，这种可能性必须在一定的合理范围内。例如，如果被侵权人在街上被建筑物上的抛掷物、坠落物砸伤,难以确定具体侵权人的,并非该条街上所有的建筑物的使用人均要承担责任,而是首先要将范围界定在侵权行为发生地周围合理范围内的建筑物的使用人。再如,如果被侵权人在一座居民楼的北面被从该楼上抛掷或坠落的物品砸伤,一般认为,居住在该楼南面的居民不属于“可能加害的建筑物使用人”。

(四)除能够证明自己不是侵权人的外,由可能加害的建筑物使用人给予补偿

本条采用举证责任倒置。根据本条规定,无法确定具体的侵权人的,由被侵权人证明自己是被建筑物上的抛掷物、坠落物伤害的,由建筑物使用人证明自己不是侵权人。建筑物使用人不能证明自己不是侵权人的,要对被侵权人受到的损害进行补偿。如果有证据能够确定具体的侵权人,则其他可能加害的建筑物使用人无须再举证证明自己不是侵权人。

建筑物抛掷物、坠落物造成他人损害,难以确定具体侵权人的,由可能加害的建筑物使用人对被侵权人给予补偿。各个可能加害的建筑物使用人之间不承担连带责任,而是按份分别对被侵权人进行补偿。被侵权人不能要求某一个或一部分可能加害的建筑物使用人补偿其全部的损害,可能加害的建筑物使用人按照自己应承担的份额对被侵权人进行补偿后,也不能向其他可能加害的建筑物使用人追偿。但是,发现了真正侵权人的,可以向真正的侵权人进行追偿。

四、本条规定的意义

本条的规定,填补了法律的空白,解决了困扰司法实践的难题,体现了本法“促进社会和谐稳定”的立法目的。具体来说,这一规定有以下几个方面的意义:

（一）填补被侵权人的损失，实现社会公平正义

随着我国城镇化进程的加快，高层建筑越来越多，建筑物抛掷物、坠落物造成他人损害的情形时有发生，有时甚至造成他人重伤、死亡。虽然，从理论上讲，受害人的损害可以通过保险和基金得到填补，但是，由于我国的保险制度和社会救助制度还不完善，实践中被侵权人往往无法通过这些渠道获得救济；同时，由于缺乏相应的法律规定，被侵权人有时也无法通过诉讼获得救济，只能自己承担损害后果，这不利于保障被侵权人的权利，有损社会公平正义。在侵权责任法立法过程中，多数意见认为应当对这种情形作出规定，由可能加害的建筑物使用人对被侵权人进行补偿。需要说明的是，侵权责任法第八十七条的这一规定并非类似于刑法上的“有罪推定”。与刑事责任相比，民事责任一个重要的功能就是补偿被侵权人的损失，也正因为如此，民事诉讼与刑事诉讼的证据规则也有所不同。民法中的举证责任倒置制度，不是对被告的不公平，而是为了平衡当事人之间的利益，合理地保护被侵权人，最终实现实质意义上的公平。因此，建筑物抛掷物、坠落物造成他人损害，难以确定具体加害人时，让可能加害的建筑物使用人举证证明自己不是真正的加害人，符合民法公平正义的精神。对此，其他国家也有立法例，《智利民法典》第2328条规定，自建筑物的高层部分坠落或投掷的物件引起的损害，应归责于一切居住于建筑物的该部分的人，赔偿金在所有这些人中分摊，但损害事实经证明仅可归因于某人的过失或恶意时，该人应单独承担责任。

（二）合理分散损失，促进社会和谐稳定

建筑物抛掷物、坠落物造成他人损害，特别是造成他人重伤、残疾的，如果让被侵权人自己承担损害后果，可能会导致

其陷入生活的困境。而让可能加害的建筑物使用人对被侵权人进行补偿,每一个可能加害的建筑物使用人只承担整个损失的一小部分。从总体上来讲,侵权责任法的这一规定有利于合理分散损失,有利于促进社会和谐稳定。

(三)有利于维护社会秩序

在现实生活中,由于物业管理水平、人们的生活习惯和安全意识等多种原因,出现了建筑物抛掷物、坠落物造成他人损害的情形,这给人们的安全生活秩序造成了不好的影响。本条的规定,可以促进人们对相关问题的关注,依法通过各种途径减少或者避免类似情形的发生,改善整体的生活环境,形成良好的生活秩序。例如,在侵权责任法立法过程中,有人就指出,某一小区经常发生建筑物不明抛掷物造成他人损害的情形,在一次诉讼中,法院判决由可能加害的建筑物使用人承担责任之后,该小区业主为了避免类似情形的发生,安装了监控设备,加强了管理,减少了从建筑物中抛掷物体的行为。

五、建筑物不明抛掷物、坠落物致人损害与共同危险行为的区别

建筑物不明抛掷物、坠落物致人损害与共同危险行为有以下几点区别:(1)通常情况下,建筑物不明抛掷物、坠落物致人损害,是某一个人抛掷物品或者其管理的物品坠落;共同危险行为是多个人同时实施危害他人安全的行为。(2)建筑物不明抛掷物、坠落物造成他人损害,难以确定具体侵权人的,由可能加害的建筑物使用人给予补偿,尽管这些建筑物使用人实际上并没有抛掷物品或者其物品并没有坠落;共同危险行为中,不能确定具体侵权人的,因为共同危险行为人都实施了危及他人安全的行为,因此由共同危险行为人承担责任。(3)建筑物不明抛掷物、坠落物造成他人损害,难以确定具体

侵权人的，由可能加害的建筑物使用人对受害人给予补偿；共同危险行为中，不能确定具体侵权人的，行为人承担连带责任。

**第八十八条 堆放物倒塌造成他人损害，堆放人不能证明自己没有过错的，应当承担侵权责任。**

**【释义】** 本条是关于堆放物倒塌造成他人损害责任的规定。

堆放物是指堆放在土地上或者其他地方的物品。堆放物须是非固定在其他物体上，如建筑工地上堆放的砖块、木料场堆放的圆木等。

本条所说的倒塌，包括堆放物整体的倒塌和部分的脱落、坠落、滑落、滚落等。例如，码头堆放的集装箱倒塌、建筑工地上堆放的建筑材料倒塌、伐木场堆放的圆木滚落等。

堆放人是指将物体堆放在某处的人。堆放人可能是所有人，也可能是管理人。堆放人应当合理选择堆放地点、堆放高度，要堆放稳固并看管好堆放的物品，防止被他人随意挪动，防止他人特别是限制行为能力人和无行为能力人攀爬等。

本条采用过错推定原则。堆放人不能证明自己没有过错的，承担侵权责任。堆放物的倒塌是因不可抗力、第三人的故意造成的，堆放人不承担侵权责任。如《最高人民法院关于处理涉及汶川地震相关案件适用法律问题的意见（二）》第九条规定，因地震灾害致使堆放物品倒塌、滚落、滑落的，所有人或者管理人不承担赔偿责任。需要说明的是，在这些情形下，仍然需要堆放人举证证明自己对堆放物倒塌致人损害没有过错，堆放人不能证明自己没有过错的，仍然要承担侵权责任。

**第八十九条　在公共道路上堆放、倾倒、遗撒妨碍通行的物品造成他人损害的，有关单位或者个人应当承担侵权责任。**

**【释义】** 本条是关于在公共道路上堆放、倾倒、遗撒妨碍通行物造成他人损害责任的规定。

一、关于公共道路

公共道路是指公共通行的道路。根据公路法和公路管理条例的规定，公路是指经公路主管部门验收认定的城间、城乡间、乡间能行驶汽车的公共道路，公路包括公路渡口、公路路基、路面、桥梁、涵洞、隧道。根据道路交通安全法的规定，道路是指公路、城市道路和虽在单位管辖范围但允许社会机动车通行的地方，包括广场、公共停车场等用于公众通行的场所。本条所说的公共道路包括但不局限于公路法、《公路管理条例》中的公路以及道路交通安全法中的道路。公共道路既包括通行机动车的道路，也包括人行道路。另外，广场、停车场等可供公共通行的场地、建筑区划内属于业主共有但允许不特定的公众通行的道路都属于公共道路。

二、关于堆放、倾倒、遗撒妨碍通行物

本条规定的堆放、倾倒、遗撒妨碍通行物，是指在公共道路上堆放、倾倒、遗撒物品，影响他人对该公共道路正常、合理的使用。公共道路的使用关系到公众的利益，在道路上堆放、倾倒、遗撒妨碍通行物，会对他人的安全造成不合理的危险。公路法第四十六条规定，任何单位和个人不得在公路上及公路用地范围内摆摊设点、堆放物品、倾倒垃圾、设置障碍、挖沟引水、利用公路边沟排放污物或者进行其他损坏、污染公路和影响公路畅通的活动。道路交通安全法第四十八条规定，机动车载物的长、宽、高不得违反装载要求，不得遗洒、飘散载运物。

在公共道路上堆放、倾倒、遗撒妨碍通行物，既可以是堆放、倾倒、遗撒固体物，例如，在公共道路上非法设置路障、晾晒粮食、倾倒垃圾等；也可以是倾倒液体、排放气体，例如，运油车将石油泄漏到公路上、非法向道路排水、热力井向道路散发出大量蒸汽。

被侵权人被堆放、倾倒、遗撒的妨碍通行物损害，有多种情形。例如，行人在公共道路上被妨碍通行物绊倒、滑倒；司机被公共道路上非法堆放的物体遮挡视线，驾驶机动车撞到路旁的建筑物上。

三、关于有关单位或者个人

本条规定的有关单位或者个人，主要是指堆放、倾倒、遗撒妨碍通行物的单位或者个人。任何人都应当遵守道路管理规则，避免在道路上堆放、倾倒、遗撒妨碍通行物。在公共道路上堆放、倾倒、遗撒妨碍通行物造成他人损害的，应当承担侵权责任。堆放、倾倒、遗撒妨碍通行物，可能是行为人主动将物品堆放、倾倒、抛撒在公共道路上，例如，故意将垃圾倾倒在路面上；也可能是有关的单位或者个人疏于对物品的管理，导致该物品妨碍公共道路的通行，例如，在运输货物的时候，行为人没有将货物束紧，货物在运输途中散落到公路上。但是，也不完全排除对公共道路负有管理、维护义务的单位或者个人的责任。为了保障公共道路具有良好的使用状态，公共道路的管理、维护者要及时发现道路上出现的妨碍通行的情况并采取合理的措施。例如，要及时发现并清理道路上出现的妨碍通行物。

**第九十条　因林木折断造成他人损害，林木的所有人或者管理人不能证明自己没有过错的，应当承担侵权责任。**

【释义】 本条是关于林木折断造成他人损害责任的规定。

一、关于林木折断

本条所说的林木，包括自然生长和人工种植的林木。在侵权责任法立法过程中，有的意见提出，应当将林木限于公共场所的林木或者分布在城镇规划区、居民点和村庄的林木，不包括林地规划范围和非人类居住区的林木。侵权责任法的本条规定并未限定林木生长的地域范围，林地中的林木、公共道路旁的林木以及院落周围零星生长的树木等折断造成他人损害，林木的所有人或者管理人不能证明自己没有过错的，均要承担侵权责任。当然，根据林木生长的具体情况，认定林木所有人或者管理人的过错应有所区别。

林木折断造成他人损害，不仅包括林木枝蔓等的掉落造成他人损害，还包括其他情形，如实践中出现的椰树果实坠落砸伤路人、树木倒伏压坏路旁汽车等。

二、关于林木的所有人或者管理人

我国森林法第二十七条规定，国有企业事业单位、机关、团体、部队营造的林木，由营造单位经营并按照国家规定支配林木收益。集体所有制单位营造的林木，归该单位所有。农村居民在房前屋后、自留地、自留山种植的林木，归个人所有。城镇居民和职工在自有房屋的庭院内种植的林木，归个人所有。集体或者个人承包国家所有和集体所有的宜林荒山荒地造林的，承包后种植的林木归承包的集体或者个人所有；承包合同另有规定的，按照承包合同的规定执行。

林木的所有人或者管理人应当对林木进行合理的维护，防止林木出现危害他人安全的情形。例如，所有人或者管理人应当固定好新栽的树木，在林木可能危害他人的安全时，要设置明显标志并采取相应的安全措施，及时消除危险状态，例如，要及时修剪干枯的树枝、采伐干枯的树木，及时清理树上的积雪，及时采摘成熟的果实等。

三、归责原则

《最高人民法院关于审理人身损害赔偿案件适用法律若干问题的解释》第十六条规定，树木倾倒、折断或者果实坠落致人损害的，适用民法通则第一百二十六条的规定，由所有人或者管理人承担赔偿责任，但能够证明自己没有过错的除外。对于林木折断造成他人损害，侵权责任法延续了过错推定的归责原则，规定因林木折断造成他人损害，林木的所有人或者管理人不能证明自己没有过错的，应当承担侵权责任。

所有人或者管理人要证明自己没有过错，通常要证明其对林木已经尽到了管理、维护的义务。需要说明的是，很多时候，林木的折断表面上是由于自然原因或者第三人等的原因造成的，但实质上与所有人或者管理人的过错有关。例如，大风将因虫害而枯死的大树刮倒，砸伤了过路的行人。大风和虫害是导致树木折断的因素，但由于虫害可能是因所有人或者管理人没有尽到管理、维护的义务造成的，因此，所有人或者管理人不能证明自己没有过错的，仍然要承担侵权责任。再如，他人驾驶机动车撞到树木上，造成树木倾斜，后来树木倾倒或者折断造成他人损害，所有人或者管理人不能证明在该树木被撞倾斜后，自己为了防止该树木倾倒或者折断而及时采取了合理措施的，仍然要承担责任。

如果林木的折断完全是因自然原因、第三人或者受害人的过错造成，林木的所有人或者管理人能够证明自己没有过错的，不承担侵权责任。

**第九十一条　在公共场所或者道路上挖坑、修缮安装地下设施等，没有设置明显标志和采取安全措施造成他人损害的，施工人应当承担侵权责任。**

**窨井等地下设施造成他人损害，管理人不能证明尽到管理职责的，应当承担侵权责任。**

**【释义】** 本条是关于在公共场所或者道路上施工等造成他人损害责任和窨井等地下设施造成他人损害责任的规定。

一、在公共场所或者道路上挖坑、修缮安装地下设施等，没有设置明显标志和采取安全措施造成他人损害的，施工人应当承担侵权责任

民法通则第一百二十五条规定："在公共场所、道旁或者通道上挖坑、修缮安装地下设施等，没有设置明显标志和采取安全措施造成他人损害的，施工人应当承担民事责任。"司法实践证明，民法通则的这一规定符合社会实践的需要，是科学合理的。侵权责任法借鉴了民法通则的做法，规定在公共场所或者道路上挖坑、修缮安装地下设施等，没有设置明显标志和采取安全措施造成他人损害的，施工人应当承担侵权责任。

（一）关于在公共场所或者道路上施工

在公共场所或者道路上施工，是指在公共场所或者道路上挖坑、修路、修缮安装地下设施等，如架设电线、铺设管道、维修公路、修缮下水道等。

公共场所是不特定人聚集、通行的场所，在这些场所施工，很有可能对他人造成损害，因此，需要更加注意保护他人的安全。在公共场所或者道路上施工，应当取得有关管理部门的许可，必须设置明显的警示标志和采取有效的安全措施。根据道路交通安全法第三十二条、第一百零四条的规定，因工

程建设需要占用、挖掘道路，或者跨越、穿越道路架设、增设管线设施，应当事先征得道路主管部门的同意；影响交通安全的，还应当征得公安机关交通管理部门的同意。施工作业单位应当在经批准的路段和时间内施工作业，并在距离施工作业地点来车方向安全距离处设置明显的安全警示标志，采取防护措施；施工作业完毕，应当迅速清除道路上的障碍物，消除安全隐患，经道路主管部门和公安机关交通管理部门验收合格，符合通行要求后，方可恢复通行。未经批准，擅自挖掘道路、占用道路施工或者从事其他影响道路交通安全活动，致使通行的人员、车辆及其他财产遭受损失的，依法承担赔偿责任。根据公路法第三十二条的规定，改建公路时，施工单位应当在施工路段两端设置明显的施工标志、安全标志。需要车辆绕行的，应当在绕行路口设置标志；不能绕行的，必须修建临时通道，保证车辆和行人通行。根据《城市道路管理条例》第二十四条、第三十五条的规定，城市道路的养护、维修工程应当按照规定的期限修复竣工，并在养护、维修工程施工现场设置明显标志和安全防围设施，保障行人和交通车辆安全。经批准挖掘城市道路的，应当在施工现场设置明显标志和安全防围设施；竣工后，应当及时清理现场，通知市政工程行政主管部门检查验收。

在公共场所或者道路上施工，应当设置明显标志和采取安全措施，包括以下几个方面的内容：

第一，设置的警示标志必须具有明显性。施工人设置的警示标志要足以引起他人对施工现场的注意，从而使他人采取相应的安全应对措施，如减速、绕行等。例如，在高速公路上施工，必须在距离施工现场较远的地方就要设置警示标志，而不能只在直接施工的地点设置警示标志；阴天或者夜间施工,应当设置必要的照明设备等。

第二,施工人要保证警示标志的稳固并负责对其进行维护,使警示标志持续地存在于施工期间。例如,应当保证警示标志牢固,防止被风刮走;在警示标志毁损时,应当及时修复等。

第三,仅设置明显的标志不足以保障他人的安全的,施工人还应当采取其他有效的安全措施。例如,在道路上挖坑,通常应当将施工现场用保护设施围起来,而不仅仅是提醒行人注意道路上的坑。施工人采取的措施,在正常情况下必须足以保证他人的安全。

(二)关于施工人

公共场所施工致人损害的责任人是施工人。施工人直接控制着施工场地,因此应当承担对施工场地的管理和维护义务,保障他人的安全。施工人是指组织施工的单位或者个人,而非施工单位的工作人员或者个体施工人的雇员。施工人一般是承包或者承揽他人的工程进行施工的单位或者个人,有时也可能是为自己的工程施工。

(三)公共场所施工和在公共道路上设置妨碍通行物

公共场所施工致人损害责任和在公共道路上设置妨碍通行物致人损害责任存在以下区别:

一是发生的原因不同。公共场所施工致人损害责任,是施工人在施工过程中没有设置明显标志和采取安全措施,造成他人损害时应当承担的侵权责任。在公共道路上设置妨碍通行物致人损害责任,是在公共道路上堆放、倾倒、遗撒妨碍通行的物品造成他人损害,有关的单位和个人应当承担的侵权责任。

二是责任主体不同。公共场所施工致人损害的责任主体是施工人，在公共道路上堆放、倾倒、遗撒妨碍通行的物品造成他人损害的责任主体是有关的单位和个人。

二、窨井等地下设施造成他人损害，管理人不能证明尽到管理职责的，应当承担侵权责任

窨井是指上下水道或者其他地下管线工程中，为便于检查或疏通而设置的井状构筑物。其他地下设施包括地窖、水井、下水道以及其他地下坑道等。

实践中，经常出现地下设施缺乏防护措施而致人损害的情形。《城市道路管理条例》第二十三条规定：“设在城市道路上的各类管线的检查井、箱盖或者城市道路附属设施，应当符合城市道路养护规范。因缺损影响交通和安全时，有关产权单位应当及时补缺或者修复。”治安管理处罚法第三十七条规定：“在车辆、行人通行的地方施工，对沟井坎穴不设覆盖物、防围和警示标志的，或者故意损毁、移动覆盖物、防围和警示标志的，处五日以下拘留或者五百元以下罚款；情节严重的，处五日以上十日以下拘留，可以并处五百元以下罚款。”

通过侵权责任法的规定，明确窨井等地下设施致人损害时责任的承担，有利于保护被侵权人的利益，也有利于促使地下设施的管理人认真履行职责，确保窨井等地下设施的安全，保护公众合法权益。

窨井等地下设施的管理人，是指负责对该地下设施进行管理、维护的单位或者个人。城市地下设施复杂，例如有输水、输油、输气、输电设施等，不同的地下设施可能属于不同的单位管理，在损害发生后要明确具体的管理人，由相关的管理人依法承担侵权责任。

# 第十二章　附　　则

**第九十二条　本法自2010年7月1日起施行。**

**【释义】** 本条是关于侵权责任法施行日期的规定。

立法法第五十一条规定:“法律应当明确规定施行日期。”法律的施行时间是法律开始发生效力的时间。一部法律何时开始发生效力,需要具体的规定。正确理解法律关于施行时间的规定,是运用法律的前提条件。

法律从何时起施行?目前我国立法实践中主要是在法律条文中直接规定,从其公布之日起生效施行。这样可以使法律立刻发挥规范相关法律关系的准绳作用。也有不少法律在法律条文中确定法律公布一段时间后的某一日期,作为法律开始生效施行的日期。这样可以为法律的实施留出一定的宣传和准备时间。两种方式的共同点在于,无论哪种方法,法律发挥其作用的时间都是确定的。选择不同的规定方式是由不同法律的性质和现实对这部法律的不同需要程度决定的。

侵权责任法在中国特色社会主义法律体系中具有非常重要的地位,是保障公民、法人的生命健康、人身自由、名誉权、隐私权、物权、知识产权等民事权益,维护经济秩序,构建和谐社会的基本规范。侵权责任法的制定和施行,有利于减少民事纠纷,维护广大群众的合法权益,促进社会公平正义,促进社会和谐稳定,应当早日实施侵权责任法。侵权责任法关系公民的日常生活和企业的生产经营,内容丰富,涉及面广,为其实施留出充分的准备时间也是十分必要的。

综合考虑侵权责任法的重要性和进行前期准备的必要性，本条规定，侵权责任法自 2010 年 7 月 1 日起施行。这样，侵权责任法的实施就有了半年的准备期。在准备期间，要广泛宣传和深入学习这部法律，相关的部门要依法制定配套制度，为侵权责任法的实施做好准备工作。

# 第二部分　附　　录

## 中华人民共和国侵权责任法

（2009年12月26日第十一届全国人民代表大会常务委员会第十二次会议通过　2009年12月26日中华人民共和国主席令第21号公布自2010年7月1日起施行）

目　　录

## 第一章 一般规定

**第一条** 为保护民事主体的合法权益，明确侵权责任，预防并制裁侵权行为，促进社会和谐稳定，制定本法。

**第二条** 侵害民事权益，应当依照本法承担侵权责任。

本法所称民事权益，包括生命权、健康权、姓名权、名誉权、荣誉权、肖像权、隐私权、婚姻自主权、监护权、所有权、用益物权、担保物权、著作权、专利权、商标专用权、发现权、股权、继承权等人身、财产权益。

**第三条** 被侵权人有权请求侵权人承担侵权责任。

**第四条** 侵权人因同一行为应当承担行政责任或者刑事责任的，不影响依法承担侵权责任。

因同一行为应当承担侵权责任和行政责任、刑事责任，侵权人的财产不足以支付的，先承担侵权责任。

**第五条** 其他法律对侵权责任另有特别规定的，依照其规定。

## 第二章 责任构成和责任方式

**第六条** 行为人因过错侵害他人民事权益，应当承担侵权责任。

根据法律规定推定行为人有过错，行为人不能证明自己没有过错的，应当承担侵权责任。

**第七条** 行为人损害他人民事权益，不论行为人有无过错，法律规定应当承担侵权责任的，依照其规定。

**第八条** 二人以上共同实施侵权行为，造成他人损害的，应当承担连带责任。

**第九条** 教唆、帮助他人实施侵权行为的，应当与行为人承担连带责任。

教唆、帮助无民事行为能力人、限制民事行为能力人实施侵权行为的，应当承担侵权责任；该无民事行为能力人、限制民事行为能力人的监护人未尽到监护责任的，应当承担相应的责任。

**第十条** 二人以上实施危及他人人身、财产安全的行为，其中一人或者数人的行为造成他人损害，能够确定具体侵权人的，由侵权人承担责任；不能确定具体侵权人的，行为人承担连带责任。

**第十一条** 二人以上分别实施侵权行为造成同一损害，每个人的侵权行为都足以造成全部损害的，行为人承担连带责任。

**第十二条** 二人以上分别实施侵权行为造成同一损害，能够确定责任大小的，各自承担相应的责任；难以确定责任大小的，平均承担赔偿责任。

**第十三条** 法律规定承担连带责任的，被侵权人有权请求部分或者全部连带责任人承担责任。

**第十四条** 连带责任人根据各自责任大小确定相应的赔偿数额；难以确定责任大小的，平均承担赔偿责任。

支付超出自己赔偿数额的连带责任人，有权向其他连带责任人追偿。

**第十五条** 承担侵权责任的方式主要有：

（一）停止侵害；

（二）排除妨碍；

（三）消除危险；

（四）返还财产；

（五）恢复原状；

（六）赔偿损失；

（七）赔礼道歉；

(八)消除影响、恢复名誉。

以上承担侵权责任的方式,可以单独适用,也可以合并适用。

**第十六条** 侵害他人造成人身损害的,应当赔偿医疗费、护理费、交通费等为治疗和康复支出的合理费用,以及因误工减少的收入。造成残疾的,还应当赔偿残疾生活辅助具费和残疾赔偿金。造成死亡的,还应当赔偿丧葬费和死亡赔偿金。

**第十七条** 因同一侵权行为造成多人死亡的,可以以相同数额确定死亡赔偿金。

**第十八条** 被侵权人死亡的,其近亲属有权请求侵权人承担侵权责任。被侵权人为单位,该单位分立、合并的,承继权利的单位有权请求侵权人承担侵权责任。

被侵权人死亡的,支付被侵权人医疗费、丧葬费等合理费用的人有权请求侵权人赔偿费用,但侵权人已支付该费用的除外。

**第十九条** 侵害他人财产的,财产损失按照损失发生时的市场价格或者其他方式计算。

**第二十条** 侵害他人人身权益造成财产损失的,按照被侵权人因此受到的损失赔偿;被侵权人的损失难以确定,侵权人因此获得利益的,按照其获得的利益赔偿;侵权人因此获得的利益难以确定,被侵权人和侵权人就赔偿数额协商不一致,向人民法院提起诉讼的,由人民法院根据实际情况确定赔偿数额。

**第二十一条** 侵权行为危及他人人身、财产安全的,被侵权人可以请求侵权人承担停止侵害、排除妨碍、消除危险等侵权责任。

**第二十二条** 侵害他人人身权益,造成他人严重精神损害的,被侵权人可以请求精神损害赔偿。

**第二十三条** 因防止、制止他人民事权益被侵害而使自己受到损害的,由侵权人承担责任。侵权人逃逸或者无力承担责任,被侵权人请求补偿的,受益人应当给予适当补偿。

**第二十四条**　受害人和行为人对损害的发生都没有过错的,可以根据实际情况,由双方分担损失。

**第二十五条**　损害发生后,当事人可以协商赔偿费用的支付方式。协商不一致的,赔偿费用应当一次性支付;一次性支付确有困难的,可以分期支付,但应当提供相应的担保。

## 第三章　不承担责任和减轻责任的情形

**第二十六条**　被侵权人对损害的发生也有过错的,可以减轻侵权人的责任。

**第二十七条**　损害是因受害人故意造成的,行为人不承担责任。

**第二十八条**　损害是因第三人造成的,第三人应当承担侵权责任。

**第二十九条**　因不可抗力造成他人损害的,不承担责任。法律另有规定的,依照其规定。

**第三十条**　因正当防卫造成损害的,不承担责任。正当防卫超过必要的限度,造成不应有的损害的,正当防卫人应当承担适当的责任。

**第三十一条**　因紧急避险造成损害的,由引起险情发生的人承担责任。如果危险是由自然原因引起的,紧急避险人不承担责任或者给予适当补偿。紧急避险采取措施不当或者超过必要的限度,造成不应有的损害的,紧急避险人应当承担适当的责任。

## 第四章　关于责任主体的特殊规定

**第三十二条**　无民事行为能力人、限制民事行为能力人造成他人损害的,由监护人承担侵权责任。监护人尽到监护责任的，可以减轻其侵权责任。

有财产的无民事行为能力人、限制民事行为能力人造成他人损害的，从本人财产中支付赔偿费用。不足部分，由监护人赔偿。

**第三十三条**　完全民事行为能力人对自己的行为暂时没有意识或者失去控制造成他人损害有过错的，应当承担侵权责任；没有过错的，根据行为人的经济状况对受害人适当补偿。

完全民事行为能力人因醉酒、滥用麻醉药品或者精神药品对自己的行为暂时没有意识或者失去控制造成他人损害的，应当承担侵权责任。

**第三十四条**　用人单位的工作人员因执行工作任务造成他人损害的，由用人单位承担侵权责任。

劳务派遣期间，被派遣的工作人员因执行工作任务造成他人损害的，由接受劳务派遣的用工单位承担侵权责任；劳务派遣单位有过错的，承担相应的补充责任。

**第三十五条**　个人之间形成劳务关系，提供劳务一方因劳务造成他人损害的，由接受劳务一方承担侵权责任。提供劳务一方因劳务自己受到损害的，根据双方各自的过错承担相应的责任。

**第三十六条**　网络用户、网络服务提供者利用网络侵害他人民事权益的，应当承担侵权责任。

网络用户利用网络服务实施侵权行为的，被侵权人有权通知网络服务提供者采取删除、屏蔽、断开链接等必要措施。网络服务提供者接到通知后未及时采取必要措施的，对损害的扩大部分与该网络用户承担连带责任。

网络服务提供者知道网络用户利用其网络服务侵害他人民事权益，未采取必要措施的，与该网络用户承担连带责任。

**第三十七条**　宾馆、商场、银行、车站、娱乐场所等公共场所的管理人或者群众性活动的组织者，未尽到安全保障义务，造成他人损害的，应当承担侵权责任。

因第三人的行为造成他人损害的，由第三人承担侵权责任；管理人或者组织者未尽到安全保障义务的，承担相应的补充责任。

**第三十八条** 无民事行为能力人在幼儿园、学校或者其他教育机构学习、生活期间受到人身损害的，幼儿园、学校或者其他教育机构应当承担责任，但能够证明尽到教育、管理职责的，不承担责任。

**第三十九条** 限制民事行为能力人在学校或者其他教育机构学习、生活期间受到人身损害，学校或者其他教育机构未尽到教育、管理职责的，应当承担责任。

**第四十条** 无民事行为能力人或者限制民事行为能力人在幼儿园、学校或者其他教育机构学习、生活期间，受到幼儿园、学校或者其他教育机构以外的人员人身损害的，由侵权人承担侵权责任；幼儿园、学校或者其他教育机构未尽到管理职责的，承担相应的补充责任。

## 第五章 产品责任

**第四十一条** 因产品存在缺陷造成他人损害的，生产者应当承担侵权责任。

**第四十二条** 因销售者的过错使产品存在缺陷，造成他人损害的，销售者应当承担侵权责任。

销售者不能指明缺陷产品的生产者也不能指明缺陷产品的供货者的，销售者应当承担侵权责任。

**第四十三条** 因产品存在缺陷造成损害的，被侵权人可以向产品的生产者请求赔偿，也可以向产品的销售者请求赔偿。

产品缺陷由生产者造成的，销售者赔偿后，有权向生产者追偿。

因销售者的过错使产品存在缺陷的，生产者赔偿后，有权向销售者追偿。

**第四十四条** 因运输者、仓储者等第三人的过错使产品存在缺陷，造成他人损害的，产品的生产者、销售者赔偿后，有权向第三人追偿。

**第四十五条** 因产品缺陷危及他人人身、财产安全的，被侵权人有权请求生产者、销售者承担排除妨碍、消除危险等侵权责任。

**第四十六条** 产品投入流通后发现存在缺陷的，生产者、销售者应当及时采取警示、召回等补救措施。未及时采取补救措施或者补救措施不力造成损害的，应当承担侵权责任。

**第四十七条** 明知产品存在缺陷仍然生产、销售，造成他人死亡或者健康严重损害的，被侵权人有权请求相应的惩罚性赔偿。

## 第六章 机动车交通事故责任

**第四十八条** 机动车发生交通事故造成损害的，依照道路交通安全法的有关规定承担赔偿责任。

**第四十九条** 因租赁、借用等情形机动车所有人与使用人不是同一人时，发生交通事故后属于该机动车一方责任的，由保险公司在机动车强制保险责任限额范围内予以赔偿。不足部分，由机动车使用人承担赔偿责任；机动车所有人对损害的发生有过错的，承担相应的赔偿责任。

**第五十条** 当事人之间已经以买卖等方式转让并交付机动车但未办理所有权转移登记，发生交通事故后属于该机动车一方责任的，由保险公司在机动车强制保险责任限额范围内予以赔偿。不足部分，由受让人承担赔偿责任。

**第五十一条** 以买卖等方式转让拼装或者已达到报废标准的机动车，发生交通事故造成损害的，由转让人和受让人承担连带责任。

**第五十二条** 盗窃、抢劫或者抢夺的机动车发生交通事故造成损害的，由盗窃人、抢劫人或者抢夺人承担赔偿责任。保险公司在机动车强制保险责任限额范围内垫付抢救费用的，有权向交通事故责任人追偿。

**第五十三条** 机动车驾驶人发生交通事故后逃逸，该机动车参加强制保险的，由保险公司在机动车强制保险责任限额范围内予以赔偿；机动车不明或者该机动车未参加强制保险，需要支付被侵权人人身伤亡的抢救、丧葬等费用的，由道路交通事故社会救助基金垫付。道路交通事故社会救助基金垫付后，其管理机构有权向交通事故责任人追偿。

## 第七章 医疗损害责任

**第五十四条** 患者在诊疗活动中受到损害，医疗机构及其医务人员有过错的，由医疗机构承担赔偿责任。

**第五十五条** 医务人员在诊疗活动中应当向患者说明病情和医疗措施。需要实施手术、特殊检查、特殊治疗的，医务人员应当及时向患者说明医疗风险、替代医疗方案等情况，并取得其书面同意；不宜向患者说明的，应当向患者的近亲属说明，并取得其书面同意。

医务人员未尽到前款义务，造成患者损害的，医疗机构应当承担赔偿责任。

**第五十六条** 因抢救生命垂危的患者等紧急情况，不能取得患者或者其近亲属意见的，经医疗机构负责人或者授权的负责人批准，可以立即实施相应的医疗措施。

**第五十七条** 医务人员在诊疗活动中未尽到与当时的医疗

水平相应的诊疗义务，造成患者损害的，医疗机构应当承担赔偿责任。

**第五十八条** 患者有损害，因下列情形之一的，推定医疗机构有过错：

（一）违反法律、行政法规、规章以及其他有关诊疗规范的规定；

（二）隐匿或者拒绝提供与纠纷有关的病历资料；

（三）伪造、篡改或者销毁病历资料。

**第五十九条** 因药品、消毒药剂、医疗器械的缺陷，或者输入不合格的血液造成患者损害的，患者可以向生产者或者血液提供机构请求赔偿，也可以向医疗机构请求赔偿。患者向医疗机构请求赔偿的，医疗机构赔偿后，有权向负有责任的生产者或者血液提供机构追偿。

**第六十条** 患者有损害，因下列情形之一的，医疗机构不承担赔偿责任：

（一）患者或者其近亲属不配合医疗机构进行符合诊疗规范的诊疗；

（二）医务人员在抢救生命垂危的患者等紧急情况下已经尽到合理诊疗义务；

（三）限于当时的医疗水平难以诊疗。

前款第一项情形中，医疗机构及其医务人员也有过错的，应当承担相应的赔偿责任。

**第六十一条** 医疗机构及其医务人员应当按照规定填写并妥善保管住院志、医嘱单、检验报告、手术及麻醉记录、病理资料、护理记录、医疗费用等病历资料。

患者要求查阅、复制前款规定的病历资料的，医疗机构应当提供。

**第六十二条** 医疗机构及其医务人员应当对患者的隐私保

密。泄露患者隐私或者未经患者同意公开其病历资料，造成患者损害的，应当承担侵权责任。

**第六十三条** 医疗机构及其医务人员不得违反诊疗规范实施不必要的检查。

**第六十四条** 医疗机构及其医务人员的合法权益受法律保护。干扰医疗秩序，妨害医务人员工作、生活的，应当依法承担法律责任。

## 第八章 环境污染责任

**第六十五条** 因污染环境造成损害的，污染者应当承担侵权责任。

**第六十六条** 因污染环境发生纠纷，污染者应当就法律规定的不承担责任或者减轻责任的情形及其行为与损害之间不存在因果关系承担举证责任。

**第六十七条** 两个以上污染者污染环境，污染者承担责任的大小，根据污染物的种类、排放量等因素确定。

**第六十八条** 因第三人的过错污染环境造成损害的，被侵权人可以向污染者请求赔偿，也可以向第三人请求赔偿。污染者赔偿后，有权向第三人追偿。

## 第九章 高度危险责任

**第六十九条** 从事高度危险作业造成他人损害的，应当承担侵权责任。

**第七十条** 民用核设施发生核事故造成他人损害的，民用核设施的经营者应当承担侵权责任，但能够证明损害是因战争等情形或者受害人故意造成的，不承担责任。

**第七十一条** 民用航空器造成他人损害的，民用航空器的经营者应当承担侵权责任，但能够证明损害是因受害人故意造成的,不承担责任。

**第七十二条** 占有或者使用易燃、易爆、剧毒、放射性等高度危险物造成他人损害的,占有人或者使用人应当承担侵权责任,但能够证明损害是因受害人故意或者不可抗力造成的,不承担责任。被侵权人对损害的发生有重大过失的,可以减轻占有人或者使用人的责任。

**第七十三条** 从事高空、高压、地下挖掘活动或者使用高速轨道运输工具造成他人损害的,经营者应当承担侵权责任,但能够证明损害是因受害人故意或者不可抗力造成的,不承担责任。被侵权人对损害的发生有过失的,可以减轻经营者的责任。

**第七十四条** 遗失、抛弃高度危险物造成他人损害的,由所有人承担侵权责任。所有人将高度危险物交由他人管理的,由管理人承担侵权责任;所有人有过错的,与管理人承担连带责任。

**第七十五条** 非法占有高度危险物造成他人损害的,由非法占有人承担侵权责任。所有人、管理人不能证明对防止他人非法占有尽到高度注意义务的,与非法占有人承担连带责任。

**第七十六条** 未经许可进入高度危险活动区域或者高度危险物存放区域受到损害,管理人已经采取安全措施并尽到警示义务的,可以减轻或者不承担责任。

**第七十七条** 承担高度危险责任,法律规定赔偿限额的,依照其规定。

## 第十章 饲养动物损害责任

**第七十八条** 饲养的动物造成他人损害的,动物饲养人或者管理人应当承担侵权责任,但能够证明损害是因被侵权人故意或者重大过失造成的,可以不承担或者减轻责任。

**第七十九条** 违反管理规定,未对动物采取安全措施造成他人损害的，动物饲养人或者管理人应当承担侵权责任。

**第八十条**　禁止饲养的烈性犬等危险动物造成他人损害的，动物饲养人或者管理人应当承担侵权责任。

**第八十一条**　动物园的动物造成他人损害的，动物园应当承担侵权责任，但能够证明尽到管理职责的，不承担责任。

**第八十二条**　遗弃、逃逸的动物在遗弃、逃逸期间造成他人损害的，由原动物饲养人或者管理人承担侵权责任。

**第八十三条**　因第三人的过错致使动物造成他人损害的，被侵权人可以向动物饲养人或者管理人请求赔偿，也可以向第三人请求赔偿。动物饲养人或者管理人赔偿后，有权向第三人追偿。

**第八十四条**　饲养动物应当遵守法律，尊重社会公德，不得妨害他人生活。

## 第十一章　物件损害责任

**第八十五条**　建筑物、构筑物或者其他设施及其搁置物、悬挂物发生脱落、坠落造成他人损害，所有人、管理人或者使用人不能证明自己没有过错的，应当承担侵权责任。所有人、管理人或者使用人赔偿后，有其他责任人的，有权向其他责任人追偿。

**第八十六条**　建筑物、构筑物或者其他设施倒塌造成他人损害的，由建设单位与施工单位承担连带责任。建设单位、施工单位赔偿后，有其他责任人的，有权向其他责任人追偿。

因其他责任人的原因，建筑物、构筑物或者其他设施倒塌造成他人损害的，由其他责任人承担侵权责任。

**第八十七条**　从建筑物中抛掷物品或者从建筑物上坠落的物品造成他人损害，难以确定具体侵权人的，除能够证明自己不是侵权人的外，由可能加害的建筑物使用人给予补偿。

**第八十八条**　堆放物倒塌造成他人损害，堆放人不能证明自己没有过错的,应当承担侵权责任。

**第八十九条** 在公共道路上堆放、倾倒、遗撒妨碍通行的物品造成他人损害的,有关单位或者个人应当承担侵权责任。

**第九十条** 因林木折断造成他人损害,林木的所有人或者管理人不能证明自己没有过错的,应当承担侵权责任。

**第九十一条** 在公共场所或者道路上挖坑、修缮安装地下设施等,没有设置明显标志和采取安全措施造成他人损害的,施工人应当承担侵权责任。

窨井等地下设施造成他人损害,管理人不能证明尽到管理职责的,应当承担侵权责任。

## 第十二章 附 则

**第九十二条** 本法自2010年7月1日起施行。

# 全国人民代表大会法律委员会关于《〈中华人民共和国民法(草案)〉的说明》中关于侵权责任法草案的说明

(2002年12月17日九届全国人大常委会第三十一次会议)

为加强对公民、法人合法权益的保护,有必要进一步完善我国的侵权责任制度。

草案规定:由于过错侵害他人人身、财产的,应当承担侵权责任。依照法律规定,推定侵权人有过错的,受害人不必证明侵权人的过错;侵权人能够证明自己没有过错的,不承担侵权责任。没有过错,但法律规定应当承担侵权责任的,应当承担侵权责任。草案并规定:受害人死亡的,受害人的配偶、父母、子女有权要求侵权人承担侵权责任。受害人没有配偶、子女或者配偶、父母、子女已经死亡的,其兄弟姐妹、祖父母、外祖父母、孙子女、外孙子女有权要求侵权人承担侵权责任。

为了保护受害人的合法权益,总结司法实践经验,应当扩大精神损害赔偿的范围,同时应当合理确定赔偿标准。草案规定:侵害他人的人格权或者毁损他人具有人格象征意义的特定物品的,受害人有权要求精神损害赔偿。

针对侵权责任主体的特殊情形,草案规定:1. 法人的工作人员因执行职务侵害他人人身、财产权益的,法人应当承担侵权责任。法人承担赔偿责任后,可以向对造成损害有过错的工作人员追偿。2. 网站经营者明知网络用户通过该网站实施侵权行为,或者经权利人提出警告,仍不采取删除侵权内容等措施消除侵权后果的,网站经营者与该网络用户承担连带责任。权利人要求提供通过该网站实施侵权行为的网络用户的注册资料,网站经营者无正当理由拒绝提供的,应当承担相应的侵权责任。3. 旅馆、银行的客户以及列车的乘客,在旅馆、银行、列车内受到他人侵害的,侵权人应当承担侵权责任。在无法确认侵权人或者侵权人没有能力承担赔偿责任的情况下,旅馆、银行、列车的所有者或者经营者尽到保护义务的,不承担责任;未尽到保护义务的,应当承担补充赔偿责任。

草案根据民法通则、环境保护法、产品质量法等法律,还对机动车肇事责任、环境污染责任、产品责任、高度危险作业责任、动物致人损害责任、物件致人损害责任等特殊侵权责任,作出了规定。有关机动车肇事的归责原则,需要与正在审议的道路交通安全法草案相衔接。

# 《中华人民共和国民法(草案)》侵权责任法编

## 第一章 一般规定

**第一条** 由于过错侵害他人人身、财产的,应当承担侵权责任。

依照法律规定,推定侵权人有过错的,受害人不必证明侵权人的过错;侵权人能够证明自己没有过错的,不承担侵权责任。

**第二条** 没有过错,但法律规定应当承担侵权责任的,应当承担侵权责任。

**第三条** 二人以上共同侵权造成他人损害的,应当承担连带责任。

**第四条** 承担侵权责任的方式主要有:

(一)停止侵害;

(二)排除妨碍;

(三)消除危险;

(四)返还财产;

(五)恢复原状;

(六)修理、重作、更换;

(七)赔偿损失;

(八)消除影响、恢复名誉;

（九）赔礼道歉。

以上承担侵权责任的方式，可以单独适用，也可以合并适用。

**第五条** 受害人应当证明侵害行为与损害后果之间存在因果关系。

法律规定应当由侵权人证明因果关系不存在，如果侵权人不能证明的，视为存在因果关系。

**第六条** 受害人死亡的，受害人的配偶、父母、子女有权要求侵权人承担侵权责任。受害人没有配偶、子女或者配偶、父母、子女死亡的，其兄弟姐妹、祖父母、外祖父母、孙子女、外孙子女有权要求侵权人承担侵权责任。

**第七条** 有关侵权行为的内容、责任方式、免责事由等，产品质量法、环境保护法等法律另有规定的，依照其规定。

## 第二章 损害赔偿

**第八条** 侵害他人人身、财产造成损害的，侵权人应当赔偿损失。

**第九条** 因防止、制止他人人身、财产遭受侵害而使自己受到损害的，由侵权人承担赔偿责任，受益人也可以给予适当的补偿。

**第十条** 侵害他人人身造成伤害的，应当赔偿医疗费、因误工减少的收入等合理的费用。致人残疾的，并应当赔偿残疾用具费、残疾赔偿金；致人死亡的，并应当赔偿丧葬费、死亡赔偿金。

**第十一条** 因误工减少的收入、残疾赔偿金、死亡赔偿金应当根据受害人的丧失劳动能力状况、年龄、受教育程度、职业、收入等因素确定。

**第十二条** 受害人得到赔偿后发现新病情或者健康严重恶

化,赔偿数额明显难以补偿损失,如果证明与侵权人的行为有因果关系的,受害人有权请求增加赔偿费用。

**第十三条** 侵害他人姓名权、名誉权、肖像权、隐私权等,侵权人应当按照因此获得的利益给予赔偿,也可以按照受害人的损失给予赔偿。侵权人获得的利益或者受害人的损失不能确定的,应当根据侵权行为的情节,给予十万元以下的赔偿。

**第十四条** 侵占他人财产的,应当返还财产,不能返还财产的,应当折价赔偿。

损坏他人财产的,应当恢复原状或者折价赔偿。

受害人因此遭受其他重大损失的,侵权人并应当赔偿损失。

**第十五条** 妨害他人行使物权造成损害的,侵权人应当赔偿损失。

**第十六条** 侵害他人的人格权或者毁损他人具有人格象征意义的特定物品的,受害人有权要求精神损害赔偿。

**第十七条** 精神损害赔偿的具体数额应当根据以下因素确定:

(一)侵权人的过错程度;

(二)侵害的手段、场合、行为方式等具体情节;

(三)侵权行为所造成的后果;

(四)侵权人获利的情况;

(五)侵权人承担责任的经济能力;

(六)受诉法院所在地平均生活水平。

**第十八条** 损害赔偿费用应当一次性支付。一次性支付确有困难的,可以定期支付。

**第十九条** 因同一侵权行为在造成损失的同时,受害人受有利益的,应当依照有关法律规定从赔偿额中扣除应当扣除的利益。

**第二十条** 当事人对造成的损害都没有过错的,可以根据实际情况，由当事人分担损失。

## 第三章 抗辩事由

**第二十一条** 因正当防卫造成损害的，不承担侵权责任。正当防卫超过必要的限度，造成不应有的损害的，应当承担适当的侵权责任。

**第二十二条** 因紧急避险造成损害的，由引起险情发生的人承担侵权责任。如果危险是由自然原因引起的，紧急避险人不承担侵权责任或者承担适当的侵权责任。因紧急避险采取措施不当或者超过必要的限度，造成不应有的损害的，紧急避险人应当承担适当的侵权责任。

**第二十三条** 在自己的合法权益受到不法侵害，来不及请求有关部门介入的情况下，如果不采取措施以后就难以维护自己的合法权益的，权利人可以采取合理的自助措施，对侵权人的人身进行必要的限制或者对侵权人的财产进行扣留，但应当及时通知有关部门。

错误实施自助行为或者采取自助措施不当造成损害的，应当承担侵权责任。

**第二十四条** 受害人对于损害的发生也有过错的，可以减轻侵权人的侵权责任。

## 第四章 机动车肇事责任

**第二十五条** 运行的机动车对非机动车或者行人造成损害，该机动车已参加第三者责任强制保险的，由保险公司在保险金额内予以赔偿。损失超过投保金额的部分，由机动车所有人承担损害赔偿责任，但机动车一方能够证明自己尽到高度注意义务的，可以减轻或者免除机动车所有人的损害赔偿责任。

运行的机动车对非机动车或者行人造成损害，该机动车没有参加第三者责任强制保险的,机动车所有人应当承担损害赔偿责任,但机动车一方能够证明自己尽到高度注意义务的,可以减轻或者免除机动车所有人的损害赔偿责任。

(另一方案:在封闭的道路上运行的机动车造成他人损害,机动车所有人有过错的,应当承担损害赔偿责任。在非封闭的道路上运行的机动车造成他人损害,机动车所有人不能证明自己没有过错的,应当承担损害赔偿责任。)

**第二十六条** 机动车之间发生碰撞造成他人损害,机动车参加第三者责任强制保险的,由保险公司在保险金额内予以赔偿。损失超过投保金额的部分,有过错一方的机动车所有人承担损害赔偿责任。

机动车之间发生碰撞造成他人损害,机动车没有参加第三者责任强制保险的,有过错一方的机动车所有人承担损害赔偿责任。

**第二十七条** 出租、出借的机动车在运行中造成他人损害的,机动车所有人与承租人、借用人承担连带责任。机动车所有人对损害的发生没有过错的,向受害人赔偿后,可以向承租人、借用人追偿。

承租人使用融资租赁的机动车在运行中造成他人损害的,由承租人承担侵权责任。

**第二十八条** 盗窃的机动车在运行中造成他人损害的,盗窃人应当承担侵权责任,但机动车的所有人对机动车的管理有过失的,应当承担补充赔偿责任。

**第二十九条** 机动车在送交修理、委托保管或者出质期间,承修人、保管人或者质权人擅自驾驶车辆造成他人损害的,承修人、保管人或者质权人应当承担侵权责任。

**第三十条** 分期付款买卖的机动车移转占有给买方后在运行中造成他人损害的,由买方承担侵权责任。

## 第五章 环境污染责任

**第三十一条** 因污染环境侵害他人人身、财产的，有关单位或者个人应当承担侵权责任，但法律规定有免责情形的，依照其规定。

**第三十二条** 排污符合规定的标准，但给他人造成明显损害的，有关单位或者个人应当承担侵权责任。

**第三十三条** 导致污染的单位或者个人不能证明污染行为与损害后果之间没有因果关系的，视为因果关系存在。

**第三十四条** 因污染环境对他人造成损害，不能确定具体的加害人的，由与损害后果具有联系的排污单位或者个人根据其排放量的比例承担相应的侵权责任。

## 第六章 产品责任

**第三十五条** 因产品存在缺陷造成人身、财产损害的，生产者应当承担侵权责任。

生产者能够证明有下列情形之一的，不承担侵权责任：

（一）未将产品投入流通的；

（二）产品投入流通时，引起损害的缺陷尚不存在的；

（三）将产品投入流通时的科学技术水平尚不能发现缺陷存在的。

**第三十六条** 由于销售者的过错使产品存在缺陷，造成人身、财产损害的，销售者应当承担侵权责任。

销售者不能指明缺陷产品的生产者也不能指明缺陷产品的供货者的，销售者应当承担侵权责任。

**第三十七条** 因产品存在缺陷造成人身、财产损害的，受害人可以向产品的生产者要求赔偿，也可以向产品的销售者要求赔偿。

产品缺陷由生产者造成的，销售者赔偿后，有权向生产者要求追偿。

因销售者的过错使产品存在缺陷的，生产者赔偿后，有权向销售者追偿。

**第三十八条** 因产品的说明错误，造成人身、财产损害的，产品的生产者、销售者应当承担连带责任，但人身、财产损害是由于受害人使用不当等原因造成的，产品的生产者、销售者不承担侵权责任。

**第三十九条** 因产品缺陷严重威胁使用者或者第三人的人身、财产安全的，使用者或者第三人有权要求生产者、销售者承担消除危险、排除妨碍等侵权责任。

**第四十条** 因运输者、仓储者等第三人的过错导致产品存在缺陷，造成人身、财产损害的，产品的生产者、销售者赔偿后，有权向第三人追偿。

## 第七章　高度危险作业责任

**第四十一条** 从事高空、高压、易燃、易爆、剧毒、放射性等对周围环境有高度危险的作业造成他人损害的，应当承担侵权责任。如果能够证明损害是由于受害人故意或者不可抗力造成的，不承担侵权责任。

**第四十二条** 航天器、航空器在运行中造成他人损害的，航天器、航空器的作业人应当承担侵权责任，但航天器、航空器的作业人能够证明损害是由于受害人故意造成的，不承担侵权责任。

**第四十三条** 核设施中以及为核设施运输的核燃料、核废料及其他核物质，因其放射性、剧毒性、爆炸性或者其他危害性，造成他人损害的，核设施的所有人或者国家授权的经营人应当承担侵权责任，但核设施的所有人或者国家授权的经营人能够证明损害是由于受害人故意造成的，不承担侵权责任。

**第四十四条** 以高压制造、储藏、运送电力、液体、煤气、蒸汽等，因高压作用造成他人损害的，其所有人、占有人或者管理人应当承担侵权责任，但所有人、占有人或者管理人能够证明损害是由于受害人故意或者不可抗力造成的，不承担侵权责任。

**第四十五条** 制造、加工、使用、利用易燃、易爆、剧毒、放射性等高度危险物，因物的危险性质造成他人损害的，其所有人、占有人或者管理人应当承担侵权责任，但其所有人、占有人或者管理人能够证明该损害是由于受害人故意或者不可抗力造成的，不承担侵权责任。

**第四十六条** 在所有人、占有人或者管理人之间运输的易燃、易爆、剧毒、放射性等高度危险物，因物的危险性质造成他人损害的，所有人、占有人或管理人应当向受害人承担连带责任。实际承担责任的一方可以依据合同法关于风险负担的规定，向另一方追偿。

对运输中的高度危险物因其危险性质造成的损害，运送人如果不能证明自己对损害的发生没有过错的，应当承担连带责任。

**第四十七条** 未进行使用，仅由自己占有中的易燃、易爆、剧毒、放射性等高度危险物因其危险性质造成他人损害的，物的所有人应当承担侵权责任。

未进行使用，交由他人储藏中的易燃、易爆、剧毒、放射性等高度危险物因其危险性质造成他人损害的，物的仓储人和所有人应当承担连带责任。

不同所有人的高度危险物储藏在一处，因其危险性质造成他人损害的，如不能证明损害不是由于自己的物品造成的，仓储人与各所有人承担连带责任。

**第四十八条** 列车在运行中造成他人损害的，列车作业人应当承担侵权责任，但能够证明损害是由于受害人的故意或者不可抗力造成的，不承担侵权责任；列车作业人能够证明受害人对损害的发生有过失的，应当减轻其侵权责任。

**第四十九条** 由于第三人的过错导致高度危险作业对他人造成损害的，高度危险的作业人赔偿后，有权向第三人追偿。

**第五十条** 遗失的高度危险物因其危险性质造成他人损害的，由其所有人或者遗失人承担侵权责任。

被抛弃的高度危险物因其危险性质造成他人损害的，由其原所有人或者抛弃人承担侵权责任。

**第五十一条** 非法占有的高度危险物造成他人损害的，由非法占有人承担侵权责任。该物的所有人不能证明自己对防止他人非法占有高度危险物尽到高度注意义务的，应当承担补充赔偿责任。

**第五十二条** 在依法划定的高度危险活动区域或者高度危险物存放区域内，他人未经许可进入该区域受到损害，高度危险的作业人采取足够安全措施尽到充分的警示、保护义务的，高度危险作业人对受害人在该区域内所遭受的损害不承担侵权责任。

## 第八章 动物致人损害责任

**第五十三条** 饲养的动物造成他人损害的，动物饲养人或者管理人应当承担侵权责任，但动物饲养人或者管理人能够证明损害是由于受害人的过错造成的除外。由于第三人的过错造成损害的，第三人应当承担侵权责任。

**第五十四条** 自然保护区内的野生动物造成他人损害的，由管理单位承担赔偿责任，但管理单位能够证明损害是由于受害人的过错造成的除外。由于第三人的过错造成损害的，第三人应当承担侵权责任。

## 第九章 物件致人损害责任

**第五十五条** 建筑物或者其他设施以及建筑物上的搁置物、悬挂物发生倒塌、脱落、坠落情形造成他人损害的,它的所有人或者管理人应当承担侵权责任,但能够证明自己没有过错的除外。

**第五十六条** 从建筑物中抛掷的物品或者从建筑物上脱落、坠落的物品致人损害,不能确定具体的侵权人的,由该建筑物的全体使用人承担侵权责任,但使用人能够证明自己不是具体侵权人的除外。

**第五十七条** 堆放物倒塌造成他人损害,堆放人不能证明自己堆放物品时尽到合理的注意义务或者对堆放物履行管理义务的,堆放人应当承担侵权责任。

**第五十八条** 在公共通道上设置妨碍通行的障碍物造成他人损害的,设置人应当承担侵权责任。

**第五十九条** 因林木折断、果实坠落造成他人损害,林木、果树的所有人或者管理人不能证明自己没有过错的,应当承担侵权责任。

**第六十条** 在公共场所、道旁或者通道上挖坑、修缮、安装地下设施等,没有设置明显标志和采取安全措施造成他人损害的,施工人应当承担侵权责任。

窨井等地下设施造成他人损害,地下设施的管理人不能证明自己尽到管理义务的,应当承担侵权责任。

## 第十章 有关侵权责任主体的特殊规定

**第六十一条** 无民事行为能力人、限制民事行为能力人造成他人损害的,由监护人承担侵权责任。

有财产的无民事行为能力人、限制民事行为能力人造成他人损害的，从本人财产中支付赔偿费用。不足部分，由监护人赔偿。

**第六十二条** 法人的工作人员因执行职务侵害他人人身、财产的，法人应当承担侵权责任。

法人赔偿后，可以向对造成损害有过错的工作人员追偿。

**第六十三条** 网站经营者明知网络用户通过该网站实施侵权行为，或者经权利人提出警告，仍不采取删除侵权内容等措施消除侵权后果的，网站经营者与该网络用户承担连带责任。

**第六十四条** 权利人要求提供通过该网站实施侵权行为的网络用户的注册资料，网站经营者无正当理由拒绝提供的，应当承担相应的侵权责任。

**第六十五条** 旅馆、银行的客户以及列车的乘客，在旅馆、银行、列车内受到他人侵害的，侵权人应当承担侵权责任。

在无法确认侵权人或者侵权人没有能力承担赔偿责任的情况下，旅馆、银行、列车的所有者或者经营者尽到保护义务的，不承担责任；未尽到保护义务的，应当承担补充赔偿责任。

**第六十六条** 教唆他人实施侵权行为的人，为共同侵权人，应当承担连带责任。

教唆限制民事行为能力人实施侵权行为的人，为共同侵权人，应当承担主要责任，与限制民事行为能力人的监护人承担连带责任。

教唆无民事行为能力人实施侵权行为的人，为侵权人，应当承担侵权责任。

**第六十七条** 二人以上同时实施同一种类的危险行为，其中一人或者数人的行为造成他人损害，行为人能够证明具体侵权人的，由该侵权人承担侵权责任；行为人不能证明具体侵权人的，行为人承担连带责任。

**第六十八条** 二人以上因分别行为造成同一损害，能够确定责任大小的，应当各自承担相应的侵权责任；不能确定责任大小的，应当平均承担侵权责任。

# 全国人民代表大会法律委员会关于《中华人民共和国侵权责任法(草案)》主要问题的汇报

(2008 年 12 月 22 日十一届全国人大常委会第六次会议)

全国人民代表大会常务委员会:

关于《中华人民共和国侵权责任法(草案)》,汇报三个问题:

一、侵权责任法草案的起草和修改经过

侵权责任法是保护民事主体合法权益,明确侵权责任,预防并制裁侵权行为,促进社会和谐稳定的民事基本法律。我国民法通则、消费者权益保护法、产品质量法、环境保护法、道路交通安全法等法律对侵权责任作了一些规定,这些规定对于保护公民、法人的合法权益,维护社会秩序,起到了积极作用。但是,我国侵权法律制度也存在一些问题,主要是:随着经济社会的发展,新的侵权类型不断出现,而现行法律有些规定较为原则,缺乏可操作性;不少规定分散在单行法律中,缺乏对侵权责任共性问题的规定。从实际情况看,侵权案件逐年增多。2007 年,我国法院受理一审侵权案件已达 87 万多件。2003 年以来,全国人大代表共有216人次提出了7件制定侵权责任法的议案和8件建议。一些部门、地方和专家、学者也不断提出制定侵权责任法的意见和建议。为了更好地保护民事主体的合法权益,促进社会和谐稳定,有必要对现实生活中迫切需要规范的侵权责任作出规定,制定一部较为完备的侵权责任法。

侵权责任法作为《中华人民共和国民法(草案)》中的一编,已经2002年12月九届全国人大常委会第三十一次会议初次审议。民法草案共9编、1200多条,由于涉及面广,内容复杂,一并研究修改历时较长,十届全国人大常委会采取了分编审议的方式。物权法已由十届全国人大五次会议审议通过。根据十届、十一届全国人大常委会的立法规划,以及今年的立法计划,法制工作委员会在民法草案侵权责任法编的基础上抓紧工作,认真研究了国内规定和国外一般做法,并先后在北京、上海、浙江、黑龙江等地进行调研,今年9月,又召开了法院系统和部分民法专家参加的研讨会。经认真研究各方面意见,法制工作委员会又同有关专门委员会、最高人民法院和国务院有关部门协商沟通,反复研究修改,形成了侵权责任法草案。法律委员会于12月2日、16日召开会议,对草案进行了审议,建议提请常委会六次会议审议。

二、制定侵权责任法总的原则

制定侵权责任法总的原则是:以邓小平理论和"三个代表"重要思想为指导,贯彻落实科学发展观,贯彻党的十六大和十七大精神,完善侵权责任法律制度,减少民事纠纷,维护广大人民群众的合法权益,促进社会公平正义,促进社会和谐稳定。

侵权责任法是中国特色社会主义法律体系中的支架性法律。制定侵权责任法要适应改革发展稳定的要求,妥善处理好现实性与前瞻性、稳定性与变动性、原则性与可操作性的关系。侵权责任法涉及广大人民群众的切身利益,社会普遍关注。要坚持以人为本,着重解决与人民群众利益密切相关、矛盾突出、各方面意见又比较一致的问题。对现实生活中公民、法人受到的民事侵害，如产品缺陷、机动车交通事故、医疗事故、环境污染、网络侵权、动物致人损害，等等，要充分保护其合法权益，同时要考虑我国现阶段经济社会发展水平，公平合理地确定赔偿范围和赔偿标准。对存在争议，目前还没有把握的一些问题暂不作规定，根据实际情况进一步研究论证。制定侵权责任法要借鉴国外的有益经验，但不照抄照搬，必须从我国的实际出发，总结实践经验，把多年来行之有效的行政法规和司法解释的规定吸收到草案中，进一步完善我国的侵权责任法律制度。

三、草案的主要内容

（一）关于承担侵权责任的原则

承担侵权责任的原则是追究侵权责任的基本依据，一般称为归责原则。草案根据民法通则的规定，明确我国侵权责任制度实行过错责任和无过错责任相结合的原则。过错责任原则是指行为人对损害的发生必须有过错才承担侵权责任。草案规定："因过错侵害他人人身、财产，造成损害的，应当承担侵权责任。"（草案二次审议稿第七条）近些年来，一些领域安全事故不断发生，侵权纠纷日益增多，只根据过错责任原则已难以有效保护受害人，因此在环境污染、产品责任等纠纷处理中已实行无过错责任。无过错责任原则是指企业经营者没有过错也要依法承担赔偿责任。我国民法通则、民用航空法、产品质量法、环境保护法等法律中都规定了无过错责任。草案规定："行为人没有过错，法律规定也要承担侵权责任的，依照其规定。"（草案二次审议稿第八条）

（二）关于产品责任

明确产品责任，有利于经营者增强质量意识，提高产品质量，维护广大消费者的合法权益。草案在产品质量法规定基础上，对生产者、销售者、运输者和仓储者的产品责任以及追偿制度作了明确规定。同时，根据实践中发生的新情况新问题，草案进一步规定：1. 因产品缺陷危及他人人身、财产安全的，受害人有权要求生产者、销售者承担消除危险、排除妨碍等侵权责任。（草案二次审议稿第四十三条）2. 产品投入流通后发现存在缺陷的，生产者、销售者应当及时采取警示、召回等补救措施。未及时采取补救措施或者补救措施不力造成损害的，应当承担侵权责任。（草案二次审议稿第四十四条）

（三）关于机动车交通事故责任

机动车交通事故纠纷量多面广，需要妥善解决。草案在道路交通安全法规定的机动车交通事故赔偿原则的基础上，针对机动车交通事故责任处理中的具体情况作出进一步规定。比如，机动车出租出借、机动车在当事人之间已经买卖但未办理所有权转移登记、买卖拼装的或者已达到报废标准的机动车等，发生交通事故后如何承担赔偿责任。1. 因租赁、借用等情形机动车所有人和使用人不是同一人时，发生交通事故后属于机动车一方责任的，由机动车使用人承担赔偿责任。机动车所有人对损害的发生也有过错的，承担相应的赔偿责任。（草案二次审议稿第四十八条）2. 当事人之间已经买卖并交付机动车但未办理所有权转移登记，该机动车发生交通事故后，属于机动车一方责任的，由买受人承担赔偿责任。（草案二次审议稿第四十九条）3. 买卖拼装的或者已达到报废标准的机动车，发生交通事故造成损害的，买卖双方承担连带责任。（草案二次审议稿第五十条）4. 盗窃、抢劫或者抢夺的机动车发生交通事故造成损害的，由盗窃人、抢劫人或者抢夺人承担赔偿责任。（草案二次审议稿第五十一条）

（四）关于医疗损害责任

近年来医疗纠纷逐年上升，社会广泛关注。要妥善处理医疗纠纷，界定医疗损害责任，切实保护患者的合法权益，也要保护医务人员的合法权益,促进医学科学的进步和医药卫生事业的发展。

关于医疗损害赔偿责任,草案区分不同情况作了三方面规定:1. 诊疗损害实行过错责任。草案规定:“患者在诊疗活动中受到损害,医务人员有过错的,应当承担赔偿责任。”(草案二次审议稿第五十三条)同时规定:“有下列情形之一的,推定医务人员有过错:(一)违反医疗卫生管理法律、行政法规、规章、诊疗规范的;(二)隐匿或者拒绝提供与纠纷有关的医学文书及有关资料的;(三)伪造或者销毁医学文书及有关资料的。”(草案二次审议稿第五十八条)2. 医务人员未尽告知义务的赔偿责任。草案规定,医务人员在一般诊疗活动中应当向患者简要说明病情和医疗措施。需要实施手术、特殊检查、特殊治疗的,医务人员应当及时向患者或者其近亲属说明病情、医疗措施、医疗风险、替代医疗方案等情况,并取得书面同意,但抢救危急患者等紧急情况的除外。医务人员未尽到告知义务,造成患者损害的,应当承担赔偿责任。(草案二次审议稿第五十五条、第五十六条)3. 因药品、医疗器械的缺陷造成损害的,根据产品质量法的规定实行无过错责任。草案规定:“因药品、消毒药剂、医疗器械的缺陷造成患者损害的,患者可以向医疗机构请求赔偿,也可以向生产者请求赔偿。医疗机构赔偿后,属于生产者等第三人责任的,有权向生产者等第三人追偿。”(草案二次审议稿第六十一条)“因输入不合格的血液造成患者损害的,患者可以向医疗机构请求赔偿,也可以向血液提供机构请求赔偿。医疗机构赔偿后,属于血液提供机构责任的,有权向血液提供机构追偿。”(草案二次审议稿第六十二条)

草案也规定了患者的义务,主要是:患者应当向医务人员告知与诊疗活动有关的病情、病史等情况,配合医务人员进行必要的检查和治疗。患者未尽到该项义务,造成误诊等损害的,医务

人员不承担赔偿责任。(草案二次审议稿第六十条)

(五)关于环境污染责任

环境问题关系到人民群众切身利益,关系到人与自然和谐相处和经济社会永续发展。草案在民法通则和各环保法律关于环境污染责任规定的基础上,进一步完善了环境污染责任制度,规定:1. 排污符合规定标准,但给他人造成损害的,排污者应当承担相应的赔偿责任。(草案二次审议稿第六十八条)2. 因环境污染发生纠纷,排污者应当就法律规定的免责事由及其行为与损害之间不存在因果关系承担举证责任。(草案二次审议稿第六十九条)3. 两个以上排污者污染环境,除能够证明与损害不存在因果关系的外,应当承担赔偿责任。排污者承担责任的大小,根据污染物排放量等情形确定。(草案二次审议稿第七十条)4. 因第三人的过错污染环境造成损害的,受害人可以向排污者请求赔偿,也可以向第三人请求赔偿。排污者赔偿后,有权向第三人追偿。(草案二次审议稿第七十一条)

(六)关于高度危险责任

高度危险责任是指从事高空、高压、易燃、易爆、剧毒、放射性、高速运输工具等对周围环境有高度危险的作业对他人造成损害的赔偿责任。草案在民法通则和民用航空法、放射性污染防治法等法律规定的基础上,规定:"从事高度危险作业造成他人损害的,作业人应当承担无过错责任。法律规定免责事由的,依照其规定。"(草案二次审议稿第七十二条)对核材料和核设施、民用航空器等造成的损害,草案规定:"核材料和核设施、民用航空器造成他人损害的,该核材料和核设施、民用航空器的经营人应当承担侵权责任,但能够证明损害是因受害人故意造成的除外。"(草案二次审议稿第七十三条)"占有、使用易燃、易爆、剧毒、放射性等高度危险物,从事高空、高压作业,使用高速运输工具,造成他人损害的,有关单位或者个人应当承担侵权责

任，但能够证明损害是因不可抗力或者受害人故意造成的除外。”（草案二次审议稿第七十四条）

（七）关于网络侵权责任

随着互联网的发展，网络成为信息传播的重要渠道，网络侵权时有发生。草案在总结有关行政法规和司法解释实施经验的基础上，对利用网站侵害他人名誉权、隐私权等合法权益，网络服务提供者应当承担的连带责任作了规定：“网络服务提供者明知网络用户利用其网络服务实施侵权行为，未采取必要措施的，与该网络用户承担连带责任。网络用户利用网络服务实施侵权行为的，受害人有权向网络服务提供者发出要求删除、屏蔽侵权内容的通知。网络服务提供者得到通知后未及时采取必要措施的，对损失的扩大部分与该网络用户承担连带责任。”（草案二次审议稿第三十四条）

（八）关于学校、幼儿园的责任

我国现行法律没有对未成年人在学校、幼儿园受到伤害时学校、幼儿园的赔偿责任作出明确规定。界定学校、幼儿园的责任，有利于及时有效地解决纠纷，切实保护未成年人的合法权益，加强学校、幼儿园的教学管理工作。草案根据未成年人的年龄、民事行为能力以及造成损害的主体等不同情况，规定：1. 无民事行为能力人在幼儿园、学校或者其他教育机构学习、生活期间受到人身损害的，幼儿园、学校或者其他教育机构应当承担赔偿责任，但能够证明尽到教育、管理职责的除外。（草案二次审议稿第三十六条）2. 限制民事行为能力人在学校或者其他教育机构学习、生活期间受到人身损害，学校或者其他教育机构未尽到教育、管理职责的，承担相应的赔偿责任。（草案二次审议稿第三十七条）3. 无民事行为能力人或者限制民事行为能力人在幼儿园、学校或者其他教育机构学习、生活期间，受到幼儿园、学校或者其他教育机构以外的人员人身损害的，由侵权人承担侵

权责任。幼儿园、学校或者其他教育机构未尽到管理职责的,承担相应的赔偿责任。(草案二次审议稿第三十八条)

(九)关于动物致人损害责任

近年来,各地动物致人损害增多,对人身安全的危害加大。为了更好地规范饲养动物的行为,进一步明确饲养人的责任,草案在民法通则的基础上规定:"饲养的动物造成他人损害的,动物饲养人应当承担侵权责任,但能够证明损害是因受害人的重大过失造成的,可以减轻或者免除动物饲养人的赔偿责任。"(草案二次审议稿第七十八条)"违反管理规定饲养烈性犬等动物造成他人损害的,动物饲养人应当承担侵权责任。"(草案二次审议稿第七十九条)

(十)关于精神损害赔偿

侵权行为在不少情况下既造成财产损害,又造成精神损害。我国现行法律没有明确规定精神损害赔偿,但审判实践中已有不少精神损害赔偿的案例。经同有关部门研究认为,草案应当对精神损害赔偿作出明确规定,但对精神损害赔偿的范围应当严格限制。草案规定:"侵害他人生命权、健康权,造成死亡的,受害人的近亲属可以请求精神损害赔偿;造成残疾的,受害人可以请求精神损害赔偿。"(草案二次审议稿第二十三条)"故意侵害他人人格权、身份权,造成他人严重精神损害的,受害人可以请求精神损害赔偿。"(草案二次审议稿第二十四条)依照草案这一规定,精神损害的赔偿范围主要限制在严重侵害他人生命健康的情形。

草案二次审议稿还对共同侵权、承担侵权责任的方式、不承担责任和减轻责任的情形,以及用人单位的工作人员对他人造成损害的赔偿责任等问题作了规定。

草案二次审议稿和以上汇报是否妥当,请审议。

# 《中华人民共和国侵权责任法(草案)》(二次审议稿)

目　　录



## 第一章　一般规定

**第一条**　为保护民事主体的合法权益,明确侵权责任,预防并制裁侵权行为,促进社会和谐稳定,制定本法。

**第二条**　侵害民事权益,应当承担侵权责任。

**第三条** 受害人有权请求侵权人承担侵权责任。

受害人死亡的，其近亲属有权请求侵权人承担侵权责任。受害人为单位，该单位分立、合并的，承继权利的单位有权请求侵权人承担侵权责任。

**第四条** 受害人死亡或者残疾的，被扶养人有权请求侵权人赔偿生活费，但侵权人已支付死亡赔偿金或者残疾赔偿金的除外。

受害人死亡，支付受害人医疗费、丧葬费等费用的人有权请求侵权人赔偿相关费用，但侵权人已支付相关费用的除外。

**第五条** 侵权人因同一行为应当承担行政责任或者刑事责任的，不影响依法承担侵权责任。

因同一行为应当承担民事责任和行政责任、刑事责任，侵权人的财产不足以支付的，先承担民事责任。

**第六条** 其他法律对侵权责任另有特别规定的，依照其规定。

## 第二章 责任构成和责任方式

**第七条** 因过错侵害他人人身、财产，造成损害的，应当承担侵权责任。

根据法律规定，推定行为人有过错，行为人不能证明自己没有过错的，应当承担侵权责任。

**第八条** 行为人没有过错，法律规定也要承担侵权责任的，依照其规定。

**第九条** 二人以上共同实施侵权行为，造成他人损害的，应当承担连带责任。

**第十条** 教唆、帮助他人实施侵权行为的，应当承担连带责任。

教唆无民事行为能力人实施侵权行为的，承担全部责任。

教唆限制民事行为能力人实施侵权行为的，承担主要责任。帮助无民事行为能力人、限制民事行为能力人实施侵权行为的，承担相应的责任。

**第十一条** 二人以上实施危及他人人身、财产安全的行为，其中一人或者数人的行为造成他人损害，不能确定具体加害人的，行为人承担连带责任；能够确定具体加害人的，由加害人承担侵权责任。

**第十二条** 二人以上分别实施侵权行为造成同一损害，每个人的侵权行为都足以造成全部损害的，行为人承担连带责任。

**第十三条** 二人以上分别实施侵权行为造成同一损害，能够确定责任大小的，各自承担相应的责任；难以确定责任大小的，平均承担赔偿责任。

**第十四条** 损害是由第三人造成的，第三人应当承担侵权责任。法律规定有关单位或者个人承担补充责任或者相应责任的，依照其规定。

**第十五条** 法律规定承担连带责任的，受害人有权要求其中一人或者数人承担全部责任。

**第十六条** 连带责任人承担连带责任后，根据各自过错确定相应的赔偿数额；难以确定的，平均承担赔偿责任。

支付超出自己赔偿数额的连带责任人，有权向其他连带责任人追偿。

**第十七条** 承担侵权责任的方式主要有：

（一）停止侵害；

（二）排除妨碍；

（三）消除危险；

（四）返还财产；

（五）恢复原状；

（六）赔偿损失；

（七）消除影响、恢复名誉；

（八）赔礼道歉。

以上承担侵权责任的方式，可以单独适用，也可以合并适用。

**第十八条**　侵害他人人身造成伤害的，应当赔偿医疗费、护理费、交通费等为治疗和康复支出的合理费用，以及因误工减少的收入。造成残疾的，还应当赔偿残疾生活自助具费和残疾赔偿金。造成死亡的，还应当赔偿丧葬费和死亡赔偿金。

**第十九条**　侵害他人财产造成损失的，财产损失按照损失发生时的市场价格计算。

**第二十条**　侵权行为危及他人人身、财产安全的，受害人可以请求侵权人承担排除妨碍、消除危险等侵权责任。

**第二十一条**　因防止、制止他人人身、财产遭受侵害而使自己受到损害的，由侵权人承担赔偿责任。侵权人逃逸或者无力承担赔偿责任的，受益人应当给予适当补偿。

**第二十二条**　受害人和行为人对损害的发生都没有过错的，可以根据实际情况，由双方分担赔偿责任。

**第二十三条**　侵害他人生命权、健康权，造成死亡的，受害人的近亲属可以请求精神损害赔偿；造成残疾的，受害人可以请求精神损害赔偿。

**第二十四条**　故意侵害他人人格权、身份权，造成他人严重精神损害的，受害人可以请求精神损害赔偿。

**第二十五条**　损害发生后，当事人可以约定损害赔偿金的支付方式，没有约定或者约定不明确的，应当一次性支付。一次性支付确有困难的，可以分期支付，但应当提供适当担保。

## 第三章　不承担责任和减轻责任的情形

**第二十六条**　受害人对于损害的发生也有过错的，可以减轻侵权人的赔偿责任。

**第二十七条** 损害是因受害人的故意造成的,行为人不承担赔偿责任。

**第二十八条** 因不可抗力造成他人损害的,不承担赔偿责任,但法律另有规定的除外。

**第二十九条** 因正当防卫造成损害的,不承担赔偿责任。正当防卫明显超过必要限度,造成不应有的损害的,应当对不应有的损害承担赔偿责任。

**第三十条** 因紧急避险造成损害的,由引起险情发生的人承担赔偿责任。如果危险是由自然原因引起的,紧急避险人不承担赔偿责任或者承担部分赔偿责任。因紧急避险采取措施不当或者超过必要限度,造成不应有的损害的,紧急避险人应当对不应有的损害承担赔偿责任。

## 第四章 关于责任主体的特殊规定

**第三十一条** 无民事行为能力人、限制民事行为能力人造成他人损害的,由监护人承担侵权责任。监护人尽了监护责任的,可以减轻其侵权责任。

有财产的无民事行为能力人、限制民事行为能力人造成他人损害的,从本人财产中支付赔偿费用。不足部分,由监护人赔偿。

**第三十二条** 完全民事行为能力人对自己的行为暂时没有意识或者失去控制造成他人损害,应当根据过错承担相应的侵权责任;没有过错的,根据行为人的经济状况对受害人适当补偿。

完全民事行为能力人因醉酒、滥用麻醉品等对自己的行为暂时没有意识或者失去控制造成他人损害的,应当承担侵权责任。

**第三十三条** 用人单位的工作人员在工作过程中造成他人损害的，由用人单位承担侵权责任。

**第三十四条** 网络服务提供者明知网络用户利用其网络服务实施侵权行为，未采取必要措施的，与该网络用户承担连带责任。

网络用户利用网络服务实施侵权行为的，受害人有权向网络服务提供者发出要求删除、屏蔽侵权内容的通知。网络服务提供者得到通知后未及时采取必要措施的，对损失的扩大部分与该网络用户承担连带责任。

**第三十五条** 旅馆、饭店、商店、银行、娱乐场所等公共场所的管理人未尽到安全保障义务，造成他人损害的，应当承担侵权责任。

在前款规定的公共场所因第三人的行为造成他人损害的，由第三人承担侵权责任。管理人尽到安全保障义务的，不承担侵权责任；未尽到安全保障义务的，承担相应的侵权责任。

**第三十六条** 无民事行为能力人在幼儿园、学校或者其他教育机构学习、生活期间受到人身损害的，幼儿园、学校或者其他教育机构应当承担赔偿责任，但能够证明尽到教育、管理职责的除外。

**第三十七条** 限制民事行为能力人在学校或者其他教育机构学习、生活期间受到人身损害，学校或者其他教育机构未尽到教育、管理职责的，承担相应的赔偿责任。

**第三十八条** 无民事行为能力人或者限制民事行为能力人在幼儿园、学校或者其他教育机构学习、生活期间，受到幼儿园、学校或者其他教育机构以外的人员人身损害的，由侵权人承担侵权责任。幼儿园、学校或者其他教育机构未尽到管理职责的，承担相应的赔偿责任。

## 第五章　产 品 责 任

**第三十九条**　因产品存在缺陷造成他人损害的，生产者应当承担侵权责任。

生产者证明有下列情形之一的，不承担侵权责任：

（一）未将产品投入流通的；

（二）产品投入流通时，引起损害的缺陷尚不存在的；

（三）将产品投入流通时的科学技术水平尚不能发现缺陷存在的。

**第四十条**　因销售者的过错使产品存在缺陷，造成他人损害的，销售者应当承担侵权责任。

销售者不能指明缺陷产品的生产者也不能指明缺陷产品的供货者的，销售者应当承担侵权责任。

**第四十一条**　因产品存在缺陷造成损害的，受害人可以向产品的生产者请求赔偿，也可以向产品的销售者请求赔偿。

产品缺陷由生产者造成的，销售者赔偿后，有权向生产者追偿。

因销售者的过错使产品存在缺陷的，生产者赔偿后，有权向销售者追偿。

**第四十二条**　因运输者、仓储者等第三人的过错使产品存在缺陷，造成他人损害的，产品的生产者、销售者赔偿后，有权向第三人追偿。

**第四十三条**　因产品缺陷危及他人人身、财产安全的，受害人有权要求生产者、销售者承担消除危险、排除妨碍等侵权责任。

**第四十四条**　产品投入流通后发现存在缺陷的，生产者、销售者应当及时采取警示、召回等补救措施。未及时采取补救措施或者补救措施不力造成损害的，应当承担侵权责任。

第四十五条　明知产品存在缺陷仍然生产、销售，造成他人生命、健康损害的，受害人有权依法请求惩罚性赔偿。

## 第六章　机动车交通事故责任

第四十六条　机动车发生交通事故造成损害的，适用道路交通安全法的有关规定。

第四十七条　未按照国家规定投保机动车第三者责任强制保险，发生交通事故造成损害的，先由机动车所有人在机动车第三者责任强制保险责任限额范围内予以赔偿。

第四十八条　因租赁、借用等情形机动车所有人和使用人不是同一人时，发生交通事故后属于机动车一方责任的，由机动车使用人承担赔偿责任。机动车所有人对损害的发生也有过错的，承担相应的赔偿责任。

第四十九条　当事人之间已经买卖并交付机动车但未办理所有权转移登记，该机动车发生交通事故后，属于机动车一方责任的，由买受人承担赔偿责任。

第五十条　买卖拼装的或者已达到报废标准的机动车，发生交通事故造成损害的，买卖双方承担连带责任。

第五十一条　盗窃、抢劫或者抢夺的机动车发生交通事故造成损害的，由盗窃人、抢劫人或者抢夺人承担赔偿责任。

第五十二条　机动车驾驶人发生交通事故后逃逸的，保险公司支付保险金或者道路交通事故社会救助基金垫付受害人医疗费用后，有权向交通事故责任人追偿。

## 第七章　医疗损害责任

第五十三条　患者在诊疗活动中受到损害，医务人员有过错的，应当承担赔偿责任。

第五十四条　因医务人员的过错造成患者损害的，由所属的医疗机构承担赔偿责任。

**第五十五条** 医务人员在一般诊疗活动中应当向患者简要说明病情和医疗措施。需要实施手术、特殊检查、特殊治疗的，医务人员应当及时向患者说明病情、医疗措施、医疗风险、替代医疗方案等情况，并取得其书面同意。不宜向患者说明的，医务人员应当向患者的近亲属说明，并取得其书面同意。

医务人员未尽到前款义务，造成患者损害的，应当承担赔偿责任。

**第五十六条** 因抢救危急患者等紧急情况，难以取得患者或者其近亲属同意的，经医疗机构负责人批准可以立即实施相应的医疗措施。

**第五十七条** 医务人员在诊疗活动中应当尽到与当时的医疗水平相应的注意义务。医务人员未尽到该项义务，造成患者损害的，应当承担赔偿责任。

判断医务人员注意义务时，应当适当考虑地区、医疗机构资质、医务人员资质等因素。

**第五十八条** 有下列情形之一的，推定医务人员有过错：

（一）违反医疗卫生管理法律、行政法规、规章、诊疗规范的；

（二）隐匿或者拒绝提供与纠纷有关的医学文书及有关资料的；

（三）伪造或者销毁医学文书及有关资料的。

**第五十九条** 患者的损害可能是由医务人员的诊疗行为造成的，除医务人员提供相反证据外，推定该诊疗行为与患者损害之间存在因果关系。

**第六十条** 患者应当向医务人员告知与诊疗活动有关的病情、病史等情况，配合医务人员进行必要的检查和治疗。患者未尽到该项义务，造成误诊等损害的，医务人员不承担赔偿责任。

**第六十一条** 因药品、消毒药剂、医疗器械的缺陷造成患者损害的，患者可以向医疗机构请求赔偿，也可以向生产者请求赔偿。医疗机构赔偿后，属于生产者等第三人责任的，有权向生产者等第三人追偿。

**第六十二条** 因输入不合格的血液造成患者损害的，患者可以向医疗机构请求赔偿，也可以向血液提供机构请求赔偿。医疗机构赔偿后，属于血液提供机构责任的，有权向血液提供机构追偿。

**第六十三条** 医务人员应当按照规定填写并妥善保管门诊病历、住院志、医嘱单、检验报告、手术及麻醉记录、病理资料、护理记录、医疗费用等医学文书及有关资料。患者要求查阅、复制医学文书及有关资料的，医务人员应当提供。

**第六十四条** 医务人员应当对患者的隐私保密。未经患者同意，公开患者医学文书及有关资料造成损害的，应当承担赔偿责任。

**第六十五条** 医务人员应当根据患者的病情实施合理的诊疗行为，不得采取过度检查等不必要的诊疗行为。

医疗机构违反前款规定，应当退回不必要诊疗的费用，造成患者其他损害的，还应当承担赔偿责任。

**第六十六条** 医务人员的执业活动受法律保护。干扰医务人员正常工作、生活的，应当依法承担法律责任。

## 第八章 环境污染责任

**第六十七条** 因环境污染造成他人损害的，排污者应当承担侵权责任，但法律规定免责事由的，依照其规定。

**第六十八条** 排污符合规定标准，但给他人造成损害的，排污者应当承担相应的赔偿责任。

**第六十九条** 因环境污染发生纠纷，排污者应当就法律规定的免责事由及其行为与损害之间不存在因果关系承担举证责任。

**第七十条** 两个以上排污者污染环境，除能够证明与损害不存在因果关系的外，应当承担赔偿责任。排污者承担责任的大小，根据污染物排放量等情形确定。

**第七十一条** 因第三人的过错污染环境造成损害的，受害人可以向排污者请求赔偿，也可以向第三人请求赔偿。排污者赔偿后，有权向第三人追偿。

## 第九章 高度危险责任

**第七十二条** 从事高度危险作业造成他人损害的，作业人应当承担无过错责任。法律规定免责事由的，依照其规定。

**第七十三条** 核材料和核设施、民用航空器造成他人损害的，该核材料和核设施、民用航空器的经营人应当承担侵权责任，但能够证明损害是因受害人故意造成的除外。

**第七十四条** 占有、使用易燃、易爆、剧毒、放射性等高度危险物，从事高空、高压作业，使用高速运输工具，造成他人损害的，有关单位或者个人应当承担侵权责任，但能够证明损害是因不可抗力或者受害人故意造成的除外。

**第七十五条** 遗失、抛弃高度危险物造成他人损害的，由所有人、管理人承担侵权责任。

**第七十六条** 非法占有高度危险物造成他人损害的，由非法占有人承担侵权责任。该物的所有人不能证明对防止他人非法占有尽到高度注意义务的，应当承担连带责任。

**第七十七条** 未经许可进入高度危险活动区域或者高度危险物存放区域受到损害，高度危险的作业人已经采取安全措施并且尽到警示义务的，可以减轻其赔偿责任。

## 第十章 动物致人损害责任

**第七十八条** 饲养的动物造成他人损害的，动物饲养人应当承担侵权责任，但能够证明损害是因受害人的重大过失造成的，可以减轻或者免除动物饲养人的赔偿责任。

**第七十九条** 违反管理规定饲养烈性犬等动物造成他人损害的，动物饲养人应当承担侵权责任。

**第八十条** 动物园的动物造成他人损害的，动物园应当承担赔偿责任，但能够证明尽到管理职责的除外。

**第八十一条** 因第三人的过错致使动物造成他人损害的，受害人可以请求第三人承担赔偿责任，也可以请求动物饲养人承担赔偿责任。动物饲养人承担赔偿责任后，有权向第三人追偿。

## 第十一章 物件致人损害责任

**第八十二条** 建筑物或者其他设施以及建筑物上的搁置物、悬挂物发生倒塌、脱落、坠落造成他人损害，所有人或者管理人不能证明自己没有过错的，应当承担侵权责任。

所有人或者管理人承担责任后，有其他责任人的，有权向其他责任人追偿。

**第八十三条** 从建筑物中抛掷物品或者从建筑物上坠落的物品造成他人损害，难以确定具体加害人的，除能够证明自己不是加害人的外，由可能加害的建筑物使用人承担赔偿责任。

**第八十四条** 堆放物倒塌造成他人损害，堆放人不能证明自己没有过错的，应当承担侵权责任。

**第八十五条** 在公共道路上堆放、倾倒、遗撒妨碍通行的物品造成他人损害的，有关单位或者个人应当承担侵权责任。

**第八十六条** 因林木折断造成他人损害，林木的所有人或者管理人不能证明自己没有过错的，应当承担侵权责任。

**第八十七条** 在公共场所或者道路上挖坑、修缮、安装地下设施等，没有设置明显标志和采取安全措施造成他人损害的，施工人应当承担侵权责任。

窨井等地下设施造成他人损害,管理人不能证明尽到管理义务的,应当承担侵权责任。

## 第十二章　附　　则

**第八十八条**　本法自　　　　年　　月　　日起施行。

# 全国人民代表大会法律委员会关于《中华人民共和国侵权责任法(草案)》修改情况的汇报

(2009年10月27日十一届全国人大常委会第十一次会议)

全国人民代表大会常务委员会:

常委会第六次会议对侵权责任法(草案二次审议稿)进行了审议。会后,法制工作委员会将草案印发各省(区、市)、中央有关部门和法学教学研究机构等单位征求意见。对草案的主要问题,邀请有关部门和专家召开了20余次座谈会,在甘肃、江苏、安徽、山东、江西、宁夏、陕西等地进行了调研,并与最高人民法院、卫生部、环境保护部、人力资源和社会保障部、教育部、国家安监总局等有关部门交换意见,共同研究。法律委员会于10月10日召开会议,根据常委会组成人员的审议意见以及各方面的意见,对草案进行了审议。最高人民法院的同志列席了会议。10月20日,法律委员会召开会议,再次进行了审议。现就主要问题修改情况汇报如下:

一、有的常委委员、部门和专家提出,死亡赔偿在许多情况下根据死者年龄、收入状况等情形赔偿数额有所不同,但在同一事故造成死亡人数较多时，为便于解决纠纷，不少采用相同数额予以赔偿，草案应当根据实际做法增加有关规定。法律委员会经研究，建议增加规定："因交通事故、矿山事故等侵权行为造成死亡人数较多的，可以不考虑年龄、收入状况等因素，以同一数额确定死亡赔偿金。"（草案三次审议稿第十七条）

二、有的常委委员、法院和专家提出，侵害姓名权、名誉权、肖像权、隐私权等造成财产损失的，不少情况下损失赔偿额难以计算，草案应当进一步对侵害人身权如何赔偿作出规定。法律委员会经研究，建议增加规定："侵害他人人身权造成财产损失的，按照被侵权人因此受到的损失赔偿；被侵权人的损失难以确定，侵权人因此获得利益的，按照其获得的利益赔偿。"（草案三次审议稿第二十条）

三、草案二次审议稿第三十三条规定了用人单位责任。有的部门和专家提出，劳务派遣问题是用人单位责任中的特殊情况，劳务派遣涉及三方关系，其工作人员造成他人损害的由谁承担责任，草案应当作出有针对性的规定。法律委员会经研究，建议增加规定："劳务派遣期间，被派遣的工作人员在工作过程中造成他人损害的，由接受劳务派遣的用工单位承担侵权责任；劳务派遣单位有过错的，承担相应的补充责任。"（草案三次审议稿第三十四条第二款）

四、有的地方、法院和专家提出，现实生活中因雇保姆、家庭装修等在个人之间形成劳务关系的较多，提供劳务一方造成他人损害或者自己受到伤害的，由谁承担责任，草案对此应当作出规定。法律委员会经研究，建议增加规定："个人之间形成劳务关系，提供劳务一方在劳务过程中造成他人损害的，由接受劳务一方承担侵权责任；提供劳务一方在劳务过程中自己受到伤害的，根据双方各自的过错承担相应的责任。"（草案三次审议稿第三十五条）

五、草案二次审议稿规定了医疗损害责任一章。有的部门提出，草案对医疗机构在哪些情况下应当承担医疗损害责任作了规定，同时还应对医疗机构不承担责任的情形作出规定。法律委员会经研究，建议在这一章中增加规定："因下列情形之一，患者有损害的，医疗机构不承担赔偿责任：（一）患者或者其近亲属不配合医疗机构进行必要的诊疗的；（二）医务人员在抢救危急患者等紧急情况下已经尽到合理注意义务的；（三）限于当时的医疗水平难以诊疗的。"（草案三次审议稿第六十条）

草案二次审议稿第五十九条规定："患者的损害可能是由医务人员的诊疗行为造成的，除医务人员提供相反证据外，推定该诊疗行为与患者损害之间存在因果关系。"有些常委会组成人员提出，造成医疗损害的原因较为复杂，不少情况下由医务人员承担证明责任也有困难，建议删去这一条。有的专家提出，因果关系证明规则可以由民事诉讼法的证据制度解决，本法可以不作规定。法律委员会经研究，建议删去这一条。

六、草案规定了高度危险责任一章。有的常委委员、部门和专家提出，草案应当进一步区分不同类型的高度危险责任，并增加法定限额赔偿的规定。法律委员会经研究，建议对这一章作以下修改：一是对民用核设施和民用航空器的责任分别作出规定（草案三次审议稿第七十条、第七十一条）；二是对易燃、易爆等高度危险物和从事高空、高压、地下挖掘，使用高速轨道运输工具的责任分别作出规定（草案三次审议稿第七十二条、第七十三条）；三是增加规定："承担高度危险责任，法律规定赔偿限额的，依照其规定。"（草案三次审议稿第七十七条）

七、不少地方和专家提出，近年来动物致人损害的纠纷日益增多，应对侵权责任作出更加明确的规定。法律委员会经研究，建议在动物损害责任一章中增加规定："违反管理规定，未对动物采取安全措施造成他人损害的，动物饲养人或者管理人应当承担侵权责任。”（草案三次审议稿第七十九条）“遗弃、逃逸的动物在遗弃、逃逸期间造成他人损害的，由原动物饲养人或者管理人承担侵权责任。”（草案三次审议稿第八十二条）

此外，还对草案二次审议稿作了一些文字修改。

草案三次审议稿已按上述意见作了修改，法律委员会建议本次常委会会议继续审议。

草案三次审议稿和以上汇报是否妥当，请审议。

# 《中华人民共和国侵权责任法(草案)》(三次审议稿)

目　录



## 第一章　一般规定

**第一条**　为保护民事主体的合法权益,明确侵权责任,预防并制裁侵权行为,促进社会和谐稳定,制定本法。

**第二条**　侵害民事权益,应当依照本法承担侵权责任。

本法所称民事权益，包括生命权、健康权、姓名权、名誉权、肖像权、隐私权、监护权、所有权、用益物权、担保物权、著作权、专利权、商标专用权、股权、继承权等人身、财产权益。

**第三条** 被侵权人有权请求侵权人承担侵权责任。

**第四条** 侵权人因同一行为应当承担行政责任或者刑事责任的，不影响依法承担侵权责任。

因同一行为应当承担侵权责任和行政责任、刑事责任，侵权人的财产不足以支付的，先承担侵权责任。

**第五条** 其他法律对侵权责任另有特别规定的，依照其规定。

## 第二章 责任构成和责任方式

**第六条** 行为人因过错侵害他人民事权益造成损害的，应当承担侵权责任。

根据法律规定推定行为人有过错，行为人不能证明自己没有过错的，应当承担侵权责任。

**第七条** 行为人侵害他人民事权益造成损害，不论行为人有无过错，法律规定应当承担侵权责任的，依照其规定。

**第八条** 二人以上共同实施侵权行为，造成他人损害的，应当承担连带责任。

**第九条** 教唆、帮助他人实施侵权行为的，应当与行为人承担连带责任。

教唆、帮助无民事行为能力人、限制民事行为能力人实施侵权行为的，应当承担侵权责任；该无民事行为能力人、限制民事行为能力人的监护人未尽到监护责任的，应当承担相应的责任。

**第十条** 二人以上实施危及他人人身、财产安全的行为，其中一人或者数人的行为造成他人损害，能够确定具体加害人的，由加害人承担侵权责任；不能确定具体加害人的，行为人承担连带责任。

**第十一条** 二人以上分别实施侵权行为造成同一损害,每个人的侵权行为都足以造成全部损害的,行为人承担连带责任。

**第十二条** 二人以上分别实施侵权行为造成同一损害,能够确定责任大小的,各自承担相应的责任;难以确定责任大小的,平均承担赔偿责任。

**第十三条** 法律规定承担连带责任的,被侵权人有权要求其中一人或者数人承担全部责任。

**第十四条** 连带责任人承担连带责任后,根据责任大小确定相应的赔偿数额;难以确定的,平均承担赔偿责任。

支付超出自己赔偿数额的连带责任人,有权向其他连带责任人追偿。

**第十五条** 承担侵权责任的方式主要有:

(一)停止侵害;

(二)排除妨碍;

(三)消除危险;

(四)返还财产;

(五)恢复原状;

(六)赔偿损失;

(七)赔礼道歉;

(八)消除影响、恢复名誉。

以上承担侵权责任的方式,可以单独适用,也可以合并适用。

**第十六条** 侵害他人造成人身损害的,应当赔偿医疗费、护理费、交通费等为治疗和康复支出的合理费用,以及因误工减少的收入。造成残疾的,还应当赔偿残疾生活自助具费和残疾赔偿金。造成死亡的,还应当赔偿丧葬费和死亡赔偿金。

**第十七条** 因交通事故、矿山事故等侵权行为造成死亡人数较多的，可以不考虑年龄、收入状况等因素，以同一数额确定死亡赔偿金。

**第十八条**　被侵权人死亡的，其近亲属有权请求侵权人承担侵权责任。被侵权人为单位，该单位分立、合并的，承继权利的单位有权请求侵权人承担侵权责任。

被侵权人死亡，支付被侵权人医疗费、丧葬费等合理费用的人有权请求侵权人赔偿费用，但侵权人已支付该费用的除外。

**第十九条**　侵害他人财产的，财产损失按照损失发生时的市场价格或者其他标准计算。

**第二十条**　侵害他人人身权造成财产损失的，按照被侵权人因此受到的损失赔偿；被侵权人的损失难以确定，侵权人因此获得利益的，按照其获得的利益赔偿。

**第二十一条**　侵权行为危及他人人身、财产安全的，被侵权人可以请求侵权人承担停止侵害、排除妨碍、消除危险等侵权责任。

**第二十二条**　侵害他人人身权，造成他人严重精神损害的，被侵权人可以请求精神损害赔偿。

**第二十三条**　因防止、制止他人民事权益被侵害而使自己受到损害的，由侵权人承担责任。侵权人逃逸或者无力承担责任，被侵权人请求补偿的，受益人应当给予适当补偿。

**第二十四条**　受害人和行为人对损害的发生都没有过错的，可以根据实际情况，由双方分担损失。

**第二十五条**　损害发生后，当事人可以协商损害赔偿金的支付方式。协商不一致的，损害赔偿金应当一次性支付；一次性支付确有困难的，可以分期支付，但应当提供相应的担保。

## 第三章　不承担责任和减轻责任的情形

**第二十六条**　被侵权人对于损害的发生也有过错的，可以减轻侵权人的责任。

**第二十七条** 损害是因受害人故意造成的，行为人不承担责任。

**第二十八条** 损害是由第三人造成的，第三人应当承担侵权责任。

**第二十九条** 因不可抗力造成他人损害的，不承担责任，但法律另有规定的除外。

**第三十条** 因正当防卫造成损害的，不承担责任。正当防卫超过必要的限度，造成不应有的损害的，应当承担适当的责任。

**第三十一条** 因紧急避险造成损害的，由引起险情发生的人承担责任。如果危险是由自然原因引起的，紧急避险人不承担责任或者给予适当补偿。因紧急避险采取措施不当或者超过必要的限度，造成不应有的损害的，紧急避险人应当承担适当的责任。

## 第四章 关于责任主体的特殊规定

**第三十二条** 无民事行为能力人、限制民事行为能力人造成他人损害的，由监护人承担侵权责任。监护人尽到监护责任的，可以减轻其侵权责任。

有财产的无民事行为能力人、限制民事行为能力人造成他人损害的，从本人财产中支付赔偿费用。不足部分，由监护人赔偿。

**第三十三条** 完全民事行为能力人对自己的行为暂时没有意识或者失去控制造成他人损害有过错的，应当承担侵权责任；没有过错的，根据行为人的经济状况对受害人适当补偿。

完全民事行为能力人因醉酒、滥用麻醉药品或者精神药品对自己的行为暂时没有意识或者失去控制造成他人损害的，应当承担侵权责任。

**第三十四条** 用人单位的工作人员在工作过程中造成他人损害的，由用人单位承担侵权责任。

劳务派遣期间，被派遣的工作人员在工作过程中造成他人损害的，由接受劳务派遣的用工单位承担侵权责任；劳务派遣单位有过错的，承担相应的补充责任。

**第三十五条** 个人之间形成劳务关系，提供劳务一方在劳务过程中造成他人损害的，由接受劳务一方承担侵权责任；提供劳务一方在劳务过程中自己受到伤害的，根据双方各自的过错承担相应的责任。

**第三十六条** 网络服务提供者知道网络用户利用其网络服务侵害他人民事权益，未采取必要措施的，与该网络用户承担连带责任。

网络用户利用网络服务实施侵权行为的，被侵权人有权通知网络服务提供者采取删除、屏蔽、断开链接等必要措施。网络服务提供者接到通知后未及时采取必要措施的，对损害的扩大部分与该网络用户承担连带责任。

**第三十七条** 宾馆、商场、银行、车站、公园、娱乐场所等公共场所的管理人或者群众性活动的组织者，未尽到安全保障义务，造成他人损害的，应当承担侵权责任。

因第三人的行为造成他人损害的，由第三人承担侵权责任；管理人或者组织者未尽到安全保障义务的，承担相应的补充责任。

**第三十八条** 无民事行为能力人在幼儿园、学校或者其他教育机构学习、生活期间受到人身损害的，幼儿园、学校或者其他教育机构应当承担责任，但能够证明尽到教育、管理职责的除外。

**第三十九条** 限制民事行为能力人在学校或者其他教育机

构学习、生活期间受到人身损害，学校或者其他教育机构未尽到教育、管理职责的，应当承担责任。

**第四十条** 无民事行为能力人或者限制民事行为能力人在幼儿园、学校或者其他教育机构学习、生活期间，受到幼儿园、学校或者其他教育机构以外的人员人身损害的，由侵权人承担侵权责任；幼儿园、学校或者其他教育机构未尽到管理职责的，承担相应的补充责任。

## 第五章 产品责任

**第四十一条** 因产品存在缺陷造成他人损害的，生产者应当承担侵权责任。法律规定不承担责任或者减轻责任的，依照其规定。

**第四十二条** 因销售者的过错使产品存在缺陷，造成他人损害的，销售者应当承担侵权责任。

销售者不能指明缺陷产品的生产者也不能指明缺陷产品的供货者的，销售者应当承担侵权责任。

**第四十三条** 因产品存在缺陷造成损害的，被侵权人可以向产品的生产者请求赔偿，也可以向产品的销售者请求赔偿。

产品缺陷由生产者造成的，销售者赔偿后，有权向生产者追偿。

因销售者的过错使产品存在缺陷的，生产者赔偿后，有权向销售者追偿。

**第四十四条** 因运输者、仓储者等第三人的过错使产品存在缺陷，造成他人损害的，产品的生产者、销售者赔偿后，有权向第三人追偿。

**第四十五条** 因产品缺陷危及他人人身、财产安全的，被侵权人有权要求生产者、销售者承担排除妨碍、消除危险等侵权责任。

**第四十六条** 产品投入流通后发现存在缺陷的，生产者、销售者应当及时采取警示、召回等补救措施。未及时采取补救措施或者补救措施不力造成损害的，应当承担侵权责任。

**第四十七条** 明知产品存在缺陷仍然生产、销售，造成他人生命、健康损害的，被侵权人有权依法请求惩罚性赔偿。

## 第六章 机动车交通事故责任

**第四十八条** 机动车发生交通事故造成损害的，依照道路交通安全法的有关规定承担赔偿责任。

**第四十九条** 因租赁、借用等情形机动车所有人和使用人不是同一人时，发生交通事故后属于机动车一方责任的，由保险公司在机动车强制保险责任限额范围内予以赔偿。不足部分，由机动车使用人承担赔偿责任；机动车所有人对损害的发生有过错的，承担相应的赔偿责任。

**第五十条** 当事人之间已经以买卖等方式转让并交付机动车但未办理所有权转移登记，机动车发生交通事故后，属于机动车一方责任的，由保险公司在机动车强制保险责任限额范围内予以赔偿。不足部分，由受让人承担赔偿责任。

**第五十一条** 以买卖等方式转让拼装的或者已达到报废标准的机动车，发生交通事故造成损害的，由转让人和受让人承担连带责任。

**第五十二条** 盗窃、抢劫或者抢夺的机动车发生交通事故造成损害的，由盗窃人、抢劫人或者抢夺人承担赔偿责任。保险公司在机动车强制保险责任限额范围内垫付抢救费用的，有权向交通事故责任人追偿。

**第五十三条** 机动车驾驶人发生交通事故后逃逸的，该机动车参加强制保险的，由保险公司在机动车强制保险责任限额范围内予以赔偿；机动车不明或者该机动车未参加强制保险，需要支付被侵权人人身伤亡的抢救、丧葬等费用的，由道路交通事故社会救助基金垫付。道路交通事故社会救助基金垫付后，其管理机构有权向交通事故责任人追偿。

## 第七章　医疗损害责任

**第五十四条**　患者在诊疗活动中受到损害，医务人员有过错的，由所属的医疗机构承担赔偿责任。

**第五十五条**　医务人员在一般诊疗活动中应当向患者简要说明病情和医疗措施。需要实施手术、特殊检查、特殊治疗的，医务人员应当及时向患者说明病情、医疗措施、医疗风险、替代医疗方案等情况，并取得其书面同意。不宜向患者说明的，医务人员应当向患者的近亲属说明，并取得其书面同意。

医务人员未尽到前款义务，造成患者损害的，医疗机构应当承担赔偿责任。

**第五十六条**　因抢救危急患者等紧急情况，不能取得患者或者其近亲属意见的，经医疗机构负责人或者授权的负责人批准，可以立即实施相应的医疗措施。

**第五十七条**　医务人员在诊疗活动中应当尽到与当时的医疗水平相应的注意义务。医务人员未尽到该项义务，造成患者损害的，医疗机构应当承担赔偿责任。

判断医务人员注意义务时，应当适当考虑地区、医疗机构资质、医务人员资质等因素。

**第五十八条**　有下列情形之一，造成患者损害的，推定医疗机构有过错：

（一）违反法律、行政法规、规章等有关诊疗规范的规定的；

（二）隐匿或者拒绝提供与纠纷有关的医学文书及有关资料的；

（三）伪造或者销毁医学文书及有关资料的。

**第五十九条** 因药品、消毒药剂、医疗器械的缺陷，或者输入不合格的血液造成患者损害的，患者可以向生产者或者血液提供机构请求赔偿，也可以向医疗机构请求赔偿。患者向医疗机构请求赔偿的，医疗机构可以要求生产者或者血液提供机构协商赔偿。

**第六十条** 因下列情形之一，患者有损害的，医疗机构不承担赔偿责任：

（一）患者或者其近亲属不配合医疗机构进行必要的诊疗的；

（二）医务人员在抢救危急患者等紧急情况下已经尽到合理注意义务的；

（三）限于当时的医疗水平难以诊疗的。

**第六十一条** 医务人员应当按照规定填写并妥善保管住院志、医嘱单、检验报告、手术及麻醉记录、病理资料、护理记录、医疗费用等医学文书及有关资料。患者要求查阅、复制医学文书及有关资料的，医疗机构应当提供。

**第六十二条** 医疗机构应当对患者的隐私保密。未经患者同意，公开患者医学文书及有关资料造成损害的，应当承担侵权责任。

**第六十三条** 医务人员应当根据患者的病情实施合理的诊疗行为，不得采取过度检查等不必要的诊疗行为。

医疗机构违反前款规定，应当退回不必要诊疗的费用，造成患者其他损害的，还应当承担赔偿责任。

**第六十四条** 医疗机构和医务人员的合法权益受法律保护。干扰医疗秩序，妨害医务人员工作、生活的，应当依法承担法律责任。

## 第八章　环境污染责任

**第六十五条** 因污染生活、生态环境造成损害的，污染者应当承担侵权责任。法律规定不承担责任或者减轻责任的，依照其规定。

**第六十六条** 因环境污染发生纠纷，污染者应当就法律规定的不承担责任或者减轻责任的情形及其行为与损害之间不存在因果关系承担举证责任。

**第六十七条** 两个以上污染者污染环境，除能够证明与损害不存在因果关系的外，应当承担侵权责任。污染者承担责任的大小，根据污染物的种类、排放量等因素确定。

**第六十八条** 因第三人的过错污染环境造成损害的，被侵权人可以向污染者请求赔偿，也可以向第三人请求赔偿。污染者赔偿后，有权向第三人追偿。

## 第九章 高度危险责任

**第六十九条** 从事高度危险作业造成他人损害的，应当承担侵权责任。法律规定不承担责任或者减轻责任的，依照其规定。

**第七十条** 民用核设施发生核事故造成他人损害的，民用核设施的经营人应当承担侵权责任，但能够证明损害是因战争等情形或者受害人故意造成的除外。

**第七十一条** 民用航空器造成他人损害的，民用航空器的经营人应当承担侵权责任，但能够证明损害是因受害人故意造成的除外。法律另有规定的，依照其规定。

**第七十二条** 占有或者使用易燃、易爆、剧毒、放射性等高度危险物造成他人损害的，占有人或者使用人应当承担侵权责任，但能够证明损害是因受害人故意或者不可抗力造成的除外。被侵权人对损害的发生有重大过失的，可以减轻占有人或者使用人的责任。

**第七十三条** 从事高空、高压、地下挖掘活动，使用高速轨道运输工具造成他人损害的，经营人应当承担侵权责任，但能够证明损害是因受害人故意或者不可抗力造成的除外。被侵权人对损害的发生有过失的，可以减轻经营人的责任。

**第七十四条** 遗失、抛弃高度危险物造成他人损害的，由所有人承担侵权责任。所有人将高度危险物交由他人管理的，由管理人承担侵权责任；所有人有过错的，与管理人承担连带责任。

**第七十五条** 非法占有高度危险物造成他人损害的，由非法占有人承担侵权责任。所有人、管理人不能证明对防止他人非法占有尽到高度注意义务的，与非法占有人承担连带责任。

**第七十六条** 未经许可进入高度危险活动区域或者高度危险物存放区域受到损害，作业人已经采取安全措施并且尽到警示义务的，可以减轻或者免除其责任。

**第七十七条** 承担高度危险责任，法律规定赔偿限额的，依照其规定。

## 第十章 动物损害责任

**第七十八条** 饲养的动物造成他人损害的，动物饲养人或者管理人应当承担侵权责任，但能够证明损害是因被侵权人的重大过失造成的，可以减轻或者免除责任。

**第七十九条** 违反管理规定，未对动物采取安全措施造成他人损害的，动物饲养人或者管理人应当承担侵权责任。

**第八十条** 禁止饲养的烈性犬等动物造成他人损害的，动物饲养人应当承担侵权责任。

**第八十一条** 动物园的动物造成他人损害的，动物园应当承担侵权责任，但能够证明尽到管理职责的除外。

**第八十二条** 遗弃、逃逸的动物在遗弃、逃逸期间造成他人损害的，由原动物饲养人或者管理人承担侵权责任。

**第八十三条** 因第三人的过错致使动物造成他人损害的，被侵权人可以向动物饲养人请求赔偿，也可以向第三人请求赔偿。动物饲养人承担责任后，有权向第三人追偿。

**第八十四条** 饲养动物应当遵守法律，尊重社会公德，不得妨害他人生活。

## 第十一章 物件损害责任

**第八十五条** 建筑物或者其他设施以及建筑物上的搁置物、悬挂物发生倒塌、脱落、坠落造成他人损害，所有人或者管理人不能证明自己没有过错的，应当承担侵权责任。

所有人或者管理人赔偿后，有其他责任人的，有权向其他责任人追偿。

**第八十六条** 从建筑物中抛掷物品或者从建筑物上坠落的物品造成他人损害，难以确定具体加害人的，除能够证明自己不是加害人的外，由可能加害的建筑物使用人给予补偿。

**第八十七条** 堆放物倒塌造成他人损害，堆放人不能证明自己没有过错的，应当承担侵权责任。

**第八十八条** 在公共道路上堆放、倾倒、遗撒妨碍通行的物品造成他人损害的，有关单位或者个人应当承担侵权责任。

**第八十九条** 因林木折断造成他人损害，林木的所有人或者管理人不能证明自己没有过错的，应当承担侵权责任。

**第九十条** 在公共场所或者道路上挖坑、修缮安装地下设施等，没有设置明显标志和采取安全措施造成他人损害的，施工人应当承担侵权责任。

窨井等地下设施造成他人损害，管理人不能证明尽到管理职责的，应当承担侵权责任。

## 第十二章 附 则

**第九十一条** 本法自　　　年　　月　　日起施行。

# 全国人民代表大会法律委员会关于《中华人民共和国侵权责任法(草案)》审议结果的报告

(2009年12月22日十一届全国人大常委会第十二次会议)

全国人民代表大会常务委员会:

常委会第十一次会议对侵权责任法(草案三次审议稿)进行了审议。会后,法律委员会、法制工作委员会就有关问题进一步研究,并就草案的进一步修改与最高人民法院、卫生部、住房和城乡建设部交换意见,共同研究。法律委员会于12月2日召开会议,根据常委会组成人员的审议意见和各方面的意见,对草案进行了审议。最高人民法院的负责同志列席了会议。12月15日,法律委员会召开会议,再次进行了审议。法律委员会认为,为保护民事主体的合法权益,明确侵权责任,预防并制裁侵权行为,促进社会和谐稳定,制定本法是必要的。草案经过常委会三次审议修改,已经比较成熟;同时,提出以下主要修改意见:

一、草案三次审议稿第二条第二款规定了民事权益的内容。有的常委委员提出,现行法律对"婚姻自主权"等民事权益已有规定,草案应当予以明确。法律委员会经研究,建议在这一款中

增加“荣誉权”、“婚姻自主权”和“发现权”的规定。（草案四次审议稿第二条第二款）

二、草案三次审议稿第二十条对侵害他人人身权益造成财产损失的赔偿作了规定。有些常委委员提出，当侵权人获得的利益难以计算时如何确定赔偿数额，草案应当作出进一步规定。法律委员会经同有关部门研究，建议在这一条中增加规定：“侵权人因此获得的利益难以确定，被侵权人和侵权人就赔偿数额协商不一致，向人民法院提起诉讼的，由人民法院根据实际情况确定具体赔偿数额。”（草案四次审议稿第二十条）

三、草案三次审议稿第四十七条规定，明知产品存在缺陷仍然生产、销售，造成他人生命、健康损害的，被侵权人有权依法请求惩罚性赔偿。有的常委委员和专家提出，惩罚性赔偿的适用宜限制在造成严重损害的情形，同时应防止滥用，避免要求的赔偿数额畸高。法律委员会经同有关部门研究，赞成上述意见，建议将这一条修改为：“明知产品存在缺陷仍然生产、销售，侵害他人生命或者造成他人健康严重损害的，被侵权人有权请求相应的惩罚性赔偿。”（草案四次审议稿第四十七条）

四、草案三次审议稿第六十条规定了医疗机构不承担责任的情形。有的常委委员提出，这条规定过于绝对，草案规定的情形中有的是一方有过错，有的可能是混合过错，建议明确规定医疗机构及其医务人员也有过错的，亦应承担侵权责任。法律委员会经研究，建议在这一条中增加一款规定：“前款第一项情形中，医疗机构及其医务人员也有过错的，应当承担相应的赔偿责任。”（草案四次审议稿第六十条第二款）

五、草案三次审议稿第六十三条对医务人员不得采取过度检查等不必要的诊疗行为作了规定。有的部门和单位提出，过度检查含义不明确，难以判断，建议删去这一条或者删去这一条第二款的规定。法律委员会经研究认为，为了维护患者的合法权益,对此作出禁止性规范是必要的,同时应当进一步明确不必要检查的判断标准。建议将这一条修改为:“医疗机构及其医务人员不得违反诊疗规范实施不必要的检查。”(草案四次审议稿第六十三条)

六、草案三次审议稿第八十五条规定了建筑物倒塌、脱落、坠落的有关责任。有的常委委员和专家提出,建筑物倒塌严重危害人民群众的人身、财产安全,对此应当作出严格规定。法律委员会经同有关部门研究,建议区分建筑物倒塌与脱落、坠落的不同责任,增加一条规定:“建筑物、构筑物或者其他设施倒塌造成他人损害的,由建设单位与施工单位承担连带责任。”“建设单位、施工单位赔偿后,有其他责任人的,有权向其他责任人追偿。”(草案四次审议稿第八十六条)

这里还有一个问题需要汇报。草案三次审议稿第三十四条、第三十五条规定了用人单位工作人员因工作和个人因劳务造成他人损害产生的责任。一些常委会组成人员建议增加规定用人单位和接受劳务一方的个人对他人赔偿后的追偿权。法律委员会经同有关部门反复研究认为,在什么情况下可以追偿,情况比较复杂。根据不同行业、不同工种和不同劳动安全条件,其追偿条件应有所不同。哪些因过错、哪些因故意或者重大过失可以追偿,本法难以作出一般规定。用人单位与其工作人员之间以及因个人劳务对追偿问题发生争议的,宜由人民法院在审判实践中根据具体情况处理。

此外,还对草案三次审议稿作了一些文字修改。

草案四次审议稿已按上述意见作了修改,法律委员会建议本次常委会会议审议通过。

草案四次审议稿和以上报告是否妥当,请审议。

# 《中华人民共和国侵权责任法(草案)》(四次审议稿)

目　录



## 第一章　一般规定

**第一条**　为保护民事主体的合法权益,明确侵权责任,预防并制裁侵权行为,促进社会和谐稳定,制定本法。

**第二条**　侵害民事权益,应当依照本法承担侵权责任。

本法所称民事权益，包括生命权、健康权、姓名权、名誉权、荣誉权、肖像权、隐私权、婚姻自主权、监护权、所有权、用益物权、担保物权、著作权、专利权、商标专用权、发现权、股权、继承权等人身、财产权益。

**第三条** 被侵权人有权请求侵权人承担侵权责任。

**第四条** 侵权人因同一行为应当承担行政责任或者刑事责任的，不影响依法承担侵权责任。

因同一行为应当承担侵权责任和行政责任、刑事责任，侵权人的财产不足以支付的，先承担侵权责任。

**第五条** 其他法律对侵权责任另有特别规定的，依照其规定。

## 第二章 责任构成和责任方式

**第六条** 行为人因过错侵害他人民事权益，应当承担侵权责任。

根据法律规定推定行为人有过错，行为人不能证明自己没有过错的，应当承担侵权责任。

**第七条** 行为人损害他人民事权益，不论行为人有无过错，法律规定应当承担侵权责任的，依照其规定。

**第八条** 二人以上共同实施侵权行为，造成他人损害的，应当承担连带责任。

**第九条** 教唆、帮助他人实施侵权行为的，应当与行为人承担连带责任。

教唆、帮助无民事行为能力人、限制民事行为能力人实施侵权行为的，应当承担侵权责任；该无民事行为能力人、限制民事行为能力人的监护人未尽到监护责任的，应当承担相应的责任。

**第十条** 二人以上实施危及他人人身、财产安全的行为，其中一人或者数人的行为造成他人损害，能够确定具体侵权人的，由侵权人承担责任;不能确定具体侵权人的,行为人承担连带责任。

**第十一条** 二人以上分别实施侵权行为造成同一损害,每个人的侵权行为都足以造成全部损害的,行为人承担连带责任。

**第十二条** 二人以上分别实施侵权行为造成同一损害,能够确定责任大小的,各自承担相应的责任;难以确定责任大小的,平均承担赔偿责任。

**第十三条** 法律规定承担连带责任的,被侵权人有权请求部分或者全部连带责任人承担责任。

**第十四条** 连带责任人根据各自责任大小确定相应的赔偿数额;难以确定的,平均承担赔偿责任。

支付超出自己赔偿数额的连带责任人,有权向其他连带责任人追偿。

**第十五条** 承担侵权责任的方式主要有:

(一)停止侵害;

(二)排除妨碍;

(三)消除危险;

(四)返还财产;

(五)恢复原状;

(六)赔偿损失;

(七)赔礼道歉;

(八)消除影响、恢复名誉。

以上承担侵权责任的方式,可以单独适用,也可以合并适用。

**第十六条** 侵害他人造成人身损害的,应当赔偿医疗费、护理费、交通费等为治疗和康复支出的合理费用,以及因误工减少的收入。造成残疾的,还应当赔偿残疾生活辅助具费和残疾赔偿金。造成死亡的,还应当赔偿丧葬费和死亡赔偿金。

**第十七条** 因同一交通事故等侵权行为造成多人死亡的，可以以相同数额确定死亡赔偿金。

**第十八条** 被侵权人死亡的，其近亲属有权请求侵权人承担侵权责任。被侵权人为单位，该单位分立、合并的，承继权利的单位有权请求侵权人承担侵权责任。

被侵权人死亡，支付被侵权人医疗费、丧葬费等合理费用的人有权请求侵权人赔偿费用，但侵权人已支付该费用的除外。

**第十九条** 侵害他人财产的，财产损失按照损失发生时的市场价格或者其他方式计算。

**第二十条** 侵害他人人身权益造成财产损失的，按照被侵权人因此受到的损失赔偿；被侵权人的损失难以确定，侵权人因此获得利益的，按照其获得的利益赔偿；侵权人因此获得的利益难以确定，被侵权人和侵权人就赔偿数额协商不一致，向人民法院提起诉讼的，由人民法院根据实际情况确定具体赔偿数额。

**第二十一条** 侵权行为危及他人人身、财产安全的，被侵权人可以请求侵权人承担停止侵害、排除妨碍、消除危险等侵权责任。

**第二十二条** 侵害他人人身权益，造成他人严重精神损害的，被侵权人可以请求精神损害赔偿。

**第二十三条** 因防止、制止他人民事权益被侵害而使自己受到损害的，由侵权人承担责任。侵权人逃逸或者无力承担责任，被侵权人请求补偿的，受益人应当给予适当补偿。

**第二十四条** 受害人和行为人对损害的发生都没有过错的，可以根据实际情况，由双方分担损失。

**第二十五条** 损害发生后，当事人可以协商损害赔偿金的支付方式。协商不一致的，损害赔偿金应当一次性支付；一次性支付确有困难的，可以分期支付，但应当提供相应的担保。

## 第三章 不承担责任和减轻责任的情形

**第二十六条** 被侵权人对损害的发生也有过错的,可以减轻侵权人的责任。

**第二十七条** 损害是因受害人故意造成的,行为人不承担责任。

**第二十八条** 损害是因第三人造成的,第三人应当承担侵权责任。

**第二十九条** 因不可抗力造成他人损害的,不承担责任。法律另有规定的,依照其规定。

**第三十条** 因正当防卫造成损害的,不承担责任。正当防卫超过必要的限度,造成不应有的损害的,应当承担适当的责任。

**第三十一条** 因紧急避险造成损害的,由引起险情发生的人承担责任。如果危险是由自然原因引起的,紧急避险人不承担责任或者给予适当补偿。因紧急避险采取措施不当或者超过必要的限度,造成不应有的损害的,紧急避险人应当承担适当的责任。

## 第四章 关于责任主体的特殊规定

**第三十二条** 无民事行为能力人、限制民事行为能力人造成他人损害的,由监护人承担侵权责任。监护人尽到监护责任的,可以减轻其侵权责任。

有财产的无民事行为能力人、限制民事行为能力人造成他人损害的,从本人财产中支付赔偿费用。不足部分,由监护人赔偿。

**第三十三条** 完全民事行为能力人对自己的行为暂时没有意识或者失去控制造成他人损害有过错的,应当承担侵权责任;

没有过错的，根据行为人的经济状况对受害人适当补偿。

完全民事行为能力人因醉酒、滥用麻醉药品或者精神药品对自己的行为暂时没有意识或者失去控制造成他人损害的，应当承担侵权责任。

**第三十四条** 用人单位的工作人员因工作造成他人损害的，由用人单位承担侵权责任。

劳务派遣期间，被派遣的工作人员因工作造成他人损害的，由接受劳务派遣的用工单位承担侵权责任；劳务派遣单位有过错的，承担相应的补充责任。

**第三十五条** 个人之间形成劳务关系，提供劳务一方因劳务造成他人损害的，由接受劳务一方承担侵权责任。提供劳务一方因劳务自己受到伤害的，根据双方各自的过错承担相应的责任。

**第三十六条** 网络用户利用网络服务侵害他人民事权益的，应当承担侵权责任。

网络用户利用网络服务实施侵权行为的，被侵权人有权通知网络服务提供者采取删除、屏蔽、断开链接等必要措施。网络服务提供者接到通知后未及时采取必要措施的，对损害的扩大部分与该网络用户承担连带责任。

网络服务提供者知道或者应当知道网络用户利用其网络服务侵害他人民事权益，未采取必要措施的，与该网络用户承担连带责任。

**第三十七条** 宾馆、商场、银行、车站、娱乐场所等公共场所的管理人或者群众性活动的组织者，未尽到安全保障义务，造成他人损害的，应当承担侵权责任。

因第三人的行为造成他人损害的，由第三人承担侵权责任；管理人或者组织者未尽到安全保障义务的，承担相应的补充责任。

**第三十八条** 无民事行为能力人在幼儿园、学校或者其他教育机构学习、生活期间受到人身损害的,幼儿园、学校或者其他教育机构应当承担责任,但能够证明尽到教育、管理职责的,不承担责任。

**第三十九条** 限制民事行为能力人在学校或者其他教育机构学习、生活期间受到人身损害,学校或者其他教育机构未尽到教育、管理职责的,应当承担责任。

**第四十条** 无民事行为能力人或者限制民事行为能力人在幼儿园、学校或者其他教育机构学习、生活期间,受到幼儿园、学校或者其他教育机构以外的人员人身损害的,由侵权人承担侵权责任;幼儿园、学校或者其他教育机构未尽到管理职责的,承担相应的补充责任。

## 第五章 产品责任

**第四十一条** 因产品存在缺陷造成他人损害的,生产者应当承担侵权责任。法律规定不承担责任或者减轻责任的,依照其规定。

**第四十二条** 因销售者的过错使产品存在缺陷,造成他人损害的,销售者应当承担侵权责任。

销售者不能指明缺陷产品的生产者也不能指明缺陷产品的供货者的,销售者应当承担侵权责任。

**第四十三条** 因产品存在缺陷造成损害的,被侵权人可以向产品的生产者请求赔偿,也可以向产品的销售者请求赔偿。

产品缺陷由生产者造成的,销售者赔偿后,有权向生产者追偿。

因销售者的过错使产品存在缺陷的,生产者赔偿后,有权向销售者追偿。

**第四十四条** 因运输者、仓储者等第三人的过错使产品存在缺陷，造成他人损害的，产品的生产者、销售者赔偿后，有权向第三人追偿。

**第四十五条** 因产品缺陷危及他人人身、财产安全的，被侵权人有权请求生产者、销售者承担排除妨碍、消除危险等侵权责任。

**第四十六条** 产品投入流通后发现存在缺陷的，生产者、销售者应当及时采取警示、召回等补救措施。未及时采取补救措施或者补救措施不力造成损害的，应当承担侵权责任。

**第四十七条** 明知产品存在缺陷仍然生产、销售，侵害他人生命或者造成他人健康严重损害的，被侵权人有权请求相应的惩罚性赔偿。

## 第六章 机动车交通事故责任

**第四十八条** 机动车发生交通事故造成损害的，依照道路交通安全法的有关规定承担赔偿责任。

**第四十九条** 因租赁、借用等情形机动车所有人与使用人不是同一人时，发生交通事故后属于该机动车一方责任的，由保险公司在机动车强制保险责任限额范围内予以赔偿。不足部分，由机动车使用人承担赔偿责任；机动车所有人对损害的发生有过错的，承担相应的赔偿责任。

**第五十条** 当事人之间已经以买卖等方式转让并交付机动车但未办理所有权转移登记，发生交通事故后属于该机动车一方责任的，由保险公司在机动车强制保险责任限额范围内予以赔偿。不足部分，由受让人承担赔偿责任。

**第五十一条** 以买卖等方式转让拼装或者已达到报废标准的机动车，发生交通事故造成损害的，由转让人和受让人承担连带责任。

**第五十二条** 盗窃、抢劫或者抢夺的机动车发生交通事故造成损害的，由盗窃人、抢劫人或者抢夺人承担赔偿责任。保险公司在机动车强制保险责任限额范围内垫付抢救费用的，有权向交通事故责任人追偿。

**第五十三条** 机动车驾驶人发生交通事故后逃逸的，该机动车参加强制保险的，由保险公司在机动车强制保险责任限额范围内予以赔偿；机动车不明或者该机动车未参加强制保险，需要支付被侵权人人身伤亡的抢救、丧葬等费用的，由道路交通事故社会救助基金垫付。道路交通事故社会救助基金垫付后，其管理机构有权向交通事故责任人追偿。

## 第七章 医疗损害责任

**第五十四条** 患者在诊疗活动中受到损害，医疗机构及其医务人员有过错的，由医疗机构承担赔偿责任。

**第五十五条** 医务人员在诊疗活动中应当向患者说明病情和医疗措施。需要实施手术、特殊检查、特殊治疗的，应当及时向患者说明医疗风险、替代医疗方案等情况，并取得其书面同意；不宜向患者说明的，医务人员应当向患者的近亲属说明，并取得其书面同意。

医务人员未尽到前款义务，造成患者损害的，医疗机构应当承担赔偿责任。

**第五十六条** 因抢救生命垂危的患者等紧急情况，不能取得患者或者其近亲属意见的，经医疗机构负责人或者授权的负责人批准，可以立即实施相应的医疗措施。

**第五十七条** 医务人员在诊疗活动中未尽到与当时的医疗水平相应的诊疗义务，造成患者损害的，医疗机构应当承担赔偿责任。

**第五十八条** 患者有损害，因下列情形之一的，推定医疗机构有过错：

（一）违反法律、行政法规、规章以及有关诊疗规范的规定；

（二）隐匿或者拒绝提供与纠纷有关的医学文书及有关资料；

（三）伪造或者销毁医学文书及有关资料。

**第五十九条** 因药品、消毒药剂、医疗器械的缺陷，或者输入不合格的血液造成患者损害的，患者可以向生产者或者血液提供机构请求赔偿，也可以向医疗机构请求赔偿。患者向医疗机构请求赔偿的，医疗机构可以要求生产者或者血液提供机构协商赔偿。

**第六十条** 患者有损害，因下列情形之一的，医疗机构不承担赔偿责任：

（一）患者或者其近亲属不配合医疗机构进行符合诊疗规范的诊疗；

（二）医务人员在抢救生命垂危的患者等紧急情况下已经尽到合理诊疗义务；

（三）限于当时的医疗水平难以诊疗。

前款第一项情形中，医疗机构及其医务人员也有过错的，应当承担相应的赔偿责任。

**第六十一条** 医疗机构及其医务人员应当按照规定填写并妥善保管住院志、医嘱单、检验报告、手术及麻醉记录、病理资料、护理记录、医疗费用等医学文书及有关资料。

患者要求查阅、复制前款规定的医学文书及有关资料的，医疗机构应当提供。

**第六十二条** 医疗机构及其医务人员应当对患者的隐私保密。泄露患者隐私或者未经患者同意公开其医学文书及有关资料，造成患者损害的，应当承担侵权责任。

**第六十三条** 医疗机构及其医务人员不得违反诊疗规范实施不必要的检查。

**第六十四条** 医疗机构及其医务人员的合法权益受法律保护。干扰医疗秩序,妨害医务人员工作、生活的,应当依法承担法律责任。

## 第八章 环境污染责任

**第六十五条** 因污染生活、生态环境造成损害的,污染者应当承担侵权责任。法律规定不承担责任或者减轻责任的,依照其规定。

**第六十六条** 因环境污染发生纠纷,污染者应当就法律规定的不承担责任或者减轻责任的情形及其行为与损害之间不存在因果关系承担举证责任。

**第六十七条** 两个以上污染者污染环境,污染者承担责任的大小,根据污染物的种类、排放量等因素确定。

**第六十八条** 因第三人的过错污染环境造成损害的,被侵权人可以向污染者请求赔偿,也可以向第三人请求赔偿。污染者赔偿后,有权向第三人追偿。

## 第九章 高度危险责任

**第六十九条** 从事高度危险作业造成他人损害的,应当承担侵权责任。法律规定不承担责任或者减轻责任的,依照其规定。

**第七十条** 民用核设施发生核事故造成他人损害的,民用核设施的经营者应当承担侵权责任,但能够证明损害是因战争等情形或者受害人故意造成的,不承担责任。

**第七十一条** 民用航空器造成他人损害的,民用航空器的经营者应当承担侵权责任,但能够证明损害是因受害人故意造成的,不承担责任。

**第七十二条** 占有或者使用易燃、易爆、剧毒、放射性等高度危险物造成他人损害的，占有人或者使用人应当承担侵权责任，但能够证明损害是因受害人故意或者不可抗力造成的，不承担责任。被侵权人对损害的发生有重大过失的，可以减轻占有人或者使用人的责任。

**第七十三条** 从事高空、高压、地下挖掘活动，使用高速轨道运输工具造成他人损害的，经营者应当承担侵权责任，但能够证明损害是因受害人故意或者不可抗力造成的，不承担责任。被侵权人对损害的发生有过失的，可以减轻经营者的责任。

**第七十四条** 遗失、抛弃高度危险物造成他人损害的，由所有人承担侵权责任。所有人将高度危险物交由他人管理的，由管理人承担侵权责任；所有人有过错的，与管理人承担连带责任。

**第七十五条** 非法占有高度危险物造成他人损害的，由非法占有人承担侵权责任。所有人、管理人不能证明对防止他人非法占有尽到高度注意义务的，与非法占有人承担连带责任。

**第七十六条** 未经许可进入高度危险活动区域或者高度危险物存放区域受到损害，管理人已经采取安全措施并且尽到警示义务的，可以减轻或者不承担责任。

**第七十七条** 承担高度危险责任，法律规定赔偿限额的，依照其规定。

## 第十章 动物损害责任

**第七十八条** 饲养的动物造成他人损害的，动物饲养人或者管理人应当承担侵权责任，但能够证明损害是因被侵权人的重大过失造成的，可以减轻或者不承担责任。

**第七十九条** 违反管理规定，未对动物采取安全措施造成他人损害的，动物饲养人或者管理人应当承担侵权责任。

**第八十条** 禁止饲养的烈性犬等危险动物造成他人损害

的，动物饲养人或者管理人应当承担侵权责任。

**第八十一条** 动物园的动物造成他人损害的，动物园应当承担侵权责任，但能够证明尽到管理职责的，不承担责任。

**第八十二条** 遗弃、逃逸的动物在遗弃、逃逸期间造成他人损害的，由原动物饲养人或者管理人承担侵权责任。

**第八十三条** 因第三人的过错致使动物造成他人损害的，被侵权人可以向动物饲养人请求赔偿，也可以向第三人请求赔偿。动物饲养人赔偿后，有权向第三人追偿。

**第八十四条** 饲养动物应当遵守法律，尊重社会公德，不得妨害他人生活。

## 第十一章 物件损害责任

**第八十五条** 建筑物、构筑物或者其他设施及其搁置物、悬挂物发生脱落、坠落造成他人损害，所有人、管理人或者使用人不能证明自己没有过错的，应当承担侵权责任。

所有人、管理人或者使用人赔偿后，有其他责任人的，有权向其他责任人追偿。

**第八十六条** 建筑物、构筑物或者其他设施倒塌造成他人损害的，由建设单位与施工单位承担连带责任。

建设单位、施工单位赔偿后，有其他责任人的，有权向其他责任人追偿。

**第八十七条** 从建筑物中抛掷物品或者从建筑物上坠落的物品造成他人损害，难以确定具体侵权人的，除能够证明自己不是侵权人的外，由可能加害的建筑物使用人给予补偿。

**第八十八条** 堆放物倒塌造成他人损害，堆放人不能证明自己没有过错的，应当承担侵权责任。

**第八十九条** 在公共道路上堆放、倾倒、遗撒妨碍通行的物品造成他人损害的，有关单位或者个人应当承担侵权责任。

**第九十条** 因林木折断造成他人损害，林木的所有人或者管理人不能证明自己没有过错的，应当承担侵权责任。

**第九十一条** 在公共场所或者道路上挖坑、修缮安装地下设施等，没有设置明显标志和采取安全措施造成他人损害的，施工人应当承担侵权责任。

窨井等地下设施造成他人损害，管理人不能证明尽到管理职责的，应当承担侵权责任。

## 第十二章 附 则

**第九十二条** 本法自2010年7月1日起施行。

# 全国人民代表大会法律委员会关于《中华人民共和国侵权责任法（草案四次审议稿）》修改意见的报告

（2009年12月25日十一届全国人大常委会第十二次会议）

全国人民代表大会常务委员会：

本次常委会会议于12月22日下午对侵权责任法（草案四次审议稿）进行了分组审议。普遍认为，草案已经比较成熟，建议进一步修改后，提请本次会议表决通过；同时，有些常委会组成人员还提出了一些修改意见。法律委员会于12月23日下午召开会议，逐条研究了常委会组成人员的审议意见，对草案进行了审议。法律委员会认为，草案是可行的，同时提出以下主要修改意见：

一、有的常委委员提出，草案四次审议稿第五十八条、第六十一条、第六十二条中“医学文书”一词含义过宽，不够清楚，应当将其修改为“病历”。法律委员会经研究，建议采用卫生部有关规定中的表述，将这几条中的“医学文书及有关资料”修改为“病历资料”。（建议表决稿第五十八条、第六十一条、第六十二条）

二、草案四次审议稿第五十九条规定了因药品、消毒药剂、医疗器械的缺陷等造成患者损害的赔偿责任。有的常委委员提出，应当在这一条中进一步明确规定医疗机构赔偿后有权向生产者追偿。法律委员会经研究，赞成上述意见，建议将这一条中“患者向医疗机构请求赔偿的，医疗机构可以要求生产者或者血液提供机构协商赔偿”的规定，修改为“患者向医疗机构请求赔偿的，医疗机构赔偿后，有权向负有责任的生产者或者血液提供机构追偿。”（建议表决稿第五十九条）

三、草案四次审议稿第八十六条规定了建筑物、构筑物或者其他设施倒塌造成他人损害的赔偿责任。有的常委委员提出，建筑物倒塌有多种原因，有的是建筑物质量不合格，有的是建筑物年久失修，有的是业主擅自改变建筑物承重结构，不宜都由建设单位、施工单位承担责任。法律委员会经研究，建议将这一条的第二款并入第一款，并增加一款规定：“因其他责任人的原因，建筑物、构筑物或者其他设施倒塌造成他人损害的，由其他责任人承担侵权责任。”（建议表决稿第八十六条第二款）

此外，根据常委会组成人员的审议意见，还对草案四次审议稿作了一些文字修改。

草案建议表决稿已按上述意见作了修改，法律委员会建议本次常委会会议通过。

草案建议表决稿和以上汇报是否妥当，请审议。

# 中华人民共和国民法通则

（1986年4月12日第六届全国人民代表大会第四次会议通过 1986年4月12日中华人民共和国主席令第三十七号公布 根据2009年8月27日第十一届全国人民代表大会常务委员会第十次会议《关于修改部分法律的决定》修正）

目 录

## 第一章　基本原则

**第一条**　为了保障公民、法人的合法的民事权益，正确调整民事关系，适应社会主义现代化建设事业发展的需要，根据宪法和我国实际情况，总结民事活动的实践经验，制定本法。

**第二条**　中华人民共和国民法调整平等主体的公民之间、法人之间、公民和法人之间的财产关系和人身关系。

**第三条**　当事人在民事活动中的地位平等。

**第四条**　民事活动应当遵循自愿、公平、等价有偿、诚实信用的原则。

**第五条**　公民、法人的合法的民事权益受法律保护，任何组织和个人不得侵犯。

**第六条** 民事活动必须遵守法律,法律没有规定的,应当遵守国家政策。

**第七条** 民事活动应当尊重社会公德,不得损害社会公共利益,扰乱社会经济秩序。

**第八条** 在中华人民共和国领域内的民事活动,适用中华人民共和国法律,法律另有规定的除外。

本法关于公民的规定,适用于在中华人民共和国领域内的外国人、无国籍人,法律另有规定的除外。

## 第二章 公民(自然人)

### 第一节 民事权利能力和民事行为能力

**第九条** 公民从出生时起到死亡时止,具有民事权利能力,依法享有民事权利,承担民事义务。

**第十条** 公民的民事权利能力一律平等。

**第十一条** 十八周岁以上的公民是成年人,具有完全民事行为能力,可以独立进行民事活动,是完全民事行为能力人。

十六周岁以上不满十八周岁的公民,以自己的劳动收入为主要生活来源的,视为完全民事行为能力人。

**第十二条** 十周岁以上的未成年人是限制民事行为能力人,可以进行与他的年龄、智力相适应的民事活动;其他民事活动由他的法定代理人代理,或者征得他的法定代理人的同意。

不满十周岁的未成年人是无民事行为能力人,由他的法定代理人代理民事活动。

**第十三条** 不能辨认自己行为的精神病人是无民事行为能力人,由他的法定代理人代理民事活动。

不能完全辨认自己行为的精神病人是限制民事行为能力人,可以进行与他的精神健康状况相适应的民事活动;其他民事活动由他的法定代理人代理,或者征得他的法定代理人的同意。

**第十四条** 无民事行为能力人、限制民事行为能力人的监护人是他的法定代理人。

**第十五条** 公民以他的户籍所在地的居住地为住所,经常居住地与住所不一致的,经常居住地视为住所。

## 第二节 监 护

**第十六条** 未成年人的父母是未成年人的监护人。

未成年人的父母已经死亡或者没有监护能力的,由下列人员中有监护能力的人担任监护人:

(一)祖父母、外祖父母;

(二)兄、姐;

(三)关系密切的其他亲属、朋友愿意承担监护责任,经未成年人的父、母的所在单位或者未成年人住所地的居民委员会、村民委员会同意的。

对担任监护人有争议的,由未成年人的父、母的所在单位或者未成年人住所地的居民委员会、村民委员会在近亲属中指定。对指定不服提起诉讼的,由人民法院裁决。

没有第一款、第二款规定的监护人的,由未成年人的父、母的所在单位或者未成年人住所地的居民委员会、村民委员会或者民政部门担任监护人。

**第十七条** 无民事行为能力或者限制民事行为能力的精神病人,由下列人员担任监护人:

(一)配偶;

(二)父母;

(三)成年子女;

(四)其他近亲属;

(五)关系密切的其他亲属、朋友愿意承担监护责任,经精神病人的所在单位或者住所地的居民委员会、村民委员会同意的。

对担任监护人有争议的，由精神病人的所在单位或者住所地的居民委员会、村民委员会在近亲属中指定。对指定不服提起诉讼的，由人民法院裁决。

没有第一款规定的监护人的，由精神病人的所在单位或者住所地的居民委员会、村民委员会或者民政部门担任监护人。

**第十八条** 监护人应当履行监护职责，保护被监护人的人身、财产及其他合法权益，除为被监护人的利益外，不得处理被监护人的财产。

监护人依法履行监护的权利，受法律保护。

监护人不履行监护职责或者侵害被监护人的合法权益的，应当承担责任；给被监护人造成财产损失的，应当赔偿损失。人民法院可以根据有关人员或者有关单位的申请，撤销监护人的资格。

**第十九条** 精神病人的利害关系人，可以向人民法院申请宣告精神病人为无民事行为能力人或者限制民事行为能力人。

被人民法院宣告为无民事行为能力人或者限制民事行为能力人的，根据他健康恢复的状况，经本人或者利害关系人申请，人民法院可以宣告他为限制民事行为能力人或者完全民事行为能力人。

### 第三节 宣告失踪和宣告死亡

**第二十条** 公民下落不明满二年的，利害关系人可以向人民法院申请宣告他为失踪人。

战争期间下落不明的，下落不明的时间从战争结束之日起计算。

**第二十一条** 失踪人的财产由他的配偶、父母、成年子女或者关系密切的其他亲属、朋友代管。代管有争议的，没有以上规定的人或者以上规定的人无能力代管的，由人民法院指定的人代管。

失踪人所欠税款、债务和应付的其他费用，由代管人从失踪人的财产中支付。

**第二十二条** 被宣告失踪的人重新出现或者确知他的下落，经本人或者利害关系人申请，人民法院应当撤销对他的失踪宣告。

**第二十三条** 公民有下列情形之一的，利害关系人可以向人民法院申请宣告他死亡：

（一）下落不明满四年的；

（二）因意外事故下落不明，从事故发生之日起满二年的。

战争期间下落不明的，下落不明的时间从战争结束之日起计算。

**第二十四条** 被宣告死亡的人重新出现或者确知他没有死亡，经本人或者利害关系人申请，人民法院应当撤销对他的死亡宣告。

有民事行为能力人在被宣告死亡期间实施的民事法律行为有效。

**第二十五条** 被撤销死亡宣告的人有权请求返还财产。依照继承法取得他的财产的公民或者组织，应当返还原物；原物不存在的，给予适当补偿。

## 第四节 个体工商户、农村承包经营户

**第二十六条** 公民在法律允许的范围内，依法经核准登记，从事工商业经营的，为个体工商户。个体工商户可以起字号。

**第二十七条** 农村集体经济组织的成员，在法律允许的范围内，按照承包合同规定从事商品经营的，为农村承包经营户。

**第二十八条** 个体工商户、农村承包经营户的合法权益，受

法律保护。

**第二十九条** 个体工商户、农村承包经营户的债务，个人经营的，以个人财产承担；家庭经营的，以家庭财产承担。

### 第五节 个人合伙

**第三十条** 个人合伙是指两个以上公民按照协议，各自提供资金、实物、技术等，合伙经营、共同劳动。

**第三十一条** 合伙人应当对出资数额、盈余分配、债务承担、入伙、退伙、合伙终止等事项，订立书面协议。

**第三十二条** 合伙人投入的财产，由合伙人统一管理和使用。

合伙经营积累的财产，归合伙人共有。

**第三十三条** 个人合伙可以起字号，依法经核准登记，在核准登记的经营范围内从事经营。

**第三十四条** 个人合伙的经营活动，由合伙人共同决定，合伙人有执行和监督的权利。

合伙人可以推举负责人。合伙负责人和其他人员的经营活动，由全体合伙人承担民事责任。

**第三十五条** 合伙的债务，由合伙人按照出资比例或者协议的约定，以各自的财产承担清偿责任。

合伙人对合伙的债务承担连带责任，法律另有规定的除外。偿还合伙债务超过自己应当承担数额的合伙人，有权向其他合伙人追偿。

## 第三章 法 人

### 第一节 一般规定

**第三十六条** 法人是具有民事权利能力和民事行为能力，

依法独立享有民事权利和承担民事义务的组织。

法人的民事权利能力和民事行为能力，从法人成立时产生，到法人终止时消灭。

**第三十七条** 法人应当具备下列条件：

（一）依法成立；

（二）有必要的财产或者经费；

（三）有自己的名称、组织机构和场所；

（四）能够独立承担民事责任。

**第三十八条** 依照法律或者法人组织章程规定，代表法人行使职权的负责人，是法人的法定代表人。

**第三十九条** 法人以它的主要办事机构所在地为住所。

**第四十条** 法人终止，应当依法进行清算，停止清算范围外的活动。

## 第二节 企业法人

**第四十一条** 全民所有制企业、集体所有制企业有符合国家规定的资金数额，有组织章程、组织机构和场所，能够独立承担民事责任，经主管机关核准登记，取得法人资格。

在中华人民共和国领域内设立的中外合资经营企业、中外合作经营企业和外资企业，具备法人条件的，依法经工商行政管理机关核准登记，取得中国法人资格。

**第四十二条** 企业法人应当在核准登记的经营范围内从事经营。

**第四十三条** 企业法人对它的法定代表人和其他工作人员的经营活动，承担民事责任。

**第四十四条** 企业法人分立、合并或者有其他重要事项变更，应当向登记机关办理登记并公告。

企业法人分立、合并，它的权利和义务由变更后的法人享有和承担。

**第四十五条** 企业法人由于下列原因之一终止：

（一）依法被撤销；

（二）解散；

（三）依法宣告破产；

（四）其他原因。

**第四十六条** 企业法人终止，应当向登记机关办理注销登记并公告。

**第四十七条** 企业法人解散，应当成立清算组织，进行清算。企业法人被撤销、被宣告破产的，应当由主管机关或者人民法院组织有关机关和有关人员成立清算组织，进行清算。

**第四十八条** 全民所有制企业法人以国家授予它经营管理的财产承担民事责任。集体所有制企业法人以企业所有的财产承担民事责任。中外合资经营企业法人、中外合作经营企业法人和外资企业法人以企业所有的财产承担民事责任，法律另有规定的除外。

**第四十九条** 企业法人有下列情形之一的，除法人承担责任外，对法定代表人可以给予行政处分、罚款，构成犯罪的，依法追究刑事责任：

（一）超出登记机关核准登记的经营范围从事非法经营的；

（二）向登记机关、税务机关隐瞒真实情况、弄虚作假的；

（三）抽逃资金、隐匿财产逃避债务的；

（四）解散、被撤销、被宣告破产后，擅自处理财产的；

（五）变更、终止时不及时申请办理登记和公告，使利害关系人遭受重大损失的；

（六）从事法律禁止的其他活动，损害国家利益或者社会公共利益的。

### 第三节 机关、事业单位和社会团体法人

**第五十条** 有独立经费的机关从成立之日起,具有法人资格。

具备法人条件的事业单位、社会团体,依法不需要办理法人登记的,从成立之日起,具有法人资格;依法需要办理法人登记的,经核准登记,取得法人资格。

### 第四节 联　营

**第五十一条** 企业之间或者企业、事业单位之间联营,组成新的经济实体,独立承担民事责任、具备法人条件的,经主管机关核准登记,取得法人资格。

**第五十二条** 企业之间或者企业、事业单位之间联营,共同经营、不具备法人条件的,由联营各方按照出资比例或者协议的约定,以各自所有的或者经营管理的财产承担民事责任。依照法律的规定或者协议的约定负连带责任的,承担连带责任。

**第五十三条** 企业之间或者企业、事业单位之间联营,按照合同的约定各自独立经营的,它的权利和义务由合同约定,各自承担民事责任。

## 第四章 民事法律行为和代理

### 第一节 民事法律行为

**第五十四条** 民事法律行为是公民或者法人设立、变更、终止民事权利和民事义务的合法行为。

**第五十五条** 民事法律行为应当具备下列条件:

(一)行为人具有相应的民事行为能力;

(二)意思表示真实;

（三）不违反法律或者社会公共利益。

**第五十六条** 民事法律行为可以采取书面形式、口头形式或者其他形式。法律规定用特定形式的，应当依照法律规定。

**第五十七条** 民事法律行为从成立时起具有法律约束力。行为人非依法律规定或者取得对方同意，不得擅自变更或者解除。

**第五十八条** 下列民事行为无效：

（一）无民事行为能力人实施的；

（二）限制民事行为能力人依法不能独立实施的；

（三）一方以欺诈、胁迫的手段或者乘人之危，使对方在违背真实意思的情况下所为的；

（四）恶意串通，损害国家、集体或者第三人利益的；

（五）违反法律或者社会公共利益的；

（六）①经济合同违反国家指令性计划的；

（七）以合法形式掩盖非法目的的。

无效的民事行为，从行为开始起就没有法律约束力。

**第五十九条** 下列民事行为，一方有权请求人民法院或者仲裁机关予以变更或者撤销：

（一）行为人对行为内容有重大误解的；

（二）显失公平的。

被撤销的民事行为从行为开始起无效。

**第六十条** 民事行为部分无效，不影响其他部分的效力的，其他部分仍然有效。

**第六十一条** 民事行为被确认为无效或者被撤销后，当事人因该行为取得的财产，应当返还给受损失的一方。有过错的一方

---

① 本项内容根据《全国人民代表大会常务委员会关于修改部分法律的决定》已删除。——编者注

应当赔偿对方因此所受的损失，双方都有过错的，应当各自承担相应的责任。

双方恶意串通，实施民事行为损害国家的、集体的或者第三人的利益的，应当追缴双方取得的财产，收归国家、集体所有或者返还第三人。

**第六十二条** 民事法律行为可以附条件，附条件的民事法律行为在符合所附条件时生效。

## 第二节 代 理

**第六十三条** 公民、法人可以通过代理人实施民事法律行为。

代理人在代理权限内，以被代理人的名义实施民事法律行为。被代理人对代理人的代理行为，承担民事责任。

依照法律规定或者按照双方当事人约定，应当由本人实施的民事法律行为，不得代理。

**第六十四条** 代理包括委托代理、法定代理和指定代理。

委托代理人按照被代理人的委托行使代理权，法定代理人依照法律的规定行使代理权，指定代理人按照人民法院或者指定单位的指定行使代理权。

**第六十五条** 民事法律行为的委托代理，可以用书面形式，也可以用口头形式。法律规定用书面形式的，应当用书面形式。

书面委托代理的授权委托书应当载明代理人的姓名或者名称、代理事项、权限和期间，并由委托人签名或者盖章。

委托书授权不明的，被代理人应当向第三人承担民事责任，代理人负连带责任。

**第六十六条** 没有代理权、超越代理权或者代理权终止后的行为，只有经过被代理人的追认，被代理人才承担民事责任。未经追认的行为，由行为人承担民事责任。本人知道他人以本人名义实施民事行为而不作否认表示的,视为同意。

代理人不履行职责而给被代理人造成损害的,应当承担民事责任。

代理人和第三人串通,损害被代理人的利益的,由代理人和第三人负连带责任。

第三人知道行为人没有代理权、超越代理权或者代理权已终止还与行为人实施民事行为给他人造成损害的,由第三人和行为人负连带责任。

**第六十七条** 代理人知道被委托代理的事项违法仍然进行代理活动的,或者被代理人知道代理人的代理行为违法不表示反对的,由被代理人和代理人负连带责任。

**第六十八条** 委托代理人为被代理人的利益需要转托他人代理的,应当事先取得被代理人的同意。事先没有取得被代理人同意的,应当在事后及时告诉被代理人,如果被代理人不同意,由代理人对自己所转托的人的行为负民事责任,但在紧急情况下,为了保护被代理人的利益而转托他人代理的除外。

**第六十九条** 有下列情形之一的,委托代理终止:

(一)代理期间届满或者代理事务完成;

(二)被代理人取消委托或者代理人辞去委托;

(三)代理人死亡;

(四)代理人丧失民事行为能力;

(五)作为被代理人或者代理人的法人终止。

**第七十条** 有下列情形之一的,法定代理或者指定代理终止:

(一)被代理人取得或者恢复民事行为能力;

(二)被代理人或者代理人死亡;

(三)代理人丧失民事行为能力;

(四)指定代理的人民法院或者指定单位取消指定;

(五)由其他原因引起的被代理人和代理人之间的监护关系消灭。

## 第五章　民事权利

### 第一节　财产所有权和与财产所有权有关的财产权

**第七十一条**　财产所有权是指所有人依法对自己的财产享有占有、使用、收益和处分的权利。

**第七十二条**　财产所有权的取得,不得违反法律规定。

按照合同或者其他合法方式取得财产的,财产所有权从财产交付时起转移,法律另有规定或者当事人另有约定的除外。

**第七十三条**　国家财产属于全民所有。

国家财产神圣不可侵犯,禁止任何组织或者个人侵占、哄抢、私分、截留、破坏。

**第七十四条**　劳动群众集体组织的财产属于劳动群众集体所有,包括:

(一)法律规定为集体所有的土地和森林、山岭、草原、荒地、滩涂等;

(二)集体经济组织的财产;

(三)集体所有的建筑物、水库、农田水利设施和教育、科学、文化、卫生、体育等设施;

(四)集体所有的其他财产。

集体所有的土地依照法律属于村农民集体所有,由村农业生产合作社等农业集体经济组织或者村民委员会经营、管理。已经属于乡(镇)农民集体经济组织所有的,可以属于乡(镇)农民集体所有。

集体所有的财产受法律保护,禁止任何组织或者个人侵占、哄抢、私分、破坏或者非法查封、扣押、冻结、没收。

**第七十五条** 公民的个人财产,包括公民的合法收入、房屋、储蓄、生活用品、文物、图书资料、林木、牲畜和法律允许公民所有的生产资料以及其他合法财产。

公民的合法财产受法律保护,禁止任何组织或者个人侵占、哄抢、破坏或者非法查封、扣押、冻结、没收。

**第七十六条** 公民依法享有财产继承权。

**第七十七条** 社会团体包括宗教团体的合法财产受法律保护。

**第七十八条** 财产可以由两个以上的公民、法人共有。

共有分为按份共有和共同共有。按份共有人按照各自的份额,对共有财产分享权利,分担义务。共同共有人对共有财产享有权利,承担义务。

按份共有财产的每个共有人有权要求将自己的份额分出或者转让。但在出售时,其他共有人在同等条件下,有优先购买的权利。

**第七十九条** 所有人不明的埋藏物、隐藏物,归国家所有。接收单位应当对上缴的单位或者个人,给予表扬或者物质奖励。

拾得遗失物、漂流物或者失散的饲养动物,应当归还失主,因此而支出的费用由失主偿还。

**第八十条** 国家所有的土地,可以依法由全民所有制单位使用,也可以依法确定由集体所有制单位使用,国家保护它的使用、收益的权利;使用单位有管理、保护、合理利用的义务。

公民、集体依法对集体所有的或者国家所有由集体使用的土地的承包经营权,受法律保护。承包双方的权利和义务,依照法律由承包合同规定。

土地不得买卖、出租、抵押或者以其他形式非法转让。

**第八十一条** 国家所有的森林、山岭、草原、荒地、滩涂、水面等自然资源,可以依法由全民所有制单位使用,也可以依法确定由集体所有制单位使用,国家保护它的使用、收益的权利;使用单位有管理、保护、合理利用的义务。

国家所有的矿藏,可以依法由全民所有制单位和集体所有制单位开采,也可以依法由公民采挖。国家保护合法的采矿权。

公民、集体依法对集体所有的或者国家所有由集体使用的森林、山岭、草原、荒地、滩涂、水面的承包经营权,受法律保护。承包双方的权利和义务,依照法律由承包合同规定。

国家所有的矿藏、水流,国家所有的和法律规定属于集体所有的林地、山岭、草原、荒地、滩涂不得买卖、出租、抵押或者以其他形式非法转让。

**第八十二条** 全民所有制企业对国家授予它经营管理的财产依法享有经营权,受法律保护。

**第八十三条** 不动产的相邻各方,应当按照有利生产、方便生活、团结互助、公平合理的精神,正确处理截水、排水、通行、通风、采光等方面的相邻关系。给相邻方造成妨碍或者损失的,应当停止侵害,排除妨碍,赔偿损失。

## 第二节 债 权

**第八十四条** 债是按照合同的约定或者依照法律的规定,在当事人之间产生的特定的权利和义务关系,享有权利的人是债权人,负有义务的人是债务人。

债权人有权要求债务人按照合同的约定或者依照法律的规定履行义务。

**第八十五条** 合同是当事人之间设立、变更、终止民事关系的协议。依法成立的合同,受法律保护。

**第八十六条** 债权人为二人以上的,按照确定的份额分享权利。债务人为二人以上的,按照确定的份额分担义务。

**第八十七条** 债权人或者债务人一方人数为二人以上的,

依照法律的规定或者当事人的约定,享有连带权利的每个债权人,都有权要求债务人履行义务;负有连带义务的每个债务人,都负有清偿全部债务的义务,履行了义务的人,有权要求其他负有连带义务的人偿付他应当承担的份额。

**第八十八条** 合同的当事人应当按照合同的约定,全部履行自己的义务。

合同中有关质量、期限、地点或者价款约定不明确,按照合同有关条款内容不能确定,当事人又不能通过协商达成协议的,适用下列规定:

(一)质量要求不明确的,按照国家质量标准履行,没有国家质量标准的,按照通常标准履行。

(二)履行期限不明确的,债务人可以随时向债权人履行义务,债权人也可以随时要求债务人履行义务,但应当给对方必要的准备时间。

(三)履行地点不明确,给付货币的,在接受给付一方的所在地履行,其他标的在履行义务一方的所在地履行。

(四)价款约定不明确的,按照国家规定的价格履行;没有国家规定价格的,参照市场价格或者同类物品的价格或者同类劳务的报酬标准履行。

合同对专利申请权没有约定的,完成发明创造的当事人享有申请权。

合同对科技成果的使用权没有约定的,当事人都有使用的权利。

**第八十九条** 依照法律的规定或者按照当事人的约定,可以采用下列方式担保债务的履行:

(一)保证人向债权人保证债务人履行债务,债务人不履行债务的,按照约定由保证人履行或者承担连带责任;保证人履行债务后,有权向债务人追偿。

（二）债务人或者第三人可以提供一定的财产作为抵押物。债务人不履行债务的，债权人有权依照法律的规定以抵押物折价或者以变卖抵押物的价款优先得到偿还。

（三）当事人一方在法律规定的范围内可以向对方给付定金。债务人履行债务后，定金应当抵作价款或者收回。给付定金的一方不履行债务的，无权要求返还定金；接受定金的一方不履行债务的，应当双倍返还定金。

（四）按照合同约定一方占有对方的财产，对方不按照合同给付应付款项超过约定期限的，占有人有权留置该财产，依照法律的规定以留置财产折价或者以变卖该财产的价款优先得到偿还。

**第九十条** 合法的借贷关系受法律保护。

**第九十一条** 合同一方将合同的权利、义务全部或者部分转让给第三人的，应当取得合同另一方的同意，并不得牟利。依照法律规定应当由国家批准的合同，需经原批准机关批准。但是，法律另有规定或者原合同另有约定的除外。

**第九十二条** 没有合法根据，取得不当利益，造成他人损失的，应当将取得的不当利益返还受损失的人。

**第九十三条** 没有法定的或者约定的义务，为避免他人利益受损失进行管理或者服务的，有权要求受益人偿付由此而支付的必要费用。

## 第三节　知识产权

**第九十四条** 公民、法人享有著作权（版权），依法有署名、发表、出版、获得报酬等权利。

**第九十五条** 公民、法人依法取得的专利权受法律保护。

**第九十六条** 法人、个体工商户、个人合伙依法取得的商标专用权受法律保护。

**第九十七条** 公民对自己的发现享有发现权。发现人有权申请领取发现证书、奖金或者其他奖励。

公民对自己的发明或者其他科技成果,有权申请领取荣誉证书、奖金或者其他奖励。

### 第四节 人 身 权

**第九十八条** 公民享有生命健康权。

**第九十九条** 公民享有姓名权,有权决定、使用和依照规定改变自己的姓名,禁止他人干涉、盗用、假冒。

法人、个体工商户、个人合伙享有名称权。企业法人、个体工商户、个人合伙有权使用、依法转让自己的名称。

**第一百条** 公民享有肖像权,未经本人同意,不得以营利为目的使用公民的肖像。

**第一百零一条** 公民、法人享有名誉权,公民的人格尊严受法律保护,禁止用侮辱、诽谤等方式损害公民、法人的名誉。

**第一百零二条** 公民、法人享有荣誉权,禁止非法剥夺公民、法人的荣誉称号。

**第一百零三条** 公民享有婚姻自主权,禁止买卖、包办婚姻和其他干涉婚姻自由的行为。

**第一百零四条** 婚姻、家庭、老人、母亲和儿童受法律保护。

残疾人的合法权益受法律保护。

**第一百零五条** 妇女享有同男子平等的民事权利。

## 第六章 民 事 责 任

### 第一节 一 般 规 定

**第一百零六条** 公民、法人违反合同或者不履行其他义务的,应当承担民事责任。

公民、法人由于过错侵害国家的、集体的财产，侵害他人财产、人身的，应当承担民事责任。

没有过错，但法律规定应当承担民事责任的，应当承担民事责任。

**第一百零七条** 因不可抗力不能履行合同或者造成他人损害的，不承担民事责任，法律另有规定的除外。

**第一百零八条** 债务应当清偿。暂时无力偿还的，经债权人同意或者人民法院裁决，可以由债务人分期偿还。有能力偿还拒不偿还的，由人民法院判决强制偿还。

**第一百零九条** 因防止、制止国家的、集体的财产或者他人的财产、人身遭受侵害而使自己受到损害的，由侵害人承担赔偿责任，受益人也可以给予适当的补偿。

**第一百一十条** 对承担民事责任的公民、法人需要追究行政责任的，应当追究行政责任；构成犯罪的，对公民、法人的法定代表人应当依法追究刑事责任。

### 第二节 违反合同的民事责任

**第一百一十一条** 当事人一方不履行合同义务或者履行合同义务不符合约定条件的，另一方有权要求履行或者采取补救措施，并有权要求赔偿损失。

**第一百一十二条** 当事人一方违反合同的赔偿责任，应当相当于另一方因此所受到的损失。

当事人可以在合同中约定，一方违反合同时，向另一方支付一定数额的违约金；也可以在合同中约定对于违反合同而产生的损失赔偿额的计算方法。

**第一百一十三条** 当事人双方都违反合同的，应当分别承担各自应负的民事责任。

**第一百一十四条** 当事人一方因另一方违反合同受到损失

的，应当及时采取措施防止损失的扩大；没有及时采取措施致使损失扩大的，无权就扩大的损失要求赔偿。

**第一百一十五条** 合同的变更或者解除，不影响当事人要求赔偿损失的权利。

**第一百一十六条** 当事人一方由于上级机关的原因，不能履行合同义务的，应当按照合同约定向另一方赔偿损失或者采取其他补救措施，再由上级机关对他因此受到的损失负责处理。

### 第三节 侵权的民事责任

**第一百一十七条** 侵占国家的、集体的财产或者他人财产的，应当返还财产，不能返还财产的，应当折价赔偿。

损坏国家的、集体的财产或者他人财产的，应当恢复原状或者折价赔偿。

受害人因此遭受其他重大损失的，侵害人并应当赔偿损失。

**第一百一十八条** 公民、法人的著作权（版权）、专利权、商标专用权、发现权、发明权和其他科技成果权受到剽窃、篡改、假冒等侵害的，有权要求停止侵害，消除影响，赔偿损失。

**第一百一十九条** 侵害公民身体造成伤害的，应当赔偿医疗费、因误工减少的收入、残废者生活补助费等费用；造成死亡的，并应当支付丧葬费、死者生前扶养的人必要的生活费等费用。

**第一百二十条** 公民的姓名权、肖像权、名誉权、荣誉权受到侵害的，有权要求停止侵害，恢复名誉，消除影响，赔礼道歉，并可以要求赔偿损失。

法人的名称权、名誉权、荣誉权受到侵害的，适用前款规定。

**第一百二十一条** 国家机关或者国家机关工作人员在执行职务中，侵犯公民、法人的合法权益造成损害的，应当承担民事责任。

**第一百二十二条** 因产品质量不合格造成他人财产、人身损害的，产品制造者、销售者应当依法承担民事责任。运输者、仓储者对此负有责任的，产品制造者、销售者有权要求赔偿损失。

**第一百二十三条** 从事高空、高压、易燃、易爆、剧毒、放射性、高速运输工具等对周围环境有高度危险的作业造成他人损害的，应当承担民事责任；如果能够证明损害是由受害人故意造成的，不承担民事责任。

**第一百二十四条** 违反国家保护环境防止污染的规定，污染环境造成他人损害的，应当依法承担民事责任。

**第一百二十五条** 在公共场所、道旁或者通道上挖坑、修缮安装地下设施等，没有设置明显标志和采取安全措施造成他人损害的，施工人应当承担民事责任。

**第一百二十六条** 建筑物或者其他设施以及建筑物上的搁置物、悬挂物发生倒塌、脱落、坠落造成他人损害的，它的所有人或者管理人应当承担民事责任，但能够证明自己没有过错的除外。

**第一百二十七条** 饲养的动物造成他人损害的，动物饲养人或者管理人应当承担民事责任；由于受害人的过错造成损害的，动物饲养人或者管理人不承担民事责任；由于第三人的过错造成损害的，第三人应当承担民事责任。

**第一百二十八条** 因正当防卫造成损害的，不承担民事责任。正当防卫超过必要的限度，造成不应有的损害的，应当承担适当的民事责任。

**第一百二十九条** 因紧急避险造成损害的，由引起险情发生的人承担民事责任。如果危险是由自然原因引起的，紧急避险人不承担民事责任或者承担适当的民事责任。因紧急避险采取措施不当或者超过必要的限度，造成不应有的损害的，紧急避险人应当承担适当的民事责任。

**第一百三十条** 二人以上共同侵权造成他人损害的,应当承担连带责任。

**第一百三十一条** 受害人对于损害的发生也有过错的,可以减轻侵害人的民事责任。

**第一百三十二条** 当事人对造成损害都没有过错的,可以根据实际情况,由当事人分担民事责任。

**第一百三十三条** 无民事行为能力人、限制民事行为能力人造成他人损害的,由监护人承担民事责任。监护人尽了监护责任的,可以适当减轻他的民事责任。

有财产的无民事行为能力人、限制民事行为能力人造成他人损害的,从本人财产中支付赔偿费用。不足部分,由监护人适当赔偿,但单位担任监护人的除外。

### 第四节 承担民事责任的方式

**第一百三十四条** 承担民事责任的方式主要有:

(一)停止侵害;

(二)排除妨碍;

(三)消除危险;

(四)返还财产;

(五)恢复原状;

(六)修理、重作、更换;

(七)赔偿损失;

(八)支付违约金;

(九)消除影响、恢复名誉;

(十)赔礼道歉。

以上承担民事责任的方式,可以单独适用,也可以合并适用。

人民法院审理民事案件，除适用上述规定外，还可以予以训诫、责令具结悔过、收缴进行非法活动的财物和非法所得，并可以依照法律规定处以罚款、拘留。

## 第七章 诉讼时效

**第一百三十五条** 向人民法院请求保护民事权利的诉讼时效期间为二年，法律另有规定的除外。

**第一百三十六条** 下列的诉讼时效期间为一年：

（一）身体受到伤害要求赔偿的；

（二）出售质量不合格的商品未声明的；

（三）延付或者拒付租金的；

（四）寄存财物被丢失或者损毁的。

**第一百三十七条** 诉讼时效期间从知道或者应当知道权利被侵害时起计算。但是，从权利被侵害之日起超过二十年的，人民法院不予保护。有特殊情况的，人民法院可以延长诉讼时效期间。

**第一百三十八条** 超过诉讼时效期间，当事人自愿履行的，不受诉讼时效限制。

**第一百三十九条** 在诉讼时效期间的最后六个月内，因不可抗力或者其他障碍不能行使请求权的，诉讼时效中止。从中止时效的原因消除之日起，诉讼时效期间继续计算。

**第一百四十条** 诉讼时效因提起诉讼、当事人一方提出要求或者同意履行义务而中断。从中断时起，诉讼时效期间重新计算。

**第一百四十一条** 法律对诉讼时效另有规定的，依照法律规定。

## 第八章 涉外民事关系的法律适用

**第一百四十二条** 涉外民事关系的法律适用，依照本章的规定确定。

中华人民共和国缔结或者参加的国际条约同中华人民共和国的民事法律有不同规定的,适用国际条约的规定,但中华人民共和国声明保留的条款除外。

中华人民共和国法律和中华人民共和国缔结或者参加的国际条约没有规定的,可以适用国际惯例。

**第一百四十三条** 中华人民共和国公民定居国外的,他的民事行为能力可以适用定居国法律。

**第一百四十四条** 不动产的所有权,适用不动产所在地法律。

**第一百四十五条** 涉外合同的当事人可以选择处理合同争议所适用的法律,法律另有规定的除外。

涉外合同的当事人没有选择的,适用与合同有最密切联系的国家的法律。

**第一百四十六条** 侵权行为的损害赔偿,适用侵权行为地法律。当事人双方国籍相同或者在同一国家有住所的,也可以适用当事人本国法律或者住所地法律。

中华人民共和国法律不认为在中华人民共和国领域外发生的行为是侵权行为的,不作为侵权行为处理。

**第一百四十七条** 中华人民共和国公民和外国人结婚适用婚姻缔结地法律,离婚适用受理案件的法院所在地法律。

**第一百四十八条** 扶养适用与被扶养人有最密切联系的国家的法律。

**第一百四十九条** 遗产的法定继承,动产适用被继承人死亡时住所地法律,不动产适用不动产所在地法律。

**第一百五十条** 依照本章规定适用外国法律或者国际惯例的,不得违背中华人民共和国的社会公共利益。

## 第九章　附　　则

**第一百五十一条**　民族自治地方的人民代表大会可以根据本法规定的原则，结合当地民族的特点，制定变通的或者补充的单行条例或者规定。自治区人民代表大会制定的，依照法律规定报全国人民代表大会常务委员会批准或者备案；自治州、自治县人民代表大会制定的，报省、自治区人民代表大会常务委员会批准。

**第一百五十二条**　本法生效以前，经省、自治区、直辖市以上主管机关批准开办的全民所有制企业，已经向工商行政管理机关登记的，可以不再办理法人登记，即具有法人资格。

**第一百五十三条**　本法所称的“不可抗力”，是指不能预见、不能避免并不能克服的客观情况。

**第一百五十四条**　民法所称的期间按照公历年、月、日、小时计算。

规定按照小时计算期间的，从规定时开始计算。规定按照日、月、年计算期间的，开始的当天不算入，从下一天开始计算。

期间的最后一天是星期日或者其他法定休假日的，以休假日的次日为期间的最后一天。

期间的最后一天的截止时间为二十四点。有业务时间的，到停止业务活动的时间截止。

**第一百五十五条**　民法所称的“以上”、“以下”、“以内”、“届满”，包括本数；所称的“不满”、“以外”，不包括本数。

**第一百五十六条**　本法自1987年1月1日起施行。

# 社会公众和有关单位对侵权责任法草案的意见

2009年11月5日至12月5日,全国人大常委会通过中国人大网向社会公开征求对侵权责任法草案(以下简称草案)的意见。共收到340人次提出的3468条意见和建议;还收到单位和个人的信函21件。普遍认为,草案立足于保护民事主体的合法权益,对侵权责任所涉及的重大问题和现实生活中的热点问题作了较为全面、有针对性、有较强可操作性的规定,草案内容基本可行,建议尽快出台。同时,还对草案提出了一些修改意见,现将主要意见简报如下:

一、关于一般规定

1. 草案第一条规定,为保护民事主体的合法权益,明确侵权责任,预防并制裁侵权行为,促进社会和谐稳定,制定本法。有的意见建议,增加规定“根据宪法”。有的意见提出,作为私法责任的侵权责任不应强调惩罚功能,建议删去“制裁侵权行为”的内容。

2. 草案第二条第二款规定了民事权益所包括的内容。有的意见建议,对民事权益作概括性的定义,不要采取列举的方式。有的意见建议,将“监护权”修改为“亲权”;将“商标专用权”修改为“商标权”。有些意见建议,增加身体权、自由权、人格尊严权、荣誉权、名称权、形象权、配偶权、婚姻自主权、信用权、居住权、受教育权、商业信誉权、商业秘密权、植物新品种权、死者人格、胎儿人格等权益。有的意见提出，本款规定内容并未将债权、配偶权等相对权排除在保护范围之外，将来在法律适用上容易产生争议，建议删去这一款。有的意见提出，草案总体规定偏重对个人民事权益的保护，对企业的名称权、知识产权等民事权益保护力度略显不足，对于一些典型的侵害企业权益的行为如商业诽谤、妨害经营等，没有作出专门的规定。有的意见提出，草案没有区分民事权利和民事利益的不同保护方法，建议细化对于民事利益的保护规定。

3. 草案第五条规定，其他法律对侵权责任另有特别规定的，依照其规定。有的意见提出，其他法律对侵权责任的规定与本法冲突的，应当以本法为准。

4. 有的意见建议，增加规定："侵权人的同一行为，既构成侵权行为又构成违约行为的，受害人有权选择要求侵权人承担侵权责任或者违约责任。"

二、关于责任构成和责任方式

1. 有的意见建议，将本章分为两章："侵权责任的承担和责任主体"和"承担侵权责任的方式"。

2. 草案第六条和第七条规定了侵权行为的归责原则。有的意见提出，这两条都属于原则规定，应当移到第一章"一般规定"中。有的意见提出，某些侵权责任形式并不以"造成损害"为要件，建议增加规定："侵害他人民事权益虽未造成损害，但法律规定应当承担侵权责任的，依照其规定。"

3. 有的意见提出，草案对共同侵权的范围和责任确定标准规定得过于简单。有的意见建议，明确共同侵权包括主观上存在意思联络和虽无意思联络但损害结果不可分两种情形。

4. 草案第九条第二款规定，教唆、帮助无民事行为能力人、限制民事行为能力人实施侵权行为的，应当承担侵权责任；该无民事行为能力人、限制民事行为能力人的监护人未尽到监护责任的，应当承担相应的责任。有的意见提出，教唆、帮助无民事行为能力人实施侵权行为的，应当承担全部侵权责任；教唆、帮助限制民事行为能力人实施侵权行为的，应承担主要责任。有的意见认为，监护人未尽到监护责任的，应当与教唆人和帮助人承担相应的连带责任。有的意见建议，明确"教唆"和"帮助"的含义。

5. 草案第十条规定，二人以上实施危及他人人身、财产安全的行为，其中一人或者数人的行为造成他人损害，能够确定具体加害人的，由加害人承担侵权责任；不能确定具体加害人的，行为人承担连带责任。有的意见建议，在能够确定具体加害人时，由加害人承担侵权责任，其他行为人承担补充责任，这有利于预防和制裁危险行为。

6. 草案第十六条规定了人身损害赔偿的范围。有的意见建议，在赔偿费用中增加列举必要的营养费、住院伙食补助费、住宿费、后续治疗费、伤情鉴定费、支出的诉讼费用和差旅费用等。有的意见建议，明确残疾赔偿金和死亡赔偿金的计算标准和计算方法。有些意见建议，增加规定："死亡赔偿金为死者的年龄与平均寿命之差乘以侵权行为地省级上一年度职工年平均工资，并且不分户口。"有的意见建议，增加规定："具体赔偿计算方法由最高人民法院制定。"

7. 草案第十七条规定，因交通事故、矿山事故等侵权行为造成死亡人数较多的，可以不考虑年龄、收入状况等因素，以同一数额确定死亡赔偿金。有些意见提出，交通事故是否包括公路、铁路、海路、航空等各种交通事故，火灾事故或者其他重大事故是否也可以适用该条，应当明确。如何界定"死亡人数较多"，由谁认定。有的意见建议，增加规定："但在交通事故中按死者的年龄、收入状况等因素，其应当获得更高赔偿的除外。"有的意见提出，生命在终极价值上没有区别，但在社会意义、法律意义上是不同的，立法应当尊重这种差异，在确定死亡赔偿金时，考虑年龄、收入、文化程度、被抚养人状况等差异。在矿山事故处理过程中，应当协调好与工伤保险之间的关系，发挥社会保险的作用，而不是依靠死亡赔偿金进行赔偿。

8. 草案第十八条第一款规定，被侵权人死亡的，其近亲属有权请求侵权人承担侵权责任。有的意见认为，近亲属的范围包括配偶、父母、子女、祖父母、外祖父母和兄弟姐妹。谁是合适的请求权人。建议将本款修改为："被侵权人死亡的，其近亲属按照以下顺序享有请求侵权人承担侵权责任的权利：一、配偶、父母和子女；二、祖父母、外祖父母、兄弟姐妹。"

9. 草案第二十条规定，侵害他人人身权造成财产损失的，按照被侵权人因此受到的损失赔偿；被侵权人的损失难以确定，侵权人因此获得利益的，按照其获得的利益赔偿。有的意见提出，在被侵权人受到的损失和侵权人获得的利益都难以确定时，可以规定一个法定的最高赔偿额，在额度内由法院根据案情来确定具体赔偿额。

10. 草案第二十二条规定，侵害他人人身权，造成他人严重精神损害的，被侵权人可以请求精神损害赔偿。有的意见建议，将"人身权"修改为"人身权益"。有的意见提出，如何界定"严重精神损害"，建议进一步研究。有的意见建议，删去"严重"二字，否则难以操作，也不合理。有的意见建议，增加规定："毁损他人具有人格象征意义的特定物品的，被侵权人可以请求精神损害赔偿。"有的意见建议，明确精神损害赔偿的计算标准和计算方法。有的意见建议，增加规定："精神损害赔偿的数额，根据侵权人的过错程度、经济赔偿能力、损害后果、社会发展水平综合确定。"

11. 草案第二十四条规定，受害人和行为人对损害的发生都没有过错的，可以根据实际情况，由双方分担损失。有的意见提出，本条规定过于抽象、原则，实际上会使人动辄得咎。建议对其适用的情形、具体分摊的标准等作出明确规定，或者删去本条。

三、关于不承担责任和减轻责任的情形

1. 草案第二十六条规定，被侵权人对于损害的发生也有过错的，可以减轻侵权人的责任。有些意见提出，被侵权人有一般过错的，不宜减轻侵权人的责任，建议将“过错”修改为“重大过失”。

2. 有的意见建议，增加规定“意外事件”、“自甘风险”和“自助行为”等情形。

四、关于责任主体的特殊规定

1. 草案第三十二条第一款规定，无民事行为能力人、限制民事行为能力人造成他人损害的，由监护人承担侵权责任。监护人尽到监护责任的，可以减轻其侵权责任。有的意见建议，删去第一款中“监护人尽到监护责任的，可以减轻其侵权责任”的规定。有的意见建议，明确规定一个绝对免责年龄，如六周岁以下，以体现对儿童权益的保护。

2. 草案第三十四条第一款规定，用人单位的工作人员在工作过程中造成他人损害的，由用人单位承担侵权责任。第二款规定，劳务派遣期间，被派遣的工作人员在工作过程中造成他人损害的，由接受劳务派遣的用工单位承担侵权责任；劳务派遣单位有过错的，承担相应的补充责任。有的意见提出，“工作过程”的概念模糊，建议修改为“履行职务以及与履行职务有关的活动”或者“执行用人单位安排的工作过程”。有的意见提出，工作人员在工作过程中造成他人损害的，应当由用人单位和工作人员承担不真正连带责任或者连带责任。有的意见建议，增加规定用人单位的追偿权。有的意见提出，劳务派遣的情况下，应当由接受劳务派遣的用工单位和劳务派遣单位承担连带责任。有的意见提出，实践中，雇员受雇于多个单位的情形很多。建议将第二款修改为："同时为多个用人单位工作的工作人员在工作过程中造成他人损害的，由实际指派其工作的用人单位承担侵权责任。"

3. 草案第三十五条规定，个人之间形成劳务关系，提供劳务一方在劳务过程中造成他人损害的，由接受劳务一方承担侵权责任；提供劳务一方在劳务过程中自己受到伤害的，根据双方各自的过错承担相应的责任。有些意见提出，提供劳务一方如果存在故意或者重大过失的，应当与接受劳务一方承担连带责任。有些意见建议，增加规定："提供劳务一方有故意或者重大过失的，接受劳务一方有权追偿。"有的意见提出，提供劳务一方在劳务过程中自己受到伤害的，应由接受劳务一方承担责任，但提供劳务一方对伤害的产生有过错的，可以适当减轻或者免除接受劳务一方的责任。

4. 草案第三十六条规定了网络侵权。有些意见提出，本条加大了网络服务商的审查义务与法律风险。有的意见提出，草案对有些现实存在的问题没有涉及，建议进一步充实网络侵权的规定。

5. 草案第三十七条规定了违反安全保障义务的侵权责任。有的意见建议，在列举的公共场所中增加酒店、住宅小区、法庭、政府政务大厅等。有的意见建议，将"公共场所"修改为"公共场所和不动产"。有的意见提出，应当区分合法和非法进入者，安全保障义务人原则上对非法进入者不承担安全保障义务。有的意见提出，由第三人造成他人损害的，安全保障义务人承担补充责任不妥，应当承担连带责任。有的意见建议，增加规定安全保障义务人的追偿权。

6. 草案第三十八条至第四十条规定了幼儿园、学校和其他教育机构的侵权责任。有的意见建议,幼儿园、学校和其他教育机构应当一律承担无过错责任,同时规定学生强制责任保险制度,以充分维护未成年人的利益。有的意见建议,在幼儿园、学校和其他教育机构的“教育、管理义务”中增加规定“保护义务”。

五、关于产品责任

1. 有的意见建议,增加规定产品、产品缺陷的定义。有的意见建议,将商品房纳入产品的范围。

2. 草案第四十七条规定,明知产品存在缺陷仍然生产、销售,造成他人生命、健康损害的,被侵权人有权依法请求惩罚性赔偿。有的意见提出,应当明确惩罚性赔偿的具体含义,以及适用惩罚性赔偿应当考虑的因素。有的意见建议,明确惩罚性赔偿的数额为正常赔偿数额的两倍或者三倍。有的意见建议,在草案中扩大惩罚性赔偿的适用范围,有以下情形之一的,被侵权人有权依法请求惩罚性赔偿:(1)无证驾驶、酒后驾驶和交通肇事后逃逸的;(2)故意污染生活、生态环境的;(3)从建筑物中抛掷物品,造成他人生命、健康损害的。

3. 有的意见建议,增加规定:“在虚假广告中向消费者推荐产品,致消费者人身、财产受到损害的,应当与产品的生产者和销售者承担连带责任。”

六、关于机动车交通事故责任

1. 草案第五十条规定,当事人之间已经以买卖等方式转让并交付机动车但未办理所有权转移登记,机动车发生交通事故后,属于机动车一方责任的,由保险公司在机动车强制保险责任限额范围内予以赔偿。不足部分,由受让人承担赔偿责任。有的意见建议,转让人应当承担补充赔偿责任,这样有利于督促当事人及时登记。

2. 有的意见建议,增加有关无偿搭乘机动车受到损害如何承担责任的规定。

七、关于医疗损害责任

1. 有的意见提出,目前医疗卫生行政管理的法规、规章都以防范医疗事故作为行政管理的着眼点,并和现行的医疗事故处理条例对接。建议将本章标题修改为“医疗事故责任”或者“医疗过错责任”。有的意见提出,在医疗实践中,引发医患纠纷的不只有医疗事故,也有医疗过错、医疗过失行为。按照《医疗事故处理条例》,“不属于医疗事故的,医疗机构不承担赔偿责任”,这一规定对患者极不公平。有的意见提出,在医疗事故鉴定中往往不把医疗机构及其医务人员有过错造成的损害认定为医疗事故,使很多患者不能按医疗事故得到赔偿。某医疗纠纷调解中心自 2005 年以来受理的医疗纠纷中,当事人申请医疗事故鉴定的近 100 件,其中有 70%—80% 鉴定为不属于医疗事故,但考虑到医疗机构也有过错仍作了赔偿。

2. 有的意见建议,恢复草案二审稿第五十九条的规定:“患者的损害可能是由医务人员的诊疗行为造成的,除医务人员提供相反证据外,推定该诊疗行为与患者损害之间存在因果关系。”理由主要是:患者对诊疗护理处于被动接受状态;医疗行为具有较强的专业性,患者往往对医学知识缺乏基本了解;患者一般只掌握门诊病历,而医疗机构保管着住院病历、影像资料、用药记录、病历标本等绝大部分资料。

3. 草案第五十七条规定了医务人员的诊疗注意义务。有些意见提出,草案“判断医务人员注意义务时,应当适当考虑地区、医疗机构资质、医务人员资质等因素”的规定,有区别对待个体生命健康权的嫌疑,且无法具体衡量,建议删去。

4. 草案第五十九条规定了因药品、消毒药剂、医疗器械的缺陷或者输入不合格的血液造成患者损害的损害赔偿。有的意见提出,出现这些情形时,医疗机构无过错的,不应承担赔偿责任,患者应当直接向生产者或者血液提供机构请求赔偿。有的意见提出,药品、医疗器械存在不合理的危险时,医疗机构的责任应当与产品销售者相同,这在产品质量法中已有规定。在血液方面,因输入不合格的血液导致患者疾病,患者是无辜的,医院有的是自己采血,有的在保管上有责任,血液具有产品的一般属性。依照草案本条和产品质量法的规定,生产者赔偿后,医院就不用赔;如果医院先赔后,还可以向有责任的生产者等追偿。

5. 草案第六十条规定:"因下列情形之一,患者有损害的,医疗机构不承担赔偿责任:(一)患者或者其近亲属不配合医疗机构进行必要的诊疗的;(二)医务人员在抢救危急患者等紧急情况下已经尽到合理注意义务的;(三)限于当时的医疗水平难以诊疗的。"有的意见提出,第一项规定对患者要求过严,医患之间的信息不对称,大多数情况下医疗机构处于强势,建议将"医疗机构不承担赔偿责任"修改为"医疗机构不承担或者减轻赔偿责任"。有的意见建议,增加规定"无法预料、不能防范或者病情异常、体质特殊而出现医疗意外或不良后果"的免责情形。

6. 草案第六十三条规定了医务人员不得采取过度检查等不必要的诊疗行为。有的意见提出,"过度检查"难以量化和认定,实践中没有可操作性,建议细化或者删去。有的意见提出,过度检查增加了患者的经济负担和人身损害,建议规定双倍退回不必要的诊疗费用。卫生部也有规定,发现医院存在严重的过度检查、过度医疗问题,将首先追究医院院长的责任。有的意见提出,目前过度检查大量存在,这种现象很大程度上源于医院管理体制上的问题,源于医疗机构的市场化与逐利性。对此,法律应予明确禁止。

7. 有的意见建议,建立医疗损害赔偿责任限额制度,建立医药事故赔偿救助基金。

8. 有的意见建议,在草案中明确医疗损害的鉴定机构、鉴定程序、鉴定方法、鉴定标准。有的意见提出,医学会由卫生行政部门管理,所做鉴定不利于司法独立,也降低了鉴定的公信力。建议统一由司法机关鉴定。

八、关于环境污染责任

1. 有的意见提出,目前,破坏环境造成地质灾害、水土流失的问题严重,建议将本章章名改为"环境侵权责任",把破坏环境的侵权责任规定进来。

2. 草案第六十五条规定,因污染生活、生态环境造成损害的,污染者应当承担侵权责任。法律规定不承担责任或者减轻责任的,依照其规定。有的意见建议,明确在污染行为没有超过社会生活公认的忍受范围时,对污染者的责任承担进行适当限制。

3. 有的意见建议规定:"污染物的排放符合国家或者地方标准但仍造成他人损害的,污染者应当承担侵权责任。"

4. 有的意见建议规定:"限于科学技术水平尚不能证明污染物和损害之间存在因果联系的,污染者可以减轻或者免除责任。"

九、关于物件损害责任

1. 草案第八十六条规定,从建筑物中抛掷物品或者从建筑物上坠落的物品造成他人损害,难以确定具体加害人的,除能够证明自己不是加害人的外,由可能加害的建筑物使用人给予补偿。有的意见建议,将"给予补偿"修改为"承担连带赔偿责任"。有些意见提出,本条规定缺乏法理依据,建议删去。

2. 草案第八十九条规定,因林木折断造成他人损害,林木的所有人或者管理人不能证明自己没有过错的,应当承担侵权责任。有的意见提出,我国大部分地区是农村,村民在承包经营的土地上种植林木,不可能也没有能力对自己经营的所有林木的安全性进行检查。建议增加一款:"行为人未经林木所有人或者管理人允许，擅自进入他人经营或者管理的林木所在地，造成损害的，推定林木所有人或者管理人没有过错。”

十、其他

1. 有的意见建议，将本法的名称修改为“侵权法”或者“侵权行为法”。

2. 有的意见建议，增加媒体侵权责任、定作人指示过失责任、帮工人责任、第三人故意侵害债权责任、建设工程设计缺陷责任、不动产的相邻权利人滥用权利致害责任、金融机构致害责任等规定。

# 后　　记

《中华人民共和国侵权责任法》已经十一届全国人大常委会第十二次会议通过，自2010年7月1日起施行。侵权责任法是民法的重要组成部分，在中国特色社会主义法律体系中起着重要作用，对于保护民事主体的合法权益，明确侵权责任，预防并制裁侵权行为，促进社会和谐稳定，具有不可或缺的作用。

为了更好地宣传侵权责任法，使社会各界能够准确理解和把握立法原意，了解和掌握《中华人民共和国侵权责任法》中的各项制度，保证侵权责任法的顺利实施，该法的起草部门全国人大常委会法制工作委员会民法室的同志编写了这本《中华人民共和国侵权责任法释义》，对《中华人民共和国侵权责任法》逐条作了解释和说明。本书由全国人大常委会法制工作委员会副主任王胜明主编并撰写了导言，全国人大常委会法制工作委员会民法室主任姚红、副主任贾东明任副主编。参与本书编写的还有全国人大常委会法制工作委员会民法室扈纪华、陈佳林、杜涛、郝作成、段京连、李文阁、王瑞娣、石宏、李倩、庄晓泳、孙娜娜、许灿、赵光等。

本书力求准确、详尽、通俗地逐条阐释侵权责任法的内容。但因时间和水平有限,释义不妥和疏漏之处在所难免,敬请读者原谅,并批评指正。

作　者

2009 年 12 月 27 日